ДЖОН Г

Бестселлеры Джона Гришэма

ДЖОН ГРИШЭМ

ФИРМА

АСТ
МОСКВА

УДК 821.111(73)
ББК 84 (7Сое)
Г85

Серия «Бестселлеры Джона Гришэма»

John Grisham
THE FIRM

Перевод с английского Ю.Г. Кирьяка

*Компьютерный дизайн А.А. Кудрявцева,
студия «FOLD & SPINE»*

Печатается с разрешения автора
и литературных агентств The Gernert Company, Inc.
и Andrew Nurnberg.

Подписано в печать 15.02.13. Формат 60x90 1/16.
Усл. печ. л. 30. Тираж 3000 экз. Заказ № 1833.

Гришэм, Джон

Г85 Фирма : [роман] / Джон Гришэм; пер. с англ. Ю.Г. Кирьяка. — Москва: АСТ, 2013. — 478, [2] с. — (Бестселлеры Джона Гришэма).

ISBN 978-5-17-078378-6

Эта фирма погасила его кредит. Предоставила новый "БМВ". Организовала покупку дома. И даже пригласила декоратора!

Но бесплатный сыр бывает только в мышеловке. Об этом следовало вспомнить начинающему юристу Митчу Макдиру, когда он принимал невероятно выгодное предложение работать на фирму "Бендини, Ламберт энд Лок".

И теперь ему предстоит сделать невозможное, чтобы спасти свою жизнь...

УДК 821.111(73)
ББК 84 (7Сое)

ГЛАВА 1

ливер Ламберт, глава фирмы, уже который раз вчитывался в краткую выписку из личного дела, но так и не находил в кандидатуре Митчела И. Макдира ничего настораживающего, на бумаге, во всяком случае. Умен, честолюбив, приятной внешности. И — голоден, с его происхождением иначе и быть не может. Женат, это обязательное условие — фирма ни разу не приняла на работу юриста-холостяка. На разводы, равно как и на чрезмерное увлечение прекрасным полом, смотрели косо, не поощрялась и склонность к спиртному, а в контракте предусматривался даже тест на наркотики. Дипломированный юрист, экзамен сдал с первого раза, специализируется на налоговом законодательстве — для фирмы это было решающим. Белый — фирма не нанимает цветных. Избегать этого удается благодаря духу корпоративности и замкнутости и тому, что фирма никогда не прибегает к публикации объявлений о найме сотрудников. Другие — да, зазывают к себе через газеты, берут цветных... Фирма же, исподволь подбирая себе людей, остается белой, как лилия. Ко всему прочему, расположена она в Мемфисе, а грамотным цветным непременно подавай Нью-Йорк, или Вашингтон, или Чикаго. Далее, Макдир — мужчина, а фирма не нанимает специалистов-женщин. Ошибку совершили только однажды, когда в середине семидесятых взяли на работу выпускницу Гарварда, оказавшуюся прямо-таки налоговым гением; она проработала в фирме четыре очень беспокойных года и погибла в автокатастрофе.

Да, по документам он смотрится неплохо. Похоже, это их лучший выбор. Собственно говоря, других перспектив в нынешнем году и не будет. Список претендентов короток: Макдир — или никто.

Ройс Макнайт, старший компаньон и управляющий делами фирмы, изучал папку с надписью: «Митчел И. Макдир — Гарвард». Досье толщиной в дюйм, отпечатанное мелким шрифтом и сопровожденное несколькими фотографиями, подготовлено бывшими сотрудниками ЦРУ, занятыми теперь в частном детективном агентстве в Бетесде. Агентство являлось клиентом фирмы и раз в год оказывало ей подобные конфиденциальные услуги, не требуя вознаграждения. Для них это не составляло труда — покопаться в биографиях, привычках и пристрастиях ничего не подозревавших студентов-юристов. Так, к примеру, стало известно, что Макдир предпочел бы перебраться с северо-востока куда-нибудь еще, что ему сделано три предложения насчет работы: два в Нью-Йорке, одно в Чикаго, что самый высокий предложенный ему оклад составлял семьдесят шесть тысяч долларов в год, а самый низкий — шестьдесят восемь тысяч. На него был спрос. На втором курсе у него была возможность списать на экзамене по гарантийным обязательствам, но он не воспользовался ею и сдал экзамен лучше всех в группе. Два месяца назад на вечеринке в колледже ему предложили кокаин — он отказался и, когда окружающие стали пихать в ноздри белый порошок, покинул сборище. Изредка позволял себе бокал пива. Выпивка стоила денег, а их-то у него и не было, были лишь долги в виде студенческих займов на сумму двадцать три тысячи долларов. Да, он действительно был голоден.

Просмотрев папку, Ройс Макнайт улыбнулся. Этот парень — их человек.

Ламар Куин в свои тридцать два года еще не стал полноправным компаньоном. Сегодня он был приглашен сюда для того, чтобы своей молодостью и энергией помочь создать соответствующий имидж фирмы «Бендини, Ламберт энд Лок», фирмы в общем-то молодой, поскольку большинство ее компаньонов уходили от дел, не достигнув пятидесятилетнего рубежа или же едва перевалив за него. Уходили с деньгами, на которые в оставшиеся годы жизни могли позволить себе абсолютно все. Куин твердо рассчитывал стать компаньоном. Годовой доход, выражающийся шестизначной цифрой, уже сейчас гарантирован ему до конца дней. А раз так, то почему бы и не получать удовольствие от сшитых на заказ тысячедвухсотдолларовых костюмов, которые так удобно облегают его высокую атлетическую фигуру?

Легким шагом Ламар пересек чрезвычайно дорогой гостиничный номер, налил еще одну чашечку кофе без кофеина, посмотрел на часы и перевел взгляд на двух мужчин, сидевших за столом для заседаний у окна.

В дверь постучали ровно в половине третьего. Джентльмены убрали со стола досье и другие бумаги в свои кейсы, потянулись за пиджаками. Ламар застегнул на своем пуговицу и, подойдя к двери, распахнул ее.

— Митчел Макдир? — Он широко улыбнулся, протягивая руку.

— Да.

Пожатие рук.

— Рад встретиться с вами, Митчел. Меня зовут Ламар Куин.

— Очень приятно. Зовите меня Митч.

— Отлично, Митч.

Макдир сделал шаг вперед и обвел быстрым взглядом просторный номер.

Чуть касаясь рукой плеча гостя, Ламар подвел его к столу; оба компаньона представились сами.

Встретили вошедшего на удивление радушно и тепло. Ему тут же предложили кофе и воду. Обменявшись неизбежными знаками вежливости, мужчины уселись вокруг стола.

Макдир расстегнул пиджак и скрестил ноги. В поисках работы он чувствовал себя ветераном, ему уже стало ясно, что сидящим напротив он необходим. Митч расслабился. Имея в запасе три предложения от самых престижных фирм в стране, он не очень-то нуждался в этой беседе и в самой фирме, а значит, мог себе позволить быть чуточку самоуверенным. Приехал он сюда главным образом из любопытства, ну и еще из-за теплой погоды, пожалуй.

Упершись локтями в полированную столешницу, глава фирмы Оливер Ламберт чуть подался вперед, беря на себя инициативу начать деловой разговор. Он был опытным юристом и обладал мягким, почти профессионально поставленным баритоном. В шестьдесят один год он являлся, так сказать, дедушкой фирмы. Большую часть своего времени Ламберт посвящал тому, чтобы держать под контролем и нейтрализовывать вспышки непомерного честолюбия отдельных партнеров, может быть, богатейших законников страны. Помимо этого, он был настоящей юридической энциклопедией и постоянно консультировал более молодых коллег. На нем же лежали обязанности по подбору новых сотрудников, и именно он сейчас держал в своих руках судьбу новичка.

— Похоже, вы уже начали уставать от подобных бесед?

— Не очень. Привыкаю понемногу.

Они все согласно закивали. Да, конечно. В памяти еще не стерлись воспоминания о том, как сами они так же стояли перед работодателем, представляли справки и обливались потом от страха, что им откажут и три года умопомрачительной зубрежки окажутся прожитыми впустую. Им хорошо было понятно, в каком он сейчас состоянии. Ну ничего.

— Могу ли я задать вопрос? — обратился Митч ко всем троим.

— Безусловно.

— Конечно.

— Любой.

— Тогда скажите, почему наша беседа проходит здесь, в гостиничном номере? Другие фирмы проводили встречи в университетском городке при участии службы распределения.

— Хороший вопрос.

Трое мужчин переглянулись и вновь кивнули. Хороший вопрос.

— Я постараюсь ответить вам, Митч. — Это был Ройс Макнайт, управляющий. — Вам нужно понять, что представляет собой наша фирма. Мы — другие, и мы гордимся этим. У нас в штате только сорок один юрист, так что в этом плане мы вряд ли сравнимся с прочими фирмами. Берем к себе мы не многих, одного человека, скажем, раз в два года. У нас самые высокие оклады и дополнительные льготы по стране в целом, и я не преувеличиваю. Поэтому мы очень придирчивы. И мы остановили свой выбор на вас. Письмо, которое вы получили месяц назад, было послано после того, как мы изучили досье более двух тысяч студентов-третьекурсников из лучших юридических колледжей. Такое письмо было послано только вам. Фирма не оповещает публику о вакансиях и не нанимает людей со стороны. Мы ведем себя сдержанно и придерживаемся собственного стиля. Я ответил на ваш вопрос?

— Да, достаточно ясно. Каково основное направление деятельности фирмы?

— Налоги. Кое-какие ценные бумаги, недвижимость, банковское дело, но восемьдесят процентов — это налоги. Потому-то мы и хотели встретиться с вами, Митч. Мы знаем, вы сильны в этом вопросе.

— А почему вы решили податься на учебу в западный Кентукки? — вновь подал голос Ламар Куин.

— Очень просто. В качестве платы за обучение мне предложили играть в их сборной по футболу, в ином случае колледж был бы для меня недоступен.

— Расскажите нам о своей семье.

— Неужели и это важно?

— Для нас это очень важно, Митч, — мягко сказал Ройс Макнайт.

«Все они так говорят», — подумал Макдир.

— Ну так слушайте. Отец погиб в угольной шахте, когда мне было семь лет. Мать вновь вышла замуж и живет во Флориде. У меня было два брата. Расти убит во Вьетнаме. Второго брата зовут Рэй Макдир.

— А где он сейчас?

— Простите, но вас это не касается. — Он с вызывающим видом уставился на Макнайта, как бы готовясь к драке. В досье почти ничего не говорилось о Рэе.

— Извините меня. — В голосе управляющего звучало сочувствие.

— Митч, фирма расположена в Мемфисе. Вас это не беспокоит? — задал вопрос Ламар.

— Нисколько. Я не любитель холодной погоды.

— Приходилось бывать там раньше?

— Нет.

— Вы побываете у нас, и довольно скоро. Вам понравится.

Митч улыбнулся и кивнул, подыгрывая. Неужели они это серьезно? Соблазниться маленькой фирмой в захолустном городке, в то время как его ждет Уолл-стрит?

— Каким вы шли в вашей группе? — спросил мистер Ламберт.

— Входил в первую пятерку. Не в первые пять процентов, а просто в первую пятерку.

Для всех троих это было более чем понятно. Первая пятерка из трех сотен студентов. Он мог бы сказать им, что был третьим, а фактически совсем рядом с первым, но он промолчал. Ведь они, эта троица, вышли из других школ, рангом пониже: Чикаго, Колумбия, Вандербилт. Он выяснил это из беглого просмотра юридического справочника персоналий. Вряд ли они захотят детализировать вопрос успеваемости.

— Почему вы выбрали Гарвард?

— На самом деле это Гарвард выбрал меня. Я обращался в несколько университетов и отовсюду получил приглашения. Гарвард предложил более весомую финансовую поддержку. А потом я считал, да и сейчас считаю, что здесь лучшая юридическая школа.

— У вас неплохо здесь идут дела, Митч, — заметил Ламберт, просматривая бумаги. Досье лежало в кейсе под столом.

— Благодарю вас. Я стараюсь.

— По налогообложению и ценным бумагам у вас высшие баллы.

— Для меня это наиболее интересные дисциплины.

— Мы видели ваши письменные работы, они впечатляют.

— Благодарю вас. Мне нравится исследовательская работа.

Не моргнув глазом они проглотили эту очевидную ложь. Что ж, таков ритуал. Ни один студент-юрист, равно как и ни один специалист со стажем, будучи в здравом уме, не в состоянии получать удовольствие от так называемой исследовательской работы, или поиска, или работы с финансовой документацией, что, по сути, одно и то же, хотя каждый законник-профессионал, безусловно, воспитал в себе уважение и любовь к работе с книгами.

— Расскажите нам о вашей жене, — вновь вступил Макнайт почти робко.

Они были готовы к новому отпору, но его не последовало — вопрос был стандартным, не покушающимся на святыни.

— Ее зовут Эбби. У нее диплом педагога по дошкольному воспитанию. В Кентукки мы закончили учебу одновременно и через неделю поженились. Последние три года она работает воспитателем в частном детском саду неподалеку от Бостонского колледжа.

— И ваш брак...

— Мы очень счастливы. Хорошо узнали друг друга за годы учебы.

— А кем вы были в футбольной команде? — Ламар решил на время оставить деликатную тему.

— Защитником. Выступать приходилось много, правда, до тех пор, пока я не повредил колено в последней университетской игре. Наша команда из Кентукки была сильнейшей. Я играл четыре года подряд, но вот колено так до сих пор и не пришло в норму.

— Как же вы умудрились добиться таких успехов в учебе, одновременно играя?

— На первом месте у меня всегда были знания.

— Не помню, чтобы колледж в Кентукки был среди лучших, — неосторожно бросил Ламар и пренебрежительно усмехнулся. Он тут же пожалел об этом, но было поздно. Его коллеги неодобрительно приподняли брови, давая понять, что заметили промах.

— Да, нечто вроде канзасского, — тут же услышали они ответ.

В номере воцарилась тишина, трое мужчин с недоумением посмотрели друг на друга. Этот Макдир знал, что Куин оканчивал колледж в Канзасе! Ни разу с ним не встречавшись, не имея представления о том, кто из сотрудников фирмы будет принимать участие в беседе. Но ведь знал! Видимо, вычислил его по справочнику Мартиндэйла — Хьюббелла — прочитал данные о всех юристах фирмы и в какую-то долю секунды вспомнил, что Ламар Куин, единственный из сорока одного сотрудника, учился в Канзасе. Этот парень не промах!

— Случайно вырвалось, простите, — пришлось извиниться Ламару.

— Мелочи. — Митч дружелюбно улыбнулся.

Кашлянув, Оливер Ламберт решил вновь вернуться к основной теме беседы:

— Митч, в фирме очень прохладно относятся к тем, кто выпивает и волочится за женщинами. Мы, конечно, не святоши, но бизнес для нас превыше всего. Мы не лезем на рожон и очень много работаем. И много зарабатываем.

— Все сказанное вами меня полностью устраивает.

— Мы оставляем за собой право подвергнуть любого сотрудника фирмы тесту на наркотики.

— Я их не употребляю.

— Тем лучше. Какую религию вы исповедуете?

— Хожу в методистскую церковь.

— Отлично. В вопросах веры мы очень терпимы. В фирме работают католики, баптисты, приверженцы епископальной церкви. В общем-то это — личное дело сотрудников, но мы и об этом хотим знать. Мы стоим за прочную, стабильную семью. Когда наш юрист счастлив, он лучше работает. Вот почему мы задаем вам эти вопросы.

Митч чуть наклонил голову и улыбнулся. Нечто подобное ему уже приходилось слышать.

Мужчины переглянулись, затем их взгляды сошлись на нем. Это означало, что их беседа подошла к такому моменту, когда гостю дозволялось задать высокому синклиту один-два вежливых вопроса. Митч уселся поудобнее. Вопрос номер один — деньги, необходимо же сравнить их предложение с уже имеющимися. Если сумма его не устроит, подумал Митч, то, что ж, приятно было познакомиться с вами, господа. А вот если оклад подойдет, тогда он будет готов беседовать с ними о семье, женитьбе, о футболе и Боге. Из собственного опыта он знал, что, подобно другим фирмам, эти тоже будут долго ходить вокруг да около, пока всем не станет неловко и других тем для беседы не останется. Ладно, лучше сначала задать вопросик полегче.

— С чего мне предстоит начать работу в вашей фирме?

Вопрос им понравился. Ламберт и Макнайт повернулись к Ламару — отвечать должен был он.

— Первые два года вы будете как бы стажером, хотя это называется у нас иначе. Вас будут посылать в командировки по всей стране для участия в семинарах по налогообложению. Учиться вам придется много. Зимой следующего года вы проведете пару недель в Вашингтоне, в институте налогообложения. У нас есть все основания гордиться нашими экспертами, поэтому постоянная учеба обязательна для каждого сотрудника. Если захотите защитить диссертацию по налогам, фирма оплатит все расходы. Что касается практической деятельности, то в эти первые два года не ждите чего-то необычного. Много работы с документами и рутинных дел. Но платить вам будут хорошо.

— Сколько?

Ламар взглянул на Макнайта, не сводившего глаз с Митча.

— Вопрос об окладе и дополнительных льготах мы обсудим, когда вы приедете в Мемфис.

— Я хочу услышать хотя бы приблизительную цифру, в противном случае поездка в Мемфис может и не состояться. — Макдир усмехнулся мягко, но все же чуть высокомерно. Он говорил как человек, которому сделали не меньше трех блестящих предложений.

Компаньоны обменялись понимающими улыбками. Первым заговорил Ламберт:

— О'кей. В первый год — основной оклад восемьдесят тысяч долларов плюс премии. На следующий год — оклад восемьдесят пять тысяч плюс премии. Льготный низкопроцентный заем на покупку дома. Членство в двух клубах. И новый «БМВ». Цвет, конечно, выберете сами.

Они впились глазами в его губы, против воли растягивающиеся в улыбку.

— Это немыслимо, — пробормотал Митч.

Восемьдесят тысяч в Мемфисе равнялись ста двадцати тысячам в Нью-Йорке. Да еще «БМВ»! Спидометр его фургончика-«мазды» накрутил уже десятки тысяч миль, а сама машина сейчас стояла на приколе в ожидании, пока он накопит достаточно денег на новый стартер.

— И еще кое-какие льготы, которые мы с радостью обсудим, когда вы приедете в Мемфис.

Внезапно ему очень захотелось съездить в Мемфис. Кажется, там есть какая-то река?

Ему удалось собраться, лицо посерьезнело. Строго и значительно глядя на Оливера Ламберта, как бы позабыв о деньгах, о доме и «БМВ», он попросил:

— Расскажите мне о вашей фирме.

— У нас работает сорок один юрист. В прошлом году в пересчете на одного работающего мы получили доход больший, чем любая другая фирма, пусть даже и более крупная. Включая и самые известные в стране. У нас исключительно богатая клиентура: корпорации, банки и люди, которые в состоянии платить высокие гонорары и не жаловаться на это. Мы специализируемся на международном налогообложении, это очень интересно и не менее выгодно. Мы имеем дело только с теми, кто может платить.

— Сколько времени уходит у сотрудника на то, чтобы стать компаньоном фирмы?

— В среднем около десяти лет, и это десять лет напряженного труда. Считается обычным, когда компаньон зарабатывает полмиллиона в год и уходит на пенсию еще до пятидесяти. Безусловно, они тоже что-то дают фирме. В вашем случае — это восьмидесятичасовая рабочая неделя, однако партнерство в фирме стоит таких усилий.

Ламар чуть подался вперед:

— Но чтобы зарабатывать шестизначные суммы, вовсе не обязательно дожидаться партнерства. Я работаю в фирме семь лет, а стотысячный рубеж перешагнул четыре года назад.

Митч задумался на мгновение и быстро подсчитал, что к тридцати годам он может зарабатывать гораздо больше ста тысяч в год, скорее ближе к двумстам. К тридцати годам!

Они не спускали с него глаз, зная наверняка, что именно он подсчитывает в уме.

— Чем фирма, специализирующаяся на международном налогообложении, занимается в Мемфисе?

Вопрос вызвал улыбки. Ламберт снял очки и стал крутить их в руках.

— Хороший вопрос! Фирму основал мистер Бендини в 1944 году. Он был юристом, занимался налогами в Филадельфии, имел несколько богатых клиентов с Юга. Потом ему пришло в голову обосноваться в Мемфисе. В течение двадцати пяти лет он не нанимал никого, кроме профессионалов в налоговом законодательстве, и фирма процветала. Мы тоже все люди приезжие, но Мемфис успели полюбить. Это очень приятный старый южный город. А мистер Бендини умер в семидесятом году.

— Сколько в фирме компаньонов?

— Активных — двадцать. Мы стараемся поддерживать соотношение один компаньон — один сотрудник. Для промышленности это, может, и высоковато, но нас устраивает. И потом, у нас свой подход.

— Все наши компаньоны к сорока пяти становятся мультимиллионерами, — добавил Ройс Макнайт.

— Все?

— Именно так, сэр. Мы не можем этого гарантировать, но если вы придете к нам, проработаете десять трудных, напряженных лет, станете компаньоном, проработаете еще десять лет и не превратитесь к сорока пяти годам в мультимиллионера, вы окажетесь первым за последние двадцать пять лет.

— Ваша статистика впечатляет.

— Впечатляет наша фирма, Митч, — подхватил Ламберт, — и мы все гордимся ею. Нас мало, и мы привыкли заботиться друг о друге. Между нами нет смертельной конкурентной борьбы, которой прославились крупные фирмы. Мы очень осторожны в выборе тех, кого нанимаем, и стремимся, чтобы каждый новый сотрудник как можно быстрее стал компаньоном. Именно поэтому мы не жалеем времени и денег — ни на самих себя, ни в особенности на наших новых сотрудников. Редко, крайне редко случается, чтобы юрист уходил из фирмы. Мне, собственно, и не приходилось о таком слышать. Мы всеми силами способствуем карьере молодого сотрудника. Мы хотим, чтобы наши люди были счастливы. В фирме считается, что это наиболее выгодный способ строить взаимоотношения.

— Вот еще немного впечатляющей статистики, — добавил Макнайт. — В прошлом году текучесть кадров для фирм нашего масштаба или больших составила в среднем двадцать восемь процентов. А у «Бендини, Ламберт энд Лок» — ноль. В позапрошлом году — ноль. Много воды утекло с тех пор, когда из нашей фирмы кто-либо уходил.

Внимательнейшим образом продолжали они изучать его, им нужно было увериться в том, что информация не только дошла до него, но и была им адекватно воспринята. Каждый момент беседы, каждый вопрос были очень важны для них, однако прежде всего требовалось установить, понял ли этот молодой человек, осознал ли, что если он примет их предложение, то это решение будет бесповоротным, окончательным. Видит Господь, то, что можно было объяснить ему сейчас, они объяснили. Позже придет время и для другой информации.

Безусловно, знали они гораздо больше, чем могли ему сказать. Они знали, например, что его мать живет в легковом прицепе на городском пляже города Панамы вместе со своим новым мужем — вышедшим на пенсию водителем-алкоголиком. Знали, что она получила сорок одну тысячу долларов страховки за погибшего первого мужа, промотала большую часть, а после того как ее старший сын был убит во Вьетнаме, немного тронулась. Им также было известно, что воспитанием Митча никто не занимался, рос он в нищете и на ноги его поднимал брат Рэй (которого они никак не могли найти) и какие-то сердобольные родственники. Нищета ранит душу и заставляет человека отчаянно стремиться к успеху. Отличную учебу и игру в футбол Митчу приходилось совмещать с работой в ночном магазинчике — тридцать часов в неделю. Они знали, что он привык мало спать. Знали, что он был голоден. Он был их человеком.

— Вы приедете к нам? — спросил его Оливер Ламберт.

— Когда?

В этот момент он думал о черном «БМВ-318» с откидным верхом.

Старушка «мазда» с тремя вмятинами на кузове, с покрытым трещинами ветровым стеклом стояла на склоне в канаве с вывернутыми на сторону передними колесами — чтобы не скатилась. Эбби сунула руку в окно дверцы и открыла ее изнутри, дважды сильно дернув. Уселась, вставила ключ зажигания, нажала на педаль сцепления, выровняла колеса. «Мазда» начала медленно сползать со склона. Почти не дыша, Эбби сидела, закусив губу, и ждала, когда оживет двигатель.

С предложениями от трех известных фирм до нового автомобиля оставалось всего четыре месяца. Ничего страшного, она подождет. Ведь жили же они целых три года в полной нищете в крошечной двухкомнатной квартирке университетского кампуса, стоянки которого были забиты «порше» и спортивными «мерседесами».

Большей частью они держались в стороне от однокашников мужа и ее коллег по работе — студенческий городок был бастионом снобизма на восточном побережье. Кто они для окружающих — деревенщина из Кентукки, друзей нет. Но они выжили и были счастливы.

Чикаго ей нравился больше, чем Нью-Йорк, пусть даже и оклад там пониже, зато подальше от Бостона и поближе к Кентукки. А вот Митч что-то темнил, различные варианты просчитывал и взвешивал сам, с ней же почти не делился. Посетить Чикаго или Нью-Йорк вместе с мужем ее не приглашали. Эбби устала гадать. Ей хотелось услышать наконец ответ.

В нарушение правил она опять-таки припарковала машину на склоне; до дома ей нужно было пройти пару кварталов. Их квартира была одной из тридцати, расположенных в двухэтажном доме, сложенном из красного кирпича.

Стоя у двери, Эбби копалась в сумочке в поисках ключа. Дверь неожиданно распахнулась, Митч буквально втащил ее внутрь, повалил на кушетку и набросился с поцелуями. Она успела только вскрикнуть и рассмеяться; ноги и руки ее нелепо болтались в воздухе. Они целовались и обнимались долго, так же, как делали это, будучи подростками: минут по десять, с ласками и стонами, когда поцелуй был развлечением, таинством и высшим наслаждением.

— Боже мой, — проговорила она, когда они насытились, — это по какому же случаю?

— Чувствуешь, как пахнет?

Она посмотрела по сторонам, повела носом.

— Да, только не пойму чем.

— Это жареная лапша с курятиной и тушеные яйца. От Вана.

— Хорошо, но все же что случилось?

— Плюс еще бутылочка не самого дешевого шабли. Закупорена настоящей пробкой, а не пластмассовой.

— Что все это значит, Митч?

— За мной! — скомандовал он.

На небольшой кухонный стол, прямо среди блокнотов и журналов наблюдений за детьми, он водрузил большую бутылку вина и пакет с обедом из китайского ресторанчика. Пока Эбби разбирала кавардак на столе, Митч открыл бутылку и наполнил два пластиковых стаканчика.

— Ну и беседу провел я сегодня!

— С кем?

— Помнишь ту фирму из Мемфиса? Месяц назад я получил от них письмо.

— Помню. Не очень-то она тебя тогда впечатлила.

— То-то и оно. Я впечатлен — больше некуда. Они занимаются налогами и платят неплохие деньги.

— Насколько неплохие?

Он медленно вывалил из пакета на тарелки лапшу, достал крошечную бутылочку с соевым соусом. Она терпеливо ждала. Не спеша Митч раскрыл другой пакет, с яйцами. Сделал глоток вина, провел языком по губам.

— Сколько? — повторила Эбби.

— Больше, чем в Чикаго. Больше, чем на Уолл-стрит.

Она медленно, осторожно пригубила вино, глядя на мужа с недоверием. Глаза сузились и сверкали, на лбу пролегли озабоченные морщинки.

— Сколько?

— Восемьдесят тысяч в первый год работы плюс премии. Восемьдесят пять тысяч на следующий год плюс премии. — Он небрежно выговаривал слова, разглядывая листики сельдерея в тарелке с лапшой.

— Восемьдесят тысяч, — как эхо повторила она.

— Восемьдесят тысяч, детка. Восемьдесят тысяч долларов в Мемфисе, штат Теннесси, примерно то же самое, что сто двадцать в Нью-Йорке.

— Кому нужен Нью-Йорк?

— Плюс низкопроцентный заем для покупки дома.

Это слово — заем — давно уже не звучало в их разговорах. Эбби, собственно, и припомнить даже не могла, когда они в последний раз говорили о собственном доме или о чем-то подобном. Само собой разумелось, что они снимут какое-то жилье и, может быть, когда-нибудь, в необозримом будущем, когда они добьются положения и богатства, смогут подумать о такой серьезной вещи, как заем.

Она поставила стакан на стол и сказала скучным голосом:

— Я не расслышала.

— Низкопроцентный заем. Фирма ссужает нас суммой, достаточной для покупки дома. Им очень важно, чтобы их сотрудники выглядели процветающими, поэтому процент будет невелик.

— Ты имеешь в виду дом? С лужайкой вокруг и зеленью?

— Именно. Я говорю не о баснословной квартире в Манхэттене, а о домике с тремя спальнями, в зеленом пригороде, с бетонной дорожкой и гаражом на две машины, где будет стоять наш «БМВ».

И вновь до ее сознания не сразу дошел смысл сказанного.

— Какой «БМВ»? Чей?

— Наш, детка, наш «БМВ». Фирма сдает нам в аренду новый «БМВ» с ключами. Ну, нечто вроде аванса. А это стоит пяти тысяч в год. И мы выбираем цвет, конечно. Я предпочел бы черный. Что скажешь?

— Никаких драндулетов, никаких полуфабрикатов и никакого готового платья, — мечтательно протянула она и медленно покачала головой.

Набив рот лапшой, Митч смотрел на нее и улыбался. Он-то знал, как давно она грезила о мебели, о хороших обоях, о бассейне перед домом. И о детишках: маленьких, темноглазых, с русыми головками.

— Будут еще и другие льготы.

— Не понимаю, Митч, почему они так щедры.

— Я их тоже спросил об этом. Они очень придирчивы и чертовски горды тем, что платят по максимуму. Они хотят иметь только лучшее и потому не скупятся. Текучесть кадров у них равна нулю. А потом, я думаю, заманить профессионала в Мемфис действительно стоит дороже.

— Это и к дому будет ближе, — произнесла Эбби, не глядя на мужа.

— У меня дома нет. Будет ближе к твоим родителям, и это меня беспокоит.

Она пропустила его слова мимо ушей, как и большую часть того, что он говорил о ее семье.

— Зато ты будешь ближе к Рэю.

Он кивнул, впился зубами в сдобную булочку и представил, как к ним впервые приедут ее родители: вылезают из старенького «кадиллака» и обмирают при виде особнячка в колониальном стиле с гаражом на две машины. Они будут задыхаться от зависти и негодовать при мысли о том, что безродный муж их дочери в свои двадцать пять лет, только с университетской скамьи — подумать только! — и в состоянии позволить себе все это. Будут расточать лживые улыбки и комплименты, а потом тесть, мистер Сазерленд, не выдержит и спросит, во что обошелся дом. В ответ Митч посоветует ему не совать нос в чужие дела, и старик совсем взбеленится. Через пару дней ее предки вернутся в Кентукки, и все в их округе узнают, как блестяще идут дела у их дочки и зятя в Мемфисе. Эбби, конечно, огорчится, что они никак не могут поладить, но плакать не станет. С самого начала они относились к нему как к прокаженному. Он был настолько ниже их по положению, что даже свадьбу собственной дочери они не удостоили своим присутствием.

— Ты была когда-нибудь в Мемфисе?

— Давно, еще маленькой девчонкой, на каком-то церковном празднике. Помню только реку.

— Они приглашают нас приехать.

— Нас! Ты хочешь сказать, что и меня тоже?

— Да. На этом особенно настаивают.

— Когда?

— Через пару недель. Вылетим в четверг, чтобы провести там весь уик-энд.

— Мне нравится эта фирма.

ГЛАВА 2

Пятиэтажное здание было построено сто лет назад хлопковым торговцем и его сыновьями, после Гражданской войны Севера и Юга, когда в Мемфисе начала возрождаться деловая жизнь. Оно стояло в самом центре Франт-стрит, неподалеку от реки. Через него прошли миллионы тюков хлопка, закупленного в Миссисипи и Арканзасе для продажи по всему миру. Потом долгое время оно стояло опустевшим и заброшенным, после Первой мировой войны фасад его время от времени подкрашивали — все-таки центр города, а в 1951 году его приобрел в собственность энергичный юрист Энтони Бендини. Он отремонтировал здание заново и открыл в нем свою контору, а само здание переименовал в Бендини-билдинг.

Бендини пестовал дом, как нежная мать потакает причудам своего дитяти; год от года строение становилось все роскошнее. Стены были упрочнены, двери и окна опечатывались, вооруженная охрана обеспечивала безопасность сотрудников и имущества. Здание оборудовали лифтами, системой электронной сигнализации, кодовыми замками и телемониторингом. Были отведены помещения для сауны, раздевалки и комнаты для взвешивания; обедали компаньоны фирмы в специальной столовой на пятом этаже, откуда открывался прекрасный вид на реку.

За двадцать лет Бендини сделал свою фирму самой богатой и, безусловно, самой надежной в Мемфисе. Он был помешан на скрытности и конфиденциальности. Каждому новому сотруднику исподволь прививалось сознание того, что нет большего греха, чем распущенность языка. Конфиденциальным было все: оклады и дополнительные доходы, продвижение по службе и, превыше всего, клиентура. Разглашение информации — любой информации — о фирме, и об этом особенно предупреждали новичков, ставило под угрозу осуществление лелеемой мечты: партнерства. Каждый новый сотрудник надеялся в конце концов стать компаньоном фирмы. Поэтому за стены крепости на Франт-стрит не выходило ни слова. Жены не задавали вопросов или выслушивали ложь. От сотрудников требовалось напряженно работать, всегда сохранять выдержку и жить счастливо на те деньги, которые они за это получали. Все так и делали. Все без исключения.

Со своим штатом из сорока одного человека фирма была четвертой по величине в Мемфисе. Работавшим в ней людям не требовалась реклама или любая другая шумиха, они жили кланом и братских отношений с коллегами из других фирм не поддерживали. Жены их ходили в магазины, играли в теннис и бридж тоже только между собой. Фирма «Бендини, Ламберт энд Лок» была во всех смыслах большой семьей. И очень богатой.

В десять утра в пятницу у здания на Франт-стрит остановился принадлежащий фирме лимузин, и из него вышел мистер Митчел И. Макдир.

Вежливо поблагодарив водителя, он проводил взглядом отъехавшую машину. Первый раз в жизни он ехал в лимузине.

Митчел стоял у фонарного столба и рассматривал оригинальное, чуть даже вычурное, но тем не менее внушительное здание фирмы. Ничего общего со стальными и стеклянными громадами Нью-Йорка, где обитает тамошняя элита, или с циклопическим цилиндром в десятки этажей, который он посетил, будучи в Чикаго. Здание ему нравилось. Не такое претенциозное, оно было проще и больше соответствовало его вкусу.

В дверях появился Ламар Куин и начал спускаться по лестнице навстречу, выкрикивая приветствия и приглашая войти. Накануне вечером он встретил Митча и Эбби в аэропорту и отвез их в «Пибоди», или, как он сказал, «Гранд-отель Юга».

— Доброе утро, Митч, как спалось?

Они обменялись дружеским рукопожатием.

— Отлично. Отель просто замечательный.

— Мы так и думали, что вам понравится. «Пибоди» нравится всем.

Мужчины вошли в вестибюль, где небольшой транспарант приветствовал Митчела И. Макдира, гостя дня. Безукоризненно одетая, но не очень привлекательная секретарша, тепло улыбнувшись, назвалась Сильвией и сказала, что со всеми своими пожеланиями, пока будет в Мемфисе, мистер Макдир должен обращаться к ней. Митч поблагодарил.

Ведя его по длинному коридору, Ламар объяснял гостю планировку здания, представлял секретаршам и младшему юридическому персоналу. В это время в главном зале библиотеки на втором этаже вокруг громадного круглого стола сидела группа людей, занятых кофе, пирожными и разговорами. Когда двери распахнулись и Ламар ввел Митчела, голоса смолкли.

Обменявшись с Митчем приветствиями, Оливер Ламберт представил его присутствующим. Их было человек двадцать, почти все сотрудники, причем большинство выглядели не намного старше Митча. Компаньоны, объяснил Ламар, встретятся с ними позже, во время обеда. Ламберт призвал всех к тишине.

— Джентльмены, это Митчел Макдир. Вы все слышали о нем, и вот он перед вами. Он наш единственный кандидат, так сказать, лидер гонки. Его соблазняют различные шишки в Нью-Йорке, Чикаго и бог знает где еще, поэтому нам нужно очень постараться, чтобы он предпочел им нашу маленькую фирму.

Сидевшие за столом улыбнулись и одобрительно закивали. Гость смутился.

— Через два месяца он окончит Гарвардский университет, и окончит с отличием. К тому же он является помощником редактора университетского юридического журнала.

Это произвело впечатление, Митч заметил.

— До этого, — продолжал Ламберт, — он окончил колледж в Кентукки, и тоже с отличием. Плюс ко всему он четыре года играл в футбол, защитником.

И эта деталь не прошла незамеченной, а на некоторых лицах был написан, похоже, священный ужас, как если бы перед ними сейчас стоял Джо Намас*.

Глава фирмы продолжал свой монолог, в то время как Митчел уже начинал чувствовать себя неловко. А Ламберт и не думал останавливаться, он говорил о том, каким строгим был всегда у них в фирме отбор, как замечательно соответствует мистер Макдир всем их требованиям.

Засунув руки в карманы, Митч позволил себе отвлечься и начал изучать сидящих перед ним людей. Все они выглядели

---

* Джо Намас — известный игрок в американский футбол. — *Здесь и далее примеч. пер.*

молодыми, преуспевающими и состоятельными. Одеты по-деловому, строго, но в общем-то так же, как одеваются их коллеги в Нью-Йорке или Чикаго: темно-серые или темно-синие шерстяные костюмы, белые или голубые рубашки, в меру накрахмаленные, и шелковые галстуки. Ничего кричащего или непрактичного. Двое, может быть, трое были в бабочках, но дальше этого экстравагантность не шла. Чувство меры во всем. Никаких бород, усов или причесок, опускающихся на уши. Несколько лиц показались ему занудливыми, но приветливых и дружелюбных было большинство.

Ламберт между тем заканчивал:

— Ламар проведет нашего гостя по кабинетам, так что у вас будет возможность поболтать с ним. Будем гостеприимны! Сегодня вечером Митч со своей очаровательной женой ужинает в «Рандеву», вы знаете, свиные ребрышки, а завтра, конечно же, обед от имени фирмы у меня дома. Прошу всех вас помнить о хороших манерах! — Он с улыбкой посмотрел на Митчела. — Митч, если Ламар тебя утомит, дай мне знать, мы найдем кого-нибудь половчее.

Митч пожимал руку каждому из сотрудников, которые один за другим потянулись к двери, и пытался запомнить как можно больше имен.

— Начнем, пожалуй, нашу экскурсию, — обратился к нему Ламар, когда они остались вдвоем. — Это, ясное дело, библиотека, точно такие же расположены на первых четырех этажах. В библиотеках мы также проводим различные совещания. Набор книг в каждой библиотеке не повторяется, поэтому трудно бывает сказать, где ты окажешься через два часа, это зависит от документов, с которыми ты работаешь. С книгами заняты два профессиональных библиотекаря, но мы очень активно используем микрофильмы и микрофиши. Как правило, вся исследовательская работа ведется только в стенах этого здания. Здесь более ста тысяч томов, включая все мыслимые налоговые установления, это побольше, чем во многих юридических учебных заведениях. Если тебе понадобится книга, которой здесь нет, просто скажи о ней библиотекарю.

Они прошли мимо стола для заседаний и бесконечных рядов книжных полок.

— Сто тысяч томов! — тихо пробормотал Митч.

— Да, у нас уходит около полумиллиона долларов в год на то, чтобы пополнять фонды и идти в ногу с обществом. Компаньоны всегда брюзжат по этому поводу, но ни у кого и мысли не возникает сэкономить на этом. Наша библиотека — одна из крупнейших среди частных юридических библиотек в стране, мы гордимся ею.

— Она этого заслуживает.

— Фирма всеми мерами старается облегчить поиск информации. Ты и сам знаешь, какая это тоска и сколько времени можно угробить, пока найдешь нужный материал. В первые два года работы тебе придется провести здесь немало времени, так вот мы старались, чтобы окружающее хотя бы не вызывало у тебя отвращения.

В дальнем углу, позади заваленного в беспорядке стола, они наткнулись на библиотекаря, который представился Митчелу, а затем кратко рассказал о компьютерном зале, где десятки машин были постоянно готовы выдать или упорядочить любое количество файлов. Библиотекарь горел желанием ознакомить гостя с новейшей программной разработкой, но Ламар обещал заглянуть позднее.

— Отличный парень, — отозвался он о служащем, когда они вышли в коридор. — Фирма платит ему сорок тысяч в год только за то, чтобы он возился с книжками. Удивительно!

«И вправду удивительно», — подумал Митч.

Второй этаж был практически точной копией первого, равно как и третьего, и четвертого. Центр каждого занимали столы секретарш, вращающиеся этажерки с папками, копировальные машины и прочая необходимая техника. По одну сторону от них располагалась библиотека, по другую вдоль коридора шли небольшие комнаты для совещаний и кабинеты.

— Ни одной мало-мальски симпатичной секретарши ты здесь не увидишь, — негромко сказал Ламар, когда они стояли и наблюдали за их работой. — Похоже, это стало у нас неписаным законом. Оливер Ламберт из кожи вон лезет, чтобы найти самых старых и непривлекательных. Уверяю, некоторые работают здесь уже по двадцать лет.

— Какие они все расплывшиеся, — тихо заметил Митч.

— Это часть общей стратегии — приучить нас не давать воли рукам. Флирт запрещен категорически, да я и не припомню ни одной попытки.

— Ну а если?

— Кто его знает. Секретаршу, конечно, выгонят. А мужчину накажут, и думаю, что строго. Это может стоить ему партнерства в фирме. Не думаю, что найдутся желающие выяснить это на собственном опыте, да еще с этими коровами.

— А одеты они отлично.

— Пойми меня правильно: мы нанимаем только специалистов своего дела и платим больше, чем любая другая фирма в городе. Перед тобой лучшие секретарши, хотя, безусловно, далеко не самые привлекательные. Нам требуются профессионализм и зрелость. Да Ламберт и не наймет никого моложе тридцати.

— Одна секретарша на каждого сотрудника?

— Да, до тех пор, пока ты не станешь компаньоном. Тогда у тебя будет и вторая, и она будет тебе необходима. У Натана Лока их три, каждая с двадцатилетним стажем, и он заставляет их бегать как девочек.

— Где его кабинет?

— На четвертом этаже. Посторонним вход туда запрещен.

Митч хотел задать вопрос, но сдержался.

Ламар объяснил ему, что угловые кабинеты, размером двадцать пять на двадцать пять футов, принадлежат только старшим компаньонам. «Кабинеты власти», назвал он их, и в его голосе слышалось волнение. Эти помещения оформлялись в соответствии с личными вкусами их владельцев, расходы тут в счет не шли. Освобождались они только в связи с уходом компаньона на отдых или после его смерти, и тогда среди более молодых партнеров начиналась борьба за право занять престижный «угол».

Ламар поколдовал над замком одного из таких кабинетов, и они вошли внутрь, закрыв за собой дверь.

— Неплохой вид, а? — сказал он, кивнув на окно.

Перед Митчем открылась панорама реки, плавно несущей свои воды вдоль набережной Риверсайд-драйв.

— Сколько же надо проработать, чтобы получить его в свое распоряжение? — спросил он, следя взглядом за баржей, проходящей под мостом в сторону Арканзаса.

— Да уж немало. Когда ты устроишься здесь, ты уже будешь богат, но так занят, что вряд ли у тебя найдется время, чтобы любоваться видом из окна.

— Кто здесь сидит?

— Виктор Миллиган. Он ведает отделом налогов, очень приятный человек. Родом из Новой Англии, но здесь живет уже двадцать пять лет, зовет Мемфис родным домом. — Сунув руки в карманы, Ламар зашагал по кабинету. — Пол и потолок здесь остались прежними, им более ста лет. Вообще-то почти все внутренние помещения покрыты коврами или другой дребеденью, но в некоторых дерево сохранилось отлично. Ковры тебе предложат на выбор, когда ты окажешься здесь.

— Я люблю дерево. А что это за ковер?

— Какой-нибудь персидский, старинный, не знаю, откуда он. Письменный стол принадлежал еще его прадедушке, какому-то судье на Род-Айленде, так он, во всяком случае, нам говорил. Он любитель присочинить, так что трудно бывает сказать, когда он серьезен, а когда нет.

— А где он сейчас?

— Думаю, на отдыхе. Тебе что-нибудь говорили об отпусках?

— Нет.

— Первые пять лет работы ты имеешь право на ежегодный двухнедельный оплачиваемый отпуск. После этого — три недели, до тех пор, пока не станешь компаньоном, а тогда уже тебе решать, когда и на какое время идти в отпуск. В распоряжении фирмы небольшой горный отель в Вейле, охотничий домик на озере в Манитобе, ей также принадлежат два дома на Большом Каймане. Всем этим ты пользуешься бесплатно, но заказывать комнату нужно заблаговременно, желающих хватает, а компаньоны к тому же обладают правом первой очереди. А уж после них — кто не успел, тот опоздал. Наши люди предпочитают проводить отпуск на Каймановых островах. Это признанное международное убежище от налогов, и большая часть наших сотрудников стремится именно туда. Думаю, Миллиган сейчас там, скорее всего развлекается подводным плаванием и называет это своим бизнесом.

Митч слышал о Каймановых островах на одном из курсов по налогообложению и знал, что это где-то в Карибском море. Он думал было спросить Ламара, где именно, но тут же решил, что выяснит сам.

— Всего две недели?

— Да, а что, какие-то проблемы?

— Нет, ничего серьезного. В Нью-Йорке предлагают по меньшей мере три. — Прозвучало это так, как будто в душе Митч считал, что подобные дорогостоящие отпуска достойны всяческого осуждения. Однако, кроме трехдневного уик-энда, который они с Эбби называли «медовым месяцем», а также нечастых автомобильных вылазок на природу, Митч ни разу еще не имел того, что люди называют словом «отпуск», и никогда ему не приходилось выезжать за пределы страны.

— Тебе могут предоставить еще одну неделю, но без содержания.

Митчел кивнул так, как будто бы это его устроило, и они вышли из кабинета Миллигана, чтобы продолжить осмотр. По сторонам коридора располагались кабинеты юристов фирмы — залитые светом, с большими окнами, с открывающимися из них видами на город. Кабинеты с видом на реку считались более престижными, и, по словам Ламара, заняты они были, как правило, компаньонами. И на эти помещения существовала очередь.

Комнаты для совещаний, библиотеки, столы секретарш располагались в частях здания, лишенных окон, — чтобы ничто не отвлекало служащих от их обязанностей.

Кабинеты сотрудников были меньше — пятнадцать на пятнадцать футов, но великолепно оформлены и выглядели даже более импозантно, чем помещения тех фирм, которые он посетил в Нью-Йорке и Чикаго. Ламар объяснил Митчу, что на специалистов-дизайнеров фирма потратила целое состояние. Похоже, что деньги здесь росли на деревьях.

Те из сотрудников, что были помоложе, проявляли явное дружелюбие и желание поговорить, никак не давая понять, что их отвлекли от дела. Почти у каждого нашлось несколько хвалебных слов в адрес фирмы и города. «Старый город помолодеет с вашим приездом, — звучало у него в ушах, — правда, на это уйдет какое-то время». «Нас тоже, — говорили ему, — сманивали шишки с Уолл-стрит или из Капитолия, но мы здесь, и мы не жалеем об этом».

Компаньоны казались более занятыми, но не в меньшей степени любезными. Снова и снова ему напоминали о том, с какой тщательностью его отбирали и как удивительно он соответствует требованиям фирмы. Эта фирма создана прямо-таки для него! Его уверяли в том, что за обедом их интересный разговор будет непременно продолжен.

Часом раньше Кей Куин, оставив детей под присмотром приходящей сиделки и прислуги, встретилась с Эбби в вестибюле отеля, чтобы вместе позавтракать. Так же как и Эбби, она была родом из небольшого городка. Она вышла замуж за Ламара по окончании колледжа и три года прожила в Нашвилле, пока ее муж изучал право в университете Вандербилта. Сейчас Ламар зарабатывал столько, что она оставила работу и занималась двумя детьми. Все свое свободное время она теперь делила между домом, клубом садоводов, благотворительным фондом, загородным клубом, спортивным клубом и, наконец, церковью. Несмотря на деньги и довольно высокое положение, она осталась скромной и непритязательной женщиной. Эбби нашла себе подругу.

Подкрепившись рогаликами и яйцами всмятку, молодые женщины уселись в уютном вестибюле, попивая кофе и наблюдая за плещущимися в фонтане уточками. Кей предложила совершить небольшую поездку по городу, а потом пообедать у нее дома. Может, зайти в один-другой магазин.

— А про заем на дом они вам говорили? — спросила она Эбби.

— Да, еще при первой беседе.

— Им хочется, чтобы вы купили дом сразу после переезда сюда. Подавляющее большинство выпускников не могут позволить себе такие расходы, поэтому фирма ссужает их деньгами под очень небольшой процент.

— Какой именно?

— Не знаю точно. Мы приехали сюда семь лет назад и живем сейчас уже во втором доме, первый, поменьше, продали. Это будет выгодно для вас, поверь мне. Уж фирма проследит за тем, чтобы у вас был собственный дом. Здесь это вроде неписаного правила.

— Почему им это так важно?

— По нескольким причинам. Прежде всего они хотят, чтобы вы переехали сюда. Фирма очень избирательна, и, как правило, если они хотят, чтобы человек к ним пришел, этот человек приходит. А поскольку Мемфис не идет в сравнение с крупными городами, где жизнь бьет ключом, они чувствуют себя обязанными как-то это компенсировать. К тому же к сотрудникам предъявляются очень высокие требования, они все время в нервном напряжении, они перерабатывают, у них восьмидесятичасовая рабочая неделя, их часто не бывает дома. Это нелегко и для мужа, и для жены, фирма знает об этом. Суть в том, что, когда в семье все хорошо, юрист чувствует себя счастливым, а счастливый юрист приносит фирме больше прибыли. Так что в основе всего — прибыль. Они очень практичны. И еще наши мужчины — заметь, там нет женщин — очень гордятся тем, что они так преуспевают, им пристало выглядеть и действовать так, как это делают состоятельные люди. Фирма посчитала бы за оскорбление, если бы ее сотрудник вынужден был жить в квартире. Нет, ему полагается владеть домом, а через пять лет — новым, побольше. Если после обеда у нас будет время, я покажу тебе дома некоторых компаньонов. Тогда ты перестанешь возмущаться восьмидесятичасовой рабочей неделей.

— А я и не возмущаюсь, я давно привыкла.

— Молодец, но учеба в университете не идет ни в какое сравнение. Когда подходит время уплаты налогов, они, бывает, работают и по сто часов в неделю.

Эбби улыбнулась и покачала головой, впечатленная этой цифрой.

— Кей, ты работаешь?

— Нет. Большинство жен не работают. Деньги в доме есть, так что женщину работать не заставляет ничто, да и мужья не слишком-то помогают воспитывать детей. Но конечно, работать не запрещается.

— Кем не запрещается?

— Фирмой.

— Надеюсь, что это так.

Эбби мысленно повторила слово «запрещается», но тут же выбросила его из головы.

Кей пила кофе и любовалась утками. Какой-то малыш, видимо, убежавший от матери, тянулся ручонками к воде.

— Вы думаете заводить детей? — обратилась она к Эбби.

— Может, через пару лет.

— Детишки поощряются.

— Кем?

— Фирмой.

— С какой стати фирме беспокоиться о том, есть у нас дети или нет?

— Как же, ведь это упрочняет семью. Когда появляется новорожденный, устраивают такую шумиху — шлют тебе в больницу цветы и подарки, и вообще ты чувствуешь себя королевой. Мужу предоставляют недельный отпуск, но он, как правило, слишком занят, чтобы им воспользоваться. Фирма делает страховой взнос в тысячу долларов — на будущее обучение ребенка. И вообще все очень веселятся.

— Похоже, у вас тут прямо братство какое-то.

— Скорее одна большая семья. Вся наша жизнь, в том числе и общественная, связана с фирмой, и для нас это важно, ведь коренных жителей среди нас нет, все мы трансплантаты.

— Все это просто здорово, но не хотелось бы, чтобы кто-то мне говорил, когда работать, когда отдыхать, когда иметь детей.

— Не переживай. Фирма очень заботится о семье, но совать свой нос в твою жизнь они не станут.

— По-моему, я начинаю сомневаться в этом.

— Говорю тебе, расслабься, Эбби. Они как семья, они прекрасные люди, а Мемфис — замечательный город, в котором можно жить и растить детей. Стоимость жизни здесь ниже, и сама жизнь течет неторопливее и плавнее. Может, ты сравниваешь Мемфис с большими городами? Мы тоже так делали, но, поверь, Мемфис стоит любого из них.

— Я увижу весь город?

— Конечно, для этого-то я и здесь. Давай начнем с центра, отсюда отправимся на восток посмотреть на пригороды, может, на кое-какие приятные домики, а потом пообедаем в моем любимом ресторанчике.

— Похоже, скучать не придется, — отозвалась Эбби.

Кей расплатилась. Они вышли из отеля и уселись в новый «мерседес» семейства Куин.

Столовая, как ее просто называли, располагалась в конце пятого этажа и выходила окнами на набережную и лениво ползущую за ней реку. Из высоченных окон открывался захватывающий вид на мосты, доки, буксиры, пароходики и баржи.

Помещение это было святилищем, надежным убежищем для тех, кто был достаточно талантлив и честолюбив, чтобы суметь стать компаньонами респектабельной фирмы Бендини. Они встречались здесь ежедневно на обедах, которые им готовила Джесси Фрэнсис, огромная пожилая темпераментная негритянка, а подавал блюда на стол ее муж Рузвельт, в белых перчатках и старомодном, неловко сидящем на нем, чуть выцветшем и тесноватом фраке, подаренном лично мистером Бендини незадолго до смерти. Иногда компаньоны встречались и по утрам, чтобы выпить кофе с горячими пирожками и обсудить дела, а также, от случая к случаю, — за бокалом вина, отмечая удачный месяц или чей-нибудь небывало высокий гонорар. Столовая была предназначена только для компаньонов, ну разве что случайный гость — крайне выгодный клиент или перспективный кандидат в сотрудники — переступал ее порог. Сотрудники могли обедать здесь дважды в год, только дважды — это регистрировалось в соответствующей книге, — и только по приглашению компаньонов.

К столовой примыкало помещение небольшой кухни, где творила Джесси и где она приготовила первый из подобных обедов для мистера Бендини и его коллег двадцать шесть лет назад. Все двадцать шесть лет она предпочитала южную кухню, ни разу не попытавшись в угоду чьему-то вкусу приготовить блюдо, название которого она и выговорить-то не могла. «Не ешьте, если вам это не по вкусу» — таков был ее обычный ответ на подобные требования. Судя по тому, что на тарелках, которые убирал со стола Рузвельт, ничего не оставалось, ее поварским искусством были не только довольны, но и наслаждались. По понедельникам она вывешивала меню на неделю, отдельные заказы принимала не позже десяти утра и годами дулась на того, кто внезапно отказывался от заказа или просто не приходил на обед. Она с мужем работала по четыре часа в день и получала вместе с ним тысячу долларов в месяц.

Митчел сидел за столом вместе с Ламаром Куином, Оливером Ламбертом и Ройсом Макнайтом. Сначала им принесли нежнейшие свиные ребрышки с гарниром из вареной тыквы и какой-то ароматной травки.

— А жир она сегодня убрала, — обратил внимание мистер Ламберт.

— Восхитительно! — оценил Митч.

— А вы не против жирной пищи?

— Нет, в Кентукки готовят так же.

— Я пришел в фирму в тысяча девятьсот пятьдесят пятом году, — сказал мистер Макнайт, — а сам я из Нью-Джерси. И я очень настороженно относился к южной кухне. Все едят с маслом и готовят на животном жире, так? А потом мистер Бендини решил открыть здесь это маленькое кафе. Он нанял Джесси, и вот уже двадцать лет я мучаюсь изжогой. Жареные красные помидоры, жареные зеленые помидоры, жареные баклажаны, жареная тыква, жареное то и се. Однажды Виктор Миллиган сказал — хватит. Он ведь из Коннектикута, так? И Джесси тут же выдала на скорую руку порцию жареных маринованных огурчиков. Представляете?! Пожарить маринованные огурчики! Миллиган позволил себе пробурчать что-то при Рузвельте, а тот доложил Джесси. Та взяла и ушла через заднюю дверь, просто ушла. На неделю. Рузвельт хотел пойти на работу, а она его не пускала. В конце концов Бендини все уладил, и она согласилась вернуться, если больше не будет жалоб. Но все-таки она отказалась от жира. Думаю, все мы проживем теперь лет на десять больше.

— Восхитительно! — намазывая масло на еще одну булочку, произнес Ламар.

— У нее всегда так, — добавил Ламберт в тот момент, когда мимо их столика проходил Рузвельт. — Еда здесь хороша, от нее полнеешь, но мы не часто пропускаем обед.

Митчел ел не спеша, готовый в любой момент поддержать беседу, и старался держаться абсолютно свободно. Удавалось это с трудом. Окруженный людьми, добившимися от жизни всего, миллионерами, в этой изысканной, роскошно убранной комнате он чувствовал себя простым смертным, очутившимся вдруг в небесных чертогах. Только присутствие Ламара и отчасти Рузвельта придавало ему бодрости.

Когда Ламберт убедился в том, что Митч насытился, он вытер салфеткой рот, медленно поднялся и легонько постучал чайной ложечкой:

— Джентльмены, могу ли я попросить минуту вашего внимания?

В столовой воцарилась тишина, головы обедающих повернулись к их столику. Положив салфетки, мужчины в упор смотрели на гостя. Где-то на письменном столе у каждого лежала копия его досье. Два месяца назад они единогласно проголосовали за то, чтобы сделать его единственным претендентом. Они все знали, что он пробегает по четыре мили в день, не курит, что у него аллергия на сульфаниды, вырезаны гланды, что у него маленькая синяя «мазда», что мать страдает психическим расстройством и что он мастерски играет в футбол. Им было известно и то, что, даже когда болеет, он не принимает ничего более крепкого, чем пара таблеток аспирина, и то, что он достаточно голоден для того, чтобы работать сто часов в неделю, если они его об этом попросят. Митчел И. Макдир нравился им. Он приятно выглядел, был атлетически сложен, настоящий мужчина, с ясным умом и крепким телом.

— Вы знаете, что сегодня мы приветствуем здесь дорогого гостя — Митчела Макдира. В ближайшее время он заканчивает Гарвард с отличием.

— Виват! Виват! — раздались голоса двух-трех выпускников Гарварда.

— Вот именно, благодарю вас. Митчел и его жена Эбби будут нашими гостями весь уик-энд. Митч входит в пятерку сильнейших выпускников, и он получил много предложений. Но Митч нужен нам здесь. Я знаю, что вы будете общаться с ним до его отъезда. Сегодня вечером его принимает Ламар Куин с супругой, а завтра всех присутствующих на ужин к себе приглашаю я.

Митчел смущенно улыбался, а Ламберт продолжал говорить что-то о величии фирмы. Когда слова его отзвучали, все вернулись к пудингу и кофе, которые разнес по столам Рузвельт.

Любимый ресторанчик Кей оказался роскошным заведением для «золотой» молодежи в южной части города. С потолка тут и там свисали листья папоротника, музыкальный автомат негромко наигрывал музыку далеких шестидесятых.

Дайкири подали в высоких стеклянных бокалах.

— Думаю, по одному будет достаточно? — спросила Кей.

— Пьяница из меня никакая, — отозвалась Эбби.

Они заказали фирменное блюдо, попробовали коктейль.

— Митч любит выпить?

— Крайне редко. Он же спортсмен, очень заботится о своем здоровье. Иногда немного пива или бокал вина, но никаких крепких напитков. А Ламар?

— Примерно так же. Он и пиво попробовал, только когда уже учился в колледже, да и располнеть боится. Фирма не любит, когда прикладываются к спиртному.

— Здорово, конечно, но почему и это их волнует?

— Потому что спиртное и юристы так же соотносятся между собой, как кровь и вампиры. Насколько я знаю, все правоведы пьют как лошади, алкоголизм стал их профессиональной болезнью. По-моему, все это начинается еще в годы учебы. В университете Вандербилта обязательно находился кто-нибудь, кто не просыхал. То же самое, видимо, и в Гарварде. Работа требует огромного нервного напряжения, а это обычно означает и обильную выпивку. Наши мужья, конечно, не трезвенники, это понятно, но они привыкли контролировать себя. Здоровый юрист лучше работает. Опять-таки это вопрос прибылей.

— Ну, в этом есть хоть какой-то смысл. Митч говорил мне, что в фирме нет проблем с текучестью кадров.

— Да, за семь лет, что мы здесь прожили, я не припомню никого, кто бы ушел из нее. Здесь платят хорошие деньги и очень осторожны в подборе сотрудников. Не берут на работу людей из состоятельных семей.

— Не уверена, что поняла.

— Фирма не примет человека, у которого, помимо оклада, был бы еще какой-то источник доходов. Им нужны молодые и голодные. Тут дело в преданности: если все твои денежки текут из одного-единственного источника, то ты будешь хранить верность этому источнику. В фирме от тебя ожидают беззаветной преданности. Ламар говорит, что даже разговоров о том, чтобы уйти куда-то, он ни разу не слышал. Все сотрудники чувствуют себя счастливыми: они или богаты, или на пути к богатству. И уж если кто-то надумает уходить, он явно не заработает в другом месте столько, сколько у нас. Фирма даст Митчу все, что он захочет, только бы он согласился работать здесь. Они горды, что платят больше других.

— А почему они не принимают женщин?

— Пытались однажды. Она оказалась настоящей стервой, вокруг нее постоянно был шум. Юристы-женщины вечно готовы в драке отстаивать свое «я». С ними трудно иметь дело. Ламар говорит, что они боятся принимать женщину, так как не смогут просто избавиться от нее в случае, если она не справится со своими обязанностями, да еще ей потребуется положительная характеристика.

Им принесли еду, от новых коктейлей они отказались. Ресторан постепенно заполнялся молодежью, атмосфера становилась все более оживленной. Слышалась мелодия Смоки Робинсона.

— У меня идея! — воскликнула вдруг Кей. — Я знакома с одним торговцем недвижимостью, поедем узнаем, что у него сейчас есть на продажу.

— Что на продажу?

— Дом. Дом для вас с Митчем, дом для нового сотрудника фирмы «Бендини, Ламберт энд Лок». Присмотрим что-нибудь вам по вашим деньгам.

— Я не представляю, какую цену мы можем себе позволить.

— Что-нибудь от ста до ста пятидесяти тысяч. Ваш предшественник купил дом в Оукгруве, я уверена, он примерно такую сумму и выложил.

Эбби наклонилась к ней и прошептала:

— И сколько же нам придется выплачивать за него в месяц?

— Не знаю. Но это будет вам по силам. Тысячу или чуть больше.

От неожиданности Эбби едва не подавилась. Маленькие квартирки в Манхэттене, сдававшиеся внаем, стоили вдвое дороже.

— Хорошо, поедем посмотрим.

Как и должно было быть, Ройс Макнайт занимал один из «кабинетов власти», с чудесным видом из окна. Угловое помещение находилось как раз под офисом Натана Лока.

Ламар Куин извинился и вышел, и управляющий пригласил Митча сесть у небольшого столика рядом с диваном. Секретарша должна была принести кофе.

Макнайт расспрашивал молодого человека о первых впечатлениях, и Митч искренне отвечал ему, что он поражен.

— Митч, — обратился к нему Макнайт, — хочу уточнить кое-какие детали нашего предложения.

— Слушаю вас.

— В первый год работы оклад составит восемьдесят тысяч долларов. Но после того как сдашь экзамен по адвокатуре, ты получишь прибавку в пять тысяч. Не премию, а прибавку к окладу. Экзамен состоится где-то в августе, и большую часть лета ты потратишь на то, чтобы подготовиться. Мы разработали собственный курс подготовки по адвокатуре, с тобой будут заниматься, и очень напряженно, наши компаньоны. Занятия твои будут проходить в основном в рабочее время, за счет, так сказать, фирмы. Ты знаешь, что другие фирмы обычно заваливают новичка работой, исходя из того, что повышать квалификацию он должен в свободное время. У нас подход иной. Ни один из наших сотрудников никогда не проваливал этот экзамен, мы уверены, что и ты не нарушишь наших традиций. Восемьдесят тысяч для начала и восемьдесят пять через полгода. Отработав год, ты будешь получать девяносто тысяч плюс премия в декабре в зависимости от качества твоей работы и доходов фирмы за предыдущие двенадцать месяцев. В прошлом году премия сотрудников составила в среднем девять тысяч долларов. Тебе должно быть известно, что участие работников в прибылях в юридических фирмах почти не практикуется. Остались какие-нибудь неясности?

— А что меня ждет через два года?

— Твой базовый оклад будет повышаться в среднем на десять процентов в год до тех пор, пока ты не станешь компаньоном. Но ни повышение оклада, ни премии не гарантированы — они зависят от твоей работы.

— Это справедливо.

— Ты уже знаешь, что фирме очень важно, чтобы ты купил дом. Это прибавляет надежности и престижа, особенно новым сотрудникам, и к этому мы тоже неравнодушны. Фирма предоставляет низкопроцентный заем на тридцать лет, с фиксированными ставками выплат, но если через пару лет ты решишь свой дом продать, то эти выплаты тебе не вернут. Заем предоставляется только раз, для покупки первого дома. За другие дома ты платишь из своего кармана.

— Какова процентная ставка?

— Предельно низкая. Чтобы только уберечь тебя от конфликта с налоговым управлением. Текущая рыночная ставка составляет десять — десять с половиной процентов. Мы дадим тебе процентов семь-восемь. Дело в том, что фирма представляет интересы некоторых банков, они помогают нам. С твоим окладом у тебя не будет проблем с выплатами. В конце концов, фирма всегда может выступить, в случае необходимости, твоим гарантом.

— Вы очень великодушны, мистер Макнайт.

— Это важно для нас самих. В деньгах мы тоже ничего не теряем. Твоя задача — подыскать себе дом, все остальное — заботы нашего отдела по сделкам с недвижимостью. Тебе останется только въехать.

— А «БМВ»?

Мистер Макнайт усмехнулся:

— Мы попробовали это лет десять назад и решили, что машина — хороший стимул. Все просто: ты выбираешь «БМВ», какую-нибудь небольшую модель, фирма арендует автомобиль на три года и вручает тебе ключи. Мы оплачиваем номера, страховку, ремонт. Через три года ты можешь купить его у фирмы, сдавшей нам его в аренду, по справедливой рыночной цене. Так же как и с домом, это наша разовая сделка.

— Звучит очень соблазнительно.

— Да.

Макнайт посмотрел в лежащий перед ним блокнот.

— Фирма также покрывает все расходы семьи на медицинское обслуживание и дантиста. Беременность, профилактические осмотры, зубопротезирование, словом, все.

Митч кивнул, но не удивился — так было везде.

— У нас непревзойденная система социальной защиты и пенсионного фонда. К каждому твоему доллару, идущему в фонд, фирма добавляет два своих, исходя из того, что твои выплаты в фонд составят не меньше десяти процентов основного оклада. К примеру, ты начинаешь с восьмидесяти тысяч, значит, за год ты отложишь восемь тысяч. Фирма положит еще шестнадцать, и, таким образом, на твоем пенсионном счете только за первый год работы будет числиться двадцать четыре тысячи долларов. Этим делом мы поручили заняться профессионалам в Нью-Йорке, и за прошлый год наш пенсионный фонд возрос на девятнадцать процентов. Не так уж плохо, а? Если в течение двадцати лет регулярно вносить деньги, то к сорока пяти ты можешь уйти на пенсию миллионером. Маленькое уточнение: если решишь уйти от нас раньше, ты не получишь ничего, кроме своих ежегодных взносов, без всяких процентов.

— Не слишком ли жестоко?

— Наоборот, это проявление заботы. Назови мне другую фирму, которая на каждый твой доллар кладет два своих. Таких просто нет, насколько я знаю. Таким образом мы сами заботимся о себе. Многие наши компаньоны уходят на отдых в пятьдесят, некоторые — в сорок пять. У нас нет установленных возрастных пределов, поэтому отдельные люди и в шестьдесят, и в семьдесят еще продолжают работать. Словом, фирма просто хочет гарантировать обеспеченную старость и дать нашим людям возможность выйти на пенсию раньше.

— Сколько в фирме компаньонов, которые уже ушли на отдых?

— Около двадцати. Они иногда заходят, ты их еще увидишь, они приходят поговорить или пообедать, кое-кто сохраняет за собой свой офис. Ламар говорил с тобой об отпусках?

— Да.

— Отлично. Заказывай места заранее, особенно в Вейле и на Кайманах. Дорогу оплачиваешь сам, жилье — за счет фирмы. На Кайманах у нас немало дел, и время от времени фирма будет посылать тебя туда поработать. Такие поездки не входят в счет отпуска, это примерно раз в год, вряд ли чаще. Мы много работаем, Митч, и кому, как не нам, знать настоящую цену отдыху.

Митч согласно наклонил голову и на мгновение представил, как лежит на песке далекого острова в Карибском море, потягивает прохладный ананасовый сок в обществе стройных созданий в бикини.

— А о премии вновь принятому Ламар тоже говорил?

— Нет, впервые слышу.

— Если решишь прийти к нам, ты получишь чек на пять тысяч. Нам бы хотелось, чтобы большую часть этих денег ты потратил на новый гардероб. После семи лет, что ты носил джинсы и фланелевые рубашки, выбор твоих костюмов вряд ли будет широк, да это и понятно. Мы очень придирчивы в вопросах внешнего вида и ожидаем от всех сотрудников, что одеты они будут со вкусом и достаточно консервативно. Особого кодекса в одежде у нас нет, но общее представление ты получишь.

Пять тысяч долларов, сказал он? На одежду? У Митча было два костюма, в одном из них он сюда приехал. Он надеялся, что выглядит невозмутимо, но тут же чуть не улыбнулся.

— Какие-нибудь вопросы?

— Да. Некоторые большие фирмы печально известны тем, что загружают своих сотрудников нудной поисковой работой и запирают их в библиотеках, особенно новичков, года на три. Так вот, этого мне не нужно. Я не против того, чтобы выполнять свою часть исследований, и я знаю, что в фирме на первых порах буду самым младшим, но я никогда не соглашусь сидеть над документами и заниматься писаниной за всю фирму. Я хочу работать с настоящими клиентами и решать их проблемы.

Внимательно и терпеливо мистер Макнайт выслушал молодого человека. Помолчал, прежде чем ответить.

— Понимаю, Митч. В больших фирмах это действительно серьезная проблема. Но не у нас. Первые три месяца ты будешь в основном занят подготовкой к экзамену. Сдав его, ты приступишь к реальной практической работе. Тебя закрепят за одним из компаньонов, его клиенты станут и твоими клиентами. Ты будешь выполнять только некоторую поисковую работу своего компаньона, ну и свою собственную, конечно. Иногда тебя попросят помочь кому-нибудь из коллег составить отчет или нечто подобное. Нам хочется, чтобы ты чувствовал себя счастливым человеком. Тебе уже говорили, что у нас нет текучести кадров, что мы всегда готовы сделать шаг навстречу в твоей карьере. Если ты не сработаешься с одним компаньоном, найдем тебе другого. Если вдруг окажется, что тебе наскучили налоги, ты сможешь заняться ценными бумагами или банковским делом. Все зависит от тебя. Фирма собирается в ближайшее время сделать крупное и выгодное вложение своих денег — в мистера Митчела Макдира, и мы хотим, чтобы его работа была продуктивной.

Митчел отхлебнул кофе и задумался, о чем бы еще спросить.

— Мы оплатим все расходы по переезду в Мемфис.

— Они будут невысокими, я найму только небольшой грузовичок.

— Что-нибудь еще, Митч?

— Нет, сэр, ничего больше не могу придумать.

Макнайт сложил листок с вопросами их беседы, аккуратно поместил его в лежащую перед ним папку. Опершись локтями о стол, наклонился в сторону гостя.

— Митч, мы не торопим тебя, но ответ нам нужен как можно раньше. Если ты откажешься, нам необходимо будет продолжить наш поиск. Процесс этот длительный, а нам хотелось бы, чтобы новый сотрудник вышел на работу не позже 1 июля.

— Но десять дней вы мне дадите подумать?

— Это было бы отлично. Тогда, скажем, 30 марта?

— Договорились, но я свяжусь с вами раньше.

Митч простился и вышел. Ламар ждал его в кресле неподалеку от кабинета Макнайта. Они условились об ужине в семь.

ГЛАВА 3

На пятом этаже Бендини-билдинг рабочих кабинетов не было. В одной части коридора находилась столовая с кухней, в центре — несколько закрытых на замок комнат-кладовых, за ними коридор был перегорожен толстой бетонной стеной. Сбоку от небольшой металлической двери торчала кнопка звонка, а над дверью в центре стены на кронштейне поблескивала небольшая телекамера. Дверь вела в тесноватое помещение, где сидел вооруженный охранник и следил за экранами мониторов, занимавших всю стену. Далее коридор зигзагом пробивался через лабиринт различных отсеков и кабин, где какие-то люди были заняты незаметной работой по наблюдению, сбору и обработке информации. От внешнего мира окна были изолированы не только слоем краски, но и глухими шторами, и у солнечного света не было ни малейших шансов пробиться внутрь.

Глава службы безопасности Де Вашер занимал самую просторную из этих крошечных секций. Единственным украшением голых стен его кабинета был сертификат, удостоверявший его безупречную тридцатилетнюю службу в департаменте полиции Нового Орлеана. Де Вашер был мужчиной крепкого сложения, с небольшим животиком, широкоплечим, с мощной грудью и аккуратно посаженной, совершенно круглой головой. Редко кому доводилось видеть улыбку на его лице. Мятая рубашка у воротника была расстегнута, с тем чтобы позволить могучей шее хоть какую-то свободу движений. На спинке стула висела спортивная куртка и широкий галстук из синтетики.

В понедельник утром после отъезда Макдира и его жены Оливер Ламберт поднялся на пятый этаж, подошел к металлической двери и, нажав кнопку, поднял голову к телекамере, ожидая, пока ему откроют. Нажал кнопку еще раз, дверь открылась, и он быстро прошел по петляющему коридору прямо в кабинет Де Вашера. Тот стряхнул пепел с сигары в хирургически чистую пепельницу и сдвинул со стола бумаги в сторону.

— Привет, Олли. По-моему, ты пришел поболтать о Макдире.

Де Вашер был единственным в фирме человеком, называвшим Ламберта просто Олли прямо в лицо.

— Да, помимо прочего.

— Что ж, он неплохо провел время, остался доволен фирмой, ему понравился город, и скорее всего он примет наше предложение.

— Где находились твои люди?

— В отеле мы заняли смежные с его номером комнаты. Номер, конечно, прослушивался, так же как лимузин, телефон и прочее. Все как обычно, Олли.

— Побольше деталей.

— Пожалуйста. Они прибыли в отель в четверг вечером и почти сразу улеглись спать. Разговаривали мало. В пятницу ночью он рассказал ей все, что узнал о фирме, о людях, отозвался о тебе как об очень приятном человеке. Я сразу подумал, что тебе это понравится.

— Продолжай.

— Он поведал ей о вашей роскошной столовой и об обеде с компаньонами. Выдал ей все до мелочей о своем окладе, льготах и премиях, и она пришла в экстаз. Все это превзошло их самые смелые ожидания. Ей очень хочется стать хозяйкой дома с гаражом, деревцами и кустарником во дворе. Он сказал ей, что она ею станет.

— Какое-нибудь недовольство по отношению к фирме?

— Да нет. Прошелся по поводу отсутствия цветных и женщин, но вряд ли его это беспокоит всерьез.

— А что жена?

— Она просто без ума. Ей понравился город, она осматривала его вместе с женой Куина. После обеда в пятницу они вместе ездили посмотреть на дома, она нашла парочку, которые ей по душе.

— Адреса их у тебя есть?

— Конечно, Олли. В субботу утром они вызвали лимузин и катались по городу. Лимузин приводил их в восторг. Наш водитель держался в стороне от неказистых кварталов, а они рассматривали главным образом дома. Похоже, они сделали выбор: номер 1231 по Ист-Медоубрук. Дом продается. Они прошли по нему в сопровождении Бетси Белл, агента по недвижимости. Она назвала им цену — сто сорок тысяч, но удовольствуется и меньшей суммой, у нее сейчас застой.

— Это приличная часть города. Дом старый?

— Лет десять — пятнадцать. Три тысячи квадратных футов, что-то такое в колониальном стиле. Неплохой дом для одного из твоих парней, Олли.

— Ты уверен, что это именно то, что им хочется?

— Пока, во всяком случае. Они собирались приехать еще разок, примерно через месяц, еще присмотреться. Вы могли бы оплатить им самолет сюда в любое время, как только они будут готовы, это ведь обычная процедура?

— Да, мы с этим справимся. Что они говорили об окладе?

— Они поражены. Выше ему ничего не предлагали. Они безостановочно говорили о деньгах: оклад, пенсия, заем, «БМВ», премии и прочее. Им не верится во все это, ребятишки готовы тронуться.

— Пожалуй. Так ты думаешь, мы купили его, а?

— Готов биться об заклад — да. Он сказал, что фирма, может, и не такая престижная, как на Уолл-стрит, но квалификация у юристов не ниже, а люди тут гораздо приятнее. Я уверен, он согласится.

— Он что-нибудь подозревает?

— В общем — нет. Ламар явно дал ему понять, чтобы он держался подальше от кабинета Лока. Он поделился с женой, сказал ей, что никто никогда не входит в его кабинет, за исключением нескольких секретарш и очень небольшого числа компаньонов. Но тут же добавил, что Куин сказал ему, будто Лок просто эксцентричен и довольно замкнут. Не думаю, чтобы он что-то подозревал. Она же сказала, что фирма, как ей кажется, слишком уж беспокоится о вещах, которые ее не касаются.

— Например?

— Личная жизнь. Дети, работа жен и в таком духе. По-моему, ее это несколько раздражало, но это только мое предположение. Просто в субботу утром она сказала ему, что будь она проклята, если позволит горстке каких-то адвокатов указывать ей, когда она сможет работать, а когда — заводить детей. Но я не думаю, что это очень серьезно.

— Понимает ли он, что ему предстоит работать тут постоянно?

— Мне кажется, да. Не было ни упоминания о том, чтобы переехать через несколько лет куда-нибудь еще. Я думаю, он понял. Уже хочет стать компаньоном, как и все. Он уже сломлен и жаждет денег.

— Говорилось что-нибудь об ужине у меня дома?

— Оба там сильно нервничали, но им очень понравилось. А от дома они в восхищении. И от твоей жены тоже.

— Секс?

— Каждую ночь. Впечатление такое, что медовый месяц у них еще в самом разгаре.

— Чем они занимались в постели?

— Мы же не могли видеть, не забывай. Судя по звукам, все как у людей, никаких гадостей. Я все время вспоминал о тебе и о том, как ты любишь рассматривать карточки, и в голове у меня билась одна мысль: нужно было установить камеры, чтобы старина Олли тоже порадовался.

— Заткнись, Де Вашер.

— Так и быть, в следующий раз.

Они помолчали. Де Вашер просматривал свой блокнот. Затем затушил в пепельнице сигару, улыбнулся:

— Так или иначе, это прочная семья. Они очень нежны друг с другом. Твой водитель заметил, что весь уик-энд они ходили повсюду держась за руки. Ни одного раздраженного слова за три дня, это о чем-то говорит, правда? Но кто я, чтобы судить? Я сам третий раз женат.

— С тобой все ясно. А что они говорят о детях?

— Может, через пару лет. Сначала ей хочется поработать.

— Каково твое мнение об этом парне?

— Воспитанный, приличный молодой человек. Очень честолюбив. Думаю, что он уже завел себя и не остановится, пока не взберется на самый верх. И у него есть шансы, он способен на многое... при необходимости.

Ламберт улыбнулся:

— Это я и хотел услышать.

— Дважды они звонили по телефону. Оба раза ее матери, в Кентукки. Ничего примечательного.

— Что-нибудь новое о его семье?

— О ней не упоминалось.

— О Рэе тоже?

— Нет. Мы ищем его, Олли. Дай нам время.

Де Вашер закрыл досье Макдира и достал другую папку, гораздо толще. Ламберт, уставившись в пол, потирал виски.

— Выкладывай, что еще, — негромко сказал он.

— Новости плохие, Олли. Я уверен, что Ходж и Козински сговорились и работают сейчас на пару. На прошлой неделе агенты ФБР получили ордер и обыскали дом Козински. Обнаружили наши микрофоны и сообщили ему, что его дом прослушивался. Естественно, они не знали кем. Козински рассказал об этом Ходжу в прошлую пятницу — они спрятались в библиотеке на третьем этаже. Микрофон был довольно далеко от них, и мы смогли записать лишь отдельные реплики. Не много, но ясно, что говорили о «жучках» в доме Козински. Они убеждены, что их слушают везде, и подозревают нас. Говорят даже наедине очень осторожно.

— С чего это вдруг ФБР понадобился для обыска ордер?

— Хороший вопрос. Видимо, реверанс в нашу сторону, чтобы все выглядело законно и солидно. Нас они уважают.

— Кто там был из них?

— Тарранс. Видимо, он старший.

— И как он?

— Хорош. Молод, зелен, излишне ревностен, но компетентен. С нашими людьми он не сравнится.

— И часто он говорил с Козински?

— Сейчас это невозможно установить. Поскольку они вычислили, что мы их слушаем, то стали предельно осторожны. Нам известно о четырех их встречах в прошлом месяце, но я подозреваю, что их было больше.

— Много он успел вынюхать?

— Надеюсь, не очень. Пока ФБР ведет бой с тенью. Их последняя беседа, о которой мы знаем, состоялась неделю назад, и важного там ничего сказано не было. Козински очень напуган. Общаются они, видимо, много, а толку нет. Он так и не решился сотрудничать с ними. Они же сами на него вышли, имей это в виду. По крайней мере мы так считаем. Его прижали довольно крепко, и он готов был расколоться, но теперь, похоже, начинает задумываться. Однако контакты продолжаются, и это меня тревожит.

— Жена его что-нибудь знает?

— Думаю, нет. Она видит, что ведет он себя странно, но он объясняет это перегруженностью на работе.

— А что Ходж?

— Насколько мы осведомлены, он пока с фэбээровцами не контактирует. Больше разговаривает с Козински, или шепчется, я бы сказал. Ходж твердит, что боится ФБР хуже смерти, что ФБР ведет бесчестную игру, что агентам Бюро доверять нельзя. Без Козински он и шагу не сделает.

— А если Козински исчезнет?

— Они выйдут на Ходжа. Надеюсь, нам не придется прибегать к крайним средствам. Черт побери, Олли, он ведь не убийца какой-нибудь! Он очень достойный молодой человек, у него дети...

— Твоя чувствительность ошеломляет. Ты, верно, думаешь, что я получу от этого удовольствие. Дьявол, я ведь сам воспитывал этих парней!

— Ну тогда призови их к порядку, пока дело не зашло слишком далеко. Нью-Йорк становится все более подозрительным, Олли. Нам начинают задавать вопросы.

— Кто?

— Лазаров.

— И что ты им ответил, Де Вашер?

— Рассказал все. Это моя работа. Тебя ждут в Нью-Йорке послезавтра, для детального доклада.

— Чего они хотят?

— Им нужны ответы. И планы.

— Какие планы?

— Предварительные планы устранения Козински, Ходжа и Тарранса, если возникнет такая необходимость.

— Тарранса! А ты не сошел с ума, Де Вашер? Мы не можем устранить агента ФБР! Сюда же пришлют войска.

— Лазаров болван, Олли. Ты знаешь это. Он идиот, но я не думаю, что с нашей стороны было бы умно сказать ему об этом.

— А я скажу. Я поеду в Нью-Йорк и скажу ему, что он круглый дурак.

— Сделай это, Олли. Сделай!

Оливер Ламберт поднялся с кресла и направился к двери.

— Наблюдать за Макдиром еще месяц.

— Хорошо, Олли. Он согласится, держу пари. Не беспокойся.

ГЛАВА 4

«Мазду» продали за двести долларов, большая часть которых пошла в уплату за аренду небольшого грузовичка. Его вернут арендной конторе уже в Мемфисе. Кое-что из старой мебели раздали соседям, часть выбросили, погрузили только холодильник, кровать, шкаф для одежды, комод, небольшой цветной телевизор, ящики с посудой, одеждой, всякими мелочами. Отдавая дань сентиментальным воспоминаниям, взяли с собой и старую кушетку, понимая, однако, что долго она в новом доме не простоит.

Эбби держала на руках их беспородного пса Хорси, а Митч сидел за рулем и гнал машину через Бостон на юг, все дальше на юг, туда, где их ждала лучшая жизнь. В течение уже трех дней они пробивались второстепенными дорогами, наслаждаясь природой и подпевая передаваемым по радио песням. Они ночевали в дешевых мотелях и болтали о доме, о «БМВ», о мебели, детях, богатстве. Опустив стекла кабины, с радостью подставляли лица ветерку, когда грузовичок набирал максимальную скорость — почти сорок пять миль в час! Где-то уже в Пенсильвании Эбби робко намекнула, что они могли бы по пути заскочить ненадолго в Кентукки. Митч не сказал ничего, но выбрал маршрут, пролегающий через обе Каролины, Северную и Южную, и Джорджию, так что в любой точке пути между ними и границей штата Кентукки было не меньше ста пятидесяти миль. Эбби смирилась.

Они добрались до Мемфиса в четверг утром; как и было обещано, черный «БМВ» триста восемнадцатой модели стоял у гаража в ожидании хозяев. Митч не сводил глаз с машины.

Эбби — с дома. Трава перед ним была густой, зеленой и аккуратно подстриженной. Невысокая ограда поблескивала свежей краской. Ноготки на клумбе — в цвету. Ключи, как договаривались, лежали в кладовой под ведром.

Не вытерпев и опробовав новенький «БМВ» тут же, во дворе, они кинулись разгружать грузовик — им не хотелось давать соседям шанс рассмотреть небогатые пожитки. Грузовичок сразу же отогнали в отделение арендной конторы. И — снова за руль «БМВ»!

Женщина-дизайнер, специалист по интерьерам, та самая, которой вменили в обязанность оформить его кабинет, пришла после обеда, принеся с собой образчики ковров, красок, занавесей, драпировок и обоев. Затею с дизайнером Эбби нашла излишней, особенно после их спартанской квартирки в Кембридже, но потом сдалась. Митчу это моментально наскучило, он извинился и вновь отправился к машине. Он с гордостью ехал по трехрядному покрытию утопающего в зелени уютного пригорода, жителем которого отныне являлся. Митч ехал и улыбался ребятишкам на велосипедах, присвистывавшим при виде его нового автомобиля. Он приветственно махнул рукой почтальону на тротуаре, потеющему под тяжестью сумки. Вот он, Митчел И. Макдир, двадцатипятилетний выпускник юридического факультета Гарвардского университета. Вот он, собственной персоной.

В три часа они вместе с женщиной-дизайнером отправились в дорогой мебельный магазин, где управляющий вежливо информировал их о том, что мистер Оливер Ламберт отдал распоряжение об открытии им кредита, если, конечно, они не будут против, и что кредит этот не ограничивался никакой определенной суммой. Они тут же купили мебель на весь дом. Митч иногда хмурился, дважды наложив вето на какие-то особо дорогие вещи, но в целом балом заправляла Эбби. Дизайнер не уставала делать комплименты ее изысканному вкусу, но и не забыла договориться с Митчем о том, что придет в его офис в понедельник. Великолепно, ответил ей он.

С планом города на коленях они отправились к дому супругов Куин. Эбби еще в прошлый раз была у них, но дороги не помнила. Дом располагался в части города, называвшейся Чикасо-Гарденс, и сейчас Эбби узнавала массивы деревьев, просторные особняки с профессионально спланированными газонами. Подъехав, они припарковали машину между двумя «мерседесами» — старым и новым.

Прислуга приветствовала их вежливым наклоном головы, но без улыбки. Их провели в гостиную и оставили одних.

В доме было темно и тихо — ни смеха детей, ни голосов. Они сидели, любовались интерьером и ждали. Начали тихо переговариваться, затем нетерпеливо ерзать. В конце концов, ведь их пригласили на ужин — сегодня, 25 июня, в четверг, в шесть вечера. Митч посмотрел на часы и пробормотал что-то о невоспитанности. Но все же они сидели и ждали.

В гостиную из коридора стремительно вошла Кей и попыталась улыбнуться. Глаза ее были чуть припухшими и влажными, тушь в уголках размазалась. Внезапно по щекам хлынули слезы. Обняв Эбби за плечи, она села на диван рядом с ней, даже не села, а просто бессильно опустилась — ноги ее не держали. Кей прижала к губам платок, заглушая рыдания.

Митч опустился на колени рядом:

— Кей, что случилось?

Она только покачала головой, не в силах говорить. Эбби гладила ее по колену, Митч слегка похлопывал по другому. Они смотрели на нее со страхом, предполагая самое худшее. Ламар? Дети?

— Случилось несчастье, — едва слышно проговорила Кей сквозь рыдания.

— С кем?

Она вытерла глаза и глубоко вздохнула:

— Два сотрудника фирмы, Марти Козински и Джо Ходж, погибли. Мы были очень близки с ними.

Митч опустился на журнальный столик. С Козински он встречался, когда приезжал сюда второй раз, в апреле, — вместе с Ламаром они втроем как-то обедали в небольшом ресторанчике на Франт-стрит. Козински оставалось до партнерства не так долго, однако вид у него был совсем не радостный. Джо Ходжа Митч припомнить не смог.

— Что случилось? — спросил он.

Рыдания прекратились, но слезы все еще текли по щекам Кей. Она вытирала их и смотрела на Митча.

— Мы еще точно не знаем. Они занимались подводным плаванием на Большом Каймане. На их лодке что-то взорвалось, и мы думаем, что они утонули. Ламар сказал, подробности пока неизвестны. Несколько часов назад в фирме было совещание, всех оповестили. Ламар еле добрался до дома.

— Где он?

— Около бассейна. Ждет тебя.

Ламар сидел в металлическом шезлонге у садового стола под зонтиком, в нескольких футах от стенки бассейна. Неподалеку от клумбы с цветами из травы торчала головка садовой дождевальной установки. Через равные промежутки времени из нее били струйки воды и по идеальной дуге приземлялись на стол, на зонтик, на шезлонг и сидящего в нем Ламара Куина. Он был насквозь мокрым. Вода капала с носа, ушей, волос. Голубую рубашку и брюки можно было выжимать. Обуви и носков на нем не было.

Ламар сидел совершенно неподвижно, не вздрагивая даже от новой порции воды. Видимо, он утратил всякую чувствительность. Взгляд его удерживала какая-то штука в луже воды на бетонной дорожке у ограждения бассейна, казавшаяся банкой пива.

Митч посмотрел по сторонам, надеясь, что никто из соседей не глазеет на происходящее. Соседи не могли ничего видеть — заросли кипариса закрывали от нескромных глаз бассейн и газон. Митч обошел бассейн и остановился там, где было еще сухо. Ламар наконец заметил его, кивнул, сделал слабую попытку улыбнуться и указал рукой на промокшее кресло рядом. Митч оттащил кресло чуть в сторону. Уселся.

Взгляд Ламара вновь вернулся к банке пива или чему-то на нее похожему — не разобрать. Казалось, прошла вечность, пока они сидели и слушали негромкие выстрелы дождевальной установки. Время от времени Ламар встряхивал головой и пытался что-то сказать. Митч улыбался неловкой нервной улыбкой, вовсе не уверенный, что нужно что-то говорить.

— Ламар, мне очень жаль, — решился он наконец.

Повернув голову, тот посмотрел на Митча:

— Мне тоже.

— Я не знаю, что еще сказать.

Взгляд Ламара снова оторвался от непонятного предмета, он повел головой в сторону гостя. Мокрые волосы лезли ему в глаза, красные и совершенно больные.

— Да, понятно. Но говорить действительно нечего. Очень жаль, что это произошло именно сегодня. Не хочется приниматься за ужин.

— А уж об этом тебе не стоит беспокоиться. Ни о каком ужине я и думать сейчас не могу.

— Ты их помнишь? — спросил Ламар, смахивая с губ капельки воды.

— Помню Козински, Ходжа — нет.

— Марти Козински был одним из моих лучших друзей. Он из Чикаго. Пришел в фирму за три года до меня и вот-вот должен был стать компаньоном. Опытнейший юрист, мы все им восхищались. Пожалуй, лучший посредник фирмы, блестяще вел переговоры, он не поддавался никакому давлению.

Ламар уставился в землю. Когда он вновь заговорил, то стекавшая с кончика носа вода заметно исказила его произношение.

— Трое детей. Его девочки-близнецы всего на месяц старше нашего сына, они всегда играли вместе... — Он не сдержался и заплакал, закусив нижнюю губу и прикрыв глаза.

Митч почувствовал себя совсем неловко, ему захотелось уйти. Он отвел взгляд в сторону.

— Мне очень жаль, Ламар. Очень.

Ламар взял себя в руки, но слезы еще текли по щекам. Митч посмотрел на кран, он дважды собирался попросить разрешения закрыть воду и оба раза решал потерпеть еще, если уж Ламар терпел. Вдруг это действительно поможет? Он бросил взгляд на циферблат — часа через полтора стемнеет.

— Это был несчастный случай? — спросил он.

— Мы знаем совсем немного. Они ныряли с аквалангами, и на лодке произошел взрыв. Инструктор, местный житель, тоже погиб. Сейчас там занимаются отправкой их тел сюда.

— А что с их женами?

— Они, слава Богу, дома. Это была деловая поездка.

— Не могу вспомнить, как выглядел Ходж.

— Он был высоким блондином, не очень-то разговорчивым. Таких часто встречаешь, но никогда не можешь запомнить. Окончил Гарвард, как и ты.

— Сколько ему было лет?

— И ему и Козински было по тридцать четыре. Он бы стал компаньоном сразу после Марти. Они дружили. Собственно, все мы очень дружны, особенно сейчас.

Обеими руками Ламар откинул волосы со лба на затылок, встал, прошел туда, где было сухо. Вода текла с него ручьями. Он остановился рядом с Митчем, глядя на крыльцо соседей.

— Ну, как «БМВ»?

— Замечательно. Отличная машина. Спасибо, что позаботился об этом.

— Когда ты приехал?

— Сегодня утром.

— А дама приходила? Специалист по интерьерам?

— О да. Эбби с ее помощью потратила всю мою зарплату за следующий год.

— Это хорошо. И дом у тебя прекрасный. Мы рады тебе, Митч. Извини, что все так получилось, но тебе здесь понравится.

— Тебе не за что извиняться.

— Мне по-прежнему не верится. Я просто в шоке. Становится нехорошо, как подумаю о его жене и детях. Пусть меня лучше отстегают хлыстом, но к ним я сейчас просто не в состоянии идти.

Во двор дома вышли женщины и направились к бассейну. Кей завернула кран, струйки воды перестали бить в небо.

Вместе с потоком машин они двигались в направлении центра, на запад, прямо в заходящее солнце. Они держались за руки и молчали. Митч открыл лючок в крыше автомобиля, опустил стекла. Эбби, покопавшись среди старых кассет в бардачке, вытащила запись Спрингстина, вставила в стереомагнитолу. Звучание было великолепным. Новая, поблескивающая в последних лучах солнца машина стремительно неслась вперед, к реке. Вместе с сумерками на летний Мемфис наваливалась душная густая влажность. Оживали площадки для игры в софтбол: на них выходили команды упитанных мужчин в обтягивающих трико и ярких майках, размечали поле, готовясь вырвать друг у друга победу. Набитые подростками автомобили резко тормозили у придорожных забегаловок, где можно было выпить пива, потрепаться, познакомиться с девушками.

Митч начинал улыбаться. Он старался выбросить из головы Ламара, Козински и Ходжа. Зачем грустить? Они же никогда не были его друзьями. Впрочем, ему было жаль их семьи, хотя он никогда не видел жен и детей погибших. А у него, Митчела И. Макдира, простого парня без роду, без племени, было все, чтобы ощущать себя счастливым: красавица жена, новый дом, новый автомобиль, новая работа, новенький диплом Гарвардского университета. Блестяще организованный ум и крепкое тело, которое не набирало веса и не требовало долгих часов сна для отдыха. Восемьдесят тысяч в год, на первых порах. Через два года он перевалит за сто тысяч, и все, что для этого требуется, — работать по девяносто часов в неделю. Да это смахивает на благотворительность!

Автомобиль свернул на заправку. Митч залил бак доверху, расплатился, купил шесть пачек кукурузных хлопьев. Эбби тут же вскрыла две. «БМВ» опять влился в общий поток. Тоска ушла.

— Поужинаем где-нибудь? — спросил он.

— Надо бы переодеться, — ответила Эбби.

Митч окинул взглядом ее стройные загорелые ноги. Эбби была в белой юбке выше колен и в белой же блузке, все — из хлопка. Сам Митч сидел за рулем в шортах, шлепанцах и выгоревшей на солнце черной майке.

— С такими ногами, как у тебя, мы бы прошли в любой ресторан Нью-Йорка. Как насчет «Рандеву»? Для него мы прилично одеты?

— Замечательная мысль.

Они нашли в центре города местечко на платной стоянке, заплатили и прошлись пешком пару кварталов до неширокой тенистой улочки, где летний воздух сгущался, как туман, от аромата жаренного на углях мяса. Этот аромат проникал в ноздри, рот, дымком въедался в глаза, опускался вниз, к желудку, и оттуда давал команду мозгу. Дивный запах вырывался наружу вместе с дымом по вентиляционным трубам, окружавшим массивные печи, в которых в лучшем ресторане города, на весь мир прославившемся жареными свиными ребрышками, эти самые ребрышки сейчас и подрумянивались. Ресторан располагался ниже уровня улицы, в подвальном этаже старого здания из красного кирпича, которое давно бы снесли, если бы не превосходная еда, превратившая «Рандеву» в местную достопримечательность.

Ресторан обычно бывал полон, существовала даже очередь, но по четвергам напряжение, видимо, спадало. Они прошли через похожий на пещеру зал и устроились за небольшим столиком, покрытым красной клетчатой скатертью, ловя на себе любопытные взгляды. Мужчины замирали и забывали о еде, когда Эбби Макдир проходила мимо, невозмутимая, как фотомодель. Однажды в Бостоне, идя по тротуару, она стала причиной пробки на перекрестке — на нее засмотрелся какой-то водитель. Присвистывание и возгласы восхищения вслед были неотъемлемой частью ее жизни, и даже ее муж привык к этому. Митч был очень горд тем, что его жена красива.

Чернокожий гигант в красном фартуке с рассерженным видом стоял перед ними.

— Да, сэр. — Голос его был требовательным.

Карточки меню лежали на каждом столе и были абсолютно ни к чему. Ребрышки. Только ребрышки.

— Две полных порции, тарелку сыра, пива — один кувшин, — мгновенно выпалил Митч.

Ни блокнота, ни ручки у официанта не было, он просто повернулся и гулким голосом прокричал в сторону входа:

— Дашь два полных, сыр, кувшин!

Когда он отошел, Митч под столом коснулся ноги жены. Эбби слегка шлепнула его по руке.

— Ты прекрасна, — сказал он ей. — Когда я в последний раз говорил тебе об этом?

— Часа два назад, — отозвалась Эбби.

— Два часа! Тупица безмозглый!

— А ты делай так, чтобы потом не упрекать себя.

Он положил руку на ее колено и ласково погладил. Теперь Эбби позволила ему это. Сдаваясь, она улыбнулась, на щеках — ямочки, зубы в полумраке поблескивали, глаза, как у кошки, светились. Темно-каштановые волосы изящно спадали чуть ниже плеч.

Принесли пиво, официант наполнил кружки. Эбби сделала маленький глоток, посерьезнела.

— Как ты думаешь, с Ламаром все в порядке?

— Не знаю. Сначала мне показалось, что он пьян. Я сидел как последний идиот и смотрел, как он мокнет под водой.

— Бедняга. Кей сказала мне, что похороны состоятся, наверное, в понедельник, если тела привезут сюда вовремя.

— Давай-ка поговорим о чем-нибудь другом. Не люблю я похорон, никаких, даже если я должен там присутствовать только из приличия и никого из умерших не знал. С похоронами у меня уже есть кое-какой печальный опыт.

В этот момент принесли ребрышки на картонных тарелках. На стол поставили также блюдо с нашинкованной капустой и запеченной фасолью. Но прежде всего ребрышки, длиной чуть ли не в фут, обильно политые соусом, секрет которого известен только шефу. Они приступили к еде.

— А о чем ты хочешь поговорить? — Эбби перевела дух.

— О том, что тебе пора бы уже... — Он выразительно посмотрел на ее живот.

— Я думала, мы можем подождать несколько лет.

— Можем. Но пока нам нужно прилежно тренироваться.

— Мы тренировались в каждом мотеле по дороге из Бостона в Мемфис.

— Я помню, а в новом доме еще ни разу. — Из-за неловкого движения соус брызнул Митчу прямо в глаза.

— Но мы же только утром приехали, Митч!

— Знаю. А чего мы ждем?

— Митч, ты ведешь себя так, как будто я совсем про тебя забыла.

— А ты и забыла. С самого утра. Предлагаю заняться этим сегодня же вечером, как только приедем домой, это будет как бы обрядом крещения нашего нового жилища.

— Посмотрим.

— Обещаешь? Смотри-ка, видишь парня, вон там? Похоже, он сейчас вывихнет себе шею, пытаясь увидеть чью-то ножку. По-моему, я должен подойти и отхлестать его ремнем по заднице, а?

— Обещаю. Договорились. Не обращай внимания на тех парней, они смотрят на тебя, думаю, они считают тебя ловчилой.

— Очень остроумно.

Митч справился со своей порцией и теперь уминал ее половину. Допив пиво, они расплатились и выбрались на свежий воздух. Сели в машину. Он не спеша ехал по городу, пока не увидел табличку с названием улицы, которая была неподалеку от их дома. Пару раз замешкавшись на поворотах, он въехал на Медоубрук, и около дома мистера и миссис Митчел И. Макдир «БМВ» остановился.

Кровати еще не были собраны, и подушки матрасов лежали на полу, окруженные какими-то ящиками. Хорси спрятался под лампой на полу и всю ночь наблюдал за тем, как они тренировались.

Через четыре дня, в понедельник, который должен был стать первым рабочим днем Митчела в фирме Бендини, сам Митч вместе с женой, окруженный своими теперь уже тридцатью девятью коллегами и их женами, пришел отдать последний долг Мартину С. Козински. Кафедральный собор был полон. Оливер Ламберт произнес настолько прочувствованное прощальное слово, что даже у Митча, похоронившего отца и брата, глаза были на мокром месте. Увидев вдову и детей, Эбби расплакалась.

В том же составе все встретились и после полудня — в пресвитерианской церкви, где происходило прощание с Джозефом М. Ходжем.

ГЛАВА 5

Когда ровно в восемь тридцать утра, как и договаривались, Митч вошел в небольшую приемную, примыкавшую к офису Макнайта, она была пуста. Едва слышно присвистнув и кашлянув, он принялся нетерпеливо ждать. Откуда-то из-за шкафа с папками появилась древняя седовласая старушонка-секретарша и бросила на него сердитый взгляд. Митч объяснил ей, что он должен встретиться с мистером Макнайтом в им самим назначенное время. Секретарша улыбнулась, сказала, что ее зовут Луиза и что она вот уже тридцать первый год является личным секретарем мистера Макнайта. Не захочет ли молодой человек выпить кофе? С удовольствием, согласился Митч, черный. Секретарша вышла и тут же вернулась с чашечкой на блюдце. По интеркому она связалась со своим боссом, после чего предложила Митчу присесть. Теперь она его вспомнила — кто-то из коллег указал ей на него вчера во время похорон.

Она извинилась перед ним за мрачную атмосферу — никто не может работать, пояснила она, и пройдут дни, прежде чем все войдет в норму. Такие приятные молодые люди! Зазвонил телефон на ее столе, и она сказала в трубку, что у мистера Макнайта важное совещание и беспокоить его нельзя. Раздался еще один звонок, выслушав, она провела Митча в кабинет своего патрона.

Вошедшего приветствовали Оливер Ламберт и хозяин кабинета, управляющий Ройс Макнайт. Тут же Митчела представили двум другим компаньонам, Виктору Миллигану и Эйвери Толару. Все расселись за небольшим столом. Луизу попросили принести еще кофе. Миллиган заправлял в фирме налогами, а Толар, ему был сорок один, был молодым в общем-то компаньоном.

— Митч, ты должен нас извинить за такое не совсем радостное начало, — заговорил первым Макнайт. — Хорошо, что ты вчера вместе со всеми был на похоронах, хотя, повторяю, нам очень жаль, что твой первый день в нашей фирме оказался таким печальным.

— Я чувствовал, что не могу не пойти на похороны.

— Мы гордимся тобой, Митч, мы возлагаем на тебя очень большие надежды. Мы потеряли двух замечательных юристов, оба они занимались налогами, так что ты сейчас нам просто необходим. Нам всем теперь придется работать более напряженно.

Вошла Луиза с подносом, на нем — серебряный кофейник, чашки тонкого фарфора.

— Нам очень грустно, — сказал Ламберт, — раздели нашу скорбь с нами, Митч.

Мужчины склонили головы. Ройс Макнайт просматривал какие-то записи в блокноте.

— Митч, по-моему, мы с тобой об этом уже говорили. Нового сотрудника мы всегда закрепляем за компаньоном, который направляет его деятельность. Вопрос их взаимоотношений довольно важен. Мы стараемся подобрать такого компаньона, с которым нетрудно сработаться, и, как правило, не ошибаемся. Если же это происходит, мало ли что, то мы просто подбираем другого. Твоим партнером будет Эйвери Толар.

Митч смущенно улыбнулся ему.

— Он будет твоим непосредственным руководителем, и все дела, над которыми ты будешь работать, — это его дела. Фактически ты будешь заниматься только налогами.

— Отлично.

— Митч, давай пообедаем сегодня вместе, — повернулся к нему Толар.

— С удовольствием.

— Возьмите мой лимузин, — предложил Ламберт.

— Я это и собирался сделать, — ответил Толар.

— А когда у меня будет лимузин? — спросил Митч.

Все рассмеялись, похоже, благодарные ему за то, что он постарался разрядить атмосферу.

— Лет через двадцать, — отозвался Ламберт.

— Я терпелив.

— Как твой «БМВ»? — Это был Миллиган.

— Замечательно! Пробежит пять тысяч миль без всякого обслуживания.

— С переездом все в порядке?

— Да, отлично. Я очень благодарен фирме за помощь. Здесь нас так тепло встретили. Мы с женой очень всем признательны.

Макнайт согнал с лица улыбку и вновь уткнулся в блокнот.

— Как я уже говорил, Митч, главное сейчас — сдать экзамен по адвокатуре. До него у тебя есть шесть недель, можешь рассчитывать на любую помощь. У нас есть свой собственный курс подготовки к нему, и ведут этот курс самые опытные компаньоны. В ходе подготовки будут затронуты все аспекты экзамена, и руководство фирмы станет внимательно контролировать твои успехи, особенно тщательно этим займется Эйвери. По крайней мере полдня у тебя должно уходить на подготовку, да и большая часть твоего свободного времени тоже. Никто из сотрудников фирмы не проваливал этого экзамена.

— Я тоже не буду первым.

— Но если это случится, у тебя отберут «БМВ», — сказал Толар с легкой усмешкой.

— У тебя будет секретарша, ее зовут Нина Хафф. Она работает в фирме более восьми лет. Несколько темпераментна, не очень симпатичная, но весьма работоспособная. Она неплохо знает право и любит иногда давать советы, особенно новичкам. Сам решишь, устроит она тебя или нет. Если нет — подыщем другую.

— Где мой офис?

— На втором этаже. Дизайнер по интерьерам, ты с ней уже встречался, подойдет после обеда. Следуй ее советам, насколько возможно.

Ламар тоже работал на втором этаже, и мысль об этом подействовала на Митчела успокаивающе. Ему вдруг вспомнилось, как он сидел у бассейна, промокший, бормочущий что-то со слезами на глазах.

— Митч, — донесся до него голос Макнайта, — боюсь, я забыл упомянуть кое о чем во время нашей первой беседы.

Митч чуть подождал, затем неторопливо спросил:

— Ну и что же это?

Сидящие внимательно вслушивались в слова Макнайта.

— Мы никогда не позволяем новому сотруднику начать его карьеру в фирме, не рассчитавшись со студенческими займами. Мы предпочитаем, чтобы у тебя по иному поводу болела голова и чтобы ты иначе тратил свои деньги. Какова сумма долга?

Митч глотнул кофе, мозг его быстро работал.

— Почти двадцать три тысячи.

— Начни завтрашний день с того, что положи все документы по займам на стол Луизы.

— Вы... гм-м... имеете в виду, что фирма все оплатит?

— Такова наша политика. Если ты, конечно, не против.

— Нисколько не против. Просто я не знаю, что сказать.

— Тебе и не нужно ничего говорить. Мы делали это для каждого нового сотрудника на протяжении последних пятнадцати лет. Просто передай бумаги Луизе.

— Но это очень великодушно, мистер Макнайт.

— Да, это так.

Пока лимузин медленно продвигался вперед по забитым машинами улицам города, Эйвери говорил без умолку. Митч напомнил ему его молодость, говорил он. Ребенок из распавшейся семьи, воспитанный приемными родителями где-то на юго-западе Техаса. По окончании школы он оказался предоставленным самому себе, работал в ночную смену на обувной фабрике, чтобы скопить денег на учебу в колледже. Ему посчастливилось получить благотворительную стипендию. Колледж окончил с отличием, разослал заявления о приеме в одиннадцать вузов и остановил свой выбор на Стэнфордском университете. Окончил факультет права вторым на курсе и отказался от предложений всех самых крупных фирм на западном побережье. Он хотел заниматься налогами, и ничем иным. Оливер Ламберт нашел его шестнадцать лет назад, когда в фирме не было и тридцати человек.

Толар был женат, имел двоих детей, но о семье говорил мало. Его больше интересовали деньги. Они были его страстью, как сказал он. В банке уже лежал первый миллион, второй ожидался через пару лет. С ежегодным доходом в четыреста тысяч вряд ли это потребует больше времени. Его специальностью было создание товариществ по закупке супертанкеров. В своем деле Толар слыл профессионалом, ставка его составляла триста долларов в час, а работал он шестьдесят, иногда семьдесят часов в неделю.

Митч начинал со ста долларов в час и пятичасового по меньшей мере рабочего дня до тех пор, пока он не сдаст экзамен. После этого — восемь часов, по сто пятьдесят долларов за каждый. Скрупулезный учет рабочего времени и объема проделанной за день работы, или, как в фирме говорили, оформление счетов, — вот что являлось фундаментом процветания. Каждый вел свои счета сам. От них зависело абсолютно все: продвижение по службе, повышение окладов, премии, льготы, успех — словом, выживание. Новичкам в этом вопросе уделялось особое внимание. Если кого-то уличали в несерьезном отношении к этим ежедневным калькуляциям, то делалось серьезное предупреждение. Эйвери не помнил ни одного в свой адрес. Было бы просто неслыханно, сказал он, чтобы кто-то позволил себе пренебречь столь важным делом.

Для сотрудников средняя почасовая ставка равнялась ста семидесяти пяти долларам. Для компаньонов — тремстам. Миллиган с некоторых своих клиентов брал по четыреста в час, а Натан Лок запросил однажды даже пятьсот — за какую-то работу, связанную с налоговым обеспечением сложной сделки по обмену недвижимости в нескольких странах. Пятьсот долларов в час! Эйвери доставил себе удовольствие, чуть развив мысль: пятьсот в час, умноженные на пятьдесят часов в неделю и на пятьдесят недель в году, дают один миллион двести пятьдесят тысяч долларов! За один год. Вот как делают деньги в их бизнесе. Человек начинает свое дело с несколькими компаньонами, и вырастает династия. С приходом каждого нового человека увеличивается общая прибыль, так-то.

Не пренебрегай оформлением счетов, предупреждал он Митча. Это первое правило выживания. Если вдруг закончатся папки, с которыми работаешь, тут же дай знать ему, Эйвери, у него в офисе их предостаточно. В десятый день каждого месяца во время обеда компаньоны обсуждают положение дел со счетами за предыдущий месяц. Это настоящий обряд, священнодействие. Ройс Макнайт зачитывает имя компаньона и сумму, которую он заработал фирме за прошедший месяц. Среди компаньонов существует даже подобие некой конкуренции. В конце концов, все они становятся богаче, разве нет? Что касается сотрудников, то никто не упрекнет того, у кого самый низкий итоговый показатель, если в следующем месяце цифра возрастет. Позже Оливер Ламберт объяснит это все подробнее. Но еще ни у кого в фирме не было низких показателей три месяца подряд. Сотрудникам с особенно высокими показателями могут выплачиваться премии. Сумма гонораров играет важную роль при переводе сотрудника в ранг компаньона. Поэтому — не пренебрегай предложениями! Это превыше всего, после сдачи экзамена, конечно.

Экзамен — чепуха, просто формальность, через которую нужно пройти, ритуал, не более. Выпускнику Гарварда опасаться нечего. Просмотришь наш повторительный курс, вспомнишь, чему учили, говорил Эйвери, и достаточно.

Лимузин свернул в боковую улочку между двумя высокими зданиями и остановился у растянутого поперек тротуара тента, ведущего к металлической двери, выкрашенной в черный цвет. Эйвери посмотрел на часы и бросил шоферу:

— Подъедешь сюда к двум.

«Два часа на обед, — подумал Митч. — Это больше шестисот долларов. На ветер!»

Клуб «Манхэттен» занимал последний, десятый, этаж здания, которое в начале пятидесятых было целиком заселено какими-то конторами. Толар окрестил его развалиной, но не преминул сообщить Митчу, что клуб известен в городе дорогим рестораном и изысканной кухней. Доступ в него был открыт только белым мужчинам, обстановка была роскошной. Знатные обеды для знатных людей: банкиров, юристов, чиновников высокого ранга, антрепренеров, немногих политиков и горстки аристократов. Позолоченный изнутри лифт без остановок промчался через покинутые конторами этажи и замер на элегантно отделанном последнем. Представительный метрдотель обратился к спутнику Митча по имени, осведомился о здоровье Оливера Ламберта и Натана Лока, выразил сочувствие по поводу гибели Козински и Ходжа. Эйвери поблагодарил и представил ему нового члена фирмы. Лучший столик ждал их в углу. Безупречно вышколенный черный официант, Эллис, предложил гостям меню.

— В фирме не разрешается принимать спиртное во время обеда, — заметил Эйвери, открывая меню.

— Я и не пью во время обеда.

— Вот и хорошо. Что будешь?

— Чай со льдом.

— Чай со льдом для моего друга, — обратился Эйвери к официанту, — а мне сухой мартини, и положи туда три оливки.

Митч прикусил язык и ухмыльнулся, прикрывшись меню.

— Слишком много у нас всяких правил, — пробормотал Эйвери.

За первым мартини последовал второй, но на этом Толар остановился. Он сделал заказ за обоих: какая-то жаренная на огне рыба, блюдо дня. Ему приходится следить за своим весом, объяснил он Митчу. Помимо прочего, добавил Эйвери, он ежедневно ходит в спортивный клуб, свой собственный клуб. Почему бы Митчу не прийти как-нибудь и не попотеть вместе? Как-нибудь после экзамена, а? После этого Митч отвечал на его стандартные вопросы о футболе, с излишней скромностью умаляя свои достижения.

В свою очередь, Митч спросил его о детях. Эйвери ответил, что они живут вместе с их матерью.

Рыба оказалась сыроватой, а картофель был просто недопечен. Митч ковырял вилкой в салате и слушал рассуждения своего патрона о других обедающих в зале. Вон за тем большим столом сидит мэр с каким-то японцем. За соседним столиком — один из банкиров фирмы. Там дальше — кое-кто из коллег по профессии. Митч заметил, что ели все увлеченно и в то же время со значимостью, как, собственно, и должны такие люди есть. Атмосфера была самая что ни на есть пуританская. По словам Эйвери, выходило, что каждый из обедающих являлся весьма важной персоной как в своем деле, так и в городе. Эйвери был здесь дома.

Они оба отказались от десерта и заказали кофе. Митч должен быть на своем месте не позже девяти часов утра, объяснял ему Толар, раскуривая длинную, тонкую, золотистого цвета, сигару. Секретарши приходят к восьми тридцати. Заканчивается рабочий день в пять часов пополудни, но никто не работает по восемь часов ежедневно. Он сам, например, приходит к восьми и редко уходит раньше шести. Он может позволить себе вписывать в счета по двенадцать часов каждый день, вне зависимости от того, сколько часов фактически был занят работой. Пять дней в неделю по двенадцать часов. По триста долларов час. В течение пятидесяти недель. Девятьсот тысяч долларов в год. Такова его норма. Правда, в прошлом году из-за обстоятельств личного характера он дотянул только до семисот. Фирму не волнует, придет Митч в шесть утра или только в девять, если работа, порученная ему, будет сделана.

— А во сколько открывают двери здания? — спросил Митч.

У каждого есть свой ключ, так что прийти и уйти можно в любое время. Меры безопасности соблюдаются очень строго, но охрана давно привыкла к трудоголикам. Некоторые из привычек сослуживцев стали легендой. Виктор Миллиган в молодости работал по шестнадцать часов в день, семь дней в неделю, и так до тех пор, пока не стал компаньоном, после чего прекратил работать по воскресеньям. У него случился сердечный приступ, и он был вынужден пожертвовать и субботами. Лечащий врач посадил его на «диету»: не более десяти часов в день, пять дней в неделю, и с тех пор он чувствует себя совершенно несчастным. Марти Козински знал в лицо и по именам всех уборщиц. Он приходил к девяти, поскольку хотел завтракать вместе с детишками. А уходил в полночь. Натан Лок притворяется, что не может нормально работать после прихода секретарш, и вот он является к шести. Это будет просто позором — прийти позже. Вот перед вами старик, которому шестьдесят один год и который стоит десять миллионов долларов. А ведь он работает с шести утра до восьми вечера пять дней в неделю, да еще прихватывает половину субботы. И что же — уходить на покой? Да он тут же умрет.

Можно приходить и уходить когда захочешь, никто не будет смотреть на часы. Лишь бы дело делалось.

Митч сказал, что все понял. Шестнадцать часов в день? В этом не будет для него ничего нового.

Эйвери похвалил его новый костюм. Неписаное правило в одежде все-таки было, но Митч его усвоил быстро. У него есть неплохой портной, сказал Эйвери, старенький кореец, его можно будет рекомендовать Митчу позже, когда он сумеет оплачивать такие счета. Какие? Полторы тысячи за костюм. Митч сказал, что подождет годик-другой.

Извинившись, их беседу прервал адвокат какой-то крупной фирмы. Он обратился к Толару с выражением сочувствия и расспросами о семьях погибших. В прошлом году ему пришлось вместе с Джо Ходжем работать по одному делу, и он до сих пор никак не может поверить, что произошло несчастье. Эйвери представил его Митчу. Оказывается, тот тоже был на похоронах. Они сидели с Толаром и ждали, когда незваный гость уйдет, но он все говорил, говорил, все сожалел и сожалел. Было ясно, что ему хочется узнать подробности. Поскольку Эйвери молчал, тот наконец убрался.

К двум часам обедающая знать города уже выпустила пар, в зале начинало пустеть. Эйвери подписал чек, и метрдотель проводил их до выхода. За рулем лимузина их терпеливо дожидался водитель. Митч потянул на себя заднюю дверцу и развалился на мягком кожаном сиденье. Разглядывая проносящиеся мимо здания и автомобили, спешащих куда-то пешеходов, он вдруг подумал: а многие ли из них сидели в лимузине? Или были гостями «Манхэттен-клуба»? Сколько человек из них разбогатеют через десять лет? Он улыбнулся своим мыслям и почувствовал себя совсем хорошо. Гарвард находился от него за тысячу миль. И никаких долгов! А Кентукки был просто на другой планете. Прошлого для Митча не существовало. Он родился только что.

Уже знакомая ему женщина-дизайнер ждала его в кабинете. Эйвери извинился и попросил Митча прийти к нему в офис через час — пора приниматься за дело. Дизайнер принесла альбомы с образцами мебели и прочего. Он попросил ее высказать свое мнение, выслушал его, а затем доверительно объяснил, что полностью полагается на ее вкус и заранее одобряет сделанный ею выбор. Ей понравился письменный стол вишневого дерева, без всяких ящиков, легкие стулья с подлокотниками, обтянутые темно-коричневой кожей, и дорогой восточный ковер. Митч посчитал все это великолепным.

Она вышла, и Митч уселся за старый письменный стол, который прекрасно выглядел и полностью бы его устроил; но нет, поскольку им уже пользовались, он не мог считаться достаточно хорошим для нового юриста фирмы Бендини. Офис его был размером пятнадцать на пятнадцать футов, с двумя большими окнами, выходившими на север. Из окон открывался вид на такие же окна второго этажа соседнего старого здания. Ничего захватывающего. Правда, если вытянуть шею, в уголке окна можно было увидеть полоску реки. Оклеенные обоями стены совершенно голы — кажется, она выбрала какую-то гравюру? Митч решил, что стена, которую он видит перед собой, сидя за столом, будет его стеной: на ней в рамках будут висеть его дипломы, лицензии и прочее. Для сотрудника кабинет был не так уж и мал, гораздо больше тех комнатушек, в которых сидели новички в Нью-Йорке и Чикаго. Пару лет можно проработать и здесь. Затем перебраться в другой, с приличным видом из окна. Ну а потом в «угол», в «кабинет власти».

Постучавшись, вошла мисс Нина Хафф, его секретарша. Они представились друг другу. Нина была крупной женщиной лет сорока пяти, и с первого взгляда становилось ясно, почему она до сих пор одинока. Не будучи отягощена семьей, она, видимо, тратила деньги исключительно на одежду и косметику — и все впустую. У Митча мелькнула мысль: почему бы ей не открыть салон красоты? Занялась бы собой еще серьезнее. Она тут же ему выложила, что работает в фирме восемь с половиной лет и о делопроизводстве знает все, что о нем стоит знать. Если у него возникнут какие-либо вопросы, он может проконсультироваться у нее. Митч поблагодарил мисс Хафф за любезность. Она сообщила ему, что в последнее время была на должности машинистки и очень рада возможности вернуться к работе секретаря. С видом полного понимания ее проблем Митч значительно кивнул головой. Знает ли он, как управляться с диктофонами? Да, знает. Год назад он проходил практику в довольно крупной фирме на Уолл-стрит, там работали триста человек, и фирма была оснащена по последнему слову техники. Но если у него будут проблемы, заверил ее Митч, он обязательно обратится к ней за помощью.

— Как зовут вашу жену? — спросила мисс Хафф.

— А для чего вам нужно это знать?

— Мне бы хотелось называть ее по имени, когда она будет звонить сюда. Я и в телефонных разговорах привыкла быть вежливой и дружелюбной.

— Эбби.

— А какой кофе вы предпочитаете?

— Черный. Но я варю его сам.

— Что вы, я не против того, чтобы варить для вас кофе! Это моя обязанность.

— Я варю себе кофе сам.

— Но это делают все секретарши.

— Если вы хоть раз прикоснетесь к моему кофе, я обещаю вам проследить, чтобы вас отправили в канцелярию лизать марки.

— У нас марки наклеивает машина. А на Уолл-стрит их лижут?

— Это была метафора.

— Хорошо. Имя вашей жены я запомнила, вопрос с кофе мы обсудили. Я готова приступать к работе.

— С утра. Будьте здесь в восемь тридцать.

— Да, босс.

Она вышла, и Митч улыбнулся. «Дерзкая баба, — подумал он, — зато с ней не соскучишься».

Следующим посетителем оказался Ламар. Он опаздывал на встречу с Натаном Локом, но ему хотелось заглянуть на секунду к другу. Он был доволен, что их кабинеты рядом. Еще раз извинился за несостоявшийся ужин. Да, конечно, он вместе с Кей и детьми будет у них сегодня к семи, чтобы посмотреть дом и обстановку.

Хантеру Куину уже исполнилось пять лет, а его сестре Холли — семь. Оба сидели за новехоньким обеденным столом и, демонстрируя безукоризненные манеры, поедали спагетти, благовоспитанно пропуская мимо ушей то, о чем разговаривали взрослые. Эбби не сводила с них глаз и мечтала о собственных детишках. Митч находил их прелестными, но ему все не представлялось случая сказать об этом их родителям. Он мысленно переживал события дня снова и снова.

Женщины быстро покончили с едой и отправились рассматривать мебель и судачить о том, как лучше ее расставить. Малыши потащили Хорси во двор.

— Меня несколько удивило, что они дали тебе Толара, — вытирая губы салфеткой, бросил Ламар.

— Почему?

— По-моему, он раньше никого не опекал.

— Тому есть причины?

— Вряд ли. Он отличный парень, но не командный игрок, замкнут. Предпочитает работать один. У них с женой какие-то проблемы, ходит слух, что они живут раздельно. Но он все держит в себе.

Митч отодвинул тарелку, сделал глоток чая со льдом.

— Он хороший юрист?

— Да, очень. Они все хорошие юристы, если уж стали компаньонами. Большая часть его клиентов — богатые люди, которые не прочь подыскать прикрытие от налогов для своих миллионов. Он имеет дело с учреждением компаний с ограниченной ответственностью. Некоторые его ходы довольно рискованны, и он прославился тем, что всегда охотно вступает в борьбу с Национальным налоговым управлением. Почти все его клиенты известны стремлением к рискованной игре. Тебе придется попотеть, сидя над документами, но будет интересно.

— Во время обеда он объяснял мне, как оформлять свои счета.

— О, это важно. От нас постоянно требуют, чтобы наши счета росли. А что мы имеем на продажу? Только наше время. После того как сдашь экзамен, твои счета будут еженедельно просматривать Толар и Макнайт. Все это компьютеризировано, так что они смогут высчитать твою производительность с точностью до десяти центов. В течение первых шести месяцев твои счета должны покрывать тридцать — сорок часов в неделю. Затем на протяжении двух лет — пятьдесят. И прежде чем тебя будут рассматривать в качестве кандидата на партнерство, ты на протяжении нескольких лет будешь покрывать своими счетами не менее шестидесяти часов в неделю. Ни у кого из компаньонов нет показателей меньше этой цифры, и у большинства с максимальными почасовыми ставками.

— Немало.

— Да, вроде бы, но только на первый взгляд. Хороший юрист может работать восемь или девять часов в сутки и писать в счет двенадцать. Это называется подкладка, или подбивка. Может, это не совсем справедливо по отношению к клиенту, но это общепринятая практика. Все крупные фирмы выросли именно на этом. Своеобразная игра.

— Не очень-то этичная.

— А как же адвокаты, навязывающие свои услуги тем, кто пострадал от несчастных случаев? Неэтично юристу, представляющему интересы наркодельцов, получать гонорар наличными, если у него есть основания подозревать, что эти деньги — грязные. Вокруг нас полно неэтичных вещей. А что ты скажешь о враче из государственной больницы, принимающем по сотне пациентов в день? Или о хирурге, который делает абсолютно ненужную больному операцию? Знаешь, почти все мои клиенты и понятия не имеют об этике. Не так уж трудно подбить свой счет, если твой клиент — мультимиллионер, пытающийся изнасиловать правительство и желающий сделать это легально — с твоей помощью. Мы все занимаемся этим.

— Этому учат в фирме?

— Этому учишься сам. Когда начинаешь работать, много времени уходит на всякую чушь, но постепенно приходит навык, ты уже действуешь экономнее, идешь к цели прямо. Поверь, Митч, поработаешь с нами год и поймешь, как, работая десять часов в день, вставлять в счет двадцать. Это шестое чувство, которое появляется у юриста с опытом.

— А какой еще опыт я приобрету?

Ламар поболтал кубики льда в стакане, задумавшись.

— Наберешься немного цинизма — профессия работает на тебя. Когда учился, ты наверняка вынашивал благородные идеи о том, каким должен быть порядочный юрист. Борец за права личности, защитник конституции, последнее прибежище обиженных, принципиальный адвокат, стоящий на страже интересов своего клиента. Но после шести месяцев практической работы ты начинаешь понимать, что ты всего лишь наемник, ловко подвешенный язык, продавшийся большим боссам, доступный любому мошеннику и подонку, имеющему достаточно денег, чтобы оплачивать твои сумасшедшие гонорары. И ничто уже не тревожит твою совесть. Все привыкли думать: право — удел достойных, но ты столкнешься с таким количеством бесчестных юристов, что тебе захочется поставить на этой профессии точку и попытаться подыскать работу почище. Да, Митч, ты станешь циником. А это грустно, поверь.

— Может, не стоило тебе говорить мне об этом в самом начале?

— Но ведь за это тебе будут платить. Ты не представляешь, какую грязную и нудную работу готов выполнять человек за двести тысяч долларов в год.

— Грязную и нудную? Но это звучит просто страшно, Ламар.

— Мне очень жаль, Митч. Однако все не так уж и плохо. С четверга мой взгляд на жизнь совершенно изменился.

— Может, хочешь посмотреть на дом? Он неплох.

— В другой раз. Давай лучше поболтаем.

ГЛАВА 6

Будильник на столике у новой кровати взорвался трезвоном в пять утра, но Митч тут же усмирил его. Пошатываясь со сна, он пробрался через темный дом к задней двери, где его нетерпеливо ждал Хорси. Он выпустил пса во двор, а сам отправился в душ. Через двадцать минут зашел в спальню, поцеловал спящую жену — она даже не пошевелилась. Улицы были пусты, и он добрался до Бендини-билдинг всего за десять минут. Митч решил, что день начнется для него в пять тридцать утра, если, конечно, кто-нибудь не придет еще раньше. Тогда завтра он будет на месте в пять, в четыре тридцать или в любое другое время, но — первым. Сон — чепуха. Сегодня он будет первым в офисе, и завтра тоже, и так каждый день до того момента, когда станет компаньоном. Если у других на это уходило десять лет, то он добьется своего через семь. Он твердо решил стать самым молодым в истории фирмы компаньоном.

Автостоянка у здания фирмы была обнесена цепью на столбиках, у въезда стояла будка охраны. На месте, где он должен был ставить свой «БМВ», между двух желтых полос, прямо на бетонном покрытии, краской нанесено его имя. У ворот Митч притормозил, ожидая, пока их откроют. Из темноты появился охранник в форме, подошел к дверце автомобиля. Митч нажал кнопку, стекло поползло вниз, и в образовавшуюся щель он протянул охраннику пластиковую карточку со своей фотографией.

— Вы, должно быть, новенький, — проговорил тот, глядя на пропуск.

— Да. Митч Макдир.

— Читать я умею. По машине можно догадаться.

— А как ваше имя?

— Датч Хендрикс. Тридцать три года в полицейском управлении Мемфиса.

— Рад знакомству, Датч.

— Взаимно. Ранняя пташка, да?

Митч улыбнулся и забрал у него пропуск.

— Нет. Я-то думал, что все давно здесь.

Датч натянуто улыбнулся:

— Вы первый. Чуть позже появится мистер Лок.

Ворота распахнулись, Датч махнул ему рукой в сторону стоянки. Митч нашел свое имя, написанное белой краской, и загнал свой чистенький «БМВ» на место в третьем ряду от стены здания. Подхватив с заднего сиденья свой изящный кожаный кейс, совершенно пустой, он аккуратно прикрыл дверцу автомобиля. У входа в здание его поджидал новый охранник. Митч представился и ему, глядя, как тот открывает дверь. Он посмотрел на часы: ровно пять тридцать. Стало чуть легче на душе — значит, пять тридцать достаточно рано для того, чтобы быть первым. Значит, остальные еще спят.

У себя в кабинете он щелкнул выключателем, подошел к столу, положил кейс. Вышел, направился по коридору в кухоньку, где стояла автоматическая кофеварка. Агрегат оказался большим и хитроумным: ручки, кнопки, воронки, краники — и никаких инструкций к этому сверкающему чуду. Примерно с минуту он потратил на детальный осмотр, после чего высыпал кофе из пакетика в воронку с ситечком, налил воды в отверстие в верхней панели и с довольным видом улыбнулся, увидев, что вода закапала в чашку.

В углу его кабинета на полу стояли три ящика, куда он в беспорядке свалил накопившиеся за годы учебы книги, папки, блокноты, тетради. Подняв один из ящиков, Митч поставил его на стол и начал разбирать.

После двух чашек кофе в третьем ящике он обнаружил материалы для подготовки к экзамену. Потянулся, подошел к окну, поднял жалюзи. Светлее стало не намного, поэтому он и не заметил внезапно появившегося в дверном проеме человека.

— Доброе утро!

Митч резко обернулся и уставился на вошедшего.

— Вы испугали меня, — сказал он и глубоко вздохнул.

— Прошу прощения. Я — Натан Лок. По-моему, мы не встречались.

— Меня зовут Митч Макдир, я новичок.

Они пожали руки.

— Да, знаю. Это моя вина, что мы не встретились раньше. Во время ваших двух приездов я был занят. Мне кажется, я видел вас на похоронах в понедельник.

Митч согласно наклонил голову, хотя и был уверен, что находился от него на расстоянии не меньше трехсот футов, иначе бы он сам его запомнил. Уж во всяком случае, глаза — холодные, черные, окруженные черными же морщинками. Глаза сильного человека. Незабываемые глаза. Волосы у Лока были совершенно белыми, редкими на самой макушке и погуще над ушами, их белизна резко контрастировала с цветом лица. Когда он говорил, глаза сужались, черные зрачки начинали неистово сверкать. Недобрые глаза, проницательные и строгие.

— Очень может быть, — выговорил Митч, захваченный врасплох — никогда прежде он не видел такого зловещего лица. — Очень может быть.

— Я вижу, вы встаете рано.

— Да, сэр.

— Что ж, хорошо, что вы пришли к нам.

С этими словами Натан Лок оставил Митча одного, Митч даже высунул голову в коридор, а потом запер за собой дверь. «Ничего удивительного в том, что его держат на четвертом этаже, подальше от всех», — подумал он. Теперь ему стало ясно, почему не стоило встречаться с Локом до того, как он подписал контракт с фирмой. Он мог бы передумать. Спрятать бы этого Лока подальше от будущих кандидатов! У него просто дьявольское обличье, право слово. «И глаза, — подумал Митч, усаживаясь в кресло и устраивая ноги на столе. — Глаза».

Как Митч и предполагал, Нина принесла с собой кое-что перекусить. Она вошла в кабинет ровно в восемь тридцать, предложила ему пончиков, и он взял пару. Она тут же поинтересовалась, стоит ли ей по утрам приносить чего-нибудь легкого подкрепиться. Митч сказал, что это было бы весьма любезно с ее стороны.

— А что это такое? — спросила секретарша, указывая на разложенные на столе папки и книги.

— Этим нам нужно будет сегодня заняться. Упорядочить и классифицировать мои бумаги.

— Никакой диктовки?

— Пока нет. Через несколько минут у меня встреча с Эйвери. А пока мне необходимо навести здесь хоть какой-то порядок.

— Ах, как интересно! — воскликнула она, направляясь за кофе.

Эйвери Толар ждал его, держа в руках толстенную папку, которую тут же вручил Митчу.

— Это дело Кэппса. Вернее, часть его. Нашего клиента зовут Сонни Кэппс. Сейчас он живет в Хьюстоне, а родом из Арканзаса. Он стоит около тридцати миллионов, и денежки свои, все до последнего цента, держит крепко. В наследство от отца ему досталось несколько рассохшихся барж, а сейчас он стал владельцем крупнейшей транспортной компании на всей Миссисипи. Теперь его суда, или лодочки, как он зовет их, плавают по всему миру. Мы ведем восемьдесят процентов всех его юридических сделок, все, кроме судебных процессов. Сейчас он задумал создать еще одну компанию и приобрести новую флотилию танкеров, выкупить ее у семейства какого-то китайца, умершего в Гонконге. Кэппс обычно называет себя главой компании, а в компаньоны набирает человек двадцать пять, чтобы было с кем делить риск и объединять ресурсы. Это сделка на шестьдесят пять миллионов. Я уже сколачивал для него подобные товарищества, и все они были разными, все были хитроумными. К тому же с ним чрезвычайно трудно иметь дело. Он педант, и очень взыскательный, уверен, что знает гораздо больше меня. Тебе разговаривать с ним не придется, да у нас тут никто, кроме меня, с ним и не общается. В этой папке — часть документации по последней компании, что я оформлял для него. Помимо всего прочего, ты найдешь здесь деловую записку с общей идеей замысла, соглашение сторон о создании товарищества, протоколы о намерениях, требования заинтересованных сторон и само соглашение о партнерстве. Не упускай из внимания ни слова. Я попрошу тебя, после того как ты вникнешь в суть, составить предварительный проект нового соглашения.

Папка в руках Митча сразу стала тяжелее. Похоже, пять тридцать — это поздновато.

Толар между тем продолжал:

— В нашем распоряжении дней сорок, и, по мнению Кэппса, мы уже опаздываем. С этими материалами, — указал он на другую папку, лежащую перед ним, — мне помогал Марти Козински. Я передам их тебе, как только просмотрю. Вопросы?

— А что с поисковой работой?

— В основном это текущая документация, но тебе нужно будет просмотреть ее. За прошлый год Кэппс заработал более девяти миллионов, а налогов заплатил жалкие гроши. Он не видит ни малейшего смысла в уплате налогов и требует от меня отчета за каждый цент, что идет в казну. Естественно, все делается на законных основаниях, я хочу только сказать, что это очень напряженная работа нервов. На карту поставлены миллионные инвестиции и огромная экономия на налоговых издержках. Эта сделка будет тщательным образом изучаться правительствами по крайней мере трех стран. Так что тебе понадобится все твое внимание.

Митч пролистал папку.

— Сколько времени в день мне тратить на это?

— Как можно больше. Я знаю, экзамен по адвокатуре очень важен. Но Кэппс важен не менее. В прошлом году он перечислил фирме гонораров на полмиллиона долларов.

— Я все сделаю.

— Уверен в этом. Я уже говорил тебе, что твоя ставка — сто долларов в час. Нина с сегодняшнего дня будет помогать тебе с хронометражем. И не забывай про счета!

— Как я могу забыть об этом?

Оливер Ламберт и Натан Лок стояли перед дверью на пятом этаже и смотрели в объектив телекамеры. Раздался громкий щелчок, дверь открылась, и охранник кивнул им. Де Вашер сидел у себя и ждал.

— Доброе утро, Олли, — сказал он спокойно, не обращая внимания на стоящего рядом другого компаньона.

— Что нового? — раздался резкий голос Лока. Он тоже нс повернул головы в сторону Де Вашера.

— Где? — спокойно спросил тот.

— В Чикаго.

— Там очень беспокоятся, Нат. Независимо от того, что ты можешь предполагать, им совсем не хочется пачкать руки. Да и, говоря честно, они просто не понимают, с какой стати они должны это делать.

— Что ты имеешь в виду?

— Они задают кое-какие неудобные вопросы. Например, почему бы нам самим не держать своих людей в узде.

— И как ты им на это отвечаешь?

— Что все в порядке. Все отлично. Что фирма великого Бендини непоколебима. Все утечки ликвидированы, дело идет обычным порядком. Проблем нет.

— Много они успели навредить? — поинтересовался Ламберт.

— Неизвестно. Мы и не сможем ничего узнать, но я сомневаюсь в том, что они вообще передали какую-то информацию. Да, они намеревались, в этом сомнений нет, но, думаю, они так этого и не сделали. Из надежного источника мы узнали, что агенты ФБР были только на пути к острову, когда это произошло, и мы думаем, что их прогулка туда была напрасной.

— Откуда вам это стало известно? — спросил Лок.

— Будет тебе, Нат. У нас свои источники. А потом, и на острове тоже есть наши люди. Мы умеем работать, ты должен знать об этом.

— По-видимому.

— Все было сделано чисто?

— Да. Очень профессионально.

— Каким образом туда затесался местный житель?

— Мы были вынуждены, Олли, чтобы выглядело естественно.

— А что тамошние власти?

— Какие власти? Это крошечный тихий островок, Олли. В прошлом году там произошло убийство и четыре несчастных случая с аквалангистами. Там рассматривают это как еще один несчастный случай. Три утопленника.

— А как отреагировали агенты ФБР? — поинтересовался Лок.

— Понятия не имею.

— Я думал, у вас есть источник.

— Есть. Но его никак не могут разыскать. Вчера, во всяком случае, о нем не было слышно. Все наши люди сейчас на острове, и там не замечено ничего необычного.

— Долго вы еще там будете оставаться?

— Еще пару недель.

— Что, если там объявится ФБР?

— Сядем им на хвост. Мы увидим их, когда они будут спускаться по трапу самолета. Доведем до гостиничных номеров. Можем даже прослушивать их телефоны. Мы будем знать, что они едят на завтрак и о чем болтают между собой. За каждым из них пойдут трое наших, так что когда кто-то отправится в сортир, мы и это узнаем. ФБР ничего не найдет там, Нат. Я же уже сказал, что это была очень аккуратная, профессиональная работа. Без свидетелей. Расслабься.

— Мне становится дурно от всего этого, Де Вашер, — сказал Ламберт.

— Ты думаешь, мне это нравится, Олли? А что нам остается делать? Сидеть сложа руки и ждать, пока они наговорятся? Хватит, Олли, все мы люди. Я был против, но Лазаров сказал — сделай. Если ты хочешь поспорить с ним — давай, вперед. Потом твое тело тоже кто-нибудь найдет. А эти двое занялись не тем. Они должны были вести себя тихо, кататься на своих красивых машинах и играть в больших юристов. Нет, им захотелось почувствовать себя святыми.

Лок закурил сигарету, выпустил струю дыма в сторону Де Вашера. Разговор на секунду прервался, пока дым не рассеялся в воздухе. Де Вашер бросил на Лока взгляд, но не сказал ни слова.

Ламберт поднялся и уставился в стену рядом с дверью.

— Зачем ты хотел нас видеть? — спросил он.

Де Вашер глубоко вздохнул.

— Чикаго требует поставить на прослушивание домашние телефоны всех некомпаньонов.

— Я говорил тебе, — сказал Ламберт Локу.

— Это не моя идея, а они начинают давить. Там наверху они становятся все более нервными, поэтому и перестраховываются. Нельзя их в этом винить.

— Не кажется ли тебе, что это может завести слишком далеко?

— Согласен, это абсолютно бессмысленно. Но Чикаго думает иначе.

— И когда? — спросил Лок.

— Где-то на следующей неделе. Это займет несколько дней.

— Слушать будут всех?

— Некомпаньонов — всех. Так было сказано.

— И Макдира?

— Да, и Макдира. Я почти уверен, что Тарранс будет пытаться вновь, и на этот раз он может попробовать начать снизу.

— Я видел Макдира сегодня утром, он пришел раньше меня.

— В пять тридцать две, — уточнил Де Вашер.

Университетские конспекты были сметены на пол, и всю поверхность стола заняли документы из папки Кэппса. С обеда Нина принесла ему бутерброд с курятиной, и он съел его, вчитываясь в лежащие перед ним бумаги, в то время как Нина разбирала кучу на полу. В начале второго Уолли Хадсон, или Дж. Уолтер Хадсон, как было написано на его фирменном бланке, явился для того, чтобы начать с Митчем подготовку к сдаче экзамена. Хадсон был специалистом по контрактам. Он уже пять лет работал в фирме и был в ней единственным выходцем из Виргинии, что сам он находил несколько странным, поскольку, по его мнению, виргинская юридическая школа являлась лучшей в стране. Последние два года он занимался разработкой нового курса по контрактам, которые составной частью входили в экзамен. Уолли не терпелось опробовать свое детище, и тут как раз подвернулся Макдир. Он вручил Митчу сброшюрованные тетради, пачку толщиной дюйма три и весом не менее папки Кэппса. Экзамен займет четыре дня и будет состоять из трех частей, объяснил ему Уолли. В первый день — четырехчасовой комплексный экзамен по этике. Подготовкой по этому предмету с ним займется Джилл Вон, компаньон, эксперт фирмы по вопросам этики. На второй день — восьмичасовой экзамен, называемый просто «многоштатный», — в его ходе будет проверяться знание Митчем тех законов, которые имеют одинаковую силу на территории всех штатов. Это тоже комплексный экзамен, и вопросы на нем самые каверзные. Потом — самое трудное: третий и четвертый день, по восемь часов каждый, отданы пятнадцати областям материально-правового законодательства. Контракты, Единый коммерческий кодекс, недвижимость, гражданские правонарушения, внутренние дела, завещания, акты дарения, налогообложение, компенсации рабочим, конституционное право, процедура федерального суда, уголовный суд, корпорации, товарищества, страхование и отношения должника и кредитора. Ответы подаются в виде развернутых письменных справок, а вопросы главным образом сформулированы с точки зрения законодательства штата Теннесси. Фирма разработала план повторения всех пятнадцати разделов.

— Вы имеете в виду пятнадцать таких? — Митч кивнул на пачку.

Уолли улыбнулся:

— Да. Мы старались предусмотреть все. Видите ли, никто еще в нашей фирме...

— Знаю, знаю. И я тоже сдам с первого раза.

— В течение последующих шести недель мы будем встречаться с вами по одному разу в неделю, по два часа, так что рассчитывайте свое время. Меня бы устроила среда, в три часа.

— Дня или утра?

— Пополудни.

— Отлично.

— Как вы знаете, контракты и Единый коммерческий кодекс по духу своему очень близки, поэтому я взял на себя смелость вставить его в свои материалы. Мы возьмем и то и другое, но на это, конечно, уйдет больше времени. Обычно на экзамене задают массу вопросов по коммерческим сделкам, у вас могут возникнуть потребности в каких-либо пояснениях, так что прихватите с собой записную книжку. Я включил в материалы и вопросы из предыдущих экзаменов наряду с образцами ответов на них. Это захватывающее дух чтение.

— Мне уже не терпится.

— Просмотрите к следующей неделе первые восемьдесят страниц. На некоторые вопросы вам нужно будет ответить письменно.

— Домашняя работа?

— Именно так. Оценку я скажу вам через неделю. Так будет до конца занятий. Вас будут контролировать очень тщательно.

— Кто входит в комиссию?

— Я, Эйвери Толар, Ройс Макнайт, Рэндалл Данбар и Кендалл Махан. Мы будем встречаться по пятницам и обсуждать ваши успехи.

Уолли вытащил из чемоданчика книжку поменьше, положил ее на стол.

— Это ваш ежедневник. Вы должны записывать сюда количество часов, потраченных на подготовку, и изученные вами темы. Я буду просматривать его по пятницам, перед заседаниями комиссии. Вопросы?

— Пока нет никаких, — ответил Митч, кладя ежедневник на папку Кэппса.

— Тем лучше. До встречи в следующую среду.

Не прошло и минуты после его ухода, как вошел Рэндалл Данбар с толстенным фолиантом, до смешного похожим на тот, что оставил Хадсон, разве что чуть тоньше. Данбар занимался вопросами недвижимого имущества, именно через его руки проходило оформление документов на дом, в котором теперь жил Макдир. Он сунул Митчу свой «кирпич» с наклейкой «Недвижимость» и объяснил ему, насколько важной частью экзамена является его предмет. Все возвращается на круги своя, к имуществу, сказал он. Материалы эти тщательно подбирались им в течение десяти лет, он также подумывал опубликовать их в качестве авторитетного труда по вопросам имущественного права и земельного финансирования. Для встреч с Митчем ему потребуется по меньшей мере час в неделю, желательно во вторник после обеда. Примерно час еще он рассказывал Митчу, насколько другим был этот экзамен тридцать лет назад, когда он сам сдавал его.

У Кендалла Махана были свои причуды: удобнее всего для него была суббота, семь тридцать утра.

— Договорились, — сказал ему Митч, укладывая новый сборник материалов рядом с предыдущими двумя. Этот был посвящен конституционному праву, коньку Кендалла, хотя, по собственному его признанию, пользовался он им редко. Так же как и двое его коллег, он уведомил Митча, что конституционное право — самый ответственный момент во всем экзамене, во всяком случае, так было пять лет назад, когда сам Кендалл отвечал на вопросы экзаменаторов. В начале своей деятельности в фирме, поделился воспоминаниями Махан, в «Юридическом вестнике» Колумбийского университета была опубликована его статья о Первой поправке к конституции; копия этой статьи есть в материалах, Митчу будет интересно ее прочесть. Митч обещал ему сесть за статью тотчас же.

Шествие к нему в кабинет продолжалось до самого полудня, почти полфирмы прошли мимо его стола, оставляя на нем блокноты, записные книжки, папки, домашние задания или просто записки с указаниями даты и времени встреч. Не меньше шести человек напомнили ему о том, что ни разу еще сотрудник фирмы не провалил экзамена.

Когда в пять часов вечера секретарша мисс Хафф прощалась с Митчем, стол его был завален такой грудой бумаг, что их хватило бы, чтобы загрузить работой контору со штатом человек в десять. Митч был не в состоянии сказать ни слова, он лишь улыбнулся Нине и вернулся к контрактному праву Хадсона. Примерно через час у него мелькнула мысль о том, что неплохо бы поесть. И только после этого, впервые за двенадцать часов, он вспомнил об Эбби и потянулся к телефону.

— Я тут немного задержусь, дорогая.

— Но у меня почти готов обед!

— Оставь его на плите, — сказал он, пожалуй, излишне поспешно.

Пауза.

— А когда ты вернешься? — Эбби говорила очень медленно, тщательно подбирая слова.

— Через несколько часов.

— Несколько часов. Ты уже провел там половину суток.

— Все верно, но у меня еще очень много работы.

— Это же твой первый день.

— Если я тебе расскажу, то ты не поверишь.

— У тебя все в порядке?

— У меня все отлично. Буду дома позже.

Фыркающий звук двигателя разбудил Датча Хендрикса, и он вскочил. Раскрыв ворота, он ждал, пока последний автомобиль выедет со стоянки. Рядом с ним машина притормозила.

— Добрый вечер, Датч, — приветствовал его Митч.

— И ты только сейчас уезжаешь?

— Да-а, денек был напряженный.

Датч посветил фонариком на циферблат часов: полдвенадцатого.

— Езжай осторожнее!

— Хорошо. До встречи через несколько часов, Датч.

«БМВ» скользнул на Франт-стрит и исчез в ночи. «Несколько часов, — подумал Датч. — Эти новобранцы как сумасшедшие. Восемнадцать, двадцать часов в день, шесть дней в неделю, а то и семь. Всем им не терпится стать первыми юристами мира и заколачивать по миллиону за ночь. А бывает, что и сутками отсюда не вылезают, спят за столами». Все это он уже видел. Это ненадолго. Человеческий организм к такому не приспособлен. Через полгода они теряют запал и начинают работать по пятнадцать часов в день, шесть дней в неделю. Потом — пять с половиной. Потом — по двенадцать часов.

Никому не выдержать ста часов в неделю дольше полугода.

ГЛАВА 7

Митч медленно вошел в кабинет и замер у порога.

Одна из секретарш рылась во вращающейся этажерке в поисках чего-то такого, что понадобилось Эйвери немедленно. Другая стояла перед ним с блокнотом в руках, записывая инструкции, которые он диктовал ей в те мгновения, когда не кричал в телефонную трубку, а делал вид, что слушает собеседника. На корпусе телефонного аппарата помигивали три красные лампочки. Как только Эйвери начинал говорить в трубку, между секретаршами вспыхивала перебранка.

— Уймитесь! — заорал на них Толар.

Первая с треском задвинула картотечный ящик и перешла к следующей этажерке, где возобновила свои манипуляции. Щелкнув пальцами, Эйвери указал второй на свой настольный календарь и бросил трубку, не попрощавшись.

— Что у меня на сегодня? — спросил он, вытягивая какую-то папку из ячейки в стеллаже.

— В десять утра встреча с представителями Национального налогового управления в городе. В час дня встреча с мистером Локом по делу Спинозы. В три тридцать совещание компаньонов. Поскольку завтра весь день вы проведете в суде, предполагается, что сегодня остаток дня вы будете готовиться к завтрашнему выступлению.

— Великолепно. Отменить все. Закажите билет на Хьюстон на субботу после обеда и обратный билет на понедельник утром.

— Да, сэр.

— Митч! Где папка Кэппса?

— У меня на столе.

— Ты много успел?

— Прочитал практически все.

— Нам нужно будет поднапрячься. Сонни Кэппс только что звонил мне. Он хочет встретиться в Хьюстоне в субботу утром, и ему необходим предварительный проект соглашения о партнерстве.

Внезапно у Митча засосало под ложечкой. Если память ему не изменяла, в соглашении было сто сорок с чем-то страниц.

— Хотя бы предварительный проект, Митч.

— Нет проблем, — сказал Митч, надеясь, что голос его звучит уверенно и ровно. — Проект будет готов. Может, не очень гладкий, но будет.

— Мне он нужен в субботу в первой половине дня, и по возможности без шероховатостей. Я пошлю свою секретаршу, чтобы она объяснила Нине, как найти в компьютере формы соглашений, — это сэкономит время на диктовке и печатании. Я знаю, получается не совсем справедливо, но от Кэппса справедливости ждать не приходится. Он любит требовать. Он сказал мне, что сделка должна быть заключена в течение двадцати дней, иначе она превратится в мыльный пузырь. Теперь все висит на нас.

— Я все сделаю.

— Молодчина. Встретимся завтра в восемь утра, чтобы посмотреть, далеко ли мы продвинулись.

Эйвери нажал на одну из кнопок с мигающей лампочкой и начал с кем-то спорить. Митч вернулся в свой офис, уселся и посмотрел на папку Кэппса, едва видневшуюся из-под груды записных книжек.

В кабинет заглянула Нина:

— Вас хочет видеть Оливер Ламберт.

— Когда?

— Как можно быстрее.

Митч посмотрел на часы. Прошло только три часа рабочего времени, а он чувствовал себя уже уставшим.

— Он не может подождать?

— Не думаю. Обычно мистер Ламберт никого не ждет.

— Понятно.

— Вам лучше пойти сейчас же.

— Чего он хочет?

— Этого его секретарша не сказала.

Митч надел пиджак, поправил узел галстука и поднялся на четвертый этаж, где его уже ждала секретарша босса. Представившись, она поставила Митча в известность о том, что уже тридцать один год работает в фирме. Она была второй секретаршей, нанятой мистером Бендини после того, как он обосновался в Мемфисе. Ее имя было Ида Ренфро, но она привыкла к тому, чтобы ее звали просто миссис Ида.

Проведя Митча в кабинет Ламберта, она прикрыла за ним дверь.

Оливер Ламберт встал из-за стола и снял очки — он пользовался ими лишь для чтения. Тепло улыбнувшись, положил свою трубку на специальную бронзовую подставку.

— Доброе утро, Митч, — сказал он мягко и неторопливо, как будто время для него ничего не значило. — Давай-ка сядем вон там, — повел он рукой в сторону дивана. — Может быть, кофе?

— Нет, спасибо.

Он опустился на мягкие подушки, в то время как Ламберт предпочел жесткий стул с подлокотниками, стоявший немного в стороне и дававший ему возможность смотреть на собеседника сверху вниз. Митч расстегнул пиджак, постарался расслабиться. Скрестив ноги, принялся рассматривать носки своих новых ботинок — всего двести долларов, час работы для сотрудника фирмы, где деньги, казалось, не зарабатывали, а печатали. Он хотел расслабиться, а память услужливо напоминала о панике в голосе Эйвери и отчаянии в его глазах, когда тот слушал своего собеседника в Хьюстоне. Всего лишь второй рабочий день, а голова раскалывается, в желудке — ноющая боль.

Оливер Ламберт послал ему одну из своих лучших улыбок: искреннюю и по-отечески добрую. Настало время выдать порцию новой информации.

Выглядел Ламберт очень внушительно: белоснежная рубашка тончайшего полотна, концы воротника схвачены золотой булавкой; некрупный узел темного галстука из натурального шелка придавал всему его облику вид исключительно элегантный и мудрый. Как и всегда, лицо босса было более загорелым, чем у всех привыкших к испепеляющему солнцу жителей Мемфиса. Зубы — безукоризненны, как жемчуг. Словом, глава фирмы являл собой образец преуспевающего пожилого джентльмена.

— Всего несколько вопросов, Митч, я понимаю, что ты очень занят.

— Да, сэр, очень.

— Состояние паники — это норма жизни в любой мало-мальски приличной юридической фирме, а клиенты типа Сонни Кэппса могут довести до язвы желудка. Но клиенты — это все, чем мы располагаем, поэтому мы готовы каждый день умирать за них.

Митч слушал, улыбался и хмурился одновременно.

— Всего два момента, Митч. Во-первых, моя жена и я, мы хотим в субботу поужинать с тобой и Эбби. Мы часто делаем это вне дома, и нам особенно приятно, когда такие трапезы с нами делят друзья. Иногда я и сам люблю постоять у плиты, умею отдать должное хорошей еде и напиткам. Как правило, в одном из наших любимых ресторанов мы заказываем большой стол, приглашаем друзей и проводим вечер за ужином из, скажем, девяти блюд или за дегустацией коллекционных вин. Вы в субботу свободны?

— Мы будем рады принять ваше приглашение.

— Хорошо. Мое любимое место — «Жюстен», это старый французский ресторанчик с изысканной кухней и впечатляющей картой вин. Так в субботу, в семь?

— Мы будем там.

— А теперь второе. Это требует обсуждения. Уверен, ты знаешь об этом не хуже меня, но повторить не мешает, поскольку для фирмы это чрезвычайно важно. В Гарварде вас учили тому, что между юристом и его клиентом существуют совершенно особые, доверительные отношения. Это твоя привилегия как юриста, и никто не может принудить тебя выдать информацию, которую тебе доверил клиент. Информация эта в высшей степени конфиденциальна. Если юрист начинает обсуждать дела своего клиента, то это является вопиющим нарушением профессиональной этики. Все, что я только что сказал, относится к каждому юристу, без всяких исключений. У нас в фирме к этим вопросам подходят еще более строго. Мы не обсуждаем дела наших клиентов ни с кем: ни с другими юристами, ни с супругами, ни даже между собой. Обычно мы не очень разговорчивы дома, и наши жены приучены не задавать вопросов. Чем меньше говоришь, тем лучше себя чувствуешь. Основатель фирмы мистер Бендини ни во что не верил так свято, как в скрытность, и этому же он учил нас. Ты никогда не услышишь, чтобы член нашей фирмы за ее стенами произнес хотя бы имя своего клиента. Вот как мы подходим к вопросам этики.

«Куда он клонит? — спрашивал себя Митч. — Такую речь может закатить любой студент-второкурсник».

— Я хорошо понимаю все это, мистер Ламберт, и вам нет нужды беспокоиться.

— «Болтливые языки проигрывают дела» — эта фраза была девизом мистера Бендини, и он прожил с ним всю жизнь. Мы просто ни с кем не обсуждаем дела своих клиентов, в том числе и с женами. Мы ведем себя очень, очень сдержанно. Ты будешь знаком и с другими юристами в городе, и рано или поздно тебя начнут спрашивать о фирме или о твоем клиенте. В таких случаях мы просто молчим. Это понятно?

— Конечно, мистер Ламберт.

— Хорошо. Мы очень гордимся тобой, Митч. Ты станешь отличным юристом, богатым юристом, Митч. До субботы!

Митч вышел из кабинета, но не успел сделать и нескольких шагов, как миссис Ида, подойдя к нему, сообщила, что его ждет мистер Толар, срочно. Поблагодарив секретаршу Ламберта,

Митч устремился вниз по лестнице, затем по коридору, мимо собственной двери — прямо в угловой офис. Теперь уже там суетились три женщины, перешептываясь между собой, в то время как их босс вновь громко кричал в телефонную трубку. Митч отыскал взглядом свободный стул у двери. Перед ним разворачивалось почти цирковое действо. Секретарши листали папки и блокноты, бормоча что-то на каком-то непонятном Митчу языке. Время от времени Эйвери щелкал пальцами, указывая в одно или другое место, после чего женщины начинали метаться по кабинету, как испуганные кролики.

Через некоторое время Эйвери опустил трубку на рычаги, опять-таки не попрощавшись. Оглянулся на Митча.

— Опять Сонни Кэппс. Гонконгская семейка требует с него семьдесят пять миллионов, и он согласился заплатить их. В товарищество войдет сорок один компаньон вместо двадцати пяти. Если мы не уложимся в двадцать дней, сделка лопнет.

К Митчу подошли две секретарши, у каждой — по толстой папке.

— Справишься? — В голосе Эйвери слышалась чуть ли не насмешка.

Секретарши смотрели на него во все глаза. Митч подхватил обе папки и направился к двери.

— Безусловно, справлюсь. Это все?

— Тебе этого хватит. С этого момента и до субботы забрось все остальное, понятно?

— Да, босс.

Придя к себе, Митч первым делом собрал со стола экзаменационные материалы, все пятнадцать томов, и сложил их в углу. На их место аккуратно легли папки Кэппса. Отдышавшись, он начал вгрызаться в бумаги, но тут же его отвлек стук в дверь.

— Кто?

Дверь приоткрылась, он увидел Нину.

— Страшно не хотела вас беспокоить, но привезли новую мебель.

Митч начал массировать кончиками пальцев виски, бормоча проклятия.

— Может, пару часов вам лучше поработать в библиотеке?

— Может быть.

Он собрал документы в папки и вместе с Ниной перетащил экзаменационные материалы в коридор, где два высоких негра стояли рядом с громоздкими шкафами для картотеки и свернутым в рулон ковром.

Нина проводила его до библиотеки.

— В два часа я должен был встретиться с Ламаром Куином для подготовки к экзамену. Позвоните ему и отмените встречу. Скажите, что я все объясню позже.

— На это время у вас запланирована встреча с Джиллом Воном.

— Отменить.

— Но он компаньон.

— Отменить. Встречусь позже.

— Это недальновидно.

— Делайте то, что вам говорят.

— Вы — босс.

— Благодарю вас.

Обойщица оказалась мускулистой, невысокого роста женщиной, уже немолодой, но привыкшей к нелегкой работе и в совершенстве владеющей необходимыми навыками. Разговорившись с Эбби, она рассказала ей, что вот уже почти сорок лет она оклеивает дорогими обоями лучшие дома в Мемфисе. Хотя она тараторила без умолку, дело двигалось вперед споро. Резец ее был точным, как скальпель хирурга, а наклеивала полосы на стены она с непередаваемым артистизмом. Пока клей подсыхал, женщина из карманчика на кожаном поясе вытащила рулетку и с ней в руках скрупулезно исследовала остававшийся голым угол столовой. Работая, она шептала какие-то цифры, расшифровать которые Эбби отчаялась. Замерив длину и высоту в четырех разных точках, обойщица доверила эти данные своей памяти. Затем она поднялась на стремянку и скомандовала Эбби подать ей рулон бумаги. Примерилась — рисунок совпадал идеально. Прижав полосу к стене, она в сотый раз начала нахваливать качество обоев, сетовать на их дороговизну, клясться, что они не потеряют своего нарядного вида и через много-много лет. Цвет обоев ей тоже нравился, он хорошо сочетался со шторами и коврами.

Эбби уже устала благодарить ее за комплименты. Она просто кивала и посматривала на стрелки часов: пора было готовить обед.

Когда стена была доделана, Эбби объявила конец работы. Продолжить можно будет завтра, часов в девять утра, сказала она женщине. Та согласилась и начала прибираться. Ей платили двенадцать долларов в час, наличными, и за деньги она была готова почти на все. Эбби восхитилась видом столовой. Завтра они ее завершат, и с обоями будет покончено, две ванные комнаты и кладовая не в счет. Покрасочные работы были запланированы на следующую неделю. Запахи клея, лака, покрывавшего камин, прекрасной новой мебели сливались в удивительно свежий аромат. Аромат нового дома.

Попрощавшись с обойщицей, Эбби отправилась в спальню, где сняла с себя всю одежду и улеглась поперек постели. Подтянув к себе телефон, набрала номер мужа, из короткого разговора с Ниной выяснила, что Митч сейчас на каком-то совещании и будет позднее. Секретарша сказала, что он позвонит домой. Лежа на спине, Эбби вытянула длинные, загоревшие на солнце и уставшие за день ноги, повела плечами. Лопасти большого вентилятора на потолке посылали ее телу волны нежного, теплого воздуха. В конце концов, ведь Митч придет сегодня домой. Ну, поработает какое-то время сто часов в неделю, потом снизит планку до восьмидесяти. Ничего, она умеет ждать.

Незаметно задремав, она проснулась через час и тут же испуганно вскочила с постели: было почти шесть. Телятина! Пикантная телятина! Эбби быстро влезла в шорты цвета хаки, натянула белую футболку и устремилась в кухню, почти уже отделанную, за исключением занавесок на окнах и кое-какой мелкой покраски. Но это уже на следующей неделе. В итальянской поваренной книге она нашла рецепт и начала раскладывать на столе все необходимое. Настоящее мясо, пока учились, они ели не часто; если она готовила что-то дома, то это, как правило, был цыпленок «так» или цыпленок «этак». В основном они питались бутербродами и сосисками.

Однако теперь, когда на них так неожиданно обрушился достаток, пришло время учиться готовить по-настоящему. В первую неделю жизни на новом месте она каждый вечер выдумывала что-нибудь новенькое, и они ужинали, когда бы Митч ни возвращался домой. Эбби составляла в уме меню, штудировала поваренные книги, экспериментировала с соусами. Неизвестно по какой причине, но Митч любил итальянскую кухню, и, после того как спагетти и свинина по-монастырски были апробированы и одобрены, настало время для пикантной телятины.

Эбби отбила куски телятины, обваляла их в муке с солью и перцем. Поставила на огонь кастрюльку с водой для соуса, налила в стакан сухого вина и включила радио. Дважды после обеда она звонила Митчу, а он так и не выбрал времени хотя бы на один звонок. Эбби собралась было позвонить еще раз, но тут же передумала: теперь была его очередь. Ужин она приготовит, а съедят они его, когда Митч вернется.

Кусочки телятины тушились в масле три минуты, пока не стали мягкими; после этого Эбби достала их из кастрюльки, добавила в нее вина и лимонного сока, дождалась, пока все это закипит и соус начнет густеть. Вновь опустила в кастрюльку мясо, положила грибы, артишоки, масло. Закрыв кастрюльку, уменьшила огонь.

Отдельно поджарила бекон, нарезала помидоры, довела до кондиции соус и налила еще стакан вина. К семи ужин был готов: бекон и салат из помидоров, телятина, хлеб с чесноком в духовке. Митч так и не позвонил. Прихватив бокал с вином, Эбби вышла во внутренний дворик и осмотрелась. Навстречу ей из-под кустов выскочил Хорси. Вместе обошли они весь двор, разглядывая травяной газон и делая остановки у двух старых, огромных дубов. В толстых ветвях самого большого из них виднелись обломки скворечника. На стволе — чьи-то вырезанные инициалы, на другом — обрывок веревки. Эбби нашла старый резиновый мячик, швырнула его под кусты и развлекалась тем, что смотрела на рыщущего в поисках мяча пса. Она напряженно вслушивалась в вечернюю тишину: не раздастся ли телефонный звонок? Телефон молчал.

Хорси вдруг замер, напрягся и тявкнул, повернувшись в сторону участка соседа. Аккуратно подстриженная живая изгородь из самшита раздалась в стороны, приоткрыв мистера Райса, соседа. Лицо его покрылось капельками пота, рубашка была насквозь мокрой. Он снял длинные, зеленого цвета, перчатки и только тут заметил стоящую под дубом Эбби. Улыбнулся. Опустил взгляд вниз, на ее загорелые ноги, и улыбнулся еще шире. Утерев потной рукой лоб, подошел к разделяющей два участка ограде.

— Как поживаете? — Дыхание его было прерывистым, редкие седые волосы намокли от пота.

— Отлично, мистер Райс. А как вы?

— Жара. Должно быть, градусов сто*.

Эбби неторопливо подошла к ограде поболтать. Его взгляды она заметила еще неделю назад, но против ничего не имела: ему было по меньшей мере семьдесят, так что скорее всего он был безопасен. Пусть себе смотрит. А потом, он же все-таки был живым человеком, дышавшим, потевшим, но способным поддержать разговор. После того как Митч выехал из дома еще до рассвета, единственным человеком, с которым она могла перекинуться парой слов, была обойщица, но ведь и она давно уже ушла.

— Газон у вас просто замечательный, — сказала она соседу.

Он еще раз вытер пот, сплюнул.

— Вы называете это «замечательный»? Да это можно отсылать в журнал. Я не видел еще газона лучше, он должен был стать газоном месяца, но меня обошли. Где ваш муж?

— На работе. Он засиживается допоздна.

— Уже почти восемь. По-моему, он умчался еще до восхода. В полседьмого утра я вышел прогуляться, так его уже не было. Что это с ним?

— Он любит свою работу.

— Имей я такую жену-красавицу, я сидел бы дома. Ни за что бы не вышел.

Эбби улыбнулась комплименту.

— Как поживает миссис Райс?

Он нахмурился, швырнул пучок сорняков за забор.

— Боюсь, не очень. Не очень-то хорошо.

* По Фаренгейту. Примерно + 37°С.

Он отвел взгляд в сторону, поджал губы. Его жена медленно умирала от рака. Детей у них не было. Врачи давали ей год как максимум. Удалили почти весь желудок, но опухоль перекинулась на легкие. Весила она сейчас едва ли девяносто фунтов и почти не поднималась с постели. Когда Эбби вместе с Митчем впервые зашли к нему на участок, в глазах его стояли слезы, едва он заговорил о жене и о том, каким одиноким он вскоре станет, ведь пятьдесят один год они прожили вместе.

— И вот, видите ли, моя работа не заслужила того, чтобы называться газоном месяца! Просто я живу не в той части города. Призы достаются богачам, которые нанимают мальчиков, делающих всю черную работу, в то время как сами они сидят у бассейна с коктейлем в руках. Но ведь и вправду это красиво, да?

— Просто глазам не верю. Сколько раз в неделю вы его стрижете?

— Три или четыре, это зависит от дождей. Хотите, подстригу и ваш газон?

— Спасибо, я подожду, пока этим займется муж.

— Похоже, у него туговато со временем. Буду посматривать и, если понадобится стрижка, загляну к вам.

Обернувшись, Эбби посмотрела на кухонное окно.

— Вы не слышите телефон? — спросила она уже на ходу.

Сосед показал ей на свой слуховой аппарат.

Попрощавшись, она побежала к дому. Телефон смолк, как только она дотронулась до трубки. Было уже половина девятого, почти совсем стемнело. Она набрала номер, но на том конце никто не подходил. Наверное, он уже выехал домой.

За час до полуночи зазвонил телефон. Если не считать этого звонка, то тишину кабинета на втором этаже нарушало только легкое похрапывание. Покоившиеся на новом столе скрещенные ноги затекли, но сидеть, развалившись в мягком кожаном кресле, было удобно. Митч склонился во сне на сторону, он устал и ничего не слышал, не чувствовал. Листы из папки Кэппса были раскиданы по всему столу, а один наиболее угрожающе выглядевший документ Митч крепко прижимал к животу. Ботинки стояли на полу, рядом со стопкой бумаг. Между ботинками валялся опустошенный пакетик из-под жареного картофеля.

После десятка звонков Митч пошевелился, потянулся за трубкой. Звонила жена.

— Почему ты не позвонил мне? — спросила она прохладно и все же с тревогой.

— Прости, пожалуйста, я заснул. Сколько сейчас времени? — Протерев глаза, он попытался рассмотреть стрелки часов.

— Одиннадцать вечера. Жаль, что ты не позвонил.

— Я звонил, но ты не подходила.

— Во сколько?

— Между восемью и девятью. Где ты была?

Она не ответила. Подождала. Затем спросила сама:

— Ты собираешься домой?

— Нет. Я буду работать всю ночь.

— Всю ночь? Но ты не можешь сидеть там до утра, Митч!

— Почему же? Могу, здесь это обычное дело. В этом нет ничего нового, я этого ожидал.

— А я ожидаю тебя, Митч. Уж позвонить-то ты мог, во всяком случае. Ужин ждет тебя на плите.

— Прости. У меня выходят все сроки, я потерял счет времени. Прости, Эбби.

В трубке повисло молчание — она соображала, простить или не прощать.

— Это может превратиться в привычку, Митч.

— Может.

— Понимаю. Когда, по твоим расчетам, ты сможешь быть дома?

— Тебе страшно?

— Нет, мне не страшно. Я собираюсь ложиться спать.

— Я заеду к семи утра, мне нужно будет принять душ.

— Вот и хорошо. Если я буду спать, не буди меня.

Она повесила трубку. Митч долго смотрел на телефон, прежде чем положить на рычаг свою. На пятом этаже человек в наушниках хихикнул.

— «Не буди меня». Ну и дела! — усмехнулся он, нажимая кнопку магнитофона, подключенного к компьютеру. Затем нажал одну за другой три кнопки и негромко сказал в микрофон: — Эй, Датч, просыпайся там!

Датч, видимо, проснулся, из интеркома донеслось:

— Да, в чем дело?

— Это Маркус, сверху. По-моему, наш мальчик собирается остаться здесь на ночь.

— Что у него за проблемы?

— В настоящее время — это его жена. Он забыл позвонить ей, а она-то приготовила ему вкусненький ужин.

— О, ужас какой! Все это мы уже слышали, нет?

— Да, все новички в первую неделю такие. В общем, он сказал ей, что до утра не придет, можешь продолжать спать.

Нажав на пульте еще несколько кнопок, Маркус вновь принялся листать отложенный в сторону журнал.

Когда между стволами дубов показался край солнечного диска, Эбби сидела и ждала мужа, делая время от времени глоток кофе, посматривая на собаку и внимательно вслушиваясь в негромкие звуки просыпающейся вокруг жизни. Спала она плохо, усталости не снял даже горячий душ. На ней был белый махровый халат, один из его халатов, и больше ничего; влажные волосы зачесаны назад.

Хлопнула дверца автомобиля, пес в доме встрепенулся. Она услышала, как Митч ключом возится в замке кухонной двери, еще мгновение, и она распахнулась, открыв проход во внутренний дворик. Митч положил пиджак на скамейку рядом с дверью, подошел к жене.

— Доброе утро! — сказал он, садясь за плетеный стол напротив нее.

Эбби натянуто улыбнулась:

— И тебе доброго утра.

— Рановато ты поднялась. — Голос его звучал подчеркнуто заботливо, но это не сработало.

Глоток кофе и та же улыбка.

Митч вздохнул и посмотрел через двор.

— Все еще дуешься из-за этой ночи?

— Вовсе нет. Я не обиделась.

— Я же сказал тебе, что сожалею об этом, и это правда. Я пробовал тебе звонить.

— Мог бы попробовать еще раз.

— Пожалуйста, не разводись со мной, Эбби. Клянусь, больше этого никогда не повторится. Только не покидай меня.

Теперь она улыбалась уже по-настоящему.

— Вид у тебя ужасный, — сказала она.

— Под халатом что-нибудь есть?

— Ничего.

— Дай-ка посмотрю.

— Почему бы тебе не вздремнуть? На тебе лица нет.

— Спасибо. Но в девять у меня встреча с Эйвери. И в десять — тоже с ним.

— Они что, хотят убить тебя в первую неделю?

— Да, но у них ничего не выйдет. Я — мужчина. Пойдем в душ!

— Я только что там была.

— Голенькая?

— Да.

— Расскажи мне об этом. Расскажи как можно подробнее.

— Ты бы не чувствовал себя обделенным, если бы возвращался домой вовремя.

— Думаю, что это будет еще не раз, немало ночей я еще просижу там. Но ведь, когда я сутками учился, ты же не жаловалась?

— Тогда было совсем другое дело. Я могла с этим смириться, потому что знала, что скоро конец. Но теперь-то ты уже работаешь, и мы здесь надолго. Так будет всегда? Скажи, ты теперь все время будешь работать по тысяче часов в неделю?

— Эбби, идет моя первая неделя.

— Вот это меня и волнует. Боюсь, дальше будет хуже.

— Будет, но это неизбежно, Эбби. Это жестокий бизнес, где слабых съедают, а сильные становятся богатыми. Это марафон: кто его выдерживает, получает золото.

— И умирает на финише.

— Я в это не верю. Мы приехали всего неделю назад, а ты уже беспокоишься о моем здоровье.

Она попивала кофе и поглаживала рукой собаку. Выглядела она сейчас очень красивой — с усталыми глазами, без всякой косметики, с влажными волосами. Митч поднялся, подошел сзади и поцеловал ее в щеку.

— Я люблю тебя, — прошептал он.

Она сжала его руку, лежавшую на ее плече.

— Пойди прими душ. Я приготовлю завтрак.

Накрытый стол был великолепен. Эбби вытащила из шкафа бабушкин фарфор — впервые за время после их приезда. Зажгла свечи в серебряных подсвечниках. В хрустальных стаканах — грейпфрутовый сок. На тарелках свернутые салфетки с тем же рисунком, что и на скатерти.

Выйдя из душа, Митч завернулся в новый шотландский плед и вошел в столовую. От удивления присвистнул.

— По какому поводу?

— Особенный завтрак для особенного мужа.

Он сел, восхищаясь сервировкой. В центре стола стояло большое серебряное блюдо, прикрытое крышкой.

— Что ты приготовила? — спросил Митч, облизывая губы.

Она указала на блюдо, и он снял крышку, уставившись взглядом внутрь.

— Что это?

— Пикантная телятина.

— Какая телятина?

— Пикантная.

Митч посмотрел на часы.

— А я-то думал, что у нас завтрак.

— Я приготовила это вчера к ужину, но ты попробуй.

— Пикантную телятину на завтрак?

Она ответила мужу улыбкой и утвердительно кивнула. Митч еще раз бросил взгляд на блюдо и быстро проанализировал ситуацию.

— Пахнет хорошо, — наконец сказал он.

ГЛАВА 8

В субботу Митч отсыпался и прибыл на фирму только к семи утра. Бриться не стал, надел джинсы, старую рубашку и мягкие кожаные мокасины на босу ногу. Так он одевался в университете.

Соглашение для Кэппса печаталось и перепечатывалось в пятницу поздно вечером. Он все вносил в него поправки, и окончательный вариант был готов с помощью Нины в восемь. Митч понял, что других забот, кроме работы, у нее не было, или почти не было, и поэтому не колеблясь попросил ее задержаться. Она ответила, что не против переработок, и он тут же предложил ей прийти в офис в субботу утром.

Нина появилась в девять, затянутая в джинсы, которые подошли бы и слону. Митч вручил ей соглашение, все двести шесть страниц, с последними уточнениями и попросил перепечатать его в четвертый раз. В десять он должен был встретиться с Эйвери.

По субботам фирма выглядела несколько иначе. Все сотрудники были на местах, так же, впрочем, как и почти все компаньоны; пришли также несколько секретарш. Поскольку клиентов не было, в одежде допускались поблажки. Почти каждый был в джинсах. Никаких галстуков. Кое на ком были бейсболки и так туго накрахмаленные рубашки, что, казалось, они хрустят при каждом движении.

Но в атмосфере чувствовалось напряжение. Во всяком случае, Митчел И. Макдир, новый сотрудник, ощущал его на себе совершенно явно. Он отменил свои встречи с консультировавшими его по курсу подготовки к экзамену в четверг, в пятницу и в субботу. Все пятнадцать томов материалов пылились на полке — у него появилась реальная возможность провалиться на экзамене.

К десяти часам окончательный вариант был готов, и Нина торжественно положила его перед Митчем, отправившись затем к кофеварке. В последнем варианте насчитывалось уже двести девятнадцать страниц. Митч прочел их все четырежды, а пункты, относящиеся к налогообложению, вообще выучил наизусть. Он встал и, взяв папку с соглашениями, отправился в кабинет Толара. Тот разговаривал по телефону, а секретарша набивала бумагами огромный портфель.

— Сколько страниц? — спросил Эйвери, кладя трубку.

— Больше двухсот.

— Внушительно. Сыро получилось?

— Не очень. Это четвертый вариант в течение суток. Он почти идеален.

— Посмотрим. Я прочту его в самолете, а после меня его прочтет Кэппс через увеличительное стекло. Если он обнаружит хоть одну ошибку, то устроит скандал и будет угрожать, что не заплатит. Сколько у тебя ушло на эту работу времени?

— Пятьдесят четыре с половиной часа, начиная со среды.

— Прошу извинить за то, что все время подгонял тебя. Первая неделя вышла у тебя тяжелой. Но клиенты иногда и не так гонят, и это далеко не последний раз, когда нам пришлось ломать себе шеи по желанию человека, который платит двести долларов в час. Таков наш бизнес.

— Я не жалуюсь. Немного отстал с подготовкой к экзамену, но у меня еще есть время.

— Этот прохвост Хадсон не действует тебе на нервы?

— Нет.

— Дай мне знать, если будет. Он всего пять лет в фирме, ему нравится изображать профессора. Считает себя теоретиком. Я от него не в восторге.

— У меня с ним никаких проблем.

Эйвери положил соглашение в кейс.

— Где деловая записка и другие документы?

— Я подготовил их в самом общем виде. У нас же еще двадцать дней.

— Да. Но не стоит откладывать. Кэппс начинает требовать своего задолго до конца им же установленных сроков. Ты завтра работаешь?

— Я не собирался. Жена настаивает на том, чтобы сходить в церковь.

Эйвери покачал головой:

— Умеют жены встревать в наши дела, верно? — Ответа он не ждал.

Митч промолчал.

— Давай-ка закончим с Кэппсом к следующей субботе.

— Отлично. Без труда.

— Мы говорили о Кокер-Хэнксе? — спросил Эйвери, копаясь в папке.

— Нет.

— Вот оно. Кокер-Хэнкс — крупный подрядчик из Канзас-Сити. По всей стране у него контрактов на сто миллионов. Группа «Хэллоуэй бразерс» из Денвера предлагает перекупить его. Они намереваются добавить ценных бумаг, кое-чего из имущества, контрактов и определенную сумму в наличных деньгах. Довольно сложная сделка. Познакомься с материалами, а во вторник утром, когда я вернусь, поговорим.

— Сколько у нас времени?

— Тридцать дней.

На этот раз папка была не такой толстой, как по делу Кэппса, но тем не менее она впечатляла.

— Тридцать дней, — негромко повторил Митч.

— Это сделка на восемьдесят миллионов, мы загребем гонорар в двести тысяч. Неплохо, а? Каждый раз, когда ты хотя бы посмотришь на эту папку, пиши себе в счет один час. Занимайся ею каждую свободную минуту. Если ты вспомнишь о Кокер-Хэнксе за рулем автомобиля, когда едешь на работу, ставь в счет еще один час. Это бездонная бочка.

Эйвери принялся смаковать мысль о клиенте, который заплатит столько, сколько с него потребуют. Митч попрощался с ним и вернулся к себе в кабинет.

Примерно в то время, как они, покончив с коктейлями, изучали карту вин и выслушивали Оливера Ламберта, сравнивающего и анализирующего различия, оттенки и особенности французских вин, когда Митч и Эбби начали понимать, что лучше бы они остались дома, наслаждаясь пиццей перед телевизором, в это самое время двое мужчин открыли ключом дверцу блестящего «БМВ» на стоянке рядом с рестораном. Мужчины были в галстуках и пиджаках, вид их никаких подозрений не вызывал. С невозмутимым видом усевшись в автомобиль, они тронули его с места и, проехав через центр города, остановились перед воротами гаража нового дома мистера и миссис Митчел И. Макдир. «БМВ» был загнан в гараж, водитель достал из кармана другой ключ, открыл дверь, ведущую в дом, и вместе со своим спутником вошел. Хорси был сразу заперт в туалете.

В темноте на стол был положен маленький кожаный чемоданчик, из него мужчины извлекли резиновые перчатки, надели их; каждый взял в руки по крошечному фонарику.

— Сначала телефоны, — сказал один из них.

Работали они быстро. Телефонная трубка была снята, микрофон выкручен и изучен. Затем в чашечку трубки был посажен на клей миниатюрный, размером не более изюминки, передатчик. Когда клей подсох, вновь был установлен микрофон, трубка собрана и возвращена на место, а телефон повешен на кухонную стену, откуда его три минуты назад сняли. Звуки, или, точнее, сигналы, будут передаваться в небольшой приемник, установленный на чердаке, а более мощный передатчик рядом с приемником отправит сигналы через весь город антенне, установленной на крыше Бендини-билдинг. Используя линию переменного тока в качестве источника питания, «жучки», установленные в телефонных аппаратах дома, будут работать безотказно.

— Займемся комнатами.

Чемоданчик перенесли на диван. Чуть выше его спинки в стенную панель был забит небольшой гвоздь и тут же извлечен. В образовавшееся отверстие вставлен тонкий черный цилиндр длиной примерно дюйм. Капелька эпоксидной смолы прочно закрепила его. Микрофон был абсолютно невидим. Провод, не толще человеческого волоса, пропущен по шву обоев. Он свяжет микрофон с приемником на чердаке.

Такие же приспособления были спрятаны в стенах каждой спальни. Найдя в прихожей лестницу-стремянку, пришедшие забрались на чердак. Один из них достал приемник и передатчик из чемоданчика, а другой в это время тщательно протягивал тончайшие проводки. Скрутив и перетянув изоляцией, он протянул их в угол, где его напарник поставил передатчик в старом ящичке из-под картотеки. Проводок переменного тока был отделен и затем прикреплен к передатчику. Между черепицами крыши на дюйм поднялась антенна.

На чердаке было душно, дыхание мужчин стало прерывистым. Они прикрыли передатчик пластмассовым корпусом старенького радиоприемника, закрепив его изоляционной лентой и забросав каким-то тряпьем. Угол был темный, и вряд ли кто обнаружит следы их пребывания здесь на протяжении месяцев, если не лет. А если кто-то и сунется сюда, то увидит лишь старую рухлядь, которую можно выбросить без всякого сожаления. Мужчины полюбовались собственной работой и спустились вниз.

Тщательно уничтожив следы своей работы, они через десять минут закончили выполнение задания.

Хорси был выпущен; мужчины прошли в гараж. Сев в «БМВ», они быстро скрылись в ночной темноте.

В то время как Оливеру Ламберту и его гостям подавали жареные морские гребешки, на стоянке у ресторана тихо остановился «БМВ». Сидевший за рулем нашел у себя в кармане ключи от темно-красного «ягуара», собственности мистера Кендалла Махана, адвоката. Оба техника перебрались из «БМВ» в «ягуар». Махан жил гораздо ближе, чем Макдир, и, судя по плану дома, работа будет сделана быстро.

На пятом этаже фирмы Бендини Маркус смотрел на панель с помигивающими лампочками, ожидая сигнала из дома 1231 по Ист-Медоубрук. Ужин в ресторане закончился полчаса назад, можно было начинать прослушивание. Слабо вспыхнула маленькая желтая лампочка, и Маркус надел наушники. Нажал кнопку записи, вслушиваясь. В ряду под надписью «Макдир 6» замигал зеленый огонек. Это была спальня. Цвет его стал более интенсивным, голоса, сначала едва слышимые, звучали уже отчетливо. Он увеличил громкость.

— Джил Махан — сука, — раздался женский голос, принадлежавший миссис Макдир. — И чем больше она пьет, тем большей сукой становится.

— Мне кажется, она просто была в плохом настроении, — отозвался мужчина, видимо, мистер Макдир.

— Муж у нее нормальный, а она — просто хамка, — сказала миссис Макдир.

— Ты пьяна? — спросил мистер Макдир.

— Почти. Я готова к неистовой любви.

Маркус добавил громкости и склонился над панелью.

— Снимай одежду, — потребовала миссис Макдир.

— Мы уже целую вечность этим не занимались, — заметил мистер Макдир.

Маркус поднялся и, склонившись, навис над тумблерами и лампочками.

— И чья в этом вина? — спросила она.

— Я уже не помню. Ты прекрасна.

— В постель, — скомандовала она.

Маркус повернул рукоятку громкости до отказа. Он улыбался; дыхание его стало тяжелым. Ему нравились новые сотрудники, недавние выпускники, полные неукротимой энергии. Раздававшиеся в наушниках звуки наполняли радостью его сердце. Он закрыл глаза и дал волю воображению.

ГЛАВА 9

Прошло две недели. Кэппс заключил удачную сделку главным образом благодаря череде восемнадцатичасовых рабочих дней самого молодого сотрудника фирмы, сотрудника, еще даже не сдавшего экзамен на звание адвоката и оказавшегося слишком занятым практической деятельностью, чтобы беспокоиться об этом. В июле он закрывал своими счетами по пятьдесят девять часов в неделю, что было рекордом фирмы для человека, пока не сдавшего экзамен. На ежемесячном совещании Эйвери с гордостью проинформировал компаньонов, что для новичка Макдир справляется «просто замечательно». Дело Кэппса было завершено на три дня раньше планируемого, и это благодаря Макдиру. Им подготовлено около четырехсот страниц документов: от предварительных до окончательных, отработаны они все безукоризненно. С Кокер-Хэнксом все будет завершено в течение месяца, и заслуга в этом опять-таки принадлежит Макдиру, а фирма получит почти четвертьмиллионный гонорар. Макдир, заметил Эйвери, был просто машиной.

Оливер Ламберт высказал озабоченность по поводу подготовки к экзамену: до него оставалось менее трех недель, и каждому было ясно, что Макдир не успевает. В июле он отменил половину своих встреч с консультантами, отметив в дневнике только двадцать учебных часов. Эйвери успокоил присутствующих, заявив, что парень все сделает.

За пятнадцать дней до экзамена Митч все же взбунтовался. Экзамен почти наверняка будет провален, объяснял он Эйвери за обедом в «Манхэттен-клубе». Ему нужно время для занятий. Много времени. Он может позаниматься оставшиеся две недели и как-нибудь сдать, но для этого он должен быть предоставлен самому себе. Никаких цейтнотов. Никаких чрезвычайных обстоятельств, никаких бессонных ночей, он умоляет. Эйвери внимательно выслушал его и извинился за вынужденную гонку. Он обещал Митчу забыть о нем на ближайшие две недели. Митч поблагодарил.

В первый понедельник августа в главном зале библиотеки на первом этаже собрались все члены фирмы. Этот самый большой из библиотечных залов был предназначен как раз для подобного рода собраний. Часть присутствовавших сидели за уникальной работы столом вишневого дерева. Остальные расположились вдоль стеллажей, тесно уставленных обтянутыми кожей юридическими справочниками, которыми десятилетиями никто не пользовался. Здесь были все работавшие в фирме, пришел даже Натан Лок. Он немного опоздал и теперь в одиночестве стоял у двери. Он не сказал никому ни слова, и никто, кроме Митча, бросавшего украдкой на мистера Черные Глаза взгляды, не смотрел в его сторону.

Атмосфера в зале была печальной. Ни одной улыбки. В сопровождении Оливера Ламберта вошли Лаура Ходж и Бет Козински. Их усадили напротив стены, где висели два забранных траурной вуалью портрета. Женщины держались за руки и старались улыбаться. Мистер Ламберт стоял спиной к стене и обводил взглядом присутствующих.

Он заговорил своим мягким, глубоким баритоном, полным симпатии и сочувствия. Заговорил негромко, почти шепотом, но мощь его голоса доносила каждое сказанное слово до стоящих в самых дальних углах зала людей. Ламберт смотрел на двух вдов и говорил о том, какую глубокую печаль испытывает вся фирма, какой заботой будут окружены родственники погибших все то время, что будет существовать фирма. Говорил о Марти и Джо, об их первых годах работы, о том, как необходимы были их общему делу эти два молодых человека, чья смерть нанесла фирме тяжелый урон, говорил об их преданности и любви к своим семьям.

Ламберт был красноречив. Он говорил, ни на мгновение не задумываясь о содержании следующего предложения. Вдовы тихонько плакали и вытирали слезы. Начинали сопеть и другие: Ламар Куин и Дуг Терни.

Выговорившись, Ламберт подошел к портрету Мартина Козински и снял покрывавшую его тонкую вуаль. В этот напряженный момент в глазах у многих стояли слезы. В Чикагской юридической школе будет учреждена стипендия его имени. Фирма берет на себя обязательства по обучению его детей. Семья Козински будет пользоваться постоянной поддержкой. Бет прикусила нижнюю губу, однако рыдания ее стали еще громче. Несгибаемые, закаленные профессионалы-юристы великой фирмы Бендини нервно сглатывали и избегали поднимать друг на друга глаза. Только Натан Лок хранил невозмутимое спокойствие. Уставившись в стену своими проницательными глазами-лазерами, он не обращал на происходящее особого внимания.

Затем наступил черед портрета Джо Ходжа. Подобная биография, такая же стипендия, тот же фонд в пользу детей и семьи. Митч слышал, что за четыре месяца до гибели Ходж застраховал свою жизнь на два миллиона долларов.

Когда речи закончились, Натан Лок, не привлекая ничьего внимания, вышел. Окружив вдов, юристы выражали им искренние соболезнования и сжимали их в своих дружеских объятиях. Митч знаком с женщинами не был, говорить ему было нечего. Он подошел к стене и стал изучать портреты. Рядом с изображением Козински и Ходжа висели еще три, поменьше, но тоже великолепно выполненные. Внимание его привлекло женское лицо. На табличке из бронзы имя: «Элис Наусс, 1948—1977».

— Это была ошибка, — едва слышно сказал Эйвери, подойдя к Митчу.

— Как это следует понимать? — спросил он.

— Типичная женщина-юрист. Пришла к нам из Гарварда, окончила первой на курсе, но, будучи женщиной, несла на себе печать первородного греха. Каждого мужчину она считала женоненавистником и смысл своей жизни видела в борьбе с половой дискриминацией. Суперсука. Через полгода ее все здесь возненавидели, но никак не могли избавиться. Два компаньона из-за нее ушли на пенсию раньше, чем предполагали это сделать. Миллиган до сих пор винит ее в своем сердечном припадке. Она была приставлена к нему.

— А юристом она была хорошим?

— Очень хорошим, но ее достоинствам было совершенно невозможно воздать должное. Она по любому поводу демонстрировала свою сварливость и вздорность.

— Что с ней случилось?

— Автомобильная катастрофа. В ее машину врезался какой-то пьяный. Это было ужасно.

— Она была первой женщиной в фирме?

— Да, и последней, по крайней мере до тех пор, пока нас не принудят взять на работу вторую решением суда.

Митч кивнул на соседний портрет:

— А это?

— Роберт Лэмм. Был моим другом. Учился в Атланте, он пришел за три года до меня.

— Что произошло?

— Никто не знает. Он был страстным охотником. Как-то зимой мы вместе охотились на лося в Вайоминге. Году в семидесятом он отправился пострелять в Арканзас и там пропал. Его обнаружили через месяц в овраге, с дырой в голове. Вскрытие показало, что пуля вошла в заднюю часть скулы и снесла почти все лицо. Предполагают, что выстрел был произведен с большого расстояния из мощного ружья. Похоже на несчастный случай, но точно никто не знает. Не представляю, чтобы кто-то хотел убить Бобби Лэмма.

«Джон Микел, 1940—1984», — было написано под последним портретом.

— А что случилось с ним? — прошептал Митч.

— Пожалуй, самый трагический случай. У него было не все в порядке со здоровьем, сказывалось постоянное напряжение. Он много пил и уже перешел на наркотики. Жена ушла от него, был безобразный развод. Фирма в шоке. После десяти лет работы он начал бояться, что не станет компаньоном, выпивки участились. Мы потратили целое состояние на лечение и психиатров, но все зря. Он впал в депрессию, начал думать о самоубийстве. Написал на семи страницах прощальное письмо и сунул дуло в рот.

— Это ужасно.

— Еще бы.

— Где его нашли?

Эйвери откашлялся, повел глазами по залу.

— В твоем кабинете.

— Что?!

— Да, но потом все было вычищено.

— Ты смеешься!

— Я говорю серьезно. С тех пор прошли годы, и кабинетом твоим пользовались неоднократно. Все нормально.

Митч потерял дар речи.

— Ты ведь не суеверен? — спросил Эйвери с неприятной ухмылкой.

— Конечно, нет.

— Может, мне стоило сказать тебе об этом раньше, но мы как-то не заговаривали на эту тему.

— Я могу поменять кабинет?

— Безусловно. Провались на экзамене, и мы переведем тебя к младшему персоналу в подвал.

— Если я провалюсь, то только из-за вас.

— Согласен, но ты же не провалишься, так?

— Если этот экзамен сдавали до меня, то и я сдам.

С пяти до семи утра в фирме Бендини было тихо и пустынно. Натан Лок прибыл около шести, сразу прошел в свой кабинет и закрыл дверь. В семь начали приходить сотрудники, стали слышны голоса. К половине восьмого почти все были на своих местах, за исключением нескольких секретарш, а в восемь кабинеты и залы были полны, кругом стоял привычный хаос. Заставить себя сосредоточиться становилось все труднее, отрывали от работы постоянно, телефоны звонили непрерывно. В девять часов все юристы, младший персонал, клерки и секретарши сидели за своими столами или по крайней мере считались приступившими к работе.

Митч дорожил возможностью побыть в одиночестве в ранние утренние часы. Он поставил хронометр на полчаса вперед и будил Датча в пять, а не в полшестого, как прежде. После двух чашек кофе он проходил по темным коридорам, щелкая выключателем и осматривая здание. Временами, когда погода была ясной, он любил постоять у окна в кабинете Ламара, любуясь восходом солнца над гладкими водами Миссисипи, считая баржи, тянущиеся за буксиром, медленно ползущим вверх по течению, следя взглядом за крошечными грузовиками на мосту, виднеющемся вдалеке. Но даром он времени не терял. Он диктовал письма, краткие справки, отчеты, памятные записки и кучу других документов. Нина их печатала, а Эйвери просматривал. Он готовился к экзамену.

Наутро следующего после печальной церемонии дня Митч зашел в зал библиотеки на первом этаже в поисках какого-то учебника, и вновь его внимание привлекли пять портретов. Стоя перед ними, он вспоминал краткие некрологи, услышанные от Эйвери. За пятнадцать лет пять погибших юристов. Эта фирма — опасное место для работы. В блокноте он записал их имена и даты смерти. Было половина шестого утра.

В коридоре послышалось какое-то движение. Митч резко повернулся вправо. В темноте стоял мистер Черные Глаза и смотрел на него.

— Что вы тут делаете? — потребовал объяснений он.

Митч заставил себя улыбнуться:

— Доброе утро. Получается, что я здесь готовлюсь к экзамену.

Лок перевел взгляд на портреты, затем опять на Митча:

— Понятно. А что вы нашли интересного в них?

— Обыкновенное любопытство. Я вижу, в фирме случались и трагедии.

— Все эти люди уже мертвы. А трагедия произойдет, когда вы не сдадите экзамен.

— Я рассчитываю сдать его.

— А я в этом не уверен. Ход вашей подготовки вызывает у компаньонов озабоченность.

— А подписанные счета, которые я в избытке приношу фирме, не вызывают у компаньонов озабоченности?

— Не стоит острить. Вам говорили, что экзамен для вас важнее всего остального. Работник, не имеющий лицензии адвоката, фирме не нужен.

У Митча на языке вертелось несколько достойных ответов, но он оставил их при себе. Лок отступил назад и растворился в темноте. Придя к себе в кабинет, Митч спрятал листок с именами и датами в ящик и раскрыл учебник по конституционному праву.

ГЛАВА 10

В субботу после экзамена Митч не поехал в фирму, а, выйдя из дома, принялся копаться в клумбах с цветами и ждать. После окончательного обустройства в дом не стыдно было приглашать гостей, а первыми, конечно, станут родители жены. Всю неделю Эбби занималась чисткой и наведением блеска, теперь наступало ее время. Она обещала, что родители приедут не надолго, максимум на несколько часов. Он обещал быть предельно вежливым.

Митч вымыл и отдраил оба новеньких автомобиля, и они выглядели как в демонстрационном зале. Газон был вычищен соседским мальчишкой. Мистер Райс на протяжении месяца вносил в него удобрения, и теперь трава «начала набирать рост», как он выразился.

Они приехали в полдень, и Митч без всякой охоты отошел от клумб. Улыбнувшись, он поприветствовал их и, извинившись, отправился переодеться. Было видно, что чувствуют они себя неловко, как ему и хотелось. Пока Эбби показывала им обстановку и каждый дюйм обоев, Митч все стоял под душем. На Сазерлендов самое большое впечатление произвели мелочи. Мелочи всегда производят впечатление. Ее родители рассуждали в основном о том, что было в их доме такого, чего нет у других. Отец — президент небольшого окружного банка, который уже лет десять балансировал на грани краха. Мать была «слишком порядочной» для того, чтобы работать, и всю свою сознательную жизнь провела в поисках какой-нибудь значимой социальной деятельности, для которой в их городке и места не было. Она проследила свою родословную, выведя ее из королевского дома какой-то европейской страны, что, безусловно, производило неотразимое впечатление на шахтеров из Дэйнсборо, штат Кентукки. С таким количеством голубой крови в венах судьба предназначила ей пить горячий чай, играть в бридж, болтать о мужниных деньгах, порицать менее удачливых и не покладая рук работать в клубе садоводов. Ее супруг был обыкновенной марионеткой, вскакивающей, как только она начинала рявкать на него; он жил в постоянном страхе вызвать в ней гнев. С момента рождения дочери они неумолимо вбивали ей в голову, что главное в жизни — быть лучше всех, добиваться больше всех, а самое главное — выйти замуж удачнее всех. Дочь взбунтовалась и вышла за бедного парня, у которого вся семья состояла из полусумасшедшей матери и брата-преступника.

— Неплохое у вас тут местечко, Митч, — попытался сломать лед молчания мистер Сазерленд.

Они сидели за столом и передавали друг другу блюда.

— Спасибо.

Больше ничего, только спасибо. Он не поднимал головы от тарелки. Его улыбки они за обедом не увидят. Чем меньше он будет говорить, тем более неловко они будут себя чувствовать. А он хотел, чтобы они ощутили себя не в своей тарелке, ощутили свою вину, свои ошибки. Он хотел, чтобы они истекали по́том и кровью. Это же они сами решили бойкотировать свадьбу. Камень брошен ими, а не им.

— Здесь так уютно, — произнесла мать, обращаясь неизвестно к кому.

— Спасибо.

— Мы так гордимся всем этим, мама, — пришла на помощь матери Эбби.

У них тут же завязался разговор о внутреннем убранстве дома. Мужчины ели в молчании, а женщины рассуждали о том, во что дизайнер превратил эту комнату, во что — другую. Иногда Эбби от отчаяния была готова заполнять паузы любой пришедшей в голову чушью. Митчу становилось жаль ее в такие мгновения, но он упрямо не отрывал глаз от скатерти. Сгущавшийся над столом воздух, казалось, можно было резать ножом.

— Так, значит, ты нашла работу? — задала вопрос миссис Сазерленд.

— Да. Я приступаю в следующий понедельник. Буду учить третьеклассников в епископальной школе при церкви Святого Андрея.

— Преподаванием много не заработаешь, — буркнул ее отец.

«Он безжалостен», — подумал Митч.

— Меня не очень беспокоят деньги, пап. Я учитель, и эта профессия мне кажется самой важной в мире. Если бы я думала о деньгах, я бы выучилась на врача.

— Третьеклассники — самый бойкий возраст. Тебе и самой скоро захочется детей, — заметила мать.

Митч давно уже сделал для себя вывод: если есть что-то, что будет привлекать этих людей в Мемфис, то это прежде всего дети, их внуки. И тогда же он решил, что у него есть время подождать. Никогда ему не приходилось быть рядом с детьми: у него не было племянников или племянниц, за исключением, может быть, тех, которых раскидал его братец Рэй по всей стране. И никакой особой тяги к детям он не испытывал.

— Может быть, через несколько лет, мама.

«Может быть, когда вы умрете», — подумал Митч.

— Ты же хочешь детей, Митч? — спросила теща.

— Возможно, через несколько лет.

Мистер Сазерленд отодвинул тарелку и зажег сигарету. Вопрос о курении неоднократно обсуждался до их приезда. Митч настаивал на том, чтобы в доме вообще не курили, а они — в особенности. Спор этот выиграла Эбби.

— А как твой экзамен? — спросил тесть.

«Это уже интереснее», — подумал Митч и ответил:

— Изнурительный.

— Но ты его сдал?

— Надеюсь.

— Когда это станет известно?

— Через месяц-полтора.

— Сколько он длился?

— Четыре дня.

— После того как мы переехали сюда, он был занят только учебой и работой, больше ничем, — сказала Эбби. — Этим летом я его почти не видела.

Митч улыбнулся жене. Его постоянное отсутствие стало больной темой, и теперь ему было забавно слышать слова, в которые она облекала свое прощение.

— Что будет, если ты не сдал его? — спросил ее отец.

— Не знаю. Я об этом не думал.

— А если сдашь, оклад повысят?

Митч решил быть вежливым, как и обещал. Но удавалось ему это с трудом.

— Да, будет повышение оклада и неплохая премия.

— Сколько всего юристов в фирме?

— Сорок.

— Боже мой! — воскликнула миссис Сазерленд, закуривая. — Это больше, чем у нас в округе.

— Где она расположена? — спросил мистер Сазерленд.

— В центре.

— Мы можем поехать посмотреть? — спросила теща.

— Лучше в другой раз. По воскресеньям фирма закрыта для посетителей. — Митч сам изумился своему ответу. «Закрыта для посетителей»! Как будто это музей.

Эбби почувствовала надвигающуюся катастрофу и быстро перевела разговор на церковь, в которую они с Митчем ходят. В церкви четыре тысячи прихожан. Она поет в хоре и учит восьмилеток в воскресной школе. Митч ходит в церковь, когда он не на работе, а ему приходится работать почти каждое воскресенье.

— Я рад узнать, что ты посещаешь церковь, Эбби, — благочестиво сказал ее отец.

Вот уже многие годы он руководил хором по воскресеньям в Первой методистской церкви в Дэйнсборо, а остальные шесть дней в неделю безраздельно отдавал жадности и финансовым махинациям. Кроме того, он столь же упорно, но еще более осмотрительно увлекался виски и женщинами.

В бсседе случилась заминка, наступило неловкое молчание. Тесть закурил другую сигарету. «Кури, старина, — подумал Митч, — кури больше».

— А для десерта давайте перейдем во внутренний дворик, — предложила Эбби, начиная убирать со стола.

Они стали расхваливать подстриженную зелень и Митча — такого умелого садовода. Митчу оставалось только проглотить эту похвалу. Тот же соседский мальчишка подрезал деревья, выполол сорняки, подровнял живые изгороди, выложил камешки по периметру внутреннего дворика. Сам Митч научился пока лишь выдергивать сорную траву и убирать за Хорси. Мог разве что еще управиться с дождевальной установкой, но, как правило, предоставлял это мистеру Райсу.

Эбби принесла слоеный торт с земляникой и кофе. С беспомощным видом она посматривала на мужа, но тот хранил полную невозмутимость.

— У вас действительно здесь очень и очень неплохо, — произнес ее отец вот уже в третий раз, обводя глазами прилегающий к дому двор. Митч ясно представил, как в голове его проворачиваются шестеренки — он сравнивал размеры их дома с домами соседей и умирал от желания узнать: во сколько же это все обошлось? Каков был первый взнос? Сколько платить в месяц, черт побери? Вот что ему нужно знать. Он так и будет водить своим носом, поджидая момент, чтобы спросить напрямик.

— Чудное местечко, — заметила мать раз, наверное, в десятый.

— Когда дом был построен? — задал вопрос отец.

Митч поставил чашку на стол и кашлянул. Он чувствовал, что долго не продержится.

— Ему около пятнадцати лет, — ответил он.

— А площадь?

— Примерно три тысячи квадратных футов, — несколько нервно вступила Эбби.

Митч бросил на нее взгляд. Самообладание его улетучивалось.

— У вас хорошие соседи, — сказала мать, надеясь поддержать иссякающий разговор.

— Новый заем, или вы взяли всю сумму на себя? — Отец говорил так, как будто опрашивал человека, желающего получить ссуду, о его дополнительных источниках доходов.

— Новый заем, — ответил Митч и замолчал в ожидании.

Эбби молча молилась и тоже ждала чего-то.

Мистер Сазерленд не ждал, не мог ждать.

— Сколько вы за него заплатили?

Митч набрал полную грудь воздуха и был уже готов ответить: «Слишком много», но его опередила Эбби.

— Не очень много, папа, — чуть нахмурившись, твердо сказала она. — Мы уже научились обращаться с деньгами.

Митч улыбнулся, прикусив язык.

Миссис Сазерленд поднялась:

— Давайте прокатимся, а? Я хочу посмотреть на реку и на ту новую пирамиду, что они построили на берегу. Поехали, Гарольд.

Гарольду хотелось получить побольше информации о доме, но на его руке уже повисла супруга.

— Отличная идея, — согласилась Эбби.

Усевшись в сверкающий «БМВ», все поехали любоваться рекой. Эбби попросила родителей не курить в новом автомобиле. Митч за рулем молчал и очень старался быть вежливым.

ГЛАВА 11

Нина ворвалась в кабинет с пачкой бумаг и вывалила их Митчу на стол.

— Мне нужны ваши подписи, — потребовала она, вручая ему перо.

— Что это? — спросил Митч, покорно расписываясь.

— Не спрашивайте. Доверьтесь мне.

— Я обнаружил опечатку в соглашении компании «Лэндмарк партнерс».

— Это компьютер.

— Хорошо. Проверьте программу.

— Как долго вы собираетесь сегодня работать?

Митч окинул взглядом документы, вздохнул:

— Не знаю. А в чем дело?

— У вас усталый вид. Идите-ка домой пораньше и отдохните. Ваши глаза все больше становятся похожими на глаза Натана Лока.

— Очень смешно.

— Звонила ваша жена.

— Я перезвоню ей через минуту.

Когда он поставил последнюю подпись, Нина собрала письма и документы.

— Пять часов. Я ухожу. В библиотеке первого этажа вас ждет Оливер Ламберт.

— Оливер Ламберт? Ждет меня?

— Именно это я и сказала. Он звонил минут пять назад. Сказал, это очень важно.

Митч подтянул галстук и направился по коридору, затем вниз по лестнице и небрежной походкой вошел в библиотеку. За столом сидели Ламберт, Эйвери и почти все остальные компаньоны фирмы. Стоя за их спинами, присутствовали также все сотрудники. Место во главе стола было пустым — кого-то ждали. Тишина в зале стояла почти торжественная. Никаких улыбок. Ламар стоял неподалеку, но избегал его взгляда. Эйвери выглядел застенчиво и смущенно. Уолли Хадсон крутил конец своего галстука-бабочки и медленно покачивал головой.

— Садись, Митч, — мрачно начал мистер Ламберт. — Нам нужно кое-что обсудить с тобой.

Дуг Терни закрыл дверь.

Митч сел и обвел глазами присутствующих, рассчитывая встретить хоть один приободряющий взгляд. Ни одного. Сидя в креслах на колесиках, компаньоны приближались к нему, сжимая круг. Обступали сотрудники, опустив головы и глядя в пол.

— Что происходит? — спросил он, в беспомощности уставившись на Эйвери. Капельки пота стали проступать на его лбу, сердце стучало как отбойный молоток, дыхание стало затрудненным.

Опершись о стол, Ламберт снял очки. Он чуть нахмурился, как бы испытывая боль.

— Нам только что звонили из Нашвилла, Митч, и мы хотим поговорить с тобой об этом.

Экзамен. Экзамен на адвоката. Экзамен. Он вошел в историю. Сотрудник великой фирмы Бендини провалил-таки экзамен на адвоката. Он не сводил глаз с Эйвери, ему хотелось кричать: «Это твоя вина!» Тот потирал виски и брови, как бы мучаясь мигренью, избегая зрительного контакта. Ламберт подозрительным взглядом обвел компаньонов и повернулся к Митчу:

— Мы этого опасались, Митч.

Митчу захотелось сказать что-то, объяснить им, что он заслужил еще одну попытку, что через шесть месяцев он сдаст его с блеском, что уж во второй-то раз он их никак не подведет. Он почувствовал тупую боль в животе.

— Да, сэр, — покорно выговорил он, совершенно опустошенный.

Ламберт сделал еще один шаг к нему, чтобы нанести последний удар.

— Мы не знаем деталей, но люди из Нашвилла сообщили нам, что по итогам экзамена у тебя высший балл. Поздравляем вас, господин адвокат!

В зале загремел смех и приветственные возгласы. Ему жали руки, хлопали по спине, хохотали вместе с ним. Растолкав всех, к Митчу прорвался Эйвери, своим носовым платком он стал вытирать его мокрый лоб. Кендалл Махан со стуком выставил на стол три бутылки шампанского и стал открывать их. По кругу пошли пластиковые стаканчики. Наконец Митч отдышался, к нему вернулась его улыбка. Он залпом выпил шампанское, и ему тут же налили еще.

Оливер Ламберт, мягким движением положив руку ему на шею, сказал:

— Митч, мы гордимся тобой. Это заслуживает маленького поощрения. У меня с собой чек от имени фирмы, на сумму в две тысячи долларов. Я вручаю тебе его как скромную награду за твои достижения.

Вновь раздались одобрительные свистки и выкрики.

— Безусловно, это лишь дополнение к ощутимому повышению оклада, ты его заслужил.

Опять одобрительный шум. Митч принял чек, даже не посмотрев на него.

Мистер Ламберт поднял вверх руку, требуя тишины:

— Фирма уполномочила меня сделать следующий подарок.

Ламар подал ему завернутый в коричневую бумагу пакет. Мистер Ламберт сорвал ее и бросил на стол.

— Этот памятный знак мы приготовили специально к такому дню. Как видишь, это покрытая бронзой точная копия канцелярского стола нашей фирмы, а на крышке его — имена всех здесь присутствующих. И сам можешь убедиться, чье имя наверху — Митчел И. Макдир.

В смущении Митч встал и неловко принял подарок. Он уже окончательно пришел в себя — шампанское помогло.

— Благодарю вас, — негромко сказал он.

Через три дня городская газета опубликовала имена тех, кто сдал экзамен. Эбби вырезала заметку, а родителям и Рэю послала по экземпляру.

В трех кварталах от фирмы, между Франт-стрит и набережной, Митч обнаружил небольшой ресторанчик. Это было темноватое помещение с немногочисленными посетителями, подавали здесь сосиски с острым томатным соусом. Ему понравилось это местечко, где можно было за едой лишний раз просмотреть тот или иной документ. Теперь, когда Митч стал полноправным сотрудником, он мог позволить себе есть сосиски на обед и выписывать счета исходя из ставки в сто пятьдесят долларов в час.

Через неделю после того, как его имя появилось в газете, Митч сидел в самом темном углу зальчика и ел сосиски с острейшим соусом. Кроме него, в ресторане никого не было. Митч пролистывал папку с деловым предложением, а владелец ресторанчика, грек, сидел за кассой и дремал.

Вошедший с улицы человек остановился неподалеку от стола Митча и начал разворачивать пластинку жевательной резинки, стараясь произвести при этом как можно больше шума. Убедившись в том, что за ним никто не наблюдает, мужчина сделал еще шаг и оказался напротив Митча. Подняв голову, Митч посмотрел на незнакомца и положил папку рядом с чашкой ледяного чая.

— Я могу вам чем-то помочь? — спросил он.

Мужчина бросил взгляд на посапывающего грека, на пустые столики, обернувшись, посмотрел на ту часть зала, что была у него за спиной.

— Вы — Макдир, так?

Его явный бруклинский акцент нельзя было спутать ни с каким иным. Митч внимательно рассматривал вошедшего. Лет сорока, с короткой армейской стрижкой и седой прядью, падавшей чуть не до бровей. Одет в темно-синий костюм-тройку, причем ткань процентов на девяносто была из синтетики, а галстук — дешевая подделка под шелк. Выглядело это все не ахти, но аккуратно. Было в его облике что-то петушиное.

— Да. А вы кто?

Он сунул руку в карман и вытащил значок.

— Тарранс. Уэйн Тарранс, специальный агент ФБР.

Мужчина чуть приподнял брови, ожидая, какая будет реакция.

— Присаживайтесь, — сказал ему Митч.

— Если вы не будете против.

— Намерены меня обыскать?

— Может быть, позже. Я просто хотел с вами встретиться. Прочел ваше имя в газете и узнал, что вы недавно пришли в фирму «Бендини, Ламберт энд Лок».

— И чем это заинтересовало ФБР?

— Нас весьма интересует фирма.

У Митча вдруг пропал аппетит, он отодвинул тарелку. Добавил сиропа в большой пластиковый стакан с чаем.

— Выпьете чего-нибудь?

— Нет, спасибо.

— Почему вас интересует фирма Бендини?

Тарранс улыбнулся и посмотрел на дремлющего хозяина.

— Пока я вам этого сказать не могу. Наш интерес достаточно обоснован, но с вами я хотел говорить о другом. Я пришел сюда, чтобы предупредить вас.

— Предупредить меня?

— Да. Предупредить вас о фирме.

— Слушаю вас.

— Есть три момента. Первое: не верьте никому. В фирме нет ни одного человека, которому вы могли бы доверять. Помните это. Позже это станет еще более важным. Второе. Каждое произносимое вами слово — дома, в кабинете или в любом другом помещении фирмы — записывается. Они могут прослушивать вас даже в вашей машине.

Митч ловил каждое слово, Таррансу это доставляло наслаждение.

— А третье?

— И третье: деньги не растут на деревьях.

— Могу я попросить вас развить эту тему?

— Не сейчас. Думаю, мы с вами сойдемся. Я хочу, чтобы вы верили мне, и я знаю, что должен завоевать ваше доверие. Поэтому мне нельзя спешить. Мы не можем встречаться в вашем или моем офисе, и по телефону общаться тоже не можем. Так что время от времени я буду сам находить вас. Пока же запомните все, что я сказал, и будьте осторожны. — Тарранс поднялся и вытащил из кармана бумажник. — Вот моя карточка. Домашний телефон на обороте. Звоните только из телефона-автомата.

Митч изучал карточку.

— Зачем мне вам звонить?

— Пока нужды в этом нет, но карточку сохраните.

Митч опустил ее в нагрудный карман рубашки.

— И еще кое-что. Мы видели вас на похоронах Козински и Ходжа. Жаль, жаль. Их гибель не была случайной.

Он стоял, засунув руки в карманы, смотрел сверху вниз на Митча и улыбался.

— Не понимаю, — произнес Митч.

Тарранс уже направлялся к двери.

— Звякните мне как-нибудь. Только осторожно. Помните, они слушают.

В начале пятого раздался автомобильный гудок, и Датч вскочил. Он выругался и вышел в свет фар.

— Черт побери, Митч. Четыре часа. Что ты тут делаешь?

— Извини, Датч. Не спится. Дурная ночь.

Ворота распахнулись.

До половины восьмого он успел наговорить на диктофон столько, что Нине хватило бы на два дня работы. Когда она сидела, уткнувшись носом в экран монитора, она меньше ворчала. Ближайшей целью Митча было стать первым в фирме сотрудником, которому позволили бы иметь двух секретарш.

В восемь часов он явился в кабинет Ламара и устроился ждать. Он сидел, листал контракты, пил кофе и говорил секретарше Ламара, чтобы та не обращала на него внимания. Куин пришел в восемь пятнадцать.

— Нам нужно поговорить, — обратился к Ламару Митч, как только за ним закрылась дверь.

Если верить Таррансу, то в кабинете были «жучки» и беседа их записывалась. Митч колебался.

— Похоже, у тебя что-то серьезное, — сказал Ламар.

— Ты слышал что-нибудь о парне по фамилии Тарранс? Уэйн Тарранс.

— Нет.

— Он из ФБР.

Ламар прикрыл глаза, негромко повторил:

— ФБР...

— Именно. У него значок и все такое.

— Где ты с ним встретился?

— Он нашел меня в ресторанчике Лански. Он знает, кто я, знает, что я недавно принят. Говорит, что ему известно о нашей фирме все. ФБР очень нами интересуется.

— Ты говорил об этом с Эйвери?

— Нет. Я не знаю, что делать.

Ламар поднял телефонную трубку.

— Нужно сказать Эйвери. По-моему, такое уже бывало.

— В чем дело, Ламар?

Ламар сказал секретарше Эйвери, что у него срочное дело, та тут же соединила его с Толаром.

— Возникла небольшая проблема, Эйвери. Вчера агент ФБР разговаривал с Митчем. Он сейчас у меня в кабинете.

Выслушав Толара, Ламар повернулся к Митчу:

— Говорит, чтобы я не вешал трубку, звонит Ламберту.

— Похоже, все это очень серьезно.

— Да, но ты не волнуйся. Такое уже случалось.

Он прижал трубку к уху и внимательно выслушал инструкции.

— Через десять минут нас ждут в кабинете у Ламберта.

В офисе сидели Эйвери, Ройс Макнайт, Оливер Ламберт, Гарольд О'Кейн и Натан Лок. Они заметно нервничали, но старались, чтобы входящий в кабинет Митч этого не заметил.

— Садитесь, — предложил Натан Лок с короткой неестественной улыбкой. — Мы хотим, чтобы вы рассказали нам все.

— Что это? — Митч указал на небольшой магнитофон в центре стола.

— Чтобы ничего не упустить, — пояснил Лок, делая жест в сторону стула.

Митч уселся, пристально глядя на сидящего напротив мистера Черные Глаза. Эйвери расположился рядом. В комнате стояла тишина.

— Так вот. Вчера я обедал в ресторанчике Лански. Подходит этот парень и садится напротив меня. Называет меня по имени. Достает значок, говорит, что является специальным агентом ФБР, зовут его Уэйн Тарранс. Я посмотрел, значок был настоящий. Он сказал, что хотел встретиться со мной, поскольку нам необходимо познакомиться. ФБР очень интересуется фирмой, а я не должен здесь никому доверять. Я спросил почему, и он ответил, что у него нет времени объяснять мне, но он сделает это позднее. Я не знал, как мне реагировать, поэтому просто молчал и слушал. Он заявил, что найдет меня позже. Уже собираясь уходить, добавил: смерть Ходжа и Козински была не случайной. Вот и все. Это заняло не более пяти минут.

Черные Глаза внимательно смотрел на Митча, впитывая каждое слово.

— Раньше вы не встречались?

— Никогда.

— Кому-нибудь рассказывали?

— Только Ламару. Это первое, что я сделал сегодня утром.

— А жене?

— Нет.

— Он не оставил вам свой телефон?

— Нет.

— Мне нужно знать каждое сказанное вами или им слово, — потребовал Лок.

— Я сказал вам все, что помнил. Слово в слово воспроизвести разговор я не в состоянии.

— Вы уверены?

— Дайте мне подумать.

Кое о чем Митч хотел умолчать. Он смотрел на Черные Глаза, понимая, что Лок его подозревает.

— Да, вот еще: он сказал, будто увидел мое имя в газете, прочитал, что меня недавно приняли. Вот и все. Я не упустил ничего. Разговор был совсем коротким.

— Постарайтесь еще припомнить, — продолжал настаивать Лок.

— Я спросил, не хочет ли он глоток холодного чая. Он отказался.

Магнитофон выключили, напряжение компаньонов, казалось, чуть спало. Лок подошел к окну.

— Митч, у нас были проблемы с ФБР, равно как и с Национальным налоговым управлением. Это тянется уже несколько лет. Кое-кого из наших клиентов можно назвать птицами высокого полета. Это состоятельные люди, которые зарабатывают миллионы, тратят миллионы и платят минимальные налоги, а то и вовсе не платят. Они готовы платить тысячи долларов нам, с тем чтобы мы помогали им на законных основаниях избегать уплаты налогов. Наша фирма зарекомендовала себя как очень энергичная, и мы не против рискнуть, когда клиент поручает нам это. Я говорю сейчас о весьма хитроумных и изощренных бизнесменах, которые понимают, что такое риск. Такие люди высоко оценивают нашу изобретательность и находчивость. Кое-какие наши уловки и прикрытия вызывают сомнения в Национальном налоговом управлении, и вот уже на протяжении двадцати лет мы выигрываем предъявленные по этим спорным поводам судебные иски. Мы не нравимся чиновникам, а они не нравятся нам. Отдельные наши клиенты не всегда придерживаются высших этических норм, поэтому, случается, к ним начинает проявлять интерес ФБР. А последние три года ФБР тревожило и нас. Тарранс — возомнивший о себе новичок. Он здесь меньше года, а надоел всем хуже камешка в ботинке. Вы больше не будете с ним разговаривать. Очень может быть, ваша вчерашняя беседа записывалась. Он опасен, в высшей степени опасен. Это нечестная игра, и скоро вы убедитесь в том, что большинство людей из ФБР ведут нечестную игру.

— Много наших клиентов были осуждены?

— Ни один. И мы выигрывали все иски налогового управления.

— А Ходж и Козински?

— Хороший вопрос, — вступил Оливер Ламберт. — Точно мы так и не знаем, что там произошло. Поначалу нам представлялось, что это несчастный случай, теперь же мы в этом не уверены. В катере с Марти и Джо был и местный житель — инструктор по подводному плаванию и моторист. Как нам сообщили местные власти, он был связным в цепочке по доставке наркотиков с Ямайки, и взорвать хотели именно его. Безусловно, он тоже погиб.

— Не думаю, что мы когда-нибудь узнаем правду, — добавил Ройс Макнайт. — Там не очень-то квалифицированные детективы. Мы предпочли оказать помощь семьям. Для нас в настоящий момент это несчастный случай. Честно говоря, мы плохо представляем себе всю ситуацию.

— Никому обо всем этом ни слова, — проинструктировал Митча Лок. — Держитесь подальше от Тарранса, а если он сам установит с вами контакт, сразу же дайте нам знать об этом. Вам все понятно?

— Да, сэр.

— Ни слова даже жене, — добавил Эйвери.

Митч кивнул.

Лицо Ламберта вновь приняло выражение отеческой доброты, он улыбался и крутил очки.

— Митч, мы знаем, что это может напугать, но мы уже привыкли к этому. Предоставь нам этим заниматься. Верь нам. Мы не боимся мистера Тарранса, ФБР, налогового управления или кого-то еще, так как мы не совершали никаких преступлений. Энтони Бендини создал нашу фирму благодаря своим способностям, неустанному тяжелому труду и высочайшим моральным качествам. Все это наследие он передал в наши руки. Да, некоторые наши клиенты не святые, но никогда еще юристы не читали поучений своим клиентам. Мы бы не хотели, чтобы ты переживал из-за всего этого. Просто держись подальше от этого человека — он весьма, весьма опасен. Если хоть в чем-то пойти ему навстречу, он совсем обнаглеет и сядет на голову.

Лок наставил на Митча свой кривой палец:

— Дальнейший контакт с Таррансом поставит под угрозу ваше будущее в фирме.

— Понимаю.

— Он понимает, — поддержал Митча Эйвери.

Лок посмотрел на Толара.

— Вот все, что мы хотели сказать тебе, Митч, — заключил Ламберт. — Будь осторожен.

Митч с Ламаром вышли из кабинета и направились к лестнице.

— Позвони Де Вашеру, — сказал Лок Ламберту, уже державшему в руке трубку.

Не прошло и двух минут, как оба пожилых джентльмена, пройдя мимо охранника за железной дверью, вошли в кабинет Де Вашера.

— Ты слушал?

— Конечно, я слушал, Нат. Я слышал каждое его слово. Вы здорово обработали парня. Я думаю, он перепуган, он будет бежать от Тарранса со всех ног.

— Как быть с Лазаровым?

— Я должен буду поставить его в известность. Он — босс. Не можем же мы притвориться, что ничего не произошло.

— Что они предпримут?

— Ничего серьезного. Понаблюдаем за Макдиром круглосуточно, поставим на прослушивание все его телефоны. И будем ждать. Первого шага сам он не сделает. Это дело Тарранса. Тарранс найдет его снова, и на этот-то раз мы будем в курсе событий. Старайтесь, чтобы он уходил отсюда как можно позже. Когда он будет покидать рабочее место, дайте нам знать. По правде говоря, не думаю, что все так уж плохо.

— Почему они остановили свой выбор на Макдире? — задал вопрос Лок.

— Наверное, отрабатывают новую стратегию. Вы же помните, Козински и Ходж сами к ним пришли. Возможно, они сказали им больше, чем мы думаем, я не знаю. Может, они считают, что Макдир быстрее с ними сойдется, поскольку он только что с университетской скамьи и полон юношеского идеализма. И высокой морали, как наш чересчур этичный Олли. Это было неплохо, Олли, это было здорово.

— Заткнись, Де Вашер.

Улыбка исчезла с лица Де Вашера, он прикусил губу, бросил взгляд на Лока:

— Вы знаете, что будет следующим шагом, не так ли? Если Тарранс начнет активничать, этот идиот Лазаров в один прекрасный день вызовет меня и прикажет убрать его. Заставить его замолчать. Забить в бочку и швырнуть ее в залив. А когда это будет сделано, все вы, почтенные господа, оформите себе ранние пенсии и рванете из страны.

— Лазаров не прикажет убрать агента ФБР.

— О, конечно, это будет дурацким поступком, но Лазаров и есть дурак. Он слишком беспокоится о положении дел здесь. Он все время звонит и задает всякие вопросы. Я даю на них всякие ответы. Иногда он выслушивает их, иногда начинает сыпать ругательствами, иногда говорит, что должен побеседовать с правлением. Но если он прикажет мне покончить с Таррансом, мы покончим с Таррансом.

— От этого у меня начинает ныть в желудке, — сказал Ламберт.

— Хочешь прихворнуть, Олли? Если твой юноша в ботиночках от Гуччи подружится с Таррансом и начнет говорить, ты получишь нечто худшее, чем боль в желудке. В общем, я предлагаю вам, парни, заваливать Макдира работой так, чтобы у него не оставалось времени на мысли о Таррансе.

— Боже, Де Вашер, он работает по двадцать часов в сутки! В первый же день он вспыхнул как порох, но все еще продолжает гореть.

— Не выпускайте его из поля зрения. Прикажите Ламару Куину сойтись с ним еще ближе, так, чтобы, если у Макдира созреет что-нибудь в голове, ему было бы перед кем облегчить душу.

— Неплохая мысль, — заметил Лок и повернулся к Олли: — Давай-ка хорошенько поговорим с Куином. Он дружен с Макдиром и, может, станет еще дружнее.

— Смотрите, парни, — продолжал Де Вашер, — Макдир сейчас напуган. Он не будет ничего предпринимать. Если Тарранс найдет его снова, Макдир поступит так же, как и сегодня. Он побежит прямо к Ламару Куину. Он показал нам сегодня, кому он доверяет.

— А жене он не проговорился ночью? — спросил Лок.

— Сейчас мы прослушиваем записи. Это займет примерно час. Мы напихали по городу столько «жучков», что требуется шесть компьютеров, чтобы найти хоть что-то.

Стоя у окна в кабинете Ламара, Митч тщательно подбирал слова. Говорил он совсем немного. А если Тарранс прав? Если все записывается?

— Тебе стало лучше? — спросил его Ламар.

— Да, по-моему. В этом есть логика.

— Это было и раньше, Лок так и сказал.

— К кому подходили до меня?

— Не помню. Это произошло три или четыре года назад.

— Но ты не помнишь, к кому обращались?

— Нет. Почему тебе это так важно?

— Просто мне хотелось бы знать. Не могу понять, почему они выбрали меня, нового здесь человека, единственного из сорока юристов, который знает о фирме и ее клиентах меньше всех. Почему меня?

— Не знаю, Митч. Слушай, почему бы тебе не сделать так, как советовал Лок? Забудь обо всем и беги от этого Тарранса. Ты не обязан с ним разговаривать, пока тебя не принудят к этому в официальном порядке. Скажешь ему, чтобы убирался, если он подвернется тебе где-то еще раз. Он опасен.

— Пожалуй. Думаю, ты прав. — Митч выдавил улыбку и направился к двери. — Приглашение на завтрашний ужин не отменяется?

— Ну что ты! Кей хочет приготовить мясо в гриле, а есть его мы будем у бассейна. Приходите попозже, скажем, около половины восьмого.

— До встречи.

ГЛАВА 12

Охранник выкликнул его имя, обыскал и провел в просторное помещение с двумя рядами небольших кабинок. В них сидели разделенные толстой и частой металлической решеткой посетители.

— Номер четырнадцать. — Палец указывал на одну из кабинок.

Митч прошел внутрь и сел. Через минуту по ту сторону перегородки показался Рэй; он подошел и уселся напротив брата. Если бы не шрам на лбу и морщинки вокруг глаз, они с Митчем могли бы сойти за близнецов. Оба одинакового роста — шести футов двух дюймов, одинакового веса — ста восьмидесяти фунтов, у обоих светлые каштановые волосы, голубые глаза, высокие скулы и прямоугольные подбородки. Братьям не раз приходилось слышать, что в их жилах течет и индейская кровь, но за долгие годы работы их предков в угольных шахтах темный оттенок кожи сошел на нет.

Последний раз Митч приезжал в тюрьму «Браши маунтин» на свидание с братом три года назад. Три года и три месяца. Дважды в месяц они писали друг другу письма на протяжении уже восьми лет.

— Как твой французский? — задал наконец вопрос Митч.

Армейские тесты Рэя указывали на его поразительные способности к языкам. Он отслужил два года переводчиком с вьетнамского. После перевода его части в Западную Германию за полгода овладел немецким. Испанский потребовал четырех лет, но он был вынужден учить язык, имея под рукой лишь словари из тюремной библиотеки. Новым увлечением стал французский.

— По-моему, говорю довольно бегло, — ответил брату Рэй. — Находясь здесь, трудно судить. Не хватает практики. Видишь ли, здесь нет курсов французского, поэтому большинство местных парней обходятся английским. А французский, несомненно, самый прекрасный из всех языков.

— Легко учится?

— Не так, как немецкий. Конечно, с немецким было проще: ведь я жил там, слышал, как говорят люди. А ты знаешь, что половина нашей лексики пришла из немецкого через древнеанглийский?

— Ну, откуда мне это знать?

— Это точно. Английский и немецкий — двоюродные братья.

— Ну а какой у тебя на очереди?

— Может, итальянский. Это романский язык, так же как и французский, испанский и португальский. Может, русский. А может, греческий. Я тут читал о Греции и ее островах. Собираюсь побывать там в скором будущем.

Митч улыбнулся. До освобождения брату оставалось около семи лет.

— Ты думаешь, я шучу? — спросил Рэй. — Я собираюсь выбраться отсюда, Митчел, и это не должно занять много времени.

— Что у тебя за план?

— Сказать ничего не могу, сейчас я как раз над этим работаю.

— Не делай этого, Рэй.

— На свободе мне понадобится кое-какая помощь и деньги, чтобы выбраться из страны. Где-нибудь с тысячу. Тебе это по силам, не так ли? Замешан ты ни во что не будешь.

— Нас кто-нибудь здесь слушает?

— Иногда.

— Давай-ка поговорим о чем-нибудь еще.

— Хорошо. Как Эбби?

— Отлично.

— Где она?

— В настоящее время в церкви. Она хотела приехать, но я сказал, что ее к тебе не пропустят.

— Я был бы рад повидаться с ней. Судя по твоим письмам, дела у вас идут совсем неплохо. Новый дом, машина, членство в клубе. Я горжусь тобой. В нашем роду ты первый, кто так преуспел, черт побери!

— У нас были хорошие родители, Рэй. Им просто не представился случай, и пережили они немало. Для нас они делали все, что могли.

Рэй улыбнулся, отвел глаза в сторону.

— Да, пожалуй, так. Ты говорил с мамой?

— Довольно давно.

— Она по-прежнему во Флориде?

— Думаю, да.

Они молчали, каждый был занят рассматриванием собственных ладоней. Вспоминали мать. Воспоминания были большей частью печальными. Братья знали и лучшие времена —

когда они были маленькими и отец еще был жив. Мать так и не оправилась после его гибели, а после того как во Вьетнаме был убит Расти, дядья и тетки устроили ее в какую-то лечебницу.

Рэй поднял руку и стал водить пальцем по прутьям разделяющей их решетки.

— Давай сменим тему.

Митч согласно кивнул. Они о многом могли бы поговорить, но все это было в прошлом. Общим у них сейчас было только прошлое, и лучше всего не тревожить его.

— В одном из писем ты упоминал своего бывшего сокамерника, который стал частным детективом в Мемфисе.

— Эдди Ломакс. Он девять лет проработал полицейским в Мемфисе, а потом его посадили за изнасилование.

— Изнасилование?

— Да. Ему здесь пришлось нелегко. Тут не очень-то жалуют насильников, а копов просто ненавидят. Его почти забили до смерти, когда я за него вступился. Он вышел примерно три года назад. Мы переписываемся. В основном он копает информацию для тех, кто хочет развестись.

— В телефонной книге есть его номер?

— 969-3838. Зачем он тебе?

— У меня есть знакомый, тоже юрист, у него пошаливает жена, а он никак не может поймать ее. Этот Ломакс хороший детектив?

— Сам он говорит, что очень хороший. Он неплохо зарабатывает.

— И я могу доверять ему?

— Смеешься! Скажи, что ты мой брат, и он за тебя перегрызет глотку. Он поможет мне выбраться отсюда, только пока сам этого не знает. Можешь дать ему это понять.

— Ты бы лучше не болтал лишнего.

За спиной Митча прошел охранник.

— Три минуты, — услышал Митч его голос.

— Что тебе прислать? — спросил брата Митч.

— Я бы попросил тебя об одолжении, если ты не против.

— Что угодно.

— Сходи в книжный магазин и посмотри там кассеты «Как выучить греческий за двадцать четыре часа». И еще неплохо бы купить греко-английский словарь.

— Вышлю на следующей неделе.

— А если еще и итальянский?

— Без проблем.

— Я пока не решил, куда мне отправиться — на Сицилию или в Грецию. Прямо на две части разрываюсь. Советовался с тюремным начальником, но ничего путного не услышал. Уже подумывал о том, чтобы побеседовать с охраной. А ты что думаешь?

Митч хмыкнул и покачал головой:

— Почему бы тебе не поехать в Австралию?

— Великолепная идея. Пришли мне записи на австралийском и словарик.

Они оба рассмеялись, а потом смотрели друг на друга в молчании, ожидая, что охранник рявкнет: «Время свидания истекло!» Митч не сводил глаз со шрама на лбу брата и думал о его бесчисленных драках и схватках, которые неизбежно когда-нибудь должны закончиться смертью. Рэй называл это самозащитой. Митч годами собирался объяснить Рэю, насколько все это бессмысленно, но сейчас его злость прошла. Единственное, чего ему хотелось в этот момент, — обнять брата, привезти его домой и помочь найти работу.

— Не надо меня жалеть, — сказал Рэй.

— Эбби хочет написать тебе.

— Неплохо бы. Я едва помню ее — маленькую девчонку из Дэйнсборо, которая все бегала вокруг банка на Мэйн-стрит, где работал ее отец. Скажи ей, чтобы она прислала мне свое фото. И фотографию вашего дома. Никто еще из Макдиров не становился собственником.

— Мне пора идти.

— Я хочу тебя попросить, Митч. По-моему, тебе стоит разыскать маму, просто увериться, что она еще жива. Это было бы здорово, если бы ты нашел ее сейчас, когда уже окончил университет.

— Я и сам подумывал об этом.

— Подумай еще раз, договорились?

— Будь уверен. Я отыщу ее через месяц или около того.

* * *

Де Вашер затянулся «Руатаном»* и с шумом выпустил струю дыма в сторону кондиционера.

— Мы нашли Рэя Макдира, — с гордостью заявил он.

— Где? — спросил Олли.

— В нашем штате, в тюрьме «Браши маунтин». Осужден за убийство второй степени в Нашвилле восемь лет назад, на пятнадцатилетний срок без права на амнистию. Полное имя — Раймонд Макдир. Тридцать один год. Семьи нет. Три года в армии, уволен за дискредитирующее поведение. Типичный неудачник.

— Как вы его обнаружили?

— Вчера к нему на свидание приезжал его родной брат. Ну а мы следовали за ним. Двадцатичетырехчасовое наблюдение, ты же помнишь.

— Обвинительный акт по его делу в свободном доступе, у вас была возможность найти его гораздо раньше.

— Мы и нашли бы раньше, если бы это было так важно. А это не важно. Мы справляемся со своей работой.

— Пятнадцать лет, а? Кого же он убил?

— Обычная история. Несколько пьяных в баре дерутся из-за женщины. И без всякого оружия. Полиция и акт медицинской экспертизы утверждают, что он дважды ударил свою жертву кулаком и пробил череп.

— А что за дискредитирующее поведение?

— Грубейшее нарушение субординации. Плюс нападение на офицера. Не знаю, как он избежал военного трибунала. Характер, по-видимому, не из легких.

— Ты прав, это не важно. Что еще вы узнали?

— Не очень много. Мы поставили дом на прослушивание, так? Он ни словом не обмолвился своей жене о Таррансе. Фактически мы слушаем парня круглые сутки, Тарранса он не упоминал ни разу.

Олли улыбнулся, одобрительно покачивая головой. Он гордился Макдиром. Какой юрист!

— А секс?

---

* Марка дорогих сигар.

— Все, что мы делаем, — это слушаем, Олли. Но слушаем мы внимательно, и я не думаю, что за две недели они хоть раз занимались этим. Конечно, он проводит по шестнадцать часов в конторе, пробиваясь через рутину, в которую вы окунаете каждого своего новобранца-трудоголика. Сдается мне, она начинает от этого уставать. Видимо, синдром жены неофита. В его отсутствие она часто звонит матери, он об этом не знает. Жалуется на то, что он начинает меняться, и все прочее. Опасается, что он загнется от такой работы. Вот все, что мы слышим. У нас нет никаких снимков, Олли, мне очень жаль, поскольку я знаю, как ты их любишь. При первом удобном случае мы тебе их предоставим.

Ламберт сидел, уставившись в стену, и молчал.

— Слушай, Олли, думаю, нам стоит послать парня в командировку на Кайманы, вместе с Эйвери. Ты сможешь что-нибудь предпринять в этом направлении?

— Это будет нетрудно. Могу я спросить, зачем это нужно?

— Не сейчас. Ты узнаешь об этом позже.

Здание располагалось в той части центра Мемфиса, где арендная плата была не очень высокой, несколько в стороне от современных башен из стекла и стали, громоздящихся настолько тесно, что можно было подумать, что земли в городе не хватает. Табличка на двери извещала о том, что вверх по лестнице находится контора Эдди Ломакса, частного детектива. Прием только по предварительной договоренности. На другой двери, ведущей непосредственно в контору, — дополнительная информация о характере проводимых расследований: разводы, несчастные случаи, поиск пропавших родственников, наблюдение. Помещенная в телефонной книге реклама упоминала полицейскую экспертизу, но список этим далеко не исчерпывался. Среди оказываемых услуг были подслушивание и меры защиты от него, запросы в детские приюты, фотографирование, свидетельские показания в суде, анализ акустических характеристик голоса, обнаружение пропавшей собственности, иски по страховкам, сбор информации о противоположной стороне для готовящихся вступить в брак. Лицензия на частную детективную деятельность, юридические и страховые гарантии, обслуживание клиентов круглосуточно. Все этично, надежно и конфиденциально.

Митч был ошеломлен таким изобилием доверительной информации. Встреча была назначена на пять часов дня, он прибыл на несколько минут раньше. Платиновая блондинка с безукоризненной фигурой в поскрипывающей кожаной юбке и в черных, в тон ей, туфлях осведомилась о его имени и указала на оранжевое виниловое кресло у окна. Эдди освободится через минуту. Изучив внимательным взглядом кресло, Митч заметил на нем тонкий слой пыли и какие-то жирные на вид пятна; он отказался от предложения сесть, сославшись на боли в спине. Блондинка, ее звали Тэмми, пожала плечами и вернулась к жевательной резинке и какому-то документу, заправленному в пишущую машинку. Митч строил догадки относительно того, был ли это отчет для заключения брачного контракта, справка по наружному наблюдению или, может быть, предлагаемый клиенту план контрмер. Пепельница на ее столе была полна окурков со следами губной помады. Печатая левой рукой, Тэмми протянула правую к пачке сигарет, уверенно вытащила одну, поднесла ее к накрашенным губам. Тут же с безошибочной координацией она щелкнула зажигалкой в левой руке и поднесла ее пламя к элегантной, неправдоподобно длинной сигарете. Когда пламя погасло и губы инстинктивно сомкнулись вокруг фильтра, она глубоко затянулась. В то время как она наполняла легкие дымом, буквы на листе бумаги складывались в слова, слова в предложения, а предложения выстраивались в параграфы. Наконец, когда кончик сигареты по меньшей мере уже на дюйм превратился в пепел, Тэмми сделала глотательное движение, подхватила изящную бумажную палочку двумя ослепительно красными ноготками и мощно выдохнула. Дым поднялся к покрытым пятнами панелям потолка, смешался с уже плавающим там облаком и заклубился вокруг свисавшей лампы дневного света. Тэмми закашлялась сухим надсадным кашлем, ее лицо покраснело, а впечатляющая грудь заходила ходуном, чуть ли не выпадая на клавиатуру машинки. Секретарша схватила стоявшую рядом чашку, глотнула какой-то жидкости и снова вставила в рот сигарету.

Через пару минут Митч подумал, что он может запросто отравиться окисью углерода. Он приметил небольшую щель в окне, там, где паук забыл почему-то растянуть свои сети. Подойдя вплотную к довольно мятым и пыльным занавесям, он старался втянуть хотя бы чуточку свежего воздуха. От дыма его начинало тошнить. Позади опять раздались громкие каркающие звуки. Митч попытался открыть окно, но оно оказалось плотно замуровано слоями старой, потрескавшейся краски.

В тот момент, когда он почувствовал себя совершенно больным и несчастным, стук машинки смолк, а воздух в комнате вдруг начал проясняться.

— Вы юрист?

Митч повернулся к секретарше. Теперь она уже сидела на краешке стола, положив ногу на ногу, ее черная кожаная юбка была намного выше коленей, в руке — стакан с диетической пепси.

— Да.

— Из большой фирмы?

— Да.

— Я так и подумала. Поняла по вашему костюму, рубашке и галстуку из чистого шелка. Сразу видно шишку из приличной юридической фирмы, не то что неудачники, крутящиеся у городского суда.

Дым постепенно расходился, и дышать Митчу становилось легче. Ему понравились ее ноги, действительно заслуживавшие восхищения. Теперь Тэмми разглядывала его ботинки.

— Костюм понравился, да?

— Он влетел вам в изрядную сумму, как и галстук. Насчет рубашки и ботинок я не так уверена.

Митч окинул взглядом ее туфельки, ноги, юбку, тугой свитер, обтягивающий высокую полную грудь, пытаясь придумать что-нибудь колкое в ответ. Тэмми наслаждалась его оценивающими взорами и потягивала свою пепси. Решив наконец, что полученного удовольствия ей уже хватит, она кивнула на дверь своего босса:

— Теперь можете входить, Эдди ждет вас.

Детектив разговаривал по телефону, пытаясь убедить какого-то беднягу в том, что его сын гомосексуалист. Очень активный гомосексуалист. Эдди ткнул пальцем в деревянный стул, и

Митч сел. Два широких окна напротив него были распахнуты, и он почувствовал явное облегчение.

Эдди с отвращением прикрыл трубку рукой.

— Плачет, — шепотом сообщил он Митчу, на что тот улыбнулся с вежливым удивлением.

Ломакс был одет в джинсы «Ливайс» и накрахмаленную, персикового цвета, рубашку, расстегнутую достаточно для того, чтобы явить взору его заросшую волосами грудь с двумя золотыми цепочками и еще одной, сделанной, по-видимому, из черепахового панциря. На ногах — ботинки из кожи ящерицы; носки их украшены медными пластинками. Похоже было, что он поклонник Тома Джонса, или Хампердинка, или кого-нибудь из тех длинноволосых темноглазых певцов с бакенбардами и мощными челюстями.

— У меня есть фотография, — сказал Ломакс, отрывая от уха трубку, устав от причитаний клиента. Он извлек из папки штук пять глянцевито поблескивавших карточек крупного формата и подтолкнул их через стол Митчу. На снимках действительно были запечатлены гомосексуалисты, кем бы они там еще ни являлись. Эдди с гордостью улыбнулся.

Мужчины на фотографиях находились на чем-то вроде сцены в каком-то клубе сексуальных меньшинств. Митч положил их на стол и перевел взгляд в окно. Фотографии были цветными, отличного качества. Тот, кто их делал, наверняка должен был видеть происходившее своими глазами. Митч вспомнил об обвинении в изнасиловании. Полицейский, осужденный за изнасилование.

Ломакс положил трубку.

— Итак, вы — Митчел Макдир. Рад знакомству.

Они обменялись рукопожатиями через стол.

— Взаимно, — ответил Митч. — Я виделся с Рэем в воскресенье.

— У меня такое впечатление, что мы уже давно знакомы. Вы с братом абсолютно похожи. Он говорил мне про это. Он мне много о вас рассказывал. Видимо, и вам рассказал обо мне. Бывший полицейский. Осужден. Изнасилование. Он объяснил вам, что это было изнасилование по определению, что ей было семнадцать лет, а выглядела она на двадцать пять, что меня просто загнали в угол?

— Упоминал что-то в этом роде. Рэй не очень разговорчив, вы это знаете.

— Он отличный парень. Я обязан ему жизнью на самом деле. Меня чуть не убили в тюрьме, когда узнали, что я — коп. А он вышел вперед, и даже цветные отступили. Уж он-то может ударить, если захочет.

— Рэй — это все, что осталось от нашей семьи.

— Да, я знаю. Когда несколько лет проведешь с человеком в камере размером восемь на двенадцать футов, поневоле узнаешь о нем много. О вас он мог говорить часами. Я освободился, когда вы еще только собирались податься на юридический.

— Я окончил университет в июне этого года и работаю сейчас на фирму «Бендини, Ламберт энд Лок».

— Никогда о них не слышал.

— Это на Франт-стрит, мы занимаемся налогами.

— У меня немало работы по поганым делам о разводах юристов. Слежка, фотографии вроде этих, в общем, собираю грязь для судебных процессов.

Эдди говорил быстро, экономя на длине слов и предложений. Его ковбойские ботинки покачивались на крышке стола из стороны в сторону, как бы выставленные на обозрение.

— К тому же, — продолжал он, — я веду кое-какие дела по заказам отдельных юристов. Если я вдруг откапываю что-нибудь интересное об автомобильной аварии или, к примеру, об оскорблении личности, я обычно рыскаю по сторонам в поисках того, кто мне больше заплатит. Так мне и удалось купить это здание. Оскорбление личности — это самое выгодное дело. Юристы забирают себе сорок процентов компенсации. Сорок процентов! — Он с негодованием покачал головой, как бы гоня саму мысль о том, что в городе могут жить и работать такие жадные юристы.

— У вас оплата почасовая?

— Тридцать долларов в час плюс издержки. Прошлой ночью я шесть часов просидел в своем фургончике около «Холидэй инн» в ожидании, пока муж моей клиентки выйдет из отеля со своей шлюхой, — мне нужны были дополнительные фотографии. Шесть часов. Это сто восемьдесят долларов за просиживание задницы, ожидание и пролистывание дешевых журнальчиков. Стоимость своего ужина я тоже поставил ей в счет.

Митч слушал собеседника с таким интересом, будто ему не терпелось заняться тем же.

Тэмми, заглянув к ним, сообщила, что уходит. За ее спиной тянулись полосы дыма, Митч сразу повернулся к окну. Дверь захлопнулась.

— Она хорошая баба, — заметил Эдди. — У нее проблемы с мужем. Водитель грузовика, а вообразил себя Элвисом Пресли. Отрастил гриву, взбил кок, отпустил баки. Нацепил темные очки в золотой оправе, такие же, как носил Элвис. Когда он не в пути, то сидит где-нибудь рядом со своим грузовиком и заслушивается его альбомами, а то отправляется смотреть эти отвратительные фильмы. Они перебрались сюда из Огайо специально для того, чтобы этот помешанный был поближе к могиле своего кумира. Попробуйте угадать, как его зовут.

— Ни малейшего представления.

— Элвис. Элвис Аарон Хэмфил. Он официально сменил свое имя после смерти Пресли. Выступает в его амплуа в дешевых ночных клубах по всему городу. Я видел его как-то вечером. Одет в обтягивающую белую рубашку, расстегнутую до самого пупа, что было бы еще ничего, если бы не висящий живот, похожий на перезрелую дыню. Довольно жалкое зрелище. А голос радостный и ликующий, как у индейского вождя, пляшущего вокруг костра.

— Ну и в чем проблемы?

— Женщины. Вы не поверите, сколько фанаток Пресли сюда приезжают. Они слетаются, чтобы посмотреть на этого клоуна в роли их звезды. Бросают ему на сцену свои трусики, свои трусы и трусищи, сшитые на заказ для их огромных задниц, а он вытирает ими пот со лба и бросает назад. Выкрикивают ему номера комнат, в которых они остановились, и, мы подозреваем, он ошивается где-нибудь поблизости, мечтая сыграть по-крупному, ну прямо как Элвис. Но пока я его не поймал.

Митч не знал, как ему стоит на это отреагировать. Он улыбнулся глупой улыбкой, как будто услышанное было действительно какой-то невообразимой историей. Ломакс легко читал его мысли.

— У вас неприятности с женой?

— Нет. Ничего подобного. Мне нужна информация о четырех людях. Трое уже мертвы, один жив.

— Интересно. Я вас слушаю.

Митч вытащил из кармана несколько листков.

— Это в высшей степени конфиденциально.

— Конечно, конечно. Все так же конфиденциально, как и в вашей работе с клиентом.

Митч кивнул ему, хотя в голове мелькнула мысль: зачем Эдди нужно было рассказывать ему про Тэмми и Элвиса?

— Это должно быть конфиденциально, — повторил он.

— Я сказал вам, что так и будет. Можете мне доверять.

— Тридцать долларов в час?

— Для вас — двадцать. Ради Рэя.

— Это мне по душе.

— Кто эти люди?

— Те трое, которых уже нет в живых, были когда-то юристами в нашей фирме. Роберт Лэмм погиб в результате несчастного случая на охоте где-то в Арканзасе, в горах. Его искали две недели и нашли с пулей в черепе, так гласил акт медицинской экспертизы. Это все. Элис Наусс погибла в семьдесят седьмом году здесь, в Мемфисе, в автокатастрофе. Предполагают, что виной тому был пьяный водитель. Джон Микел покончил жизнь самоубийством в восемьдесят четвертом. Тело обнаружили в его кабинете, рядом валялись пистолет и записка.

— Это все, что вам известно?

— Все.

— Что вы хотите выяснить?

— Я хочу знать все, что возможно, о том, как погибли эти люди. Обстоятельства каждой смерти. Кто проводил расследование. Какие вопросы остались без ответов. Кого и в чем подозревали.

— А что об этом думаете вы сами?

— В настоящий момент ничего. Пока мной движет только любопытство.

— По-моему, это больше, чем любопытство.

— Хорошо, пусть будет так. Пока остановимся на этом.
— Ладно. А кто четвертый?
— Человек по имени Уэйн Тарранс. Агент ФБР в Мемфисе.
— ФБР!
— Вас это беспокоит?
— Да, беспокоит. За полицейских я беру сорок в час.
— Устраивает.
— Что вам нужно?
— Проверьте его. Как долго он здесь? Сколько времени является агентом? Какова его репутация?
— Это не трудно.
Митч сложил бумаги и сунул в карман.
— Сколько это займет времени?
— Около месяца.
— Годится.
— Как, вы сказали, называется ваша фирма?
— «Бендини, Ламберт энд Лок».
— Те двое парней, что погибли летом...
— Они работали у нас.
— Какие-нибудь подозрения?
— Нет.
— Я спросил просто так.
— Послушайте, Эдди, вам нужно быть очень осторожным. Не звоните мне домой или в офис. Я сам позвоню вам примерно через месяц. Думаю, за мной внимательно следят.
— Кто?
— Если бы я знал!

ГЛАВА 13

Глядя в компьютерную распечатку, Эйвери улыбался.

— За октябрь месяц ты покрывал счетами в среднем шестьдесят один час в неделю.

— Мне казалось, что шестьдесят четыре, — ответил Митч.

— Шестьдесят один тоже неплохо. У нас пока такого не было, чтобы у сотрудника первого года работы были столь высокие месячные показатели. И все это на законных основаниях?

— Никаких подбивок. Вообще-то я мог бы нагнать и повыше.

— Сколько часов ты работаешь в неделю?

— Восемьдесят пять — девяносто. При желании можно было оформить счета на семьдесят пять часов.

— Я бы этого не рекомендовал, во всяком случае, пока. Это может вызвать некоторую ревность — наши молодые сотрудники внимательно тебя изучают.

— Вы хотите, чтобы я сбавил темпы?

— Безусловно, нет. Мы с тобой уже отстаем на месяц. Я беспокоюсь лишь из-за количества рабочих часов. Немного беспокоюсь, вот и все. Почти все новые сотрудники поначалу вспыхивают огнем: восемьдесят, девяносто часов в неделю, но через пару месяцев они выгорают. Средним показателем считается шестьдесят пять — семьдесят часов. Но у тебя, похоже, огромный запас сил.

— Мне не требуется много времени на сон.

— А что об этом думает твоя жена?

— Почему вы считаете это важным?

— Она недовольна тем, что у тебя столько времени уходит на работу?

Митч посмотрел на Эйвери, и в памяти всплыл спор с Эбби предыдущей ночью, когда он явился домой за три минуты до полуночи. Это была настоящая схватка, самая ожесточенная из всех, а за ней ведь последуют и другие? Ни одна из сторон не пошла на уступки. Эбби сказала, что их сосед мистер Райс становится ей ближе, чем муж.

— Она понимает меня. Я обещал ей сделаться компаньоном через два года, а на пенсию уйти еще до тридцати.

— Похоже, что ты всерьез пытаешься это сделать.

— Но ведь у вас нет ко мне претензий, не так ли? Каждый час, указанный в счете, ушел у меня на одну из ваших папок, и вы не слишком переживали, когда я перерабатывал.

Эйвери положил распечатку на стеллаж и, приподняв брови, обернулся к Митчу:

— Мне просто не хочется, чтобы ты переутомился или начал пренебрегать своими семейными обязанностями.

Было нечто комичное в том, что эти слова звучали из уст человека, который ушел от своей жены. Митч бросил на Эйвери взгляд, в который постарался вложить все сожаление, которое мог.

— Не стоит вам беспокоиться о том, что происходит у меня дома. Можете чувствовать себя счастливым, пока я тут работаю.

Эйвери перегнулся через стол.

— Послушай, Митч, я не очень-то силен в таких вещах. Все это идет оттуда, свыше. Ламберт и Макнайт волнуются по поводу того, что ты загоняешь себя. Я имею в виду пять часов утра, каждый день, даже по воскресеньям бывает. Это уж слишком, Митч.

— И что они говорят?

— Ничего особенного. Твое дело, верить мне или нет, но они действительно заботятся о тебе и твоей семье. Им нужны счастливые юристы со счастливыми женами. Если между ними все гладко, то у мужа и на работе все в порядке. Ламберт настроен по-отечески. Через пару лет он собирается уходить на отдых и весьма надеется на то, что слава фирмы прольется на тебя, Митч, на других молодых людей. А если он задает слишком много вопросов или начинает докучать своими лекциями, смотри на это проще. Он заслужил право называться здесь дедушкой.

— Скажите им всем, что я в порядке, Эбби в порядке, мы оба счастливы, и с работоспособностью у меня тоже нормально.

— Ну и отлично, с этим покончено. Через неделю мы с тобой летим на Каймановы острова. От имени Сонни Кэппса и трех других клиентов мне нужно будет побеседовать с некоторыми тамошними банкирами. Поездка будет в основном деловой, но мы всегда выкраиваем время для того, чтобы поплавать с аквалангом или просто с трубкой. Я сказал Макнайту, что ты мне понадобишься, он одобрил нашу поездку. По его мнению, тебе не помешает отдохнуть и расслабиться. Хочешь поехать?

— Конечно. Я просто не ожидал.

— Поскольку нас ждет бизнес, жены останутся здесь. Ламберта несколько беспокоит то, что это может вызвать недовольство в семье.

— Мне кажется, мистер Ламберт принимает слишком близко к сердцу мои домашние дела. Скажите ему, что я справлюсь с ними сам. Никаких проблем не будет.

— Значит, ты едешь?

— Безусловно, еду. И долго мы там пробудем?

— Пару дней. Остановимся в одном из наших бунгало. В соседнем может жить Сонни Кэппс. Я попробую добиться, чтобы нам предоставили самолет фирмы, но, возможно, придется лететь коммерческим рейсом.

— Меня это не пугает.

На борту «Боинга-727», принадлежавшего компании «Кайман эйруэйз» в Майами, всего два пассажира были в галстуках, и после первого стаканчика пунша с ромом за счет авиакомпании Эйвери снял свой и засунул его в карман пиджака. Пунш разносили симпатичные меднокожие стюардессы с голубыми глазами и ослепительными улыбками. Женщины там великолепны, напомнил Эйвери Митчу уже не в первый раз.

Митч сидел у иллюминатора и пытался не выказать своего волнения, вызванного первой в его жизни поездкой за пределы страны. В библиотеке он разыскал книгу о Каймановых островах. Их было три: Большой Кайман, Малый Кайман и Кайман-Брак. Два последних, меньших по размерам, почти не имели постоянного населения и посещались редко. На Большом Каймане жили восемнадцать тысяч человек. Кроме этого, там были зарегистрированы двенадцать тысяч корпораций и три сотни банков. Двадцать процентов жителей были белыми, еще двадцать — чернокожими, а остальные шестьдесят и понятия не имели, к какой расе они принадлежат, да их это и не заботило. Джорджтаун, главный город, за последние несколько лет превратился в международное убежище от налогов; местные банки были не менее скрытными, чем их коллеги в Швейцарии. Налогов здесь не было никаких: ни подоходного, ни корпоративного, ни на прибыль, не облагалась ими ни собственность, ни дарения. Отдельные компании и инвесторы располагали гарантиями от уплаты налогов на сроки до пятидесяти лет. Острова являлись британским доминионом с весьма стабильным местным правительством. Доходы от туризма и пошлины на импорт обеспечивали местной власти безбедное существование. Ни преступности, ни безработицы население не знало.

Протяженность Большого Каймана составляла двадцать три мили, максимальная ширина достигала восьми миль, но с воздуха остров казался гораздо меньше, напоминая обломок скалы, брошенный в прозрачную бирюзу моря.

Уже выпущенные шасси, казалось, вот-вот коснутся поверхности лагуны, однако в самое последнее мгновение из воды появилась узенькая асфальтовая полоса — она-то и успела подхватить самолет. Спустившиеся с трапа пассажиры проходили неизбежный таможенный контроль. Темнокожий мальчишка взял вещи Митча и отправил их вслед за сумками Эйвери в багажник «форда» выпуска 1972 года. Митч наградил его щедрыми чаевыми.

— Пляж «Седьмая миля», — скомандовал таксисту Эйвери, выливая в себя остатки пунша из полученной на борту лайнера крошечной бутылочки.

— О’кей, дружище, — не спеша прогудел тот.

Машина тронулась в направлении Джорджтауна. Из приемника лились звуки регги. В такт музыке таксист подергивал головой и поводил плечами, пальцы, лежащие на руле, отбивали непрерывный ритм. Автомобиль несся по левой стороне, но и все другие ехали так же. Митч, расставив ноги, развалился на потертом сиденье; кондиционера не было, и влажный тропический воздух, врываясь в окна, ласкал его лицо, ерошил волосы. Это было приятно.

Поверхность острова была плоской, и дорога в Джорджтаун представляла собой бесконечный поток маленьких и пыльных европейских автомобилей, мотоциклов, велосипедов. По обеим сторонам стояли небольшие одноэтажные домики под жестяными крышами, аккуратная яркая раскраска стен радовала глаз. Маленькие газоны были покрыты низкорослой травкой, мусор тщательно выметен. По мере приближения к городу стали появляться магазины, сверкающие побелкой двух- и трехэтажные каркасные здания, около которых в тени брезентовых навесов прятались от лучей палящего солнца туристы. Машина сделала резкий поворот, и внезапно они очутились в деловой суете центра, застроенного современными зданиями банков.

Эйвери взял на себя роль гида:

— Здесь представлены банки всего мира: Германия, Франция, Великобритания, Канада, Испания, Япония, Дания. Даже Саудовская Аравия и Израиль. Всего более трехсот, по последним подсчетам. Здесь можно укрыться от налогов. Местные банкиры исключительно выдержанны. Швейцарцы по сравнению с ними — настоящие говоруны.

В бесконечной веренице автомобилей таксист вынужден был сбросить скорость, движения встречного воздуха совсем не ощущалось.

— Я вижу, здесь немало канадских банков, — произнес Митч.

— Здание вон там справа — это Монреальский королевский банк. Мы должны быть в нем завтра, в десять утра. Почти все наши дела здесь связаны с канадскими банками.

— Этому есть особая причина?

— Они очень надежны и спокойны.

Оживленная улица заворачивала и вливалась в другую. Сразу за перекрестком по горизонту разлилась блистающая голубизна Карибского моря. В заливе на якоре стояло пассажирское судно.

— Это Поросячий залив, — сказал Эйвери. — Триста лет назад здесь стояли корабли пиратов. Хозяином здесь был Блэкберд, тут-то он и зарыл свои сокровища. Кое-что из них было найдено несколько лет назад в пещере к востоку отсюда, неподалеку от Боддентауна.

Митч кивнул, сделав вид, что поверил легенде. В зеркальце было видно, что таксист улыбается.

Эйвери утирал пот на лбу.

— Эти места всегда привлекали пиратов. Раньше — Блэкберда, а теперь — современных, слившихся в корпорации и прячущих здесь свои денежки. Так, дружище?

— Так, дружище, — отозвался таксист.

— А вот пляж «Седьмая миля», — продолжал Эйвери. — Один из самых красивых и известных в мире. Верно, дружище?

— Верно, дружище.

— Песок белый, как сахар. Теплая прозрачная вода. Теплые прекрасные женщины. Правда, дружище?

— Правда, дружище.

— А по вечерам у «Пальм» все так же готовят под открытым небом?

— Да, дружище. Начиная с шести.

— Это по соседству с нашим бунгало. «Пальмы» — популярный отель, самое оживленное место на берегу.

Митч улыбался и смотрел на проплывающие за окном отели. На память ему пришла беседа в Гарварде, когда Оливер Ламберт предостерегал его от чрезмерного увлечения женщинами, от разводов, говорил о строгости нравов в фирме. Да, он еще говорил о пьянстве. Но, может быть, Эйвери не довелось услышать эти проникновенные проповеди? А может, и довелось.

Их коттедж располагался в самом центре пляжа «Седьмая миля», неподалеку от другого подобного же комплекса и «Пальм». Как и другие, принадлежащие фирме, эти коттеджи были просторными и роскошно обставленными. Эйвери сказал, что каждый можно было бы продать не менее чем за полмиллиона, но продавать их никому не приходило в голову. Их также не сдавали в аренду. Это были священные прибежища для восстановления сил изнуривших себя работой юристов фирмы «Бендини, Ламберт энд Лок». И узкого круга избранных клиентов.

С балкона спальни на втором этаже Митч следил взглядом за небольшими лодочками, беззаботно покачивающимися в искрящемся море. Солнце медленно катилось к горизонту, и маленькие волны посылали отраженные последние его лучи во всех направлениях. Стоявшее на рейде пассажирское судно неторопливо удалялось от острова. Множество людей прогуливались по пляжу, играли в песке, брызгали друг на друга водой, гонялись за песчаными крабами или пили пунш с ромом и ямайское пиво «Ред страйп». Со стороны «Пальм» доносилась ритмичная карибская музыка; туда, где под открытым небом располагался бар, как магнитом тянуло отдыхающих; в тростниковой хижине рядом можно было взять напрокат катамаран, волейбольные мячи, трубки с масками.

Эйвери в ярких оранжево-желтых шортах подошел к балкону. Тело его было мускулистым и гибким, без всяких признаков дряблости. В Мемфисе он был совладельцем спортивного клуба и каждый день являлся туда поработать на тренажерах. Глядя на него, каждый мог догадаться, что в клубе он загорал под ультрафиолетовой лампой. На Митча все это произвело впечатление.

— Как тебе мой туалет? — спросил его Эйвери.

— То, что надо. Вам идет.

— Если захочешь, у меня есть еще одна пара.

— Нет, спасибо. Я привык к своим спортивным, еще из Кентукки.

Эйвери сделал глоток из стакана и вышел на балкон.

— Я здесь, наверное, уже в десятый раз, и все-таки мне не надоело. Иногда подумываю перебраться сюда, как удалюсь от дел.

— Было бы неплохо. Гулять по пляжу, ловить песчаных крабов.

— Играть в домино и пить «Ред страйп». Приходилось его пробовать?

— Не припомню такого.

— Пойдем промочим горло.

Бар на открытом воздухе назывался «Румхедс». Он был заполнен изнывающими от жажды туристами, там же вокруг деревянного стола сидели несколько местных жителей и играли в домино. Эйвери пробрался через людское столпотворение и вернулся к Митчу с двумя бутылками пива. Они уселись недалеко от играющих.

— Вот этим-то я и займусь, когда выйду на пенсию. Обоснуюсь здесь и буду зарабатывать себе на жизнь игрой в домино. И попивать «Ред страйп».

— Хорошее пиво.

— А надоест домино, займусь игрой в дартс.

Он кивнул головой в сторону группы подвыпивших англичан, метавших стрелки в центр размеченного круга и переругивавшихся между собой.

— А надоест дартс — ну, тогда я не знаю, что буду делать. Извини.

Эйвери поднялся и направился к столику, за который только что уселись две молодые женщины в бикини. Он представился, и женщины предложили ему сесть рядом. Митч заказал себе еще одну бутылку пива и пошел на пляж. В отдалении, в центре Джорджтауна, виднелись здания банков. Именно в эту сторону и шагал Митч.

* * *

Блюда были расставлены на складывающихся столиках, окружавших бассейн. Шашлыки из акульего мяса, жареные креветки, черепашки, устрицы, крупный омар, жареный морской окунь, другие столь же изысканные деликатесы. Все эти дары моря были только что выловлены. Туристы толпились у столиков, наполняя тарелки всякой всячиной, взад и вперед сновали официанты, успевая разносить целые галлоны ромового пунша. Выбрав еду по вкусу, люди усаживались где-нибудь в тени, во внутреннем дворике, лицом к морю. Группа музыкантов наигрывала регги; солнце скрылось сначала за облачком, а потом и вовсе упало за горизонт.

С тарелками в руках Митч проследовал за Эйвери от буфета к столику, где в ожидании их сидели две женщины. Они оказались сестрами, обеим не было еще тридцати, обе развелись со своими мужьями, обе были навеселе. Одна из них, Кэрри, уже вовсю заигрывала с Эйвери, другая, Джулия, тут же начала строить глазки Митчу. «Интересно, — подумал он, — что Эйвери успел им наговорить?»

— Я вижу, ты уже женат, — прошептала Джулия, придвигаясь к Митчу.

— Да, и я счастлив.

Она улыбнулась, как бы принимая вызов. Эйвери и ее сестра сидели, обняв друг друга. Митч поднял стакан с пуншем и одним глотком осушил его.

Склонившись над тарелкой, он не мог заставить себя не думать ни о ком, кроме Эбби. Объяснить все происходившее было бы трудно, если бы такие объяснения вдруг потребовались. Ужин в компании двух привлекательных, едва одетых женщин. Объяснить такое было бы невозможно. Разговор за столиком смолк, и Митч не собирался его продолжать. Подошедший официант поставил рядом с ним большой кувшин, который очень быстро опустел. Эйвери становился все более оживленным. Начал сочинять какую-то басню о том, что Митч играл за «Нью-Йорк джайнтс»*, дважды награждался высшими призами и зарабатывал миллион долларов в год, пока травма колена

* Известная футбольная команда.

не разрушила его спортивную карьеру. Митч только качал головой и продолжал пить. Джулия смотрела на него во все глаза и придвигалась все ближе.

Музыканты заиграли громче — наступало время танцевать. Люди потянулись к деревянной площадке, находившейся под пальмами между бассейном и пляжем.

— Танцевать! — прокричал Эйвери и потянул свою девушку за руку. Они побежали между столиками и быстро затерялись в толпе веселящихся туристов.

Митч почувствовал, что Джулия уже сидит вплотную к нему; ее рука легла на его колено.

— Ты не хочешь потанцевать? — услышал он ее голос.

— Нет.

— Вот и отлично. Я тоже. А чего тебе хочется?

Она наклонилась так низко, что ее грудь коснулась руки Митча, призывно улыбнулась.

— Мне ничего не хочется, — сказал он ровным голосом и убрал ее руку.

— Ну, брось. Давай побалуемся. Твоя жена ничего не узнает.

— Послушай, ты очень красива, но сейчас зря стараешься. Еще довольно рано, и у тебя достаточно времени, чтобы найти парня получше.

— А ты остряк!

Рука ее вновь вернулась на прежнее место, и Митч глубоко вздохнул.

— Почему бы тебе не убраться?

— Прости.

— Я сказал — убирайся.

Она отшатнулась от него:

— Что с тобой?

— У меня отвращение к болезням, вызываемым чрезмерной общительностью. Убирайся.

— Почему бы тебе самому не убраться?

— Отличная мысль. Думаю, мне пора. Благодарю за компанию.

Допив пунш, Митч встал и, пробравшись через толпу танцующих, подошел к бару. Заказал пиво, уселся в темном уголке внутреннего дворика. Расстилавшийся перед ним пляж был совершенно пуст. Над самой поверхностью воды плавно скользили огоньки небольших суденышек и катеров. За спиной теплый карибский вечер был полон звуков смеха и музыки, которую извлекали из своих инструментов местные «Босоногие ребята». Неплохо, подумал Митч, неплохо, но с Эбби было бы лучше. Может, они приедут сюда вместе следующим летом. Им необходимо было побыть наедине, подальше от дома, от его кабинета. Какая-то полоса, какой-то барьер отделил их друг от друга, он еще не мог понять, что это. Просто было что-то такое, чего ни один из них не мог объяснить словами, но что оба чувствовали. Это пугало его.

— Что ты там увидел? — Неожиданно раздавшийся рядом голос заставил его вздрогнуть.

Она подошла к столику, села рядом. Темнокожая островитянка с голубыми или серыми — в темноте невозможно было определить — глазами. Глаза эти, глубокие и теплые, были прекрасны. Темные волнистые волосы зачесаны назад, свисая свободно, они скрывали почти всю спину. В девушке, похоже, смешалась кровь не только черной и белой рас, было в ней что-то и от латиноамериканки. Белая полосочка бикини едва скрывала ее тугую полную грудь, а яркая длинная юбка с разрезом почти до пояса тоже открыла взору почти все, когда девушка уселась, положила ногу на ногу. Обуви никакой.

— Ничего особенного, — ответил Митч.

Она была совсем юной; блеснувшие в улыбке зубы походили на жемчужины.

— Ты откуда? — спросила она.

— Из Штатов.

Она едва слышно рассмеялась:

— Это и так ясно. Откуда из Штатов?

Речь ее была спокойной и ясной, настоящий карибский английский.

— Мемфис.

— Сюда многие приезжают из Мемфиса. Ныряльщики и аквалангисты.

— А ты живешь здесь? — поинтересовался Митч.

— Да. Всю жизнь. Моя мать — местная жительница. Отец — из Англии. Он давно ушел от нас, вернулся туда, откуда приехал.

— Не хочешь чего-нибудь выпить?

— Хочу. Рома с содовой.

Митч стоял у стойки бара и ждал, пока приготовят напитки. Какое-то нервное ожидание разливалось у него в желудке. Еще можно было скользнуть в темноту, исчезнуть в толпе и пробраться в безопасность, в бунгало. Можно было бы запереть дверь и почитать что-нибудь об этом налоговом убежище. Скука! Да к тому же там сейчас был Эйвери вместе со своей пылкой подружкой. «Эта девушка безопасна», — подсказывали ему выпитый ром и пиво. Один-два коктейля, и они пожелают друг другу спокойной ночи.

Со стаканами в руках Митч вернулся к столику и сел напротив девушки, стараясь держаться подальше. Вокруг них никого не было.

— Ты тоже ныряльщик?

— Нет. Не поверишь, но я приехал по делу. Я юрист, завтра утром у меня встреча кое с кем из банкиров.

— Долго ты здесь пробудешь?

— Дня два.

Митч старался быть вежливым, но лаконичным — чем меньше он скажет, тем безопаснее будет. Она поменяла положение ног, беззащитно улыбнулась. Митч ощутил какую-то слабость.

— Сколько тебе лет? — спросил он.

— Двадцать лет, зовут Эйлин. Я уже взрослая.

— Митч.

Ощущение тяжести в желудке пропало, голова прояснилась. Он сделал несколько больших глотков пива. Посмотрел на часы.

Она наблюдала за ним с той же мягкой улыбкой.

— Ты очень красив.

Как она торопится. Остынь, говорил он себе, не горячись.

— Спасибо.

— Ты спортсмен?

— Что-то вроде этого. А почему ты спрашиваешь?

— Ты выглядишь как спортсмен, такой мускулистый и надежный.

То, как она произнесла последнее слово, снова заставило его сердце биться учащенно. Он восхищался ее телом и пытался придумать такой комплимент, который не звучал бы как приглашение. Забудь об этом, приказывал он себе.

— Где ты работаешь? — попытался Митч перевести разговор в более безопасное русло.

— В городе, в ювелирном магазине.

— А живешь?

— В Джорджтауне. А ты где остановился?

— В соседнем бунгало. — Митч кивнул влево, и она повернула голову. Он видел, что она не прочь пойти посмотреть.

Девушка поднесла бокал к губам.

— Почему ты не веселишься со всеми?

— Я не очень люблю шумные сборища.

— Пляж понравился?

— Просто великолепный.

— При луне он еще лучше. — Та же улыбка.

Он промолчал.

— Бар в миле отсюда, дальше по пляжу, мне нравится больше. Давай пройдемся.

— Не знаю, мне уже пора идти. До утра нужно успеть кое-что сделать.

Она встала и рассмеялась.

— На Кайманах никто так рано не уходит с пляжа. Пойдем, я должна тебе коктейль.

— Нет. Пожалуй, нет.

Она схватила его за руку, и Митч направился за ней в сторону пляжа.

Они шли и молчали; «Пальмы» уже скрылись из виду, музыка была едва слышна. Поднявшаяся луна светила все ярче, пляж был совершенно пуст. Она отстегнула какой-то крючок и сняла юбку. На теле ее, кроме узенькой ленточки вокруг груди и такой же узенькой, бежавшей между ног, ничего не было. Свернув юбку, она повесила ее ему на шею. Взяла его за руку.

Что-то внутри его говорило: беги. Забрось пивную бутылку в море. Швырни юбку на песок. И беги изо всех сил. Беги в бунгало. Закрой дверь на замок. Закрой окна. Беги. Беги. Беги.

И что-то говорило: расслабься. Это просто безобидное развлечение. Выпей пару коктейлей. Если уж что-то происходит, наслаждайся этим. Никто ничего не узнает. До Мемфиса отсюда тысячи миль. Эйвери тоже ничего не будет знать. Да и потом, что ему Эйвери? Что он сможет сказать? Так делают все. Такое уже случалось с ним раньше, в колледже, когда он не был еще женат, но уже был помолвлен. Тогда он обвинил в случившемся лишнюю кружку пива и не мучил себя переживаниями. Эбби так ничего и не узнала, да и время взяло свое.

Беги. Беги. Беги.

Они прошли примерно с милю, а бара все не было видно. На пляже потемнело. Случайное облако очень удачно прикрыло собой луну. На всем своем пути они так никого и не встретили. Она потянула его за руку к стоящим у самой воды двум пластиковым пляжным креслам.

— Давай отдохнем.

Он допил пиво.

— Не очень-то ты разговорчив.

— Что ты хочешь, чтобы я сказал?

— Как, по-твоему, я красива?

— Ты очень красива. У тебя очень красивое тело.

Она сидела на самом краешке кресла и болтала ногами в воде.

— Пойдем искупаемся.

— Я... У меня нет настроения.

— Брось, Митч. Я так люблю воду.

— Иди, а я посмотрю на тебя.

Она опустилась перед ним на колени, подняла лицо навстречу ему. Медленным движением завела руку за спину, развязала полоску, прикрывавшую грудь. Ленточка материи плавно соскользнула на песок. Ее грудь, как бы сразу увеличившись в размерах, легла на его левую руку.

— Подержи, пожалуйста. — Она подняла с песка и подала ему в руки верхнюю часть своего купальника. Это было что-то мягкое, белое и совершенно не имевшее веса. Митч сидел и не мог пошевелиться; его дыхание, всего минуту назад прерывистое и тяжелое, казалось, совсем прекратилось.

Она неторопливо вошла в воду. Едва видимая полоска белой ткани сзади не скрывала ничего. Длинные темные замечательные волосы падали до пояса. Когда вода дошла до колен, она обернулась:

— Давай же, Митч, вода просто прелесть!

Улыбка ее была ослепительной, Митч не мог этого не видеть. Он сжал в кулаке невесомый лоскуток, осознавая, что остался последний шанс спастись бегством. И тут же по всему его телу растеклась слабость. Для бегства потребовалось бы гораздо больше сил, чем он мог сейчас собрать. Ему хотелось просто сидеть в кресле, а она? Она, может, уйдет. Может, она утонет. Может, внезапным приливом ее унесет в море.

— Давай, Митч.

Он снял с себя рубашку и шагнул в воду. По-прежнему улыбаясь, она не сводила с него взгляда, и, когда он приблизился, она взяла его за руку, повела туда, где вода глубже. Обняла за шею; они поцеловались. На ее бедрах он пальцами ощутил тоненькую ниточку купальника. Они снова поцеловались.

Внезапно она отпрянула и, ни слова не говоря, устремилась к берегу. Он не спускал с нее глаз. Усевшись прямо на песок между двумя креслами, она сняла с себя остатки своего бикини. Митч глубоко нырнул, задержав дыхание, как ему показалось, на целую вечность. Когда голова его появилась на поверхности, она уже полулежала на спине, упираясь локтями в песок. Митч еще раз посмотрел по сторонам и, конечно же, никого не увидел. В этот самый момент луна опять спряталась за новым облачком. На поверхности воды не было ни лодок, ни катамаранов, ни пловцов, ни водных лыжников — никого и ничего движущегося.

— Я не могу, — пробормотал он.

— Что ты сказал, Митч?

— Я не могу! — прокричал он.

— Но я хочу этого.

— Не могу.

— Ну же, Митч, никто никогда не узнает.

Никто никогда не узнает. Никто никогда не узнает. Он медленно подошел к ней. Никто никогда не узнает.

На заднем сиденье такси, мчащего обоих мужчин в центр города, царило молчание. Они опаздывали. Они проспали и пропустили завтрак. Ни один из них не чувствовал себя достаточно бодро, а Эйвери выглядел просто изможденным: глаза налились кровью, лицо бледное. Он даже не побрился.

У здания Монреальского королевского банка таксист остановил машину. Жара и влажность едва давали возможность дышать.

Рэндольф Осгуд, банкир, оказался мужчиной британского склада, одетым в синий двубортный пиджак, с высоким гладким лбом; на чуть вздернутом носу поблескивала тонкая металлическая оправа очков. Он как старого друга поприветствовал Эйвери и представился Митчу, после чего провел их обоих в большой кабинет на втором этаже, откуда открывался вид на залив. В кабинете их уже ждали два клерка.

— Что именно тебе требуется, Эйвери? — спросил Осгуд; голос его звучал чуть в нос.

— Давай-ка начнем с кофе. Мне нужны итоговые отчеты по всем счетам Сонни Кэппса, Эла Косциа, Долфа Хеммбы, «Рацлафф партнерс» и «Грин груп».

— Хорошо, а за какой период?

— Шесть месяцев. По всем счетам.

Осгуд щелкнул пальцами в сторону одного из своих служащих, это была женщина. Она вышла из кабинета и тут же вернулась с подносом, на котором стояли кофейник и тарелочка с пирожными. Другой клерк писал в блокноте.

— Но нам, Эйвери, конечно, потребуется на это одобрение адвокатов каждого из клиентов, — заметил Осгуд.

— Все это в папке, — ответил ему Эйвери, вытаскивая документы из своего кейса.

— Да, но их сроки уже вышли. Нам нужны новые подтверждения ваших полномочий по каждому из счетов.

— Отлично. — Эйвери через стол подтолкнул ему папку. — Здесь. Текущие.

Он подмигнул Митчу.

Клерк взял в руки папку и разложил все документы на столе. Каждый листок был внимательнейшим образом изучен обоими служащими, а после них — самим Осгудом. Эйвери и Митч ждали, попивая кофе.

Осгуд улыбнулся:

— Здесь все в полном порядке. Нужные вам бумаги принесут сюда. Что вы еще хотели?

— Мне нужно учредить три корпорации. Две для Сонни Кэппса и одну для «Грин груп». Процедура будет обычной. Банк в качестве зарегистрированного агента и так далее.

— Я обеспечу все необходимые документы, — сказал Осгуд и посмотрел на клерка. — Что еще?

— Пока все.

— Отлично. Отчеты будут здесь через тридцать минут. Не пообедать ли нам вместе?

— Мне очень жаль, Рэндольф, но я вынужден отказаться от приглашения. Мы с Митчем уже связаны предварительной договоренностью. Может быть, завтра.

Ни о какой предварительной договоренности Митч не слышал, во всяком случае, с ним лично не договаривался никто.

— Может быть, — отозвался Рэндольф.

Вместе со своими служащими он покинул комнату.

Эйвери закрыл за ним дверь и снял пиджак. Подошел к окну, сделал глоток кофе из чашечки.

— Послушай, Митч, я должен извиниться перед тобой за эту ночь. Мне действительно очень жаль. Я напился и не понимал, что делаю. Не стоило мне вешать на тебя ту бабенку.

— Извинения принимаются. Думаю, больше такого не произойдет.

— Нет, обещаю тебе.

— А твоя была ничего?

— Надеюсь. Я не очень-то помню. Чем ты занимался с ее сестренкой?

— Она велела мне убираться. Я так и сделал. Пошел шляться по пляжу.

Эйвери откусил пирожное и вытер рот.

— Ты же знаешь, мы с женой живем раздельно. Может, разведемся через год или около этого. Чувствую себя не очень спокойно — эти разводы такая грязная штука. В фирме есть неписаное правило: что мы делаем вне Мемфиса, остается вне Мемфиса. Ты понимаешь?

— Брось, Эйвери, ты знаешь, что я никому не скажу.

— Я знаю. Знаю.

Митч был рад узнать о новом неписаном правиле, поскольку проснулся утром в полной уверенности, что совершил преступление. Он думал об Эйвери лежа в постели, потом под душем, в такси, да и сейчас он так и не мог ни на чем сконцентрировать свои мысли. Он поймал себя на том, что рассматривал витрины ювелирных магазинов, когда такси катило по улицам Джорджтауна.

— У меня вопрос, — сказал Митч.

Занятый пирожными, Эйвери только кивнул.

— Когда несколько месяцев назад меня вербовали Ламберт и Макнайт, в голову мне вбивалась мысль о том, как фирма недовольна разводами, флиртом, пьянством, наркотиками и всем прочим, что мешает работать стабильно и получать хорошие деньги. Однако теперь я вижу все в несколько ином свете. Где ты, Эйвери, сбился с пути? Или в фирме многие поступают так, как ты?

— Мне не нравится твой вопрос.

— Я знал, что он тебе не понравится. Но ответ мне все же хотелось бы услышать. Я заслуживаю ответа. У меня ощущение, будто меня ввели в заблуждение.

— Ну и что ты собираешься делать? Уехать? Из-за того, что я напился и переспал со шлюхой?

— Я не думал о том, чтобы уехать.

— Уже хорошо. Не делай этого.

— Мне нужен ответ.

— Ну что ж, это справедливо. Я больше других в фирме люблю приударить за женщинами, и все они там взбеленятся, когда я заведу речь о разводе. Женщины нужны мне постоянно, но об этом никто не знает. Или, во всяком случае, они никак не могут меня поймать. Уверен, что другие компаньоны не намного от меня отличаются в этом, но их невозможно уличить. Не все, конечно, но кое-кто. У большинства стабильные семьи, они очень преданы своим женам. Я же всегда был разбитным парнем, но они терпели меня, поскольку я такой одаренный. Они знают, что я не против спиртного за обедом и иногда выпиваю прямо в офисе, они осведомлены о том, что я нарушаю и некоторые другие их священные правила, но они сделали меня компаньоном, потому что я им нужен. А теперь, когда я стал компаньоном, что они могут со мной сделать? В конце концов, Митч, не такой уж я и плохой.

— А я этого и не говорил.

— Конечно, я небезупречен. А некоторые из них идеальны, поверь мне. Это машины, роботы. Они живут, едят и спят только ради «Бендини, Ламберт энд Лок». Я люблю иногда немного развлечься.

— Так, значит, ты — исключение?

— Да уж, никак не правило. И за это я не собираюсь просить прощения.

— Я и не требовал извинений. Мне нужна была только ясность.

— Теперь тебе достаточно ясно?

— Да. Меня всегда восхищала твоя прямота.

— А меня — твоя дисциплинированность. Только очень сильный мужчина может сохранить верность своей жене, устояв перед искушениями, которые выпали на твою долю этой ночью. Я не настолько силен. Да и не хотел бы таким стать.

Искушения. В настоящий момент Митч думал о том, как во время обеда обойти все ювелирные магазины в центре.

— Послушай, Эйвери, я не святоша, и меня ничто не шокировало. И не мне судить — судили всю жизнь меня. Я просто запутался в правилах, вот и все.

— Правила не меняются никогда. Они отлиты из бетона. Выбиты в граните, вырезаны в камне. Нарушишь слишком много — и тебя вышвырнут вон. Или — нарушай сколько угодно, но не давай себя поймать.

— Понимаю.

В кабинет вошел Осгуд с группой клерков, принесших простыни компьютерных распечаток и папки с документами. Все бумаги были разложены аккуратными стопками на столе в алфавитном порядке.

— На все это у вас уйдет примерно день, — заметил Осгуд, выдавив из себя улыбку.

Он щелкнул пальцами, и клерки удалились.

— Если вам еще что-то понадобится — я у себя в кабинете.

— Да, благодарю, — ответил Эйвери, принимаясь за первую стопку документов.

Митч снял пиджак и ослабил узел галстука.

— Что конкретно нам предстоит сделать? — задал он вопрос.

— Две вещи. Первое, мы просмотрим исходные данные каждого из этих счетов. Главным образом нас интересуют полученные проценты, величины ставок, общие суммы и так далее. Это будет первоначальная аудиторская проверка счетов с целью убедиться, что проценты поступают туда, куда и должны. К примеру, Долф Хеммба шлет свои проценты в девять различных банков на Багамах. Это глупо, но он чувствует себя счастливым. И совершенно немыслимо, чтобы кто-нибудь, кроме меня, за этим уследил. В этом банке у него около двенадцати миллионов, поэтому здесь стоит покопаться. Он мог бы сделать это сам, но считает, что будет лучше, если вместо него это сделаю я. Я не против — за двести пятьдесят долларов в час. Мы проверим, какой процент платит этот банк по каждому из счетов. Величина ставки определяется рядом факторов. Это в общем-то выражение недоверия банку, но это хороший способ заставить их быть честными.

— Я полагал, что они всегда честны.

— Они честны, но они банкиры, не забывай. Ты просмотришь здесь примерно тридцать счетов, и, когда мы будем возвращаться домой, мы уже будем знать точный баланс, заработанный процент и то, куда он поступил. Второе, нам необходимо зарегистрировать три компании под местной юрисдикцией. Это совершенно нетрудная и абсолютно законная вещь, и сделать это можно было в Мемфисе. Но клиенты считают, что мы должны были прилететь сюда. Не забывай, мы имеем дело с людьми, которые распоряжаются миллионами. Потратить несколько тысяч на наши гонорары — для них совершенный пустяк.

Митч всматривался в колонки цифр на распечатке Хеммбы.

— Кто такой этот Хеммба? Я никогда не слышал о нем.

— У меня немало клиентов, о которых ты никогда не слышал. Хеммба — крупный фермер из Арканзаса, один из крупнейших землевладельцев штата.

— Двенадцать миллионов долларов?

— Только в этом банке.

— Значит, у него немало хлопка и соевых бобов.

— У него, скажем так, есть и другие предприятия.

— Например?

— Даже затрудняюсь сказать.

— Легальные или нет?

— Ну, он прячет двадцать миллионов плюс проценты в нескольких банках Карибского бассейна от Национального налогового управления.

— И мы ему помогаем?

На одном конце стола Эйвери разложил бумаги и начал сверять исходные данные. Митч смотрел на него и ждал ответа. Молчание в кабинете делалось гнетущим, становилось ясно, что ответа он не услышит. Можно было бы попробовать надавить на Эйвери, но для одного дня Митч задал уже немало вопросов. Он засучил рукава и окунулся в работу.

О предыдущей договоренности Эйвери он узнал в полдень — в бунгало тот назначил свидание женщине. Эйвери предложил Митчу прерваться на пару часов и порекомендовал ему кафе в центре города, где можно было пообедать.

Вместо кафе в четырех кварталах от банка Митч разыскал городскую библиотеку. На втором этаже его направили в отдел периодики, и там на стеллажах он обнаружил подшивки островной газеты «Дейли Каймэниэн» за несколько лет. Покопавшись в подшивке полугодовой давности, он вытащил номер, датированный 27 июня, и перенес его на небольшой столик у окна, выходившего на улицу. Бросил взгляд наружу, подошел к окну вплотную: там он заметил человека, которого видел несколько минут назад у дверей банка. Человек этот сидел за рулем желтого «шевроле», припаркованного в узкой улочке напротив библиотеки. Это был плотный темноволосый мужчина, не похожий на местного жителя, одетый в кричащую оранжевую с зеленым рубашку, на лице его были дешевые солнцезащитные очки.

Этот же «шевроле» с этим же водителем стоял и у витрины магазинчика сувениров, что соседствовал с банком, а теперь, несколько минут спустя, он оказался уже здесь. У дверцы автомобиля остановился на велосипеде какой-то местный, взял у сидящего за рулем сигарету. Мужчина в очках указал ему на библиотеку. Местный слез с велосипеда и начал пересекать улицу.

Митч сложил газету и сунул ее в карман пиджака, быстро подошел к полкам, взял номер журнала «Нэшнл джиогрэфик» и уселся за стол. Он листал журнал и напряженно вслушивался в каждый звук: поднимается по лестнице, входит в зал, приближается. Шаги за спиной смолкли. Ага, это он остановился посмотреть, что именно изучает Митч с таким интересом; затем звук шагов начал удаляться, пока не стих совсем. Выждав секунду-другую, Митч бросился к окну: стоя у «шевроле», местный тянул руку за сигаретой и говорил что-то водителю. Закурив, он пошел прочь, толкая перед собой велосипед.

Митч разложил на столе газету и быстро пробежал глазами заметку о двух американских юристах и их местном инструкторе подводного плавания, погибших при загадочных обстоятельствах днем ранее. Запомнив нужную информацию, он вернул газету служителю.

«Шевроле» стоял на прежнем месте. Митч прошел мимо, свернул за угол и направился в сторону банка. Путь туда проходил через торговый район, прижатый к берегу залива кварталом банковских учреждений. Узенькие улочки забиты туристами: идущими пешком, на мотоциклах, во взятых напрокат малолитражках. Митч снял пиджак и, повесив его на руку, вошел в магазин спортивной одежды, где на втором этаже был небольшой бар. Он поднялся по ступенькам, заказал себе кока-колу и уселся на балконе, поглядывая вниз, на уличную суету.

Местный с велосипедом появился почти тут же. Чуть повернув голову, Митч видел, как тот вошел в бар, взял банку пива, уселся и стал разглядывать написанное от руки меню, время от времени рассеянно поводя глазами по сторонам.

Митч потягивал кока-колу. «Шевроле» поблизости он пока не замечал, но знал, что машина где-то здесь, рядом. Зато Митч быстро засек мужчину на противоположной стороне улицы — того явно интересовал сидящий на балконе бара человек с банкой колы. Внезапно мужчина исчез, а место его заняла женщина. «Да уж не паранойя ли это?» — подумал Митч и увидел, как из-за угла выруливает «шевроле».

Митч спустился на первый этаж и купил пару темных очков. Вышел на улицу, не торопясь дошел до узенькой тенистой аллеи и, выпав на мгновение из поля зрения преследователей, рванул что было сил на параллельную улицу, вбежал в какую-то сувенирную лавку, выбрался через заднюю дверь на другую улочку. Прямо перед собой он увидел большой магазин одежды, рассчитанный, видимо, на туристов, и вошел в него через неприметный боковой проход. Прилавки магазина были забиты шортами и рубашками всех мыслимых цветов и рисунков — одеждой, которую не покупали местные жители, но которую так любили американцы. Митч подошел к витрине, внимательно оглядел улицу, но не увидел ничего настораживающего. После этого повернулся к продавщице.

Он решил остаться верным своим консервативным привычкам: белые шорты и красный вязаный пуловер. Прихватил и пару соломенных сандалий, таких, что подошли бы к его любимой шляпе. Продавщица, хихикнув, указала ему кабинку, где можно было переодеться. Митч еще раз бросил быстрый взгляд в окно. Никого. Покупки пришлись впору, и он спросил девушку, нельзя ли оставить костюм и туфли на пару часов здесь. Без проблем, ответила та. Митч расплатился наличными, прибавил десять долларов на чай и попросил вызвать такси. Продавщица охотно согласилась, назвав его красавчиком.

Пока машина не подошла, Митч нервно посматривал на улицу. В один прыжок он пересек тротуар и рванул на себя заднюю дверцу.

— В секцию подводного плавания Эбанкса.

— Это неблизко, дружище.

Митч бросил на сиденье водителя двадцатку.

— Трогай. И посматривай в зеркальце. Увидишь кого-нибудь за нами — дай мне знать.

Таксист проворно сгреб купюру.

— О'кей, дружище.

Митч постарался опуститься на сиденье как можно ниже, чтобы над спинкой возвышалась только его новая шляпа. По загруженной Шедден-роуд таксист уже выбрался из торговых кварталов, машина огибала залив, оставляя позади Джорджтаун, устремляясь на восток, мимо Красной лагуны, к Боддентауну.

— От кого спасаешься, дружище?

Митч рассмеялся и опустил стекло.

— От Национального налогового управления.

Ему ответ показался остроумным, однако водитель был сбит с толку, ведь он-то знал, что на острове нет ни налогов, ни налоговых инспекторов. Вопросов больше не последовало.

Согласно газетной заметке, инструктора по подводному плаванию звали Филип Эбанкс, он был сыном Бэрри Эбанкса, владельца секции. Он погиб девятнадцатилетним. Все трое утонули в результате какого-то взрыва на их катере. Очень непонятного взрыва. Тела погибших в полном снаряжении были обнаружены на глубине восьмидесяти футов. Не было никаких свидетелей взрыва, равно как и никаких объяснений тому, почему он мог произойти в двух милях от берега, в районе, где никто подводным плаванием не занимался. В заметке говорилось, что на многие вопросы ответов все еще нет.

Боддентаун оказался маленькой деревушкой в двадцати минутах езды от Джорджтауна. Секция подводного плавания занимала огороженный участок берега у южной оконечности поселка.

— За нами кто-нибудь ехал? — спросил Митч.

Таксист покачал головой.

— Неплохо сработано. Вот еще сорок долларов. — Митч посмотрел на часы. — Сейчас почти час. Сможешь быть здесь ровно в полтретьего?

— Конечно, дружище.

Дорога упиралась в разбитую на берегу моря автостоянку, обнесенную обломками белых скал и затененную растущими вокруг нее королевскими пальмами. Основной постройкой здесь было двухэтажное здание под жестяной крышей, на второй этаж вела наружная лестница. Здание называлось Большим домом, оно было выкрашено светло-голубой краской с пропущенной по углам белой аккуратной полосой, часть фасада увивали дикий виноград и ползучие лилии. Резные наличники окон выкрашены в розовый цвет, прочные деревянные ставни — в оливково-зеленый. В здании располагались контора и столовая секции подводного плавания Эбанкса. С правой стороны Большого дома, где пальмы расступались, огибая здание, вилась узкая подъездная дорожка, спускавшаяся вниз, к широкой расчищенной площадке из белого камня. На площадке размещалось около десятка хижин из тростника, где жили ныряльщики. От хижин к Большому дому вел также лабиринт узеньких деревянных лестниц, а совсем у кромки воды был оборудован небольшой бар.

Митч направился к бару под уже знакомые ему звуки регги и смеха. Похоже на «Румхедс», подумал он, но нет той толпы. Через пару минут Генри, бармен, поставил перед Митчем «Ред страйп».

— Где сейчас Бэрри Эбанкс? — спросил Митч.

Генри кивнул в сторону моря и отправился к себе за стойку. На расстоянии примерно полумили в море был виден катер, неторопливо скользящий по волнам, направляющийся сюда, к Большому дому. Поедая бутерброд с сыром, Митч смотрел на играющих в домино.

Катер ткнулся носом в пирс между баром и хижиной побольше, над окном которой от руки было намалевано: «Снаряжение». Держа в руках свои сумки, из катера посыпались ныряльщики, и все как один направились в бар. Невысокого роста, заросший волосами человек стоял рядом с катером и орал какие-то команды палубным, выгружавшим отработавшие ресурс акваланги на пирс. Одежды на нем было весьма немного: белая бейсбольная шапочка и черные плавки, узкие спереди и пошире сзади. Судя по дубленой коричневой коже, последние полстолетия не очень-то потрепали его. Заглянув в хижину со снаряжением, прокричав что-то инструкторам и палубным, коренастый человек двинулся к берегу. Не обратив никакого внимания на толпу, он подошел к холодильнику, достал банку «Хайнекена», сорвал крышку и сделал большой глоток.

Бармен наклонился к его уху, что-то проговорил, кивая в сторону Митча. Человек открыл вторую банку пива и подошел к столику, где сидел Митч.

— Это вы меня искали? — без намека на улыбку спросил он; в голосе — едва ли не насмешка.

— Вы мистер Эбанкс?

— Я. Что вам угодно?

— Мне нужно несколько минут вашего внимания.

Эбанкс отпил из банки, глядя на океан.

— Я занят. Катер отойдет через сорок минут.

— Меня зовут Митч Макдир. Я юрист из Мемфиса.

Эбанкс смерил его быстрым взглядом маленьких карих глаз. Митч заинтересовал его.

— Ну и что?

— Те двое, что погибли вместе с вашим сыном, были моими друзьями. Наш разговор не займет много времени.

Эбанкс уселся на табурет, упершись локтями в стол.

— Для меня это не самая лучшая тема.

— Да, я знаю. Мне очень жаль.

— В полиции меня предупредили, чтобы я ни с кем не говорил об этом.

— О нашей беседе никто не узнает, даю вам слово.

Эбанкс прищурился, повернув голову в сторону сверкавшей солнечными бликами голубизны. Лицо и руки его несли на себе те отметины, что может оставить долгое пребывание на шестидесятифутовой глубине, где любопытным новичкам показывают коралловые рифы и затонувшие посудины.

— Что вы хотите узнать? — спросил он уже гораздо мягче.

— Можем мы поговорить в другом месте?

— Конечно. Может, пройдемся?

Он махнул рукой бармену и уже на ходу сказал что-то сидевшим за столиком ныряльщикам.

Они направились к пляжу.

— Я хочу поговорить о несчастном случае, — сказал Митч.

— Можете спрашивать. Но в ответ я могу промолчать.

— Что было причиной взрыва?

— Не знаю. Возможно, воздушный компрессор. Или топливо. Точно мы не знаем. Катер был очень сильно поврежден, ответы на многие вопросы остались в огне.

— Катер принадлежал вам?

— Да, это был один из моих небольших катеров, футов тридцати. В то утро его наняли ваши друзья.

— Где были обнаружены тела?

— На глубине восьмидесяти футов. Вроде бы ничего подозрительного не заметили. На телах не было ни ожогов, ни ран, ничего такого, что могло бы указать на причину взрыва. По-моему, это как раз очень подозрительно.

— По данным экспертизы, смерть наступила от попадания воды в легкие. Другими словами, они утонули.

— Да, утонули. Но ваши друзья были в полном снаряжении, а его позже обследовал один из моих инструкторов. Все было в полном порядке, а парни были хорошими ныряльщиками.

— А ваш сын?

— Акваланга на нем не было, но плавал он как рыба.

— Где произошел взрыв?

— Предполагалось, что они будут нырять вдоль рифовой гряды Роджера. Вы знакомы с островом?

— Нет.

— Это вдоль побережья Восточного залива, ближе к северо-востоку. Ваши друзья до этого там еще не были, и мой сын предложил им попробовать понырять в том месте. Мы хорошо знали ваших друзей. Это были опытные ныряльщики, и к воде они относились серьезно. Всегда нанимали катер и не скупились на плату. И всегда требовали Филипа в качестве инструктора. Мы до сих пор так и не знаем, было ли у них там хоть одно погружение. Катер был обнаружен в открытом море, в двух милях от того места, уже весь в пламени, на значительном расстоянии от обычных наших районов деятельности.

— Может, катер снесло течением?

— Это невозможно. Если бы что-то случилось с двигателем, Филип связался бы с нами по радио — оборудование мы используем самое современное, и все инструкторы поддерживают постоянную связь с берегом. Не могу себе представить, чтобы взрыв случился у рифа Роджера. Его никто не видел, никто не слышал, а ведь там всегда есть народ. К тому же неуправляемый катер не смог бы продрейфовать две мили в том направлении. И самое главное, ведь тел на борту его не было, не забывайте. Предположим, катер действительно отнесло, а как же тогда тела? Их нашли на глубине восемьдесят футов, в радиусе двадцати ярдов от катера.

— Кто их нашел?

— Мои люди. Мы услышали сообщение по радио, и я тут же послал людей. Нам было ясно, что это наш катер, мои парни тут же начали нырять. И нашли их через несколько минут.

— Я понимаю, об этом трудно говорить.

Эбанкс допил пиво и швырнул пустую банку в деревянный ящик для мусора.

— Вы правы. Но время излечивает боль. А вы почему так в этом заинтересованы?

— У членов их семей множество вопросов.

— Мне жаль их. Я видел их жен в прошлом году. Они провели здесь неделю. Такие приятные люди.

— Не могло ли случиться так, что они просто исследовали новый район, когда все это произошло?

— Могло, но вряд ли. С катера докладывают о перемещениях из одного района в другой, это обычная практика. Исключений не бывает. Я уволил инструктора, который не предупредил о перемене места стоянки. Мой сын был лучшим инструктором на острове. Он вырос в этих водах. Уж он-то ни разу не забыл доложить о перемещении катера. Это же так просто. Полиция верит, что все произошло именно так, но ведь и полиция должна во что-то верить. Это единственная версия, которую они имеют.

— Но как они объясняют состояние тел?

— Никак. По их разумению, это просто еще один несчастный случай, и все.

— Несчастный случай?

— Мне кажется, нет.

К этому времени сандалии уже натерли Митчу ноги, и он сбросил их. Вслед за Эбанксом он повернулся, и оба зашагали назад.

— А если это не несчастный случай, то что же это?

Эбанкс шел и смотрел, как волны лениво лижут берег. Впервые за время разговора улыбнулся:

— Есть еще какие-нибудь предположения?

— В Мемфисе ходит слух, что тут могли быть замешаны наркотики.

— Расскажите мне об этом.

— Я слышал, что ваш сын активно помогал доставке наркотиков и что в тот день он скорее всего должен был на катере выйти в море, чтобы встретиться со своим напарником, что у них вспыхнула ссора, а мои друзья попали под горячую руку.

Эбанкс вновь улыбнулся и покачал головой:

— Только не Филип. Насколько я знаю, он никогда не употреблял наркотиков и не связывался с их поставщиками. Его не интересовали деньги. Только женщины и спорт.

— И никакой возможности?..

— Ни малейшей. Я ни разу не слышал ничего подобного и сильно сомневаюсь, что в Мемфисе осведомлены лучше. Остров у нас небольшой, и пусть с опозданием, но хотя бы сейчас я что-то бы знал. Это явная фальшивка.

Сказано, похоже, было все. Мужчины остановились около бара.

— Сделайте мне одолжение, — обратился к Митчу Эбанкс. — Не говорите ничего этого их семьям. Доказать правду я не могу, так пусть лучше о ней и не знают.

— Я не скажу никому. А вас тоже попрошу не упоминать о нашем разговоре. Тут может кто-нибудь появиться после меня и начать расспрашивать о моем приезде. Скажите, что мы говорили о подводном плавании.

— Как вам будет угодно.

— Мы с женой собираемся провести здесь отпуск будущей весной. Я обязательно увижу вас.

ГЛАВА 14

Епископальная школа Святого Андрея располагалась позади одноименной церкви на засаженном деревьями, ухоженном участке земли размером в пять акров в центре жилого района Мемфиса. Там, где плющ по ему одному известной причине чуть расступался, взору открывались стены, сложенные из белого и желтого кирпича. Симметричные ряды стриженого кустарника обрамляли дорожки и небольшую площадку для игр. Одноэтажное, в виде латинской буквы «L», здание чувствовало себя очень уютно в тени вековых дубов. Известная своей аристократичностью, школа Святого Андрея была самой дорогой частной школой в городе. Процесс обучения начинался в школе с групп детского сада и продолжался до шестого класса. Влиятельные родители записывали своих отпрысков в очередь на поступление уже с пеленок.

Митч остановил «БМВ» на стоянке между церковью и школой. Цвета красного вина «пежо» Эбби стоял чуть дальше, ярдах в пяти. Она наверняка не ждет его в этот час. Самолет приземлился раньше, и Митч успел даже заскочить домой переодеться. Сейчас он обнимет жену, а потом — в офис, где его ждет работа, по сто пятьдесят долларов в час. Ему захотелось увидеть Эбби здесь, в школе, без предупреждения. Упасть, так сказать, с неба. Контрманевр. Он скажет ей: «Привет! Я соскучился по тебе, я не мог ждать, поэтому и заехал сюда». Он будет краток. Лишь бы дотронуться до нее, почувствовать ее, услышать голос ее после того, что было там, на пляже. Вдруг она догадается, как только увидит его? В глазах прочтет? Услышит напряжение в его голосе? Нет, если удивить ее. Нет, если польстить этим нежданным визитом.

Он сжал в руках руль и неподвижным взглядом уставился на ее машину. Идиот! Тупица! Почему он не убежал? Швырнул бы юбку в песок и бежал изо всех сил. Но он этого не сделал. Никто никогда не узнает! Теперь ему оставалось только пожать плечами и сказать: черт побери, все так делают.

Сидя в кресле самолета, он строил планы. Во-первых, дождаться ночи и рассказать ей правду. Ему не хотелось лгать, не хотелось жить во лжи. С этим нужно смириться и рассказать ей все как было. Может, она поймет его. Ведь почти каждый мужчина — нет, практически любой мужчина на его месте сделал бы то, что сделал он. Его второй шаг зависел бы от ее реакции. Если она сдержится и проявит хоть чуточку сочувствия, он раскается и даст слово, что подобное больше никогда не повторится. Если же она придет в ярость, он станет молить, нет, вымаливать прощение и клясться на Библии, что это была ошибка, что он никогда не повторит ее. Он скажет Эбби, как ее любит и боготворит, он будет упрашивать дать ему шанс исправиться. А если она начнет собирать вещи, то тут он, видимо, осознает, что не следовало ничего говорить.

Отрицай. Отрицай. Отрицай. Московиц, радикал-профессор из Гарварда, читавший лекции по уголовному праву и сделавший себе имя, защищая в суде террористов, убийц и похитителей детей, имел одну-единственную теорию защиты подопечных: отрицай. Отрицай. Не признавай ни одного факта, ни одного свидетельства, которые указывали бы на вину.

Митч вспомнил Московица после того, как самолет приземлился в Майами, и тут же начал готовить новый план, согласно которому следовало удивить ее приездом в школу и поздним романтическим ужином в ее любимом ресторане. И ни слова ни о чем, кроме изнурительной работы на Кайманах. Он открыл дверцу автомобиля, представил себе ее лицо, прекрасное и полное доверия, и ощутил, как тошнота подкатывает к горлу. В желудке запульсировала тупая тянущая боль. Медленным шагом он направился к двери школы, подгоняемый в спину ласковым осенним ветерком.

В вестибюле было пусто и тихо. Справа от него находился кабинет директора. Он помедлил немного, надеясь, что его заметят, но никто так и не появился. Тогда он тихо пошел вперед и у третьей по счету классной двери услышал восхитительный голос жены. Когда он просунул улыбающуюся голову в дверь, Эбби как раз объясняла премудрости таблицы умножения. Она увидела его, замерла, а затем хихикнула. Извинившись перед учениками, велела сидеть им тихо и читать следующую страницу. Прикрыв за собой дверь, вышла к нему.

— Что ты здесь делаешь?

Он заключил ее в объятия, прижал к стене. Эбби обеспокоенно посмотрела по сторонам.

— Я соскучился по тебе, — сказал Митч виновато.

Не меньше минуты он обнимал и тискал ее, как медведь. Целовал в шею, вдыхая сладкий запах духов. И тут вдруг в памяти возник образ той, на берегу. Что же ты не убежал, подлец, а?

— Когда ты вернулся? — спросила она, поправляя волосы и оглядывая вестибюль.

— Примерно час назад. Ты выглядишь замечательно.

Глаза ее чуть увлажнились. Удивительно честные глаза.

— Как съездил?

— Нормально. Соскучился. Не очень-то это радостно — когда тебя нет рядом.

Она улыбнулась, отведя взгляд в сторону.

— Я тоже скучала по тебе.

Они пошли к выходу, держась за руки.

— На вечер я хочу назначить тебе свидание, — сказал Митч.

— Ты сегодня не работаешь?

— Нет. Не работаю. Сегодня я иду со своей женой в ее любимый ресторан. Мы будем есть изысканные блюда и пить дорогие вина и будем сидеть до закрытия. А потом вернемся домой и снимем с себя одежду, всю-всю.

— Ты и вправду соскучился!

Она вновь поцеловала его и вновь с опаской огляделась.

— Но сейчас тебе лучше уйти, пока нас никто не заметил.

Так и не уличенные никем, они быстро прошли к двери. Митч глубоко вдохнул в себя прохладный воздух и пошел к машине. Удалось. Он смотрел в ее глаза, обнимал и целовал ее, как прежде. Она ничего не заподозрила. Она была тронута, даже растрогана.

Де Вашер мерил шагами кабинет и нервно посасывал сигару. Сел в кресло, попытался сосредоточиться на записях в блокноте, но тут же вскочил, начал расхаживать снова. Бросил взгляд на часы. Вызвал секретаршу. Затем секретаршу Оливера Ламберта. Опять стал расхаживать вдоль стола.

Наконец с семнадцатиминутным опозданием Олли прошел через железную дверь мимо охраны и переступил порог его кабинета.

Де Вашер стоял у стола и в упор смотрел на вошедшего.

— Опаздываешь!

— Я занят, — ответил Ламберт, усаживаясь в потертое кресло. — Что за спешка?

Лицо Де Вашера тут же исказила злобная ликующая гримаса. Актерским жестом он открыл ящик стола и с гордостью швырнул Олли на колени большой конверт из плотной бумаги.

— Не часто нам удавалось сработать лучше.

Ламберт раскрыл конверт и изумленно уставился на черно-белые фотографии размером восемь на десять дюймов. Один из снимков он поднес к самому носу, впитывая в себя, запоминая каждую деталь. Де Вашер взирал на него с чувством превосходства.

Ламберт еще раз бегло просмотрел фотографии и, тяжело дыша, проговорил:

— Не могу поверить.

— Да, мы так и думали.

— Кто девушка? — Олли не сводил со снимков глаз.

— Местная проститутка. Неплохо выглядит, а? Мы ее ни разу до этого не использовали, но готов спорить, что теперь будем.

— Я хочу увидеть ее, и побыстрее.

— Без проблем. Я, так сказать, это тоже вычислил.

— Но я не могу поверить. Как ей удалось?

— Поначалу все представлялось довольно трудным. Первой он сказал, чтобы она убиралась. Со второй был занят Эйвери, но ваш парень не захотел иметь дело с ее подружкой. Тогда его подцепила она. Настоящая профессионалка.

— Где располагались ваши люди?

— Повсюду. Вот эти картинки сняты из-за ствола пальмы, всего в восьми футах от них. Неплохое качество, так?

— Отличное. Фотографа премируйте. И долго они катались по песку?

— Порядочно. Они чудо как подошли друг другу.

— Думаю, он действительно получил удовольствие.

— Нам повезло: на берегу никого не оказалось, да и время было рассчитано с точностью до секунды.

Ламберт поднял снимок на уровень глаз.

— Для меня вы сделали набор отпечатков? — спросил он.

— Безусловно, Олли. Я же знаю, как ты любишь такие штучки.

— Мне казалось, Макдир окажется более стойким.

— Он стоек, но он человек, а не чучело. Мы не уверены, но похоже на то, что на следующий день, во время перерыва на обед, он понял, что за ним наблюдают. Вид у него был очень подозрительный, он начал метаться по торговому кварталу и потом исчез. Опоздал на час на встречу с Эйвери в банке.

— Где он был?

— Мы не знаем. За ним наблюдали просто из любопытства, ничего серьезного. Может, сидел где-нибудь в баре. Он просто испарился.

— Будьте с ним повнимательнее. Он беспокоит меня.

Де Вашер помахал в воздухе другим конвертом:

— Не надо беспокоиться, Олли. Теперь он наш. Он пойдет убивать за фирму, когда узнает об этом. — Де Вашер потряс конвертом.

— Что о Таррансе?

— Ни намека. Макдир ни с кем не обмолвился о нем. Во всяком случае, ни с кем из тех, кого мы слушаем. За Таррансом иногда трудно уследить, но, по-моему, он пока держится в стороне.

— Не спускайте с него глаз.

— За мои дела не переживай, Олли. Ты — юрист, адвокат, владелец недвижимости, у тебя есть твои штучки размером восемь на десять дюймов. Ты руководишь фирмой. Безопасностью руковожу я.

— Как дела у Макдира дома?

— Не очень. Она весьма прохладно отнеслась к поездке.

— Чем она занималась, пока его не было?

— От одиночества не скучала. Пару вечеров вместе с женой Куина она провела в ресторанчиках, где собирается молодежь. Ходила в кино. Один раз ужинала в городе с коллегой из школы. Ну и магазины. Часто звонила матери. Ясно, что наш парень и ее родители не сгорают от взаимной любви, и ей хочется как-нибудь сблизить их. Она сама очень любит мать, вот и боится, что большой счастливой семьи может и не получиться. На Рождество ей хотелось бы поехать к родителям в Кентукки, но она не уверена, что его это устроит. В общем, там большие трения. Она жалуется матери на то, что он работает слишком много, а мать отвечает, это потому, что он хочет утереть им нос. Мне не нравится все это, Олли. Слишком много шума.

— Продолжай слушать. Мы пытались притормозить его, но он ни в какую. Это машина.

— Я знаю, что вы хотите, чтобы он сбавил темп. Еще бы, всего за сто пятьдесят в час! Почему бы вам не посадить всех сотрудников на сорок часов в неделю? Больше времени доставалось бы семьям. Ты мог бы урезать свой оклад, продать пару своих «ягуаров», заложить бриллианты супруги. Продать, наконец, свой особняк и купить небольшой домик в пригороде.

— Заткнись, Де Вашер.

Ламберт вышел, хлопнув в раздражении дверью. Де Вашера так душил смех, что он покраснел от натуги. Оставшись один, он уложил снимки в папку, поставил ее на стеллаж. «Митчел Макдир, — сказал он самому себе с довольной улыбкой, — теперь ты наш».

ГЛАВА 15

За две недели до Рождества, днем в среду, Эбби пожелала своим ученикам в школе Святого Андрея веселых каникул. В час дня она уже остановила машину на стоянке, забитой «вольво», «БМВ», «саабами» и «пежо», и под каплями холодного дождя вошла в ресторан, представлявший собой огромный живой уголок, где молодые люди из хороших семей собирались, чтобы попробовать чего-нибудь экзотического вроде испанских пирожков с чудовищно острой начинкой или супа из черных бобов, сидя в окружении клеток с рептилиями и зеленых растений. Это было очередное любимое местечко Кей Куин. В этом месяце они с Эбби всего второй раз собрались вместе пообедать. Как всегда, Кей опаздывала.

Дружба их в общем-то только начала складываться. Осторожная по натуре, Эбби никогда не бросалась в объятия к незнакомому человеку. За три года в Гарварде она так и не нашла себе друзей, зато научилась держать себя независимо. Прожив в Мемфисе полгода, Эбби присмотрела несколько кандидатур в церкви, одну в школе, но развивала отношения она неторопливо.

Кей Куин поначалу ошеломила ее своим натиском. Она была гидом, консультантом по покупкам и дизайнером сразу. Однако и с ней Эбби не поддавалась спешке, извлекая из каждой их встречи что-то для себя новое и с осторожностью делая очередной шажок навстречу. Несколько раз Куины приглашали их на обед или ужин к себе, иногда женщины виделись на банкетах, устраиваемых фирмой, или на проводимых там общих мероприятиях, словом, все это было на людях. И всего четыре раза они имели возможность насладиться собственной компанией в тех заведениях, которые почитались самыми модными среди молодых и прекрасных жительниц Мемфиса, счастливых обладательниц золотой «Мастер-кард»*. Наблюдательная Кей обращала внимание на автомобили, дома, одежду человека, но притворялась, что это ее нисколько не интересует. Кей хотела быть другом, близким другом, которому доверяют

* Одна из разновидностей кредитных карточек.

все. Эбби держалась в стороне, медленно и неспешно идя на сближение.

Чуть ниже столика, где сидела Эбби, там, где толпа крутилась возле стойки бара в ожидании свободных мест, стояла точная копия старого, 50-х годов, музыкального ящика. Прошло минут десять, Рой Орбисон успел спеть две свои песни, когда наконец появилась Кей. Войдя, она сразу заметила Эбби, та улыбнулась ей и помахала рукой.

Молодые женщины нежно соприкоснулись щеками при встрече, не желая оставлять друг у друга на лицах следы помады.

— Прости, что опоздала.

— Чепуха, я привыкла к этому.

— Да тут битком набито! — Кей с удивлением повела головой. — Итак, у тебя каникулы?

— Да, начались час назад. Я свободна до шестого января.

Главной темой беседы тотчас стали рождественские покупки, и они проговорили о магазинах, распродажах и детишках вплоть до того момента, когда официант поставил перед ними бокалы с вином. Эбби заказала тушенного в сковороде зайца, а Кей предпочла проверенное, надежное блюдо: спаржу с побегами папоротника.

— Какие у тебя планы на Рождество? — спросила она.

— Пока никаких. Хочется съездить к родителям в Кентукки, но, боюсь, Митч будет против. Я пару раз ему намекала, он даже ухом не повел.

— Ему по-прежнему не нравятся твои родители?

— Никаких перемен. Фактически мы и не говорим про них. Не знаю, можно ли тут что-нибудь сделать.

— Могу представить, какой осторожной тебе приходится быть.

— Да, и какой терпеливой. Они были не правы, но это все же мои родители. Больно, когда единственный мужчина, которого ты любишь, не выносит твоих родителей. Я каждый день молюсь о чуде, пусть маленьком.

— Тут, похоже, потребуется большое. Он что, так и работает, как мне рассказывает Ламар?

— Не думаю, чтобы кто-нибудь мог работать больше его. С понедельника по пятницу это восемнадцать часов в день, в субботу восемь, а поскольку воскресенье у него все же день отдыха, то он проводит на работе всего пять или шесть часов. В воскресенье немного времени резервируется для меня.

— Мне слышатся нотки усталости и безразличия?

— Усталость и безразличие, Кей. Я была очень терпеливой, но ведь становится все хуже. Начинаю чувствовать себя вдовой. Я устала уже спать на кушетке, ожидая, когда он вернется.

— Чтобы накормить его и — в постель?

— Если бы. Он слишком устает для секса. Теперь для него это совершенно неинтересно. А ведь раньше его просто невозможно было успокоить. Могу сказать тебе, что, пока он учился в университете, мы по ночам едва ли не изнуряли себя любовью. Теперь — раз в неделю, да и то, если мне повезет. Он приходит, если есть силы — ест и тут же падает в постель. Я считаю себя счастливой, когда он успевает сказать мне несколько слов перед тем, как заснуть. Я жутко истосковалась по нормальной беседе взрослых людей, Кей. Семь часов в день я провожу с восьмилетними малышами и, наверное, скоро просто не выговорю слово больше чем из трех слогов. А когда я пытаюсь это объяснить ему, он уже храпит. Вы с Ламаром тоже прошли через все это?

— Да, что-то похожее. В течение первого года он работал по семьдесят часов в неделю. Наверное, они все так. Это как бы приобщение к братству. Обряд, в котором мужчина должен доказать, что он — мужчина. Но через год большинство из них успокаиваются и ограничивают себя шестьюдесятью — шестьюдесятью пятью часами. Конечно, они работают много, но все-таки перестают быть камикадзе, как в самом начале.

— Ламар тоже работает каждую субботу?

— Почти каждую, по нескольку часов. Но по воскресеньям — никогда. На этом я смогла настоять. Конечно, когда они выбиваются из графика или в период сбора налогов — тогда все работают сутками. Да, задал им Митч задачку.

— Он ничуть не сбавил темпа. Он просто одержимый. Иногда не приходит домой до рассвета. Придет, залезет под душ — и тут же назад, в офис.

— Ламар говорит, о нем уже легенды ходят.

Эбби пригубила вино и посмотрела поверх металлических поручней, ограждавших приподнятую площадку, где они сидели, в сторону бара.

— Здорово. Я вышла замуж за легенду.

— Вы уже думали о детишках?

— Для этого нужен секс, не забывай!

— Брось, Эбби, все не может быть так плохо.

— Я еще не готова к детям. Не смогу быть одинокой матерью. Я очень люблю мужа, но в самый ответственный момент он, боюсь, вспомнит о каком-нибудь страшно важном совещании и оставит меня в рабочем положении ждать ту часть его плоти, без которой ничего не выйдет. Он думает только о своей чертовой фирме.

Кей осторожно положила ладонь на руку Эбби.

— Все будет нормально, — проговорила она с улыбкой, в глазах — сама мудрость. — Первый год всегда самый тяжелый, потом будет намного проще, обещаю тебе.

Эбби улыбнулась:

— Прости меня.

Официант принес их заказ, они потребовали еще вина. Сковорода с тушеным зайцем едва слышно шипела, распространяя вокруг себя тонкий аромат чесночного соуса. Холодная вареная спаржа, лежавшая на широких листьях латук-салата, была обильно полита кетчупом.

Кей положила кусочек в рот, пожевала и обратилась к подруге:

— Знаешь, Эбби, в фирме приветствуют рождение каждого ребенка.

— Мне это безразлично. В данный момент я не люблю эту контору. Я вынуждена вступить с ней в соревнование, и пока я проигрываю. А посему меня уже не так интересует, чего им хочется. Свою жизнь я буду планировать сама. И вообще мне непонятно, почему их так беспокоят вещи, не имеющие к ним ни малейшего отношения. Это место внушает мне страх, Кей. Не могу сказать ничего более определенного, но люди в фирме пугают меня так, что мурашки по коже.

— Они хотят, чтобы сотрудники были счастливы в семье.

— А я хочу вернуть своего мужа. Фирма его у меня отбирает, поэтому наша семья не может быть счастливой. Если он вернется, может, мы и станем еще такими же, как все, и дом у нас будет полон ребятишек. Но только не сейчас.

Принесли вино, заяц уже остыл. Эбби принялась за него, делая иногда глоток вина. Кей была занята подыскиванием более нейтральной темы для беседы.

— Ламар говорил, месяц назад Митч летал на Кайманы?

— Да. Вместе с Эйвери он провел там три дня. Исключительно по делу, во всяком случае, так он говорит. Ты бывала там?

— Мы бываем там ежегодно. Это прекрасное место с дивными пляжами и теплой водой. Мы ездим туда в июне, когда заканчиваются занятия в школе. У фирмы там два больших бунгало, прямо на пляже.

— Митч хочет съездить туда со мной в марте, когда у нас будут весенние каникулы.

— Поезжайте обязательно. Пока не завели детишек, мы только и делали, что валялись на пляже, пили ром и занимались любовью. Собственно говоря, именно для всего этого фирма и обустраивала эти бунгало. А если вам повезет, то и полетите вы туда на самолете фирмы. Работают они все действительно много, но зато понимают необходимость хорошего отдыха.

— Не говори мне о фирме, Кей. Я не хочу слышать о том, что им нравится, что не нравится, что они делают, а что — нет, что поощряют, а что, наоборот, не поощряют.

— Дела пойдут на лад, Эбби, вот увидишь. Тебе нужно понять, что и твой, и мой муж — отличные юристы, но таких денег они больше нигде не заработают. И мы с тобой сидели бы сейчас за рулем в лучшем случае нового «бьюика», а не «пежо» или «мерседеса».

Поддев кусочек мяса вилкой, Эбби возила им по донышку тарелки, размазывая чесночный соус. Отправив мясо в рот, отодвинула от себя тарелку. Бокал из-под вина был пуст.

— Я знаю, Кей, я знаю это. Но в жизни есть гораздо более важные вещи, чем большой двор у дома и «пежо». А здесь, похоже, никто об этом и не подозревает. Клянусь, мне кажется, мы чувствовали себя более счастливыми, живя в двухкомнатной студенческой квартирке в Кембридже.

— Вы здесь всего несколько месяцев. Митч постепенно выпустит пар, и жизнь войдет в нормальную колею. А уж потом появятся маленькие Макдиры, будут бегать по двору, и не успеешь ты оглянуться, как Митч станет компаньоном. Поверь мне, все очень скоро наладится. Просто у вас сейчас такой период, через подобное прошли мы все. И, как видишь, живы.

— Спасибо тебе, Кей. От души надеюсь, что ты права.

Парк был очень небольшим, два-три акра над речным обрывом. Две бронзовые фигуры и ряд пушек хранили вечную память о храбрецах конфедератах*, боровшихся за эту реку и этот город. Под памятником какому-то генералу и его коню прятался нищий. Картонная коробка и потрепанное одеяло служили слабой защитой от холода и замерзающих на лету мелких капелек дождя. Пятьюдесятью ярдами ниже по набережной Риверсайд-драйв несся вечерний поток автомашин. Темнело.

Митч подошел к ряду орудий и встал, глядя на реку, на пересекавшие ее мосты, которые соединяли два штата, Теннесси и Арканзас. Он застегнул куртку, поднял повыше воротник, посмотрел на часы. Он ждал.

Часть крыши Бендини-билдинг едва виднелась в шести кварталах отсюда. Митч оставил машину в центре, в гараже, а до реки добрался на такси. Он был уверен, что за ним никто не увязался. Он ждал. Дувший с реки ледяной ветер активизировал кровообращение, лицо Митча раскраснелось. Ветер напомнил ему зимы в Кентукки, полные одиночества, когда родителей рядом уже не было. Холодные, печальные зимы. Тоскливые, полные отчаяния. Ему приходилось донашивать чужие пальто — подарки друзей или родственников, — никогда ему не было тепло в тех одеждах. Ношеные вещи. Усилием воли он отогнал от себя эти мысли.

Дождь со снегом перешел просто в мелкий снег, и крошечные льдинки застревали в его волосах, кружась, падали на землю. Еще раз он поднес к глазам руку с часами.

* Конфедерация — объединение 11 южных рабовладельческих штатов США, развязавших Гражданскую войну в 1861—1865 гг.

Послышались шаги, чья-то фигура возникла из сгущавшейся тьмы и стала приближаться к месту, где он стоял. На мгновение человек остановился, затем снова двинулся вперед, но гораздо медленнее.

— Митч? — Это был Эдди Ломакс, одетый в джинсы и длинное пальто на кроличьем меху. Усы и широкополая белая ковбойская шляпа делали его похожим на плакатное изображение подтянутого мужчины, рекламирующего популярные сигареты. Парень из страны «Мальборо».

— Да, я.

Ломакс подошел ближе, теперь их разделяла только пушка. Стоя по ее бокам, мужчины походили на часовых, бдительно следящих за берегом реки.

— За вами никто не шел? — спросил Митч.

— Нет, не думаю. А вы?

— Тоже чист.

Митч следил взглядом за несущимися внизу автомобилями, затем повернул голову к реке. Ломакс засунул руки поглубже в карманы.

— Вы виделись в последнее время с Рэем? — услышал Митч его вопрос.

— Нет.

Ответ прозвучал очень кратко, как бы давая собеседнику понять, что он, Митч, пришел сюда в эту слякоть не для того, чтобы поболтать о том о сем.

— Что вам удалось узнать? — спросил он детектива.

Ломакс закурил и превратился в парня из рекламы «Мальборо».

— По трем юристам информации не много. Элис Наусс погибла в автокатастрофе в семьдесят седьмом году. В полицейском рапорте говорится, что виновным признан пьяный водитель, но вот что странно: этого водителя так и не нашли. Произошло все в среду, около полуночи. Она допоздна работала в кабинете, а потом села в машину и отправилась домой. Жила она на востоке от центра, в Сикамор-Вью; и примерно в миле от дома в нее врезался однотонный пикап. На Нью-Лондон-роуд. У нее был крошечный «фиат», он просто развалился на части. Свидетелей не оказалось. Когда приехала полиция, пикап уже был пуст, водителя и след простыл. По номерному знаку они установили, что машину угнали из Сент-Луиса тремя днями раньше. Ни отпечатков пальцев, ничего.

— Они искали отпечатки?

— Да. Я знаком с парнем, который занимался этим делом. Были всякие подозрения, но информации — ноль. А поскольку на полу кабины нашли разбитую бутылку виски, было решено, что это дело рук пьяного шофера, и дело благополучно закрыли.

— А медицинское освидетельствование?

— Оно не проводилось. Причина смерти была совершенно очевидна.

— Все это звучит подозрительно.

— Весьма. И в других двух случаях тоже полно тумана. Роберт Лэмм отправился на оленью охоту в Арканзас. Он вместе с несколькими друзьями разбил лагерь на Озаркских холмах, это округ Изард. Обычно они туда приезжали два-три раза в год, во время охотничьего сезона. Утром все разошлись по лесам, а вернувшись в охотничий домик, обнаружили, что Лэмма нет. Его искали две недели и нашли в овраге полузасыпанным листьями. Он был убит одиночным выстрелом в голову — вот все, что они знают. Это сочли самоубийством, и никто не видел повода требовать провести расследование.

— Значит, он был убит?

— По-видимому, да. Экспертиза установила, что пуля вошла в нижнюю часть черепа, выходного отверстия нет — снесена половина лица. Самоубийство исключается.

— Может, это был несчастный случай?

— Возможно. В него могла попасть пуля, предназначавшаяся оленю, но это весьма сомнительно. Нашли его довольно далеко от лагеря, в районе, где редко бывают охотники. Друзья его утверждают, что не видели и не слышали никаких других охотников в то утро, когда он пропал. Я разговаривал с шерифом, теперь уже бывшим, он убежден, что произошло убийство. Он считает, есть все основания утверждать: тело было заброшено листьями преступником.

— Это все?

— О Лэмме — да.

— А Микел?

— Грустная история. Покончил с собой в восемьдесят четвертом году в возрасте тридцати четырех лет. Выстрелил себе в правый висок из «смит-и-вессона». Оставил длинное прощальное письмо, в котором выражал надежду, что бывшая жена простит его, и тому подобное. Попрощался с детьми и матерью. Все очень трогательно.

— Написано его рукой?

— Нет. Письмо было напечатано, что само по себе неудивительно — Микел печатал все. В кабинете у него стояла «Айби-эм-Селектрик», письмо напечатано на ней. А почерк у него был отвратительный.

— Что здесь подозрительного?

— Оружие. Никогда в жизни он не покупал оружия. Никто не знает, откуда оно у него взялось. Незарегистрированное, без серийного номера. Один из друзей говорил, что Микел якобы как-то сказал, что обзавелся револьвером для защиты. По-видимому, добавил его друг, тот находился тогда в эмоционально неуравновешенном состоянии.

— А что вы думаете?

Ломакс бросил окурок в подернувшуюся ледком лужу у себя под ногами. Поднес руки ко рту, подышал на них, согревая.

— Не знаю. Не могу поверить, чтобы занимающийся налогами юрист, ничего не понимая в оружии, пошел бы и добыл себе пистолет, без всякой регистрации и даже без серийного номера. Если такому человеку, как он, требуется оружие, то чего проще: пойти в оружейную лавку, подписать какие-то бумаги и стать владельцем новенькой блестящей вещицы. Его же «пушке» было по крайней мере лет десять, а номер уничтожен профессионалом.

— Полиция проводила расследование?

— В общем, нет. Дело открыли и закрыли.

— Письмо он подписал?

— Да, но я не знаю, кто удостоверил его подпись. С женой он был уже год как в разводе, она переехала в Балтимор.

Митч застегнул на куртке верхнюю пуговицу и стряхнул налипший на воротник лед. Мелкий снег усилился, на тротуаре он уже не таял. С дула пушки начали свисать крошечные сосульки. Движение по набережной замедлилось: колеса пробуксовывали, машины заносило.

— Так какое мнение у вас сложилось о нашей маленькой фирме? — задал вопрос Митч, глядя на уползающую в темноту реку.

— Опасное место для работы. За пятнадцать лет они потеряли пятерых юристов. Не очень-то хороший показатель.

— Пятерых?

— Если считать Ходжа и Козински. У меня есть один источник, он утверждает, что и в деле с ними не на все вопросы получены ответы.

— Я не нанимал вас расследовать еще и это.

— А я и не требую с вас за это денег. Это уже мое личное любопытство.

— Сколько я вам должен?

— Шестьсот двадцать.

— Плачу наличными. И никаких записей, договорились?

— Годится. Я предпочитаю наличные.

Митч повернулся к реке спиной и стал изучать высокие здания кварталах в трех от парка. Он уже замерз, но уходить не спешил. Ломакс краем глаза следил за ним.

— У вас какие-то проблемы, не правда ли? — обратился он к Митчу.

— Вы так думаете?

— Я бы не стал там работать. Я, конечно, не знаю всего, что известно вам, и мне кажется, что вы знаете гораздо больше того, что говорите. Но ведь мы же стоим здесь в этой мерзости, поскольку не хотим, чтобы нас видели. Мы не можем говорить по телефону. Не можем встретиться у вас в кабинете. А теперь вы не хотите встречаться и у меня в офисе. Вы уверены, что за вами постоянно следят. Вы говорите мне, чтобы я был осторожнее, берег свою задницу, так как и за мной тоже могут следить, кто бы они там ни были. В вашей фирме пять юристов погибли при весьма подозрительных обстоятельствах, а вы ведете себя так, как будто следующий на очереди — вы. Да, я бы все же сказал, что у вас проблемы. Серьезные проблемы.

— А что Тарранс?

— Это один из их лучших агентов. Переведен сюда около двух лет назад.

— Откуда?

— Из Нью-Йорка.

Пьяный нищий выбрался из-под бронзовой фигуры лошади и растянулся на тротуаре. Хрюкнув что-то, он поднялся, подобрал свою коробку и одеяло и заковылял по направлению к центру. Ломакс насторожился и проследил за ним встревоженным взглядом.

— Это всего лишь бродяга, — сказал Митч.

Оба с облегчением вздохнули.

— От кого мы прячемся? — спросил Ломакс.

— Хотел бы я сам знать.

Эдди внимательно посмотрел на него:

— Мне кажется, что вы знаете.

Митч молчал.

— Послушайте, Митч, вы не платите мне за то, что я втягиваюсь в вашу игру. Я понимаю это. Но все инстинкты подсказывают мне, что вы в беде. Думаю, вам нужен друг, кто-нибудь, кому бы вы могли доверять. Я попробую быть вам полезным. Не знаю, от кого мы скрываемся, но уверен, что это опасные люди.

— Благодарю вас, — негромко ответил Митч, глядя в сторону так, как будто Ломаксу пора уже было уйти и оставить его здесь одного поразмышлять под дождем и снегом.

— За Рэя Макдира я готов прыгнуть в эту реку, и, уж конечно, я могу помочь его младшему брату.

Митч легонько кивнул, не произнеся ни слова. Ломакс закурил другую сигарету и носком своего щегольского ботинка стал ковырять лед.

— Звоните мне в любое время. И будьте осторожны. Они начали действовать и не остановятся ни перед чем.

ГЛАВА 16

В центре, на перекрестке Мэдисон и Купер-стрит, в старых, но отреставрированных заново двухэтажных зданиях были открыты небольшие бары, закусочные, сувенирные лавки и несколько неплохих ресторанов. Перекресток был известен под названием Овертон-сквер, он являлся средоточием ночной жизни Мемфиса. Театр и книжный магазин привносили сюда дыхание высокой культуры. По центру Мэдисон-стрит тянулась неширокая полоса деревьев. В конце недели здесь шумели студенты и моряки с кораблей ВМС, однако вечерами в будни здесь было тихо, рестораны хотя и полны, но не забиты до предела. «Полетт», изысканный французский ресторанчик, помещавшийся в сверкающем свежей штукатуркой здании, пользовался популярностью благодаря объемистой карте вин, оригинальным десертам и проникновенному голосу мужчины, сидевшего за «Стейнвеем». Столь желанный достаток принес с собой и коллекцию кредитных карточек, и супруги Макдир уже привыкли пользоваться своими, посещая по вечерам лучшие рестораны города. «Полетт» на данный момент времени оставался излюбленным местом.

Митч сидел в уголке бара, отпивал глоток за глотком кофе из чашечки и посматривал на входную дверь. Он пришел чуть раньше, как и собирался. Три часа назад он позвонил ей и спросил, успеет ли она к семи. Она захотела узнать, в чем дело, и он обещал ей объяснить это позже. С того дня на Кайманах он знал, что кто-то следует за ним по пятам, кто-то следит за ним, слушает его. На протяжении последнего месяца по телефону он разговаривал очень осторожно, несколько раз он ловил себя на том, что неотрывно смотрит в зеркало заднего вида и даже дома говорит, выбирая слова.

Кто-то подсматривает и подслушивает, в этом он был уверен.

Решительно распахнув дверь, с холода вошла Эбби и в поисках мужа повела головой. Они встретились у самого бара, Митч коснулся щекой ее лица. Эбби сняла пальто, и они проследовали за метрдотелем к небольшому столику. Такие же столики вокруг были полны народа, слышно было каждое сказанное слово. Митч посмотрел по сторонам, но других свободных мест не оказалось. Отпустив метрдотеля, он уселся напротив жены.

— По какому поводу? — подозрительно спросила Эбби, уже начавшая отвыкать от знаков внимания.

— Неужели нужно искать повод для ужина с собственной женой?

— Безусловно. Сегодня понедельник, сейчас всего семь вечера, а ты — не на работе. Воистину это что-то поразительное.

Между столиками протиснулся официант, спросил, будут ли они пить, и если да, то что именно. Два бокала белого вина, ответил ему Митч и, обведя глазами зал, успел заметить устремленный на него взгляд джентльмена, сидящего в одиночестве через пять столиков от них. Лицо его показалось Митчу знакомым, а когда он вновь скосил на мужчину глаза, то увидел, что тот уже уткнулся носом в меню.

— В чем дело, Митч?

Он взял ее руку в свою и нахмурился:

— Эбби, нам необходимо поговорить.

Ее рука чуть дрогнула, улыбка пропала.

— О чем?

Он понизил голос:

— О чем-то очень серьезном.

Она вздохнула:

— Может, дождемся вина? Оно мне, похоже, понадобится.

Еще раз Митч посмотрел на скрывающееся за меню лицо.

— Мы не можем говорить здесь.

— Тогда зачем мы сюда пришли?

— Слушай, Эбби, ты знаешь, где здесь туалетные комнаты, прямо через зал и направо, так?

— Да, знаю.

— В том конце зала есть боковой выход, он ведет на улочку позади ресторана. Я хочу, чтобы ты прошла в туалетную комнату, а оттуда через этот выход — на улицу. Я буду ждать тебя там, неподалеку.

Она слушала его молча; глаза сузились, брови сошлись к переносице, голова чуть наклонилась вправо.

— Верь мне, Эбби. Я все объясню позже. Встретимся на улице и разыщем другое местечко, где можно поужинать. Здесь я разговаривать не могу.

— Ты меня пугаешь.

— Прошу тебя, — сказал он твердо, продолжая держать ее за руку. — Все нормально. Я принесу твое пальто.

Она встала, подхватила свою сумочку и направилась в дамскую комнату. Повернув голову, Митч через плечо наблюдал за джентльменом со знакомым лицом, который вдруг неожиданно поднялся, приглашая за свой столик какую-то пожилую особу. Ухода Эбби мужчина не заметил.

На улочке позади «Полетт» Митч набросил пальто на плечи жены и махнул рукой куда-то на восток.

— Я все тебе объясню, — твердил он.

Пройдя немного, они свернули в сторону, миновали два высоких здания и оказались перед входом в «Бомбей байсикл клуб», где был бар с кабинками на двоих, неплохая еда и группа музыкантов, наигрывавших блюзы. Митч высмотрел официанта, оглядел два небольших зальчика и указал на столик в самом дальнем углу.

— Вон там, — сказал он официанту.

Он уселся спиной к стене и лицом к залу и входной двери. В углу был полумрак, стол освещался свечами. Они вновь заказали вина.

Эбби сидела совершенно неподвижно, следя за каждым его движением, и ждала.

— Ты помнишь Рика Эклина из западного Кентукки?

— Нет, — ответила она, не пошевелив губами.

— Он играл в бейсбол и жил в общежитии. Думаю, ты его раз-другой встречала. Привлекательный, с четкими чертами лица, способный студент. По-моему, он из Боулинг-Грин. Особыми друзьями мы с ним не были, но друг друга знали.

Она отрицательно покачала головой и продолжала слушать.

— Ну ладно. Он окончил на год раньше нас и отправился в юридическую школу в Уэйк-Форесте. Сейчас он работает в ФБР. И работает здесь, в Мемфисе.

Он внимательно следил за выражением ее лица, стараясь заметить реакцию на «ФБР». Реакции не было никакой.

— И вот сегодня, — продолжал он, — я обедаю в забегаловке Облио на Франт-стрит, и тут откуда ни возьмись заходит Рик и говорит мне: «Привет!» Ну как бы чистой воды случайная встреча. Мы проболтали несколько минут, и появляется еще один, по имени Тарранс. Подходит, садится. Уже второй раз этот Тарранс ловит меня с тех пор, как я сдал экзамен.

— Второй?..

— Да. С августа.

— Они... агенты ФБР?

— Да, со значками и прочим. Тарранс — опытный шпик из Нью-Йорка. Здесь он уже года два. Эклин — новичок, приехал месяца три назад.

— И чего же они хотят?

Принесли вино, Митч вновь оглянулся по сторонам. В противоположном углу тихонько наигрывали музыканты на небольшой сцене. В баре толпились хорошо одетые профессионалки, переговаривающиеся друг с дружкой и без устали хихикающие. Официант сделал знак в сторону забытого меню.

— Позже, — отмахнулся Митч и после паузы заговорил опять: — Эбби, я не знаю, чего они хотят. Впервые я встретился с ними в августе, после того как мое имя было напечатано в газете в числе тех, кто прошел экзамен.

Он сделал глоток вина и детально, слово в слово, повторил Эбби свою первую беседу с Таррансом в ресторанчике Лански, его предостережения относительно того, кому доверять, а кому нет, где говорить, а где лучше молчать. Рассказал он также и о встрече с Локом, Ламбертом и другими компаньонами, объяснил ей, почему, по их версии, ФБР так интересовалось фирмой, вспомнил, что обсуждал все это с Ламаром и после этого обсуждения поверил каждому произнесенному Локом и Ламбертом слову.

Эбби впитывала в себя услышанное, но пока удерживалась от вопросов.

— И вот сегодня, когда я, никому не мешая, поедаю свои сосиски с луком, входит этот парень, с которым я когда-то учился в колледже, и заявляет мне, что они, то есть ФБР, знают наверное, что мои телефоны прослушиваются, дом напичкан микрофонами и кто-то в здании фирмы «Бендини, Ламберт энд Лок» слышит каждый мой чих. Подумай-ка, Эбби, — ведь Рик Эклин был переведен сюда после того, как я сдал экзамен. Миленькое совпадение, а?

— Но чего же они хотят?

— Они не говорят. Не могут пока сказать. Но они хотят, чтобы я доверял им. Не знаю, Эбби. Не имею ни малейшего понятия, за чем или за кем они гонятся, однако почему-то они выбрали меня.

— Ты сказал Ламару об этой встрече?

— Нет. Никому и ничего, кроме тебя. И не собираюсь говорить.

Она отпила из бокала.

— Наши телефоны прослушиваются?

— Если верить ФБР. Но откуда они могут это знать?

— Там не дураки, Митч. Если бы мне ФБР сказало, что мои телефоны прослушивают, я бы поверила. Ты нет?

— Я не знаю, кому верить. Лок и Ламберт были так искренни и убедительны, когда объясняли мне, как фирма борется с происками Национального налогового управления и ФБР. Мне хочется им верить, но уж слишком много несоответствий. Давай посмотрим с такой стороны: допустим, у фирмы есть некий клиент, сомнительная личность, достойная внимания ФБР. Зачем же им в таком случае понадобился я, новичок, который знает меньше всех, для чего им меня преследовать? Что я знаю? Я работаю с делами, которые мне вручает кто-то другой. Своих клиентов у меня нет. Я делаю так, как мне говорят. Почему бы им не обратиться к кому-нибудь из компаньонов?

— Может, они хотят, чтобы ты поделился с ними информацией о клиентах?

— Это невозможно. Я юрист, и я приносил клятву не предавать интересы клиента. Все, что я знаю о клиенте, — в высшей степени конфиденциально. Фэбээровцы знают об этом. Никто и не может ждать от юриста, чтобы тот стал болтать о своих клиентах.

— Ты видел документы по каким-нибудь незаконным сделкам?

Митч хрустнул суставами пальцев, в который раз повел головой по сторонам. Улыбнулся. Вино было выпито и начинало понемногу действовать.

— Мне бы не следовало отвечать на этот вопрос, даже если задаешь его ты, Эбби. Но ответ будет «нет». Я работал по делам двадцати клиентов Эйвери и по некоторым другим, но нигде не обнаружил ничего внушающего подозрение. Может, несколько рискованных налоговых прикрытий, но в любом случае ничего противозаконного. У меня есть некоторые вопросы по банковским счетам на Кайманах, но и это не бог весть что.

Кайманы! Желудок Митча как бы завис в пустоте, когда он вспомнил девушку на берегу. Тошнота опять подступила к горлу.

Официант крутился рядом, посматривая на меню.

— Еще вина. — Митч указал ему на бокалы.

Эбби подалась вперед, почти задевая свечи, и обескураженно спросила:

— Ну хорошо, а кто же нас слушает?

— Если слушает, Эбби. Не знаю. В августе, на первой встрече, Тарранс убеждал меня в том, что этим занимается кто-то в фирме. Так я его, во всяком случае, понял. Он сказал, чтобы в фирме я никому не доверял и что все мной сказанное подслушивается и записывается. Мне кажется, он имел в виду фирму.

— И что сказал по этому поводу мистер Лок?

— Ничего. Я ничего ему не говорил. Кое о чем я умолчал, оставил это для себя.

— Значит, кто-то прослушивает наши телефоны и напичкал «жучками» наш дом?

— Автомобиль, может быть, тоже. Сегодня об этом долго распространялся Рик Эклин. Советовал не говорить в машине о том, что не предназначено для чужих ушей.

— Этому невозможно поверить, Митч. Почему юридическая фирма занимается такими вещами?

Он покачал головой, глядя на пустой бокал из-под вина:

— Не имею представления, детка. Ни малейшего.

Официант поставил на столик два новых бокала и встал, сложив руки за спиной.

— Вы будете что-нибудь заказывать? — не выдержал он.

— Через несколько минут, — ответила ему Эбби.

— Мы позовем вас, — добавил Митч.

— Ты веришь всему этому? — спросила она.

— Думаю, что-то в этом есть. Могу рассказать тебе продолжение истории.

Медленно она сложила руки на столе и сидела так, слушая его с выражением бесконечного ужаса в глазах. Митч рассказал ей о Ходже и Козински, начав со встречи с Таррансом в ресторанчике Лански, о Кайманах, где заметил за собой слежку, и о беседе с Эбанксом, повторив ее чуть ли не дословно. Затем пришел черед Эдди Ломакса и загадочных смертей Элис Наусс, Роберта Лэмма и Джона Микела.

— У меня пропал всякий аппетит, — сказала Эбби, когда он закончил.

— Как и у меня. Но теперь, когда и ты знаешь, я чувствую себя лучше.

— Почему ты раньше молчал?

— Надеялся, что все как-нибудь утрясется. Думал, Тарранс оставит меня и найдет кого-то другого. Но нет, он вцепился в меня. Поэтому-то и Эклина перебросили в Мемфис — тоже ради меня. ФБР отобрало меня для какой-то миссии, о которой я абсолютно ничего не знаю.

— Мне становится дурно.

— Нам нужно быть очень осмотрительными, Эбби. Мы должны продолжать жить так, как будто ничего не подозреваем.

— Не верю. Сижу и слушаю тебя, но не верю своим ушам. Это же нереально, Митч. Ты соглашаешься жить в доме, нашпигованном микрофонами, где все телефоны прослушиваются, и кто-то где-то сидит и слушает каждое наше слово?

— Ты можешь предложить что-нибудь иное?

— Да. Давай наймем этого Ломакса, и пусть он обследует наш дом.

— Об этом я уже думал. Ну а если он что-то найдет? Подумай об этом. Если мы наверняка будем знать, что весь дом прослушивается? Что тогда? А что, если он вдруг повредит какой-нибудь из «жучков»? Тогда те, кем бы они, черт их побери, ни были, поймут, что мы знаем. Это слишком опасно, по крайней мере сейчас. Может быть, позже.

— Но это же сумасшествие, Митч. Боюсь, теперь нам придется бежать из дома на задний двор, как только мы захотим поболтать.

— Вовсе не обязательно. Можем выйти и на газон перед домом.

— В данный момент я не в восторге от твоего чувства юмора.

— Извини. Слушай, Эбби, давай на время наберемся терпения и будем вести себя как ни в чем не бывало. Тарранс убедил меня, что он настроен серьезно, он теперь не оставит меня в покое. Остановить его я не могу. Он разыщет меня сам, помни об этом. Думаю, они будут следить за мной и устроят неожиданную встречу в засаде, типа сегодняшней. Пока для нас самое главное — жить, как и жили раньше.

— Раньше? Подумай, много ли мы с тобой говорим в доме последнее время? Мне их даже жалко становится, если они намереваются услышать что-нибудь важное. Да я больше с Хорси разговариваю.

ГЛАВА 17

Снег сошел задолго до Рождества, оставив после себя мокрую землю и проложив дорогу традиционной для Юга зиме: низкому серому небу и холодным дождям. За прошедшие девяносто лет Мемфис видел всего две снежные зимы, и третья в этом столетии не ожидалась.

В Кентукки снег лежал, но дороги были чистыми. Эбби позвонила родителям на следующее утро после Рождества, уже упаковав свои вещи. Она сказала, что приедет, но одна. В ответ она услышала, что они разочарованы, что ей, может, лучше остаться, если отъезд вызовет какие-нибудь осложнения. Эбби стояла на своем. На машине это займет у нее всего десять часов. Движение сейчас небольшое, она доберется до темноты.

Митч был очень немногословен. Сидя на крыльце с утренней газетой в руках, он делал вид, что увлечен какой-то статьей, а она в это время загружала вещи в багажник. Хорси прятался под стулом, как бы в ожидании взрыва. На кушетке лежали рождественские подарки: одежда, парфюмерия, альбомы и — для нее — длинная шуба из лисьего меха. Впервые за все время женитьбы у них были деньги на достойную встречу Рождества.

Повесив шубу на руку, она подошла к газете.

— Ну, я поехала, — сказала она мягко, но с решимостью в голосе.

Он медленно выпрямился и посмотрел на жену.

— Жаль, ты не можешь поехать со мной.

— Может, в следующем году.

Это была ложь, и оба знали об этом. Но звучало это прилично. Как обещание.

— Будь осторожна.

— Присмотри за моим псом.

— У нас с ним все будет отлично.

Он обнял ее, поцеловал в щеку, затем осмотрел с ног до головы и улыбнулся. Как же красива она была! Намного красивее, чем в то время, когда они поженились. В свои двадцать четыре года она на них и выглядела, но эти прожитые годы только прибавили ей обаяния.

Они подошли к гаражу, он помог ей усесться в машину, и они вновь поцеловались. Задним ходом она выгнала «пежо» на подъездную дорожку и выехала на магистраль.

«Веселого Рождества!» — пожелал он себе.

— Веселого Рождества! — пожелал он собаке.

Через два часа, одурев от созерцания стен дома, он бросил в «БМВ» кое-какую одежду, посадил Хорси на переднее сиденье и выехал из города. Он отправился на юг по шоссе номер 55, к Миссисипи. Дорога была пустынна, но все же он поглядывал иногда в зеркальце заднего вида. Через каждый час пес начинал скулить, и Митчу приходилось тормозить прямо на подъеме, в лучшем случае на верхушке холма. Там он находил какое-нибудь дерево или куст, откуда, спрятавшись, рассматривал проезжавшие мимо автомобили, в то время как Хорси делал свои собачьи дела. Ни разу он не увидел ничего подозрительного. После пяти таких остановок он был абсолютно уверен, что за ним никто не следует. Видимо, они тоже решили отдохнуть на Рождество.

Через шесть часов он был в Мобиле, а еще через пару часов пересек залив у Пенсаколы и направил машину к Изумрудному берегу Флориды. Автострада номер 98 проходила через прибрежные городки Наварру, Форт-Уолтон-Бич, Дестин и Сэндестин. Навстречу летели жилые дома, мотели, длинные здания торговых центров, серые от скуки городки аттракционов, дешевые лавки, где торговали спортивными майками, и на всем этом сейчас лежала печать уныния и тоски. На смену городкам и постройкам приходили пустынные мили шоссе: ни перекрестков, ни пробок, только вызывающий оторопь вид белоснежных пляжей и сверкающие изумрудной зеленью воды залива. К востоку от Сэндестина лента дороги сужалась, бежала в сторону от воды, и в течение часа ему пришлось тащиться по двухрядному шоссе, по сторонам которого не было ничего, кроме каких-то зарослей, попадавшихся то там, то здесь автозаправочных станций и мелочных лавок.

В сумерках он спустился с высокого холма и увидел на обочине справа знак, предупреждающий, что до городского пляжа Панама-Сити осталось всего восемь миль. Дорога снова вернулась на берег моря — в развилку, предлагавшую на выбор крюк в сторону от побережья или красочный маршрут по так называемой Полосе Чудес. Он выбрал последнее. Лента дороги на протяжении пятнадцати миль бежала вдоль полосы прибоя и была застроена бунгало, дешевыми мотелями, домиками на колесах, небольшими коттеджами, забегаловками и ресторанчиками, лавками с пляжной одеждой. Это и был пляж Панама-Сити.

Подавляющее большинство бунгало и хижин стояли пустыми, но у некоторых из них виднелись автомобили, из чего он сделал вывод, что кое-кто все же проводил Рождество на пляже. Не очень-то морозное, правда, Рождество. Зато они все вместе, сказал себе он. Хорси опять подал голос, и он остановил машину неподалеку от пирса, на котором сидели, судя по говору, приезжие из Пенсильвании, Огайо и Канады и ловили рыбу, всматриваясь в темные воды.

«БМВ» неторопливо двигался вперед по Полосе Чудес. Пес стоял на задних лапах, упираясь передними в дверцу и высунув морду в окно, и время от времени лаял на вспышки неона у какого-нибудь мотеля, хвастающегося своими доступными ценами. Рождество прикрыло на Полосе Чудес все заведения, за исключением, пожалуй, горстки неунывающих кофеен и дешевых мотелей.

Он притормозил, чтобы долить в бак бензина, у круглосуточной заправки «Тексако», где служащий показался ему необычно дружелюбным.

— Сент-Луис-стрит? — обратился к нему Митч.

— Да-да, — с акцентом отозвался паренек, указывая куда-то рукой. — Второй поворот направо. Затем налево. Это и будет Сент-Луис.

Строеньица вокруг представляли собой никак не упорядоченное скопище древних домиков на колесах. На колесах, да, но было совершенно очевидно, что миновали многие годы с тех пор, когда эти обиталища в последний раз двигались. Дачки-прицепы стояли вплотную друг к другу, как костяшки домино. Узкие проезды между ними были забиты маленькими грузовичками-пикапами, разбитыми и старыми, и проржавевшей садовой мебелью. Весь квартал казался уставленным битыми, брошенными и — изредка — еще годными на что-то машинами. По бокам домиков стояли мотоциклы и велосипеды, и из-под каждого обитаемого прицепа торчали ручки газонокосилок. Надпись на табличке гласила, что это местечко называлось «Уединенный поселок Сан-Педро — полмили от Изумрудного берега». Больше всего это походило на трущобы на колесах или на уставленную вагончиками рабочих стройплощадку.

Он разыскал Сент-Луис-стрит и вдруг почувствовал себя неуверенно. Улица оказалась узкой и насквозь продуваемой ветром, домики-прицепы были еще меньше и в худшем состоянии, чем по соседству. Он медленно продвигался вперед, внимательно всматриваясь в номера домиков и удивляясь про себя обилию машин из самых разных штатов. Улица была абсолютно пуста, если не считать мертвых автомобилей.

Дом номер 486 по Сент-Луис-стрит был одним из самых дряхлых и маленьких. Чуть больше, чем обыкновенная туристская палатка. Когда-то он был выкрашен в серебристый цвет, но краска давно растрескалась и начала осыпаться, отвратительная на вид плесень покрывала крышу и спускалась по стенкам до окон. Ставенки на окнах отсутствовали. Одно из стекол в верхней, выступающей вперед части прицепа змеилось трещинами, осколки удерживались серого цвета изолентой. Перед единственным входом над землей едва поднималось крошечное крыльцо. Дверь была приоткрыта, и через неплотную ткань занавески Митч рассмотрел экран небольшого цветного телевизора и силуэт стоящего мужчины.

Это было совсем не то, что ему нужно. Волею судьбы он ни разу не встречался со вторым мужем своей матери, и сейчас время для встречи тоже было неподходящим. Он тронул машину с места, пожалев, что приехал.

На Полосе он увидел знакомую полосатую маркизу, над входом в «Холидэй инн». Отель, видимо, был пуст, но открыт. Убрав машину с проезжей части, он вошел и зарегистрировался под именем Эдди Ломакса из Дэйнсборо, штат Кентукки. Расплатился наличными за номер с видом на море.

В телефонной книге упоминались три «Вафельных домика», расположенных на Полосе. Он развалился на кровати и набрал первый номер. Молчание. Набрал второй номер, попросил подозвать к телефону Эву Эйнсворт. Ему сказали не вешать трубку. Он повесил. Было одиннадцать вечера, значит, он проспал часа два.

Такси потребовалось не меньше двадцати минут, чтобы добраться до «Холидэй инн»; шофер тут же ударился в длинные объяснения того, как он сидел дома, наслаждаясь остатками индейки вместе с женой, детишками и родственниками, когда ему позвонил диспетчер и выдал заказ, а ведь сейчас Рождество, и он так надеялся пробыть весь день в семье и хотя бы раз в году позволить себе не думать о работе. Митч бросил ему на сиденье двадцатидолларовую бумажку и попросил успокоиться.

— Что тебе там понадобилось, в «Вафельном домике», парень? — спросил водитель.

— Поезжай.

— Вафель захотелось, а? — Он захохотал и принялся бормотать что-то себе под нос. Затем прибавил громкости радио, отыскал свою любимую станцию и стал насвистывать, высовываясь немного из окна. Потом ему это наскучило, он уставился в зеркальце на своего пассажира и задал новый вопрос: — Что привело тебя сюда на Рождество?

— Я разыскиваю человека.

— Кого?

— Женщину.

— Как и все мы. Или у тебя что-то особенное?

— Это мой старый друг.

— И она сейчас в «Вафельнице»?

— Я так думаю.

— А ты не частный сыщик или вроде него?

— Нет.

— Что-то все это мне кажется подозрительным, ты темнишь.

— Почему бы тебе не заткнуться?

«Вафельный домик» представлял собой небольшое прямоугольное строение, смахивавшее на ящик. Внутри — десяток столиков и длинная стойка напротив гриля, в котором в этом заведении готовилось все. Одна из стен была почти из сплошного стекла, так что посетители могли любоваться Полосой и бунгало вдали, ублажая себя вафлями с орехами и беконом. Небольшая автостоянка рядом едва вместила в себя такси: все места уже были заняты.

— Ты не собираешься выходить?

— Нет. Счетчик пусть работает.

— Парень, странно мне что-то.

— Тебе будет уплачено.

— Ну, дело твое.

Митч подался вперед, опершись руками на спинку переднего сиденья. Он принялся изучать посетителей ресторанчика, счетчик в это время тихонько пощелкивал. Таксист, развалившись на сиденье, только качал головой, с любопытством посматривая на Митча.

В углу зала, рядом с автоматом по продаже сигарет, вокруг столика расположилась компания жирных туристов — в длинных рубахах, белоногих, в черных носках. Они пили кофе и говорили все разом, уставясь каждый в свою карточку меню. Их, по-видимому, руководитель, сидевший в расстегнутой донизу рубашке, с тяжелой золотой цепью на заросшей курчавыми волосами груди, длинными серыми баками и в бейсбольной шапочке, все поглядывал в сторону гриля, пытаясь высмотреть официантку.

— Видишь ее? — спросил таксист.

Митч промолчал, еще больше наклонившись вперед и чуть изменившись в лице. Она появилась непонятно откуда и стояла уже у столика с карандашом и блокнотом в руках. Старший сказал что-то смешное, и толстяки за столом рассмеялись. Она же даже не улыбнулась, продолжая писать в блокноте. Выглядела она очень хрупкой и худенькой. А может, даже слишком худенькой. Ее форменный костюм — белый верх, черный низ — плотно облегал фигуру, подчеркивая линии маленькой груди.

Седые волосы высоко подобраны и спрятаны под белоснежным беретом с надписью «Вафельный домик». Ей был пятьдесят один год, и на таком расстоянии ей вполне можно было дать этот возраст, но не больше. Выглядела она очень изящно. Приняв заказ, она забрала у туристов меню, сказала что-то вежливое, улыбнулась им и исчезла. Потом вновь появилась, легко двигаясь между столиками, разливая кофе, принося бутылочки с кетчупом и передавая заказы на кухню.

Напряжение ушло, Митч расслабился. Счетчик продолжал мерно тикать.

— Это она? — спросил его таксист.

— Да.

— Ну и что теперь?

— Не знаю.

— Но мы же нашли ее, так?

Митч не спускал глаз с фигурки и молчал. Вот она налила кофе сидящему в одиночестве мужчине. Он произнес какую-то фразу, она улыбнулась. Мягкой, изящной улыбкой. Улыбкой, которую он видел тысячи раз, уставясь в темноте в потолок. Улыбкой его матери.

Легкий туман начал опускаться на землю, едва слышно зашуршали дворники, каждые десять секунд убиравшие влагу с ветрового стекла. Была почти полночь. Рождество.

Водитель ерзал у себя на сиденье и нервно барабанил пальцами по ободу руля. Он еще ниже сполз в кресле, начал вертеть ручку настройки, разыскивая какую-то мелодию.

— И долго мы будем здесь сидеть?

— Не долго.

— Ну и наказание!

— Тебе заплатят.

— Послушай, приятель, деньги — это еще не все. Сегодня Рождество. У меня дома дети, родственники пришли, меня ждет индейка и вино, а я сижу здесь у этой «Вафельницы», жду, пока ты насмотришься на эту уже пожилую женщину.

— Это моя мать.

— Твоя кто?

— Ты меня слышал.

— Ну, приятель! Много я повидал на своем веку.

— Заткнись, а?

— О'кей. И ты не подойдешь поговорить с ней? Сегодня же Рождество, и ты нашел свою мамочку, тебе же нужно с ней встретиться, не так ли?

— Нет. Не сейчас.

Митч откинулся на спинку сиденья, посмотрел на темнеющий через дорогу пляж.

— Поехали.

На рассвете он натянул джинсы и майку и, свистнув Хорси, босиком отправился на прогулку по пляжу. Не спеша они продвигались на восток, туда, где над горизонтом растекалось оранжевое пятно нового дня. Волны лениво отползали и так же неторопливо возвращались. Песок был прохладным и мокрым. Небо уже совершенно очистилось от облачности, и в воздухе стоял неумолчный гомон переругивавшихся между собой чаек. Хорси мужественно бросался за откатывающейся волной и со страхом улепетывал, когда к нему приближался новый вал пены. Бесконечная полоса — граница песка и воды — требовала от домашнего пса пробуждения его природных инстинктов, манила непреодолимо. Он на добрую сотню ярдов опередил хозяина.

Мили через две они достигли пирса, массивной бетонной полосы, футов на двести уходящей от берега в океан. Хорси, теперь уже совершенно бесстрашный, бросился обнюхивать ведерко с наживкой, стоящее рядом с двумя неподвижными мужчинами, неотрывно смотревшими на поверхность воды. Митч, следуя за ним, дошел до конца пирса, где около десятка рыбаков сидели и время от времени переговаривались, наблюдая за поплавками. Пес прижался к ноге Митча и застыл. Из-за волн появился край солнечного диска, и на многие мили вперед водная гладь заблистала, на глазах меняя свой цвет с черного на зеленый.

Митч облокотился на металлические перила, подрагивая от порывов холодного ветра. На шероховатой поверхности бетона босым ногам было неуютно и зябко. По обе стороны от пирса вдоль берега тянулись отели и бунгало, тихие и мирные в ожидании дня. Пляж был пуст. Где-то вдалеке в воду уходил еще один бетонный язык.

Рыбаки обменивались фразами четкими и отрывистыми, как могут делать только жители северных штатов. Митч вслушивался в слова достаточно долго, чтобы уяснить себе, что рыба не клевала. Взгляд его, ни на чем не задерживаясь, скользил по волнам. Повернув голову на юго-восток, он думал о Кайманах и об Эбанксе. На мгновение в памяти всплыла девушка, но только на мгновение. Он поедет на Кайманы еще раз в марте, в отпуск, вместе с женой. К черту тот случай. Конечно, он никогда больше не увидит ее. Он будет нырять вместе с Эбанксом, они станут друзьями. Будут пить у него в баре «Хайнекен» и «Ред страйп» и говорить о Ходже и Козински. Он проследит за теми, кто следит за ним. Теперь у него был сообщник — Эбби. Она поможет ему.

Мужчина стоял в темноте около «линкольна» и ждал. Нервным движением поднес к лицу часы, посмотрел на циферблат, затем перевел взгляд на слабо освещенную пешеходную дорожку, которая у самого здания терялась из виду. Свет в окнах второго этажа погас. Минутой позже из дома вышел частный детектив и направился к автомобилю. Мужчина сделал два шага навстречу.

— Вы Эдди Ломакс? — с тревогой спросил он.

Ломакс замедлил шаг, остановился. Они оказались лицом к лицу.

— Да. А вы кто?

На улице было холодно и сыро. Мужчина держал руки в карманах и подрагивал.

— Эл Килбери. Мне нужна помощь, мистер Ломакс. Дело мое совсем плохо. Я заплачу вам сейчас же, наличными, только назовите сумму. Помогите мне.

— Уже поздно, приятель.

— Прошу вас. У меня есть деньги. Скажите сколько. Вы должны мне помочь, мистер Ломакс.

Из левого кармана брюк он вытащил тугую пачку банкнот и, держа ее в руке, был готов начать отсчитывать деньги.

Ломакс посмотрел на купюры, обернулся, бросил взгляд через плечо.

— Что у вас стряслось?

— Жена. Через час она должна встретиться со своим любовником в мотеле в южном Мемфисе. Я знаю номер комнаты и все прочее. Мне нужно, чтобы вы поехали со мной и сделали снимки: как они приходят и уходят.

— Откуда вам это стало известно?

— Я поставил «жучки» в телефоны. Они вместе работают, и я их заподозрил. Я состоятельный человек, мистер Ломакс, я должен выиграть дело о разводе. Готов заплатить вам тысячу долларов немедленно.

Он тут же отсчитал десять бумажек и протянул Ломаксу.

Эдди принял деньги.

— Хорошо. Сейчас схожу за своей камерой.

— Пожалуйста, поторопитесь. Я плачу наличными, так? Не надо никаких записей.

— Меня это устраивает, — ответил Ломакс и зашагал к дому.

Через двадцать минут «линкольн» медленно вползал на переполненную стоянку у «Дэйс инн». Килбери указал ему на окна комнаты на втором этаже, а затем на свободное местечко рядом с седаном «шевроле». Эдди, осторожно пятясь, поместил машину чуть ли не вплотную к «шевви». Еще раз Килбери указал ему на окна, еще раз сверился со своими часами, еще раз напомнил Ломаксу, как он ценит его услуги. Эдди подумал о деньгах: тысяча долларов за два часа работы. Недурно. Он вытащил фотоаппарат, зарядил пленку, проверил выдержку и диафрагму. Килбери нервно следил за его манипуляциями, глаза его метались от камеры к окнам комнаты на втором этаже. На него было больно смотреть. Он начал говорить о своей жене, о том, как ладно они жили. Почему, ну почему ей было нужно связываться с тем типом?

Ломакс слушал его и не сводил глаз с ряда машин, стоявших перед ним. В руках он держал камеру.

Дверцы стоявшего рядом «шевроле» он не замечал. Дверца эта медленно и бесшумно приоткрылась всего в трех футах позади него. Мужчина в черном свитере с высоким воротником и в черных перчатках сидел скрючившись в «шевроле» и ждал. Когда на автостоянке воцарилась полная тишина, он прыжком выскочил из машины, рванул на себя левую заднюю дверцу «линкольна» и трижды выстрелил в беззащитный затылок Эдди. Глушитель на стволе не дал звукам выстрелов вырваться наружу.

Эдди Ломакс навалился на руль. Он был мертв. Килбери выбрался из «линкольна», пересел в «шевроле» и вместе с убийцей укатил в ночь.

ГЛАВА 18

После трех дней изгнания из своих келий, дней, которые невозможно поставить в счет, дней с рождественской индейкой, ветчиной и клюквенным соусом, отдохнувшие и помолодевшие юристы фирмы «Бендини, Ламберт энд Лок» возвратились в свою крепость на Франт-стрит, горя желанием мстить. Мстить праздности, оторвавшей их от самого святого — от работы. К половине восьмого утра стоянка рядом со зданием была плотно уставлена машинами. С привычным комфортом расположившись за своими тяжелыми столами, люди галлонами поглощали кофе, размышляли над деловой перепиской и документами, яростно и неразборчиво бормотали в свои диктофоны. Лающими голосами отдавали приказы секретаршам, клеркам, младшему персоналу, лаяли друг на друга. Можно, конечно, было услышать вежливое «Как Рождество?» в коридорах или около кофеварок, но такая ни к чему не обязывающая болтовня считалась дешевкой, к счету ее не подобьешь. Стрекот пишущих машинок, телефонные звонки, голоса секретарш — все сливалось в победный рокот чеканящего свою звонкую продукцию монетного двора, освободившегося наконец от цепких чар Рождества. Оливер Ламберт шел по коридорам и с удовлетворением улыбался, вслушиваясь в мощное крещендо крепнущего с каждым часом благосостояния фирмы.

В полдень Ламар вошел в кабинет и склонился над столом — Митч с головой ушел в изучение условий сделки по нефти и газу в Индонезии.

— Пообедаем?

— Нет, спасибо. Я выбился из графика.

— Как и все мы. Я-то думал, мы сбегаем в ресторанчик на Франт-стрит, перехватим чего-нибудь поострее.

— Я воздержусь. Спасибо.

Ламар покосился на дверь, наклоняясь ниже к Митчу с таким видом, будто хотел сообщить ему нечто исключительной важности.

— Ты ведь помнишь, какое сегодня число?

Прежде чем ответить, Митч все же посмотрел на часы.

— Двадцать восьмое.

— Именно. А ты знаешь, что происходит каждый год в двадцать восьмой день декабря?

— Ты опорожняешь кишечник?

— Да. А что еще?

— Хорошо, я сдаюсь. Что еще?

— Сейчас, в это самое время, все компаньоны сидят на пятом этаже в столовой, готовясь отобедать жареной уткой и французским вином.

— Вином? В обед?

— Да. Это особый случай.

— Ну-ну?

— Они будут обедать час. А потом, когда Рузвельт и Джесси Фрэнсис уйдут, Ламберт запрет дверь. Соберутся все компаньоны. Только компаньоны, видишь ли. И Ламберт подведет финансовый итог года. Прозвучит имя каждого компаньона и общая сумма заработанных им для фирмы денег. Затем будет названа сумма чистой прибыли фирмы, оставшейся после вычета всяких издержек. Затем они поделят пирог с учетом личного вклада каждого компаньона.

Митч был весь внимание.

— И?

— И в прошлом году средний кусок пирога весил триста тридцать тысяч долларов. Предполагают, что в этом году он будет еще солиднее. Пирог увеличивается из года в год.

— Триста тридцать тысяч, — медленно повторил Митч.

— Да. Это в среднем. Лок получит около миллиона, Виктор Миллиган — чуть поменьше.

— А что слышно насчет нас?

— Нам тоже отрежут по кусочку. По маленькому. В прошлом году это составило в среднем около девяти тысяч. Зависит от того, как долго ты здесь работаешь, и от твоих показателей.

— Можно нам пойти и посмотреть?

— На это зрелище они не продали бы билет и президенту. Считается, что они проводят секретное совещание, но в фирме все давно знают об этом. После обеда информация уже начнет просачиваться.

— Когда происходит голосование? Я имею в виду, когда они будут выбирать новых компаньонов?

— При прочих нормальных условиях это должно произойти сегодня. Но, как говорят, в этом году нового партнера может и не быть — из-за Марти и Джо. По-моему, первым в очереди стоял Марти, а за ним шел Джо. Так что теперь они могут год-другой подождать.

— А кто следующий в списке?

Ламар выпрямился и гордо улыбнулся:

— Ровно через год, начиная с сегодняшнего дня, мой друг, я стану компаньоном фирмы «Бендини, Ламберт энд Лок». Следующий в списке — я, так что не становись у меня на пути!

— А я слышал, что это будет Мэссинджил, выпускник Гарварда, кстати говоря.

— У Мэссинджила нет ни шанса. Я намерен следующие пятьдесят две недели закрывать счетами по сто сорок часов еженедельно, и эти птички сами слетятся ко мне, чтобы умолить меня стать их компаньоном. Я переберусь на четвертый этаж, а Мэссинджил — в подвал, к клеркам.

— А я бы поставил на Мэссинджила.

— Он зануда. Я загоню его под землю. Пойдем съедим чего-нибудь, и я раскрою тебе свой замысел.

— Спасибо, но мне нужно работать.

С важным видом Ламар вышел из кабинета, прошел мимо Нины, которая несла пачку бумаг. Она положила их на расчищенный угол своего стола.

— Иду обедать. Вам прихватить что-нибудь?

— Нет. Спасибо. Да, банку диетической колы.

Во время обеда гул в коридорах смолкал: секретарши бежали по лестницам и направлялись куда-нибудь в центр — в небольшое кафе или закусочную неподалеку. И пока сильные мира сего были заняты на пятом этаже подсчетом своих богатств, ласковый шум печатного станка чуть стихал.

На столе у Нины Митч увидел яблоко, схватил его, потер ладонью. Открыл справочник с последними документами Национального налогового управления, положил его на копировальную машину позади стола и нажал на зеленую кнопку «Печатать». Тревожно вспыхнула красная лампочка, высвечивая надпись: «Сообщите номер папки». Митч отступил на шаг и посмотрел на аппарат. Да, это была новая модель. Рядом с кнопкой «Печатать» была другая, с надписью «Обход». Митч ткнул ее пальцем. Из недр машины вырвался пронзительный вой сирены, и целая панель лампочек заполыхала красным. Митч беспомощно крутил головой из стороны в сторону, никого не видя вокруг.

В состоянии, близком к помешательству, он схватил руководство по эксплуатации.

— Что здесь происходит? — послышался сквозь стенания машины чей-то голос.

— Не знаю! — завопил Митч, размахивая руководством.

Лела Пойнтер, секретарша слишком уж солидного возраста для того, чтобы покидать здание ради обеда, приблизилась сзади к машине и выключила сирену.

— Какого черта! — выругался Митч с тяжелым вздохом.

— Вам что, ничего не сказали? — строго спросила она, выхватывая у него руководство и укладывая его на прежнее место. Глаза ее так и сверлили Митча, впечатление было такое, что она застала его копающимся в ее сумочке.

— Видимо, нет. А в чем дело?

— У нас теперь новая система копирования документов, — протяжным голосом начала она читать ему лекцию. — Ее установили на следующий день после Рождества. Прежде чем начать копирование, вы должны сообщить машине номер папки, из которой вы берете документ. Ваша секретарша должна была вам все объяснить.

— Вы хотите сказать, что эта штука не будет работать, пока я не впихну в нее номер из десятка цифр?

— Совершенно верно.

— А как насчет вообще копий, если это не документ из дела?

— Это сделать невозможно. Мистер Ламберт говорит, что у нас слишком много денег уходит на копии, которые все делают бесплатно. Так что теперь каждая копия автоматически ставится в счет, предъявляемый клиенту. Сначала вы набираете номер папки или дела вашего клиента. Машина сама подсчитывает количество копий и отсылает всю информацию на главный терминал, а там она включается в общий счет клиента.

— А копия для себя лично?

Лела покачала головой с видом полного недоумения:

— Просто не могу поверить, что ваша секретарша вам всего этого не объяснила.

— Нет, не объяснила, но почему бы вам не помочь мне?

— У вас есть личный четырехзначный номер. В конце месяца вам будет выписан счет за те копии, что вы сделали для себя.

Митч смотрел на машину и только качал головой.

— А для чего чертова сирена?

— Мистер Ламберт говорит, что через тридцать дней сирену отключат. Сейчас же она необходима — для таких, как вы. Он очень озабочен этим. Говорит, на бесплатных копиях мы теряем тысячи.

— Понятно. Видимо, в здании заменены все копировальные машины?

Она удовлетворенно улыбнулась:

— Да. Все семнадцать.

— Благодарю вас.

Митч вернулся в кабинет, чтобы найти номер папки.

К трем часам пополудни празднество на пятом этаже подошло к радостному завершению. Компаньоны, ставшие более богатыми и менее трезвыми, неторопливо покидали столовую и спускались в свои кабинеты. Эйвери, Оливер Ламберт и Натан Лок, сделав несколько шагов, подошли к глухой бетонной стене и остановились перед дверью. Де Вашер их уже ждал.

Он указал вошедшим рукой на кресла, приглашая таким образом сесть. Ламберт пустил по кругу ящичек со скрученными вручную сигарами. Все закурили.

— Я вижу, у вас праздничное настроение. — На лице Де Вашера была ухмылка. — Ну и как? В среднем триста девяносто тысяч?

— Именно так, Де Вашер, — ответил Ламберт. — Год был очень хорошим.

Он выдохнул немного дыма и теперь оставшийся выпускал кольцами к потолку.

— И Рождество все справили чудесно?

— Куда ты клонишь? — требовательно спросил Лок.

— Счастливого тебе Рождества, Нат. Всего пара вопросов. Два дня назад я виделся с Лазаровым в Новом Орлеане. Он не отмечает день рождения Христа, вы знаете об этом. Я объяснил ему складывающуюся у нас здесь ситуацию, сделав, в частности, упор на Макдира и ФБР. Я уверил его, что после первой встречи с Таррансом других контактов не было. Он не очень этому поверил и предупредил, что сверится со своими источниками внутри Бюро. Не знаю, что это может значить, но кто я такой, чтобы задавать ему вопросы? Он предложил мне не спускать с Макдира глаз двадцать четыре часа в сутки на протяжении следующих шести месяцев. Я ответил ему, что мы в общем-то так и делаем. Ему вовсе не нужно повторения того, что было с Ходжем и Козински. Тогда это его весьма огорчило. Отныне Макдир не может покинуть город по делам фирмы без того, чтобы по крайней мере двое наших людей не следовали за ним по пятам.

— Через две недели он едет в Вашингтон, — сказал Эйвери.

— Это еще зачем?

— В Институт налогообложения. Он должен будет присутствовать на четырехдневном семинаре, мы требуем этого от каждого нового сотрудника. Ему говорили об этом уже давно, и, если сейчас он получит отказ, он может что-нибудь заподозрить.

— Место там для него было заказано еще в сентябре, — добавил Олли.

— Посмотрю, можно ли будет это уточнить с Лазаровым. Мне нужны даты, номера рейсов, номера в гостиницах. Ему это не понравится.

— Что случилось на Рождество? — спросил Лок.

— Ничего особенного. Его жена отправилась к своим родителям в Кентукки, она все еще там. Макдир вместе с собакой отправился во Флориду, на пляж Панама-Сити. Похоже, ездил проведать мамочку, но мы в этом не уверены. Провел ночь в «Холидэй инн», что на берегу. Только он и собака, больше никого. Скука. После этого он поехал в Бирмингем, где остановился тоже в «Холидэй инн». Вчера утром он был в «Браши маунтин», виделся с братом. Вполне безобидная поездка.

— Что он сказал жене? — задал вопрос Эйвери.

— Ничего, насколько можно об этом судить. Довольно трудно слышать каждое слово.

— Кто еще у вас под наблюдением? — Это вновь был Эйвери.

— Мы слушаем их всех время от времени. Подозреваемых, кроме Макдира, нет, да и он-то главным образом из-за Тарранса. Сейчас все спокойно.

— Он должен поехать в Вашингтон, Де Вашер, — настойчиво напомнил Эйвери.

— О'кей, о'кей. Я уточню это с Лазаровым. Увидите, он заставит нас послать еще пять человек за ним приглядывать. Ну и идиот!

Принадлежавший Эрни бар «Аэропорт» действительно находился рядом с аэропортом. Митч разыскал его с третьей попытки. Он втиснул свою машину между двумя какими-то болотоходами с засохшей грязью на шинах и фарах. Стоянка была полна подобными агрегатами. Осмотревшись по сторонам, Митч прямо-таки инстинктивно снял галстук. Было почти одиннадцать. Бар представлял собой длинное темное помещение, в глубине которого ярко светились таблички с названиями сортов пива.

Он еще раз посмотрел на записку.

Дорогой мистер Макдир!

Пожалуйста, приезжайте в бар Эрни на Винчестер-роуд сегодня вечером, попозднее. Мне нужно с вами встретиться по поводу Эдди Ломакса. Это очень важно.

Тэмми Хэмфил, его секретарша.

Он обнаружил записку на двери кухни, когда вернулся домой. Вспомнил ее он сразу, хотя видел только однажды, во время визита в офис Ломакса еще в ноябре. Вспомнил обтягивающую кожаную юбку, ошеломляющую грудь, обесцвеченные химией волосы, ярко-красный рот и табачный дым, окутывавший ее всю. Вспомнил он и историю с ее мужем, Элвисом.

Дверь легко повернулась на петлях, и он проскользнул внутрь. Левую часть помещения занимал ряд сдвоенных столов. Сквозь мрак и клубы дыма он рассмотрел в глубине небольшую площадку для танцев. Справа находилась длинная стойка бара, вдоль которой сидели настоящие ковбои и их подруги, и все как один из горлышек больших бутылок пили пиво «Будвайзер». На его приход никто не обратил внимания. Быстро пройдя к стойке бара, он опустился на высокий табурет.

— Бутылку «Буда», — обратился он к бармену.

Тэмми он увидел раньше, чем перед ним поставили пиво. Она сидела на длинной скамье, идущей вдоль столов. На ней были вареные джинсы в обтяжку, рубашка из потертой джинсовой ткани и ярко-красные туфли на высоком каблуке. Свежеобесцвеченные волосы поблескивали.

— Спасибо за то, что пришли, — сказала она ему. — Я сижу и жду здесь уже четыре часа. Другого способа встретиться с вами я не придумала.

Митч наклонил голову и улыбнулся, как бы говоря: «Все нормально, вы сделали правильно».

— Ну, что случилось? — спросил он.

Она обвела взглядом бар.

— Нам необходимо поговорить, но только не здесь.

— Что вы предлагаете?

— Может, поездим где-нибудь здесь рядом?

— Только не в моем автомобиле. Это, ну, как бы сказать, было бы не самым удачным решением.

— У меня есть машина. Правда, старая, но сойдет.

Митч расплатился за пиво и последовал за ней к дверям. Человек в одежде ковбоя, сидевший у двери, заметил:

— Вы только посмотрите! Входит парень в костюме и через полминуты выходит уже с девушкой.

Митч улыбнулся и поспешил прочь. В ряду огромных землеройных машин стоял дряхленький «фольксваген»-«жук». Она открыла дверцу ключом, Митч сложился вдвое и протиснулся на потертое сиденье. Пять раз пришлось ей нажать на педаль акселератора и повернуть ключ, Митч даже задержал дыхание. Наконец мотор завелся.

— Куда бы нам отправиться? — спросила она.

«Туда, где нас бы не видели», — подумал Митч и сказал:

— Вам виднее.

— Вы женаты, да?

— Да. А вы?

— Замужем, и мой муж отказался бы понять, что сейчас здесь происходит. Вот почему я и выбрала этот сарай. Мы тут никогда не бываем.

Прозвучало это так, как будто они с мужем были непримиримыми противниками сидящей в баре деревенщины.

— Не думаю, что и моя жена с готовностью приняла бы эту ситуацию. Хотя ее сейчас нет в городе.

Тэмми правила в сторону аэропорта.

— Мне пришла в голову мысль. — Пальцы ее вцепились в руль, голос звучал нервно.

— Ну, говорите.

— Вы ведь слышали об Эдди?

— Да.

— Когда вы видели его последний раз?

— Мы встретились дней за десять до Рождества. Это было нечто вроде конспиративной встречи.

— Так я и думала. Он не делал никаких записей по тому делу, что вел для вас. Сказал, что вы так хотите. Он вообще сказал мне очень немного. Но мы с Эдди... мы, ну... мы были с ним близки.

Митч не знал, что сказать.

— Я имею в виду, очень близки. Вы меня понимаете?

Митч ухмыльнулся и хлебнул пива из горлышка бутылки.

— И он иногда говорил мне то, что, по-видимому, говорить был не должен. Он сказал, ваш случай действительно загадочный, несколько юристов из вашей фирмы погибли при довольно подозрительных обстоятельствах. И что вы считаете, будто за вами постоянно следят и слушают ваши телефоны. Для юридической фирмы все это очень странно.

«Вот тебе и конфиденциальность, — подумал Митч. — Вот так-то».

На подъезде к аэропорту она свернула, направляясь на огромную стоянку.

— И после того как он закончил ваше дело, он сказал мне однажды — однажды! — в постели, что за ним, как ему кажется, следят. Это было за три дня до Рождества. Я спросила его — кто? Он ответил, что не знает, но упомянул о вашем деле и сказал, возможно, это как-то связано с теми людьми, которые следят за вами. В общем-то он сказал не много.

Она остановила машину на стоянке у здания аэропорта.

— До этого за ним следил кто-нибудь?

— Никто. Он был хорошей ищейкой и следов не оставлял. То есть я хочу сказать, что он был бывшим полицейским и бывшим заключенным. Очень ловок в уличной суете. Ему платили за то, чтобы он следил за людьми и собирал всякую грязь. Но за ним не следил никто. Никогда.

— Так кто же его убил?

— Тот, кто его выследил. Газеты подали дело так, что он якобы шантажировал какого-то состоятельного ловкача и тот нашел на него управу. Но все это ложь.

Из ниоткуда она вдруг вытащила длинную сигарету с фильтром, щелкнула зажигалкой. Митч опустил вниз стекло.

— Вы не будете возражать? — спросила она.

— Нет, только выдыхайте туда. — Он указал на окно с ее стороны.

— Как бы то ни было, я боюсь. Эдди был убежден, что люди, которые следуют за вами, чрезвычайно опасны и чрезвычайно ловки. Очень хитроумны, вот как он сказал. И если эти люди убили его, то как теперь быть со мной? Вдруг они думают, будто я знаю что-то? Я не была в офисе с того самого дня, как его убили. И не собираюсь идти туда.

— На вашем месте и я бы не пошел.

— Не так уж я глупа. Я работала на него два года и кое-чему научилась. Разных ловчил повидала достаточно.

— Как он был застрелен?

— У него был друг в отделе убийств, он рассказал мне по секрету, что Эдди был убит тремя выстрелами в затылок, почти в упор, из оружия двадцать второго калибра. И никаких улик. Еще он сказал мне, что это была очень чистая, профессиональная работа.

Митч допил пиво и положил бутылку на пол кабины, где перекатывалось штук пять пустых пивных банок. Очень чистая, профессиональная работа.

— Это какая-то бессмыслица, — повторила она дважды. — Ну как мог кто-то пробраться за его спину, спрятаться на заднем сиденье и трижды выстрелить ему в голову? А ведь он даже не собирался туда ехать.

— Может, он заснул и его застали врасплох?

— Нет. Когда ему приходилось работать поздно ночью, он старался закончить все как можно быстрее, в такие моменты он всегда был очень возбужден.

— В конторе есть какие-нибудь записи?

— Вы имеете в виду — по вашему делу?

— Да, обо мне.

— Сомневаюсь в этом. Я, во всяком случае, никаких записей не видела. Он говорил, что вы так хотели.

— Это правда. — Митч почувствовал облегчение.

Они сидели и следили за взлетом «Боинга-727». От рева двигателей земля, казалось, дрожала.

— Я действительно боюсь, Митч. Могу я звать тебя Митч?

— Конечно, почему бы нет.

— Я думаю, его убили за ту работу, что он выполнил для тебя. Это единственное, что можно предположить. И если убили его, то, возможно, они посчитают, что и я тоже кое-что знаю. Как ты думаешь?

— Не хочу строить догадки.

— Я могла бы скрыться на время. Мой муж подрабатывает в ночном клубе, и при необходимости нам не составит труда сняться с места. Я ни о чем этом ему не говорила, но думаю, что придется. Как ты на это смотришь?

— Куда вы направитесь?

— Литл-Рок, Сент-Луис, Нашвилл. Он сейчас без работы, поэтому мы можем где-нибудь покрутиться, я думаю. — С этими словами она сделала последнюю затяжку и тут же прикурила новую сигарету.

Очень чистая, профессиональная работа, повторил про себя Митч. Он посмотрел на Тэмми и увидел слезинку на ее щеке. Тэмми не была уродиной, но годы в барах и ночных клубах начинали брать свое. Черты ее лица были правильными, и, если бы не цвет волос и избыток косметики, ее даже можно было бы назвать привлекательной для ее возраста. Ей где-то около сорока, подумал Митч.

Она сделала чудовищную затяжку, из всех щелей «фольксвагена» потянулись струйки дыма.

— Сдается мне, Митч, мы с тобой в одной лодке. То есть они идут и по твоему, и по моему следу. Они убрали тех юристов, Эдди, и скоро наш черед.

Не копи это в себе, девочка, выкладывай, станет легче.

— Послушай, — сказал он, — давай сделаем так. Нам нужно поддерживать связь. Звонить ты мне не можешь, и нельзя, чтобы нас видели вместе. Моя жена в курсе всего происходящего, я расскажу ей и об этой нашей с тобой встрече. За нее не беспокойся. Пиши мне раз в неделю и сообщай, где ты находишься. Как имя твоей матери?

— Дорис.

— Хорошо. Это будет и твоим кодовым именем. Любые свои послания мне подписывай «Дорис».

— Они и почту твою читают?

— Может быть, Дорис, может быть.

ГЛАВА 19

В пять часов дня Митч выключил у себя в кабинете свет, подхватил оба кейса и остановился перед Нининым столом. Она печатала на машинке, каким-то удивительным образом прижимая телефонную трубку плечом к уху. Увидев Митча, она сунула руку в ящик стола и извлекла оттуда конверт.

— Это ваша бронь в отель «Кэпитал Хилтон», — сказала она в трубку.

— Диктовка у меня на столе, — в свою очередь проинформировал ее Митч. — До понедельника!

По лестнице он поднялся на четвертый этаж в занимаемый Эйвери угловой кабинет, где разворачивалась очередная баталия. Одна из секретарш укладывала папки в объемистый чемодан. Другая повышенным тоном говорила что-то Эйвери, который тоже не очень сдерживался, брызгая слюной в телефонную трубку. Какой-то тип из младшего персонала приказным тоном обращался к первой секретарше.

Эйвери с размаху опустил телефонную трубку.

— Готов? — обрушился он на Митча.

— Жду, — коротко ответил тот.

— Не могу найти папку Гринмарка, — пробрюзжала секретарша типу.

— Она была рядом с папкой Роккони, — ответил тот.

— Мне не нужен никакой Гринмарк! — заорал Эйвери. — Сколько раз вам повторять?! Вы что, оглохли?!

Секретарша уперлась взглядом в Эйвери:

— Нет, я слышу очень хорошо. Я ясно слышала, как вы сказали: «Упакуйте дело Гринмарка».

— Лимузин ждет вас, — вступила другая секретарша.

— Мне не нужен чертов Гринмарк!

— А Роккони? — спросил тип.

— Да! Да! Уже десятый раз говорю: да, мне нужен Роккони!

— И самолет тоже вас ждет, — напомнила все та же женщина.

Один чемодан захлопнули и кое-как наконец закрыли. Эйвери копался в груде бумаг у себя на столе.

— Где дело Фендера? Где вообще все мои папки? Почему я никогда ничего не могу найти?

— Фендер у меня, — сказала первая секретарша, втискивая папку в кейс.

Эйвери уставился в листок бумаги, который он держал в руках.

— Отлично. Итак, у меня здесь Фендер, Роккони, «Кембридж партнерс», «Грин груп», переписка Сонни Кэппса и Отаки, «Бертон бразерс», Галвестон Фрейт и Маккуэйд?

— Да, да, да, — подтвердила первая.

— Все они здесь, — поддержал ее тип.

— Не верю. — Эйвери подхватил пиджак. — Пошли!

Он вынес свое тело из кабинета, сопровождаемый Митчем, секретаршами и типом. Два кейса нес Митч, два тащил тип, один был в руке у секретарши. Другая на ходу писала в блокнот то, что ее босс рыкающим голосом приказывал и требовал сделать за время его отсутствия. Живописная группа едва уместилась в кабине лифта и спустилась на первый этаж. На улице на помощь им бросился шофер — он распахивал двери и дверцы, укладывал вещи в багажник.

Митч с Эйвери упали на заднее сиденье.

— Передохни, Эйвери, — сказал Митч. — Ты на три дня отправляешься на Кайманы. Расслабься.

— Да-да. Я беру с собой работы на целый месяц. Мои клиенты уже криком исходят, требуя с меня шкуру спустить, угрожая судом за профессиональную некомпетентность. Я опаздываю на два месяца, а ты в это время сбегаешь в Вашингтон, чтобы четыре дня задыхаться от тоски на этих семинарах. Ты отлично рассчитал время, Макдир. Просто отлично.

Протянув руку, Эйвери открыл бар, смешал себе коктейль. Митч отказался. Лимузин вырулил на Риверсайд-драйв в самый час пик. После трех глотков почти чистого джина Эйвери задышал глубже.

— Для продолжения обучения! Какая издевка! — пробурчал он.

— Ты тоже прошел через это, когда был новичком. К тому же, если я не ошибаюсь, не так давно ты провел неделю в Гонолулу на таком же, но международном семинаре. Или ты забыл?

— То была работа. Только работа. Ты берешь свои папки с собой?

— Конечно, Эйвери. Восемь часов в день у меня будут уходить на семинар, где я должен постигать глубину последних поправок конгресса к налоговому законодательству, ну а в оставшееся время я рассчитываю закрывать по пять часов в день.

— По шесть, Митч, если сможешь. Мы очень отстаем.

— А мы всегда отстаем, Эйвери. Налей себе еще. Тебе необходимо расслабиться.

— Я расслаблюсь в «Румхедсе».

Митч увидел перед глазами бар с пивом «Ред страйп», игроков в домино, стрелки и — узенькие! — бикини. И девушку.

— Ты первый раз летишь на «лире»? — спросил Эйвери уже более спокойно.

— Да. Я здесь уже семь месяцев, и только сейчас его увижу. Если бы я знал все это в марте прошлого года, я пошел бы в фирму на Уолл-стрит.

— Ты из другого теста, Митч. Ты знаешь, что они там, на Уолл-стрит, делают? У них в фирме триста юристов, так? И ежегодно они набирают еще тридцать сотрудников, если не больше. Каждый хочет у них работать — ведь это Уолл-стрит, так? И вот примерно через месяц всех этих новичков собирают вместе и говорят им, что на протяжении пяти лет они будут работать по девяносто часов в неделю, а когда пять лет проходят, половины новичков в фирме уже нет. Текучесть там невообразимая. Они стараются выжать из новичков все, давая им ставку в сто — сто пятьдесят долларов в час и загоняя чуть не до смерти, а потом их просто вышвыривают на улицу. Вот что такое Уолл-стрит. И ребятам даже увидеть не удается самолет их фирмы. Или лимузин. Тебе действительно повезло, Митч. Ты каждый день должен благодарить Бога за то, что тебя приняли в нашу старую добрую фирму.

— Девяносто часов в неделю — это мелочь. Зато остальное время принадлежало бы мне.

— Тебе за это воздастся. Ты знаешь, какую премию получил я по итогам года?

— Нет.

— Четыреста восемьдесят пять тысяч. Неплохо, а? И ведь это всего лишь премия.

— Я получил только шесть.

— Держись меня, и скоро ты переберешься в высшую лигу.

— Да, но сначала мне нужно продолжить свое образование.

Через десять минут лимузин выехал на бетонную полосу, ведущую к ангарам. Высокие двери каждого были помечены знаком «Мемфис аэро». Изящных пропорций серебристый «Лир-55» медленно подруливал к зданию аэровокзала.

— Вот он, — сказал Эйвери.

Багаж был быстро погружен на борт, и через несколько минут им разрешили взлет. Затянув ремень безопасности, Митч восхищенным взглядом окинул отделанный кожей и медью салон. Интерьер был оформлен с отменным вкусом и роскошью, иного Митч и не ожидал. Эйвери приготовил себе новую порцию джина и щелкнул застежкой ремня.

Они находились в полете час и пятнадцать минут, когда «лир» начал снижаться для посадки в международном аэропорту

Балтимор, Вашингтон. Закончив пробег, самолет остановился, Эйвери с Митчем спустились по трапу и открыли дверцу багажного отделения. Эйвери кивнул в сторону человека в униформе, стоявшего около ворот:

— Это твой шофер. Лимузин рядом, он проведет тебя к нему. До твоего отеля сорок минут езды.

— Еще один лимузин?

— Так точно. На Уолл-стрит ты бы этого не дождался.

Они пожали друг другу руки, и Эйвери вновь поднялся на борт. Дозаправка топливом потребовала получаса, так что, когда «лир» взлетел и взял курс на юг, Эйвери уже спал.

Через три часа самолет приземлился в аэропорту Джорджтауна на Большом Каймане. Он миновал небольшое здание аэровокзала и остановился у миниатюрного ангара, где должен был простоять ночь. Сотрудник службы безопасности поджидал Эйвери и его багаж, чтобы провести через вокзал и таможню. Закончив с послеполетным обслуживанием, тоже в сопровождении охранника, в том же направлении удалились пилот и штурман.

После полуночи освещение в маленьком ангаре было выключено, и полдюжины почти игрушечных крылатых машин окружила полная темнота. В боковой стене открылась дверь, и трое мужчин, одним из которых был Эйвери, вошли и тут же направились к «лиру». Эйвери раскрыл багажное отделение, и втроем они быстро выгрузили двадцать пять тяжелых картонных коробок. В душной тропической жаре ангар изнутри представлял собой раскаленную печь. Мужчины были мокрыми от пота, но ни один не проронил ни слова, пока коробки не оказались на земле.

— Должно быть двадцать пять. Пересчитайте их, — сказал Эйвери, повернувшись к местному жителю, мускулистому человеку в пробковом шлеме и с пистолетом на бедре. Другой стоял рядом с пломбиром в руке и внимательно наблюдал за происходящим с таким видом, будто он был приемщиком груза на складе. Первый, роняя капли пота, торопливо пересчитал коробки.

— Да, двадцать пять.

— Сколько здесь? — спросил человек с пломбиром.

— Шесть с половиной миллионов, — ответил Эйвери.

— Наличными?

— Наличными. Долларами США. В сотнях и двадцатках. Давайте грузить.

— Куда они направятся?

— В «Квебек бэнк». Там их уже ждут.

Каждый из них взял по коробке и направился к двери, у которой стоял четвертый, с «узи» в руках. Все было погружено в неприметный фургончик с коряво выполненной надписью на борту: «Продукция Каймановых островов». Вооруженные охранники уселись, и похожий на кладовщика, вырулив от ангара, погнал машину в центр Джорджтауна.

Регистрация началась в восемь утра в бельэтаже, у входа в зал. Митч пришел чуть раньше, записал свое имя, взял полагающийся каждому участнику семинара толстый фолиант с рабочими материалами, на обложке которого была аккуратно напечатана его фамилия, и прошел внутрь. Он постарался сесть поближе к центру этого довольно большого помещения. Участников должно было собраться человек двести. Официант разносил чашечки с кофе, Митч сидел и просматривал «Вашингтон пост». Новости дня были представлены серией очерков о его любимой команде, «Редскинз», выигравшей очередной приз.

Зал медленно наполнялся юристами, прибывшими со всех концов страны, чтобы узнать о последних уточнениях к налоговому законодательству, претерпевавшему изменения, большие и малые, чуть ли не ежедневно. За несколько минут до девяти рядом с Митчем сел мальчишеского вида адвокат с приятными чертами лица. Он не проронил ни слова, проходя и усаживаясь. Митч бросил на него взгляд и вновь уткнулся в газету. Когда наконец зал заполнился, ведущий семинара встал, приветствовал собравшихся и представил им первого выступающего, конгрессмена такого-то из штата Орегон, члена бюджетной подкомиссии палаты представителей. В тот момент, когда он поднялся на трибуну для того, чтобы сделать свой часовой, как предполагалось, доклад, сидевший слева от Митча адвокат чуть наклонился в его сторону и протянул ему руку.

— Привет, Митч, — прошептал он, — я Грант Хэрбисон, ФБР.

Он сунул Митчу свою карточку.

Свое выступление конгрессмен начал с шутки, которой Митч уже не слышал. Он внимательно изучал карточку, поднеся ее к груди. Не далее чем в трех футах от него сидели еще пять человек. Никого из участников семинара Митч не знал, но тем не менее он почувствовал бы себя неловко, если бы кто-то из окружавших его людей увидел, как он рассматривает визитную карточку агента ФБР. Прошло пять минут, прежде чем он решил повернуть голову и чистым, наивным взглядом посмотреть на соседа.

Хэрбисон прошептал ему:

— Мне нужно встретиться с вами на несколько минут.

— А что, если я окажусь занят? — тихо спросил Митч.

Из сборника материалов для семинара Хэрбисон вытащил обыкновенный белый конверт и передал его Митчу. Поднеся его, как и карточку, к груди, Митч заглянул внутрь. Лежавший там листок был исписан от руки. Только по самому верху мелким изящным шрифтом шли очень простые слова: «Кабинет директора ФБР». В записке было следующее:

Дорогой мистер Макдир!

Я хотел бы встретиться с вами во время перерыва на обед и побеседовать. Прошу вас следовать всем инструкциям агента Хэрбисона. Много времени я у вас не отниму. Приветствуем вашу готовность сотрудничать.

Благодарю вас,

Ф. Дентон Войлс, директор.

Сложив листок, Митч опустил его в конверт и сунул в свой блокнот. Приветствуем готовность сотрудничать. Директор ФБР. В этот момент Митч хорошо осознавал необходимость полного самообладания, контроля за выражением лица. Как будто это было так просто! Он не удержался, сжал виски пальцами, чуть массируя, глаза опустил вниз. Закрыл их, почувствовав головокружение. ФБР. Сидит рядом! И ждет. Директор и бог еще знает кто. Тарранс тоже, наверное, неподалеку.

Внезапно аудитория разразилась смехом, видимо, докладчик приступил к изложению кульминационного момента. Хэрбисон опять едва заметно наклонил голову и прошептал:

— Туалетная комната за углом. Встретимся там через десять минут.

Он оставил блокнот на столе и под хохот присутствовавших вышел.

Митч раскрыл сборник и сделал вид, что изучает документы. Конгрессмен продолжал увлекательный рассказ о том, как он, изыскивая новые уловки, помогающие состоятельным людям не платить казне налогов, в то же время был озабочен серьезной проблемой облегчения тяжелого налогового бремени, падавшего на плечи рабочего класса. Под его бесстрашным руководством подкомиссия, как выяснилось, отказалась одобрить законопроект, запрещавший сокращение рабочих мест в нефтяной и газовой промышленности. Было видно, что он и в одиночку выиграет битву у любого противника.

Митч выжидал пятнадцать минут, потом еще пять, а потом на него напал кашель. Глоток воды! Прикрыв рот рукой, он пробрался между стульями к задней двери. В туалете Хэрбисон уже десятый раз мыл под краном руки.

Митч подошел к соседней раковине, открыл холодную воду.

— Что вы намереваетесь предпринять, парни? — спросил он.

Хэрбисон смотрел на отражение Митча в зеркале.

— Я действую согласно приказу. Директор Войлс хочет встретиться с вами лично, и меня послали за вами.

— А что ему от меня нужно?

— Мне бы не хотелось отвечать за него, но думаю, что что-то очень серьезное.

Митч опасливо посмотрел вокруг. Они были одни.

— А если я буду слишком занят для того, чтобы с ним встретиться?

Хэрбисон выключил воду и встряхнул руками.

— Встреча неизбежна, Митч. Не будем играть в прятки. Когда объявят перерыв на обед, то слева от главного входа вас будет ждать такси, запомните номер: 8667. Вас отвезут к Мемориалу вьетнамских ветеранов, мы встретимся возле него. Вам необходимо быть осторожным. Двое следуют за вами из Мемфиса.

— Двое кто?

— Двое юношей из Мемфиса. Поступайте, как вам говорят, и они ни о чем не узнают.

Председательствующий поблагодарил второго докладчика, профессора Нью-Йоркского университета, и объявил перерыв на обед.

Таксисту Митч не сказал ни слова. Тот рванул с места, и скоро их машина затерялась в безумных улицах города. Минут через пятнадцать она остановилась неподалеку от Мемориала.

— Пока не выходите из машины, — властно сказал ему водитель.

Митч сидел не двигаясь. Ни слова, ни жеста в течение десяти минут. Наконец мимо них на небольшой скорости проехал белый «форд-эскорт» и, уже обогнав их, просигналил.

Глядя прямо перед собой, таксист скомандовал:

— Так. Идите к Стене. К вам подойдут в течение пяти минут.

Митч выбрался на тротуар, и такси тут же отъехало. Он засунул руки поглубже в карманы своего шерстяного пальто и не спеша направился к Мемориалу. Пронизывающий северный ветер гонял сухие листья. Митч вздрогнул и поднял воротник.

Один-единственный, кроме него, одинокий посетитель Мемориала неподвижно сидел в инвалидном кресле на колесиках и смотрел на Стену. Под огромным, не по размеру, беретом десантника авиационные очки скрывали его глаза. Он сидел у самого конца Стены, там, где были имена погибших в 1972-м. Завороженный датами, Митч двинулся в том же направлении, пока не остановился у самого кресла. Внезапно он перестал замечать сидящего в нем человека — он видел перед собой только столбики фамилий.

Он задышал глубже, почувствовав вдруг, как тяжестью налились ноги и желудок. Вот. Почти в самом низу. Аккуратными буквами, такими же, как чуть выше или чуть ниже, было выбито имя: *Расти Макдир*.

Прямо под этим именем рядом со Стеной стояла корзиночка с уже замерзшими, поникшими цветами. Митч поправил рукой их упавшие головки и встал на колени. Провел пальцами по буквам в граните. Расти Макдир, восемнадцати лет. Навсегда. Он пробыл во Вьетнаме всего семь недель, когда наступил ногой на пехотную мину. Им передали, что смерть была мгновенной. Если верить Рэю, они всегда так говорят. Митч вытер крошечную каплю со щеки и поднялся, глядя вдоль Стены. Он думал о пятидесяти двух тысячах семей, которым сообщили, что смерть была мгновенной и никто из погибших не страдал.

— Митч, они ждут.

Он повернулся и посмотрел на человека в инвалидном кресле, единственного, кого вообще видел здесь. Лицо в уродливых очках было обращено к Стене. Митч озирался по сторонам.

— Успокойся, Митч. Весь Мемориал под нашим наблюдением. Их здесь нет.

— Кто вы? — спросил Митч.

— Я просто один из. Ты должен верить нам, Митч. У директора есть что сказать тебе. Возможно, его слова спасут твою жизнь.

— Где он?

Мужчина в кресле повернул голову и стал смотреть вдоль дорожки.

— Ступай туда. Тебя найдут.

Митч еще раз бросил взгляд на имя брата и прошел мимо кресла.

Он шел очень медленно, сунув руки в карманы. Слева остались бронзовые фигуры трех солдат. Когда он отошел от монумента, из-за дерева внезапно выступил Тарранс и зашагал рядом.

— Идем, идем, — подбодрил он.

— Почему, интересно, я не удивлен нашей встрече? — спросил Митч.

— Идем, идем, Митч. Мы знаем по крайней мере о двух головорезах, прибывших из Мемфиса еще до тебя. Они живут в том же отеле, что и ты, в соседнем номере. Но сюда они не добрались. По-моему, мы их потеряли.

— Что здесь, черт возьми, происходит, Тарранс?

— Вот-вот ты все уяснишь себе. Идем. Только расслабься, за тобой никто не следит, кроме, конечно, человек двадцати наших агентов.

— Двадцати?

— Да, около. Нам ведь нужно перекрыть здесь все. Должна быть уверенность в том, что эти выродки из Мемфиса не объявятся вдруг. Но я их и не жду.

— Кто они?

— Директор объяснит.

— Для чего нужно было привлекать к этому директора?

— Слишком много вопросов, Митч.

— Слишком мало ответов, Тарранс.

Тарранс указал направо. Они сошли с дорожки и двинулись к массивной бетонной скамье у мостика, ведшего в небольшую рощу. Вода в пруду под мостиком превратилась в лед.

— Садись.

Они оба сели. И тут же Митч увидел, что по мостику к ним приближаются двое мужчин. В том, что был пониже ростом, Митч сразу узнал Войлса. Ф. Дентона Войлса, директора ФБР при трех президентах. Это был резкий в словах мужчина с тяжелой рукой, классический борец с преступностью, человек, если верить тому, что о нем говорили, абсолютно лишенный жалости.

Митч встал, когда эти двое остановились у скамьи. Войлс протянул ему свою холодную руку. На Митча смотрело крупное круглое лицо, известное всему миру. Обменявшись рукопожатием, они назвали друг другу свои имена. Войлс указал на скамью. Тарранс вместе с другим агентом отошли к мосту. Митч посмотрел через пруд и увидел еще двоих, явно тоже сотрудников ФБР, в одинаковых черных плащах, с похожей стрижкой — они стояли у дерева ярдах в ста.

Войлс сел вплотную к Митчу, колени их соприкасались. Шляпа из коричневого меха съехала немного набок на его большой, лишенной волос голове. Ему было не меньше семидесяти, но взгляд его оставался исполненным силы и не упускал ничего.

Оба сидели на холодной скамье совершенно неподвижно и не вынимая рук из карманов.

— Это хорошо, что вы пришли, — начал Войлс.

— Не похоже, чтобы у меня был выбор. От ваших людей не отвяжешься.

— Да. Потому что это чрезвычайно важно для нас.

Митч сделал глубокий вдох.

— Имеете ли вы хоть малейшее представление о том, как я сбит с толку и напуган? У меня все перемешалось в голове. Мне бы хотелось получить объяснения, сэр.

— Мистер Макдир, могу я называть вас Митч?

— Конечно.

— Отлично. Митч, я человек немногословный. И то, что я скажу сейчас, поразит тебя. Ты ужаснешься. Ты можешь не поверить мне. Но спешу уверить тебя: все, что ты услышишь, — это правда, и с твоей помощью мы еще можем спасти твою жизнь.

Митч обхватил плечи руками и ждал.

— Митч, ни один юрист не ушел из твоей фирмы живым. Трое пытались и были убиты. Двоим это почти удалось, но прошлым летом погибли и они. Юрист, пришедший в фирму «Бендини, Ламберт энд Лок», может уйти из нее только на пенсию, да и то лишь при условии, что будет держать рот на замке. А к тому времени человек становится уже слишком повязанным и не может позволить себе говорить. На пятом этаже вашей фирмы находится мощная служба наблюдения. Твой дом и твоя машина напичканы «жучками». Телефоны прослушиваются. Твой рабочий стол и кабинет — тоже. Фактически каждое твое слово записывает аппаратура на пятом этаже. За тобой следят. Иногда следят и за твоей женой. И сейчас, когда мы с тобой разговариваем, они находятся здесь, в Вашингтоне. Так что, Митч, как видишь, твоя фирма — это больше чем фирма. Это лишь подразделение в очень большом и очень прибыльном предприятии. И в очень противозаконном. Фирмой владеют вовсе не компаньоны.

Митч повернулся и внимательно посмотрел на директора. Тот говорил, не сводя глаз со льда в замерзшем пруду.

— Видишь ли, Митч, фирма «Бендини, Ламберт энд Лок» принадлежит преступному клану Моролто в Чикаго. Это мафия. Это банда. Это они посылают наемных убийц. И это из-за них мы сейчас с тобой беседуем здесь.

Он положил свою тяжелую руку на колено Митча, заглянул в глаза.

— Это мафия, Митч, и она дьявольски опасна.

— Я не верю в это, — ответил Митч, не в состоянии пошевелиться от охватившего его страха, голос его сорвался.

Директор улыбнулся:

— Нет, ты веришь, Митч, веришь. Ты и сам начал что-то подозревать. Именно поэтому ты разговаривал с Эбанксом на Кайманах. Именно поэтому ты нанял неумеху детектива, которого убрали ребята с пятого этажа. Ты уже понял, что это за фирма, Митч.

Митч наклонился вперед, упираясь локтями в колени, не в силах оторвать глаза от земли между носками своих ботинок.

— Я не верю в это, — слабым голосом повторил он.

— Насколько мы можем сейчас судить, около двадцати пяти процентов их, или, вернее, вашей, клиентуры — люди вполне законопослушные. У вас работают несколько хороших юристов, они занимаются налогами и ценными бумагами по поручению своих богатых клиентов. Это очень хорошая крыша. Большинство дел, по которым работал до сих пор ты, тоже чисты. Вот как они действуют. Они принимают новичка, швыряют в него деньги, покупают «БМВ», дом, прочую мишуру, приглашают на роскошные ужины, шлют на Кайманы и заставляют набивать мозоли на заднице, просиживая дни и ночи над абсолютно чистыми с точки зрения закона делами. Живая клиентура, работа для настоящего юриста. Так продолжается несколько лет, и новичок ни о чем не подозревает. Отличная фирма, славные парни. Хорошие деньги. Да что там, все просто великолепно. Затем, лет через пять или шесть, когда ты действительно получаешь уже немалые деньги, когда они являются фактическими владельцами твоего дома, а у тебя жена, детишки появились, и все кажется таким незыблемым, они бросают на тебя бомбу и говорят тебе правду. И это не оставляет тебе никакого выбора. Это мафия, Митч. Эти люди не играют в игрушки. Они убьют твоего ребенка или жену — им все равно. Ты зарабатываешь больше, чем смог бы заработать в любом другом месте. Ты становишься объектом шантажа, потому что у тебя есть семья, на которую им наплевать. И что же ты делаешь, Митч? Ты остаешься. Ты не можешь уйти. Если ты останешься, то будешь зарабатывать по миллиону в год, уйдешь на пенсию молодым и ничто не разлучит тебя с семьей. Если же ты захочешь уйти, то тебе в этом помогут, а потом повесят твой портрет в зале библиотеки на первом этаже. По-своему они очень убедительны.

Митч массировал виски; его начинала бить дрожь.

— Я знаю, Митч, сейчас у тебя тысяча вопросов. Хорошо. Тогда я просто продолжу и расскажу все, что я знаю. Все пять погибших юристов хотели вырваться оттуда после того, как узнали правду. Мы не общались с первыми тремя, так как, честно говоря, только семь лет назад начали представлять, что это за фирма. Работают они отлично — тихо, не оставляя никаких следов. Первая троица просто хотела выйти наружу, ну и вышла. В гробах. С Ходжем и Козински было все по-другому. Они сами вышли на нас, и в течение года мы смогли несколько раз встретиться. Козински они огорошили правдой после того, как пошел восьмой год его работы в фирме. Тот рассказал все Ходжу. Где-то год они шептались между собой. Козински должен был вот-вот стать компаньоном, и он хотел уйти до этого. И они с Ходжем приняли роковое решение об уходе. Они и не подозревали, что первые трое были убиты, во всяком случае, нам они никак об этом не обмолвились. Мы послали в Мемфис Уэйна Тарранса, чтобы он установил с ними контакт. Тарранс — специалист по организованной преступности из Нью-Йорка. Он и двое его коллег были близки к цели, когда случилось то самое на Кайманах. Эти парни в Мемфисе действительно умеют работать, Митч. Никогда не забывай об этом. У них есть деньги, они могут позволить себе нанять лучших. Так вот, после того как Ходжа и Козински убили, я принял решение добраться наконец до фирмы. Если мы сможем взломать эту шкатулку, то у нас появится возможность предъявить самые серьезные обвинения каждому мало-мальски значимому члену семейства Моролто. Подготовить более пятисот обвинительных заключений! Уклонение от уплаты налогов, отмывание грязных денег, рэкет, да все, что хочешь. Клан Моролто просто перестал бы существовать, а уже одно это стало бы самым разрушительным ударом по организованной преступности за последние тридцать лет. И все это, Митч, находится в папках маленькой тихой фирмы Бендини в Мемфисе.

— Почему они выбрали Мемфис?

— А, грамотный вопрос. У кого вызовет подозрения небольшая фирма в Мемфисе, штат Теннесси? Это не район действия мафии. Тихий, приятный, мирный город на берегу реки. На его месте мог бы быть Дарем, или Топека, или Уичита-Фоллс. Но они выбрали Мемфис. Достаточно большой город, чтобы спрятать в нем фирму из сорока человек. Самый удачный выбор.

— Вы имеете в виду, что каждый компаньон... — Он не договорил.

— Да. Каждый компаньон знает все и играет по правилам. Мы считаем, что большинство сотрудников тоже в курсе, но об этом судить труднее. Мы очень многого еще не знаем, Митч. Я не могу объяснить, как фирма проворачивает свои операции, кто стоит во главе. Но мы полностью убеждены в обширной противозаконной деятельности фирмы.

— Например?

— Мошенничество с налогами. Они взяли на себя все налоговые операции семейства Моролто. Ежегодно они оформляют красивые, аккуратные, идеально правильные налоговые декларации, в которых указана ничтожная доля общих доходов. Они безостановочно отмывают деньги. Вкладывая грязные доллары, открывают абсолютно легальные предприятия. Как называется банк в Сент-Луисе, ваш крупный клиент?

— «Коммершиэл гэрэнти».

— Вот-вот. Принадлежит мафии. Всеми его легальными операциями занимается фирма. Моролто имеет в год примерно триста миллионов на азартных играх, наркотиках, подпольных лотереях и прочем. Все это наличные, так ведь? Большая их часть идет в банк на Кайманах. Каким образом деньги переправляются из Чикаго на острова? У тебя есть предположения? Мы считаем, самолетом. Этот позолоченный «лир», на котором ты сюда прибыл, раз в неделю летает в Джорджтаун.

Митч выпрямился и стал следить взглядом за Таррансом, стоявшим теперь на мосту.

— Так почему бы вам сейчас не выдвинуть обвинения и не покончить с ними со всеми? — спросил директора Митч.

— Не можем. Но мы сделаем это, уверяю тебя. Для этого я направил в Мемфис пять человек. Трое работают здесь, в Вашингтоне. Я до них доберусь, Митч, обещаю тебе. Но нам нужен человек там, внутри. Уж очень они ловки. И денег у них много. А еще они очень осторожны и не делают ошибок. Я убежден, что нам нельзя без помощи — твоей или кого-нибудь еще в фирме. Нам требуются копии дел, копии банковских записей, копии тысяч и тысяч документов. Это можно сделать, только находясь внутри. В противном случае это невозможно.

— И вы выбрали меня.

— И мы выбрали тебя. Ты можешь отказаться и идти своей дорогой, зарабатывать хорошие деньги и вообще быть удачливым юристом. Но и мы своих попыток не оставим. Подождем следующего сотрудника, попробуем привлечь на свою сторону его. Если и в следующий раз не выйдет, что ж, придется обратиться к кому-нибудь из сотрудников постарше, к тому, у кого еще сохранились совесть, решимость, мужество помочь правому делу. Однажды мы найдем такого человека, Митч, и, когда это произойдет, мы и тебе наравне с другими предъявим обвинение, и твоя удачливо разбогатевшая задница окажется в камере. Так и будет, сынок, ты уж верь мне.

В этот самый момент, сидя на этой самой скамье у Мемориала, Митч поверил ему.

— Мистер Войлс, я продрог. Не могли бы мы пройтись?

— Безусловно, Митч.

Неспешным шагом они приближались по дорожке к Мемориалу. Митч поглядывал через плечо. Тарранс вместе с напарником следовали за ними в отдалении. Несколько впереди на скамье сидел с подозрительным видом третий.

— Кем был Энтони Бендини? — задал вопрос директору Митч.

— Он женился на одной из дочерей Моролто в тридцатом году. Зять, так сказать. В то время они промышляли в Филадельфии, и он обосновался там. Позже, в сороковые, его по какой-то причине перебросили в Мемфис, где он и основал фирму. Юристом он был очень хорошим, насколько мы знаем.

Голова Митча распухала от вопросов, все требовали ответов, но он старался выглядеть спокойным, выдержанным и скептически настроенным.

— А Оливер Ламберт?

— О, это принц. Аристократ. Идеальный старший компаньон. Он знал все о Ходже и Козински и о планах их устранения. Когда ты в следующий раз увидишь его, постарайся вспомнить, что мистер Ламберт является хладнокровным убийцей. Конечно, у него не было выбора. Если бы он отказался сотрудничать, его бы тоже нашли где-нибудь — мертвого. Они все таковы, Митч. Все начинали, как и ты. Молодые, блестящие, полные планов, в один прекрасный день они вдруг оказывались по уши в таком дерьме, что отмыться было уже невозможно, и они оставались. И принимали правила игры, и работали, работали, не щадя себя, придавая респектабельный вид фасаду маленькой фирмы. Каждый год или что-то около этого они находят способного молодого студента-юриста из неблагополучной семьи, без денег, зато с женой, которая хочет побыстрее завести детишек, и начинают осыпать его банкнотами, и покупают его.

Митч подумал о деньгах: о солидной зарплате в небольшой мемфисской фирме, о машине, о низкопроцентном займе. Он стремился на Уолл-стрит, а его сбили с курса деньги. Только деньги!

— Что вы можете сказать о Натане Локе?

Директор улыбнулся:

— С Локом история другая. Он из бедной чикагской семьи и уже к десяти годам бегал на посылках у старика Моролто. Это бандит от рождения. Наспех изучил курс наук в юридической школе, и старик послал его на Юг — поработать вместе с Энтони Бендини в том подразделении клана, которое занималось интеллигентной преступной деятельностью. Лок всегда был любимчиком у Моролто.

— Когда Моролто умер?

— Одиннадцать лет назад, в возрасте восьмидесяти восьми лет. После него остались два сына: Микки, которого зовут Говоруном, и Джой, или Священник. Микки живет в Лас-Вегасе и в семейном бизнесе играет скромную роль. Джой же заправляет всем.

Дорожка, по которой шли директор и Митч, пересекалась с другой. Слева, в отдалении, ввысь устремлялся монумент Вашингтону, направо виднелась Стена. Ледяной ветер не ослабевал. У Стены появилась горстка людей, разыскивающих имена своих сыновей, мужей или друзей. Митч развернулся, и оба мужчины неторопливо зашагали в обратном направлении.

Митч заговорил очень сдержанно:

— Не пойму, как фирма может заниматься столь обширной противозаконной деятельностью и быть столь тихой и неприметной. Ведь у нас работает столько секретарш, клерков, всякой мелочи.

— Хорошее замечание, полностью я на него ответить и не смогу. Мы считаем, что на самом деле там две фирмы: одна — легальная, с новыми сотрудниками, большей частью секретарш и вспомогательного персонала. И другая — где сотрудники с солидным стажем вместе с компаньонами выполняют всю невидимую работу. Ходж и Козински уже были готовы дать нам массу информации, но они не успели. Однажды Ходж сказал Таррансу, что в подвале работает какая-то группа младшего юридического персонала, о которой он почти ничего не знает. Эта группа работала непосредственно на Лока, Миллигана и Макнайта, ну, может, еще на нескольких компаньонов, и никто в фирме не знал точно, чем они занимаются. Секретарши знают все, и нам кажется, что некоторые из них тоже могут быть в деле. Если это так, то я уверен, что деньги и страх заставляют их держать язык за зубами. Подумай сам, Митч: ты работаешь за хорошие деньги и всякие льготы и знаешь, что если ты начинаешь задавать слишком много вопросов или болтать, то очень скоро твой труп вытащат из реки. Как ты поступаешь в данной ситуации? Ты держишь рот на замке и берешь деньги.

Они подошли к самому началу Стены, туда, откуда черные гранитные панели, как бы вырастая из земли, тянулись на двести сорок шесть футов до точки, где под тупым углом они почти смыкались с другим рядом своих близнецов. Футах в шестидесяти от директора ФБР и его спутника у Стены стояла пожилая супружеская пара, муж и жена беззвучно плакали. Они стояли обнявшись, поддерживая друг друга и делясь друг с другом теплом. Пожилая женщина, видимо, мать, наклонилась, поставила на плиту черно-белую фотографию в металлической рамке. Рядом отец поместил коробку из-под обуви, полную трогательных мелочей, окружавших сына, пока он учился: футбольные программки, групповые фото, любовные записки, брелоки для ключей, золотая цепочка. До Митча донеслись сдерживаемые рыдания.

Он повернулся спиной к Стене, не сводя глаз теперь уже с монумента Вашингтону. Директор ждал.

— Итак, что мне нужно делать? — спросил Митч.

— Прежде всего — молчать. Если ты начнешь задавать вопросы, ты тем самым подвергнешь свою жизнь серьезной опасности. И жизнь своей жены тоже. Не вздумайте заводить детей в ближайшем будущем, они будут слишком удобной мишенью. Лучше всего прикинуться простачком, для которого жизнь прекрасна и который больше всего на свете желает стать первым юристом мира. Второе: тебе необходимо принять решение. Не сейчас, но скоро. Ты должен решить, станешь ты с нами сотрудничать или нет. Если да, то мы, безусловно, оценим это должным образом. Если нет, то мы продолжим наблюдать за фирмой, изучая нашу следующую кандидатуру. Как я тебе уже говорил, наступит день, и мы найдем такого человека, и он поможет нам покончить с этим осиным гнездом. И клан Моролто прекратит свое существование, по крайней мере в том виде, в котором мы его знаем. Если ты согласишься, Митч, мы сможем защитить тебя и тебе уже не придется больше работать никогда в жизни.

— В какой жизни? Это будет жизнь в постоянном страхе. Если я останусь жив. Мне приходилось слышать о свидетелях, которых якобы прятало ФБР. Через десять, скажем, лет вдруг взрывается автомобиль, и свидетель, отправившийся на работу, попадает прямым ходом на небеса, а кусочки его тела разбросаны в радиусе трех кварталов. Мафия ничего не забывает, директор. Уж вы-то знаете об этом.

— Ничего не забывает, Митч. Но обещаю тебе: ты и твоя жена, вы оба будете под нашей защитой. — Войлс посмотрел на часы. — Тебе пора возвращаться, иначе они начнут что-нибудь подозревать. Тарранс найдет тебя. Можешь доверять ему, Митч. Он изо всех сил старается спасти твою жизнь. Он облечен всеми полномочиями действовать от моего имени. Когда он тебе будет что-то говорить, знай, что это исходит от меня. Ты можешь вести с ним переговоры.

— Переговоры о чем?

— Об условиях, Митч. О том, что мы должны дать тебе в обмен на то, что ты дашь нам. Нам нужно семейство Моролто, и в твоих силах обеспечить доставку. Ты назовешь свою цену, и наше правительство, посредством ФБР, обеспечит платеж. В разумных пределах, конечно. Это я тебе гарантирую, Митч.

Пройдя вдоль Стены, они остановились рядом с агентом в кресле. Выбросив вперед руку, Войлс сказал:

— Видишь такси, там же, где ты выходил из него? У этого номер 1073, водитель тот же. Тебе пора. Мы с тобой больше не встретимся, но через пару недель с тобой свяжется Тарранс. Пожалуйста, подумай о том, что я сказал. Не стоит убеждать себя в том, что фирма непобедима и будет существовать вечно. Я этого не допущу. Действовать мы начнем очень скоро, обещаю тебе. Надеюсь, ты будешь на нашей стороне.

— Я не понимаю, в чем моя роль.

— Тарранс составил план игры. Многое будет зависеть от тебя и от того, что ты сможешь узнать после того, как тебя посвятят.

— Посвятят?

— По-другому это не назовешь, Митч. Став посвященным, ты отрежешь дорогу назад. Они могут быть более безжалостными, чем любая другая организация на земле.

— Почему вы выбрали меня?

— Мы должны были кого-то выбрать. Нет, не так. Мы выбрали тебя, потому что у тебя есть мужество порвать с ними. Самое дорогое для тебя — это жена. Ни друзей, ни семьи, ни привязанностей. Все, о ком ты заботился, доставляли тебе только боль, все, кроме Эбби. Ты сам вышел в люди, и в результате этого ты научился полагаться только на себя и быть независимым. Тебе не нужна эта фирма. Ты можешь уйти. Ты не по годам крепок и закален. И ты достаточно умен, Митч, чтобы справиться с этим. Ты не дашься им. Вот почему мы выбрали тебя. Всего хорошего, Митч. Спасибо за то, что пришел. Тебе пора.

Войлс развернулся и быстрым шагом пошел прочь. У конца Стены его ожидал Тарранс, он махнул Митчу рукой, как бы говоря: «Пока! До встречи!»

ГЛАВА 20

После неизбежной посадки в Атланте «ДС-9» компании «Дельта» приземлился в международном аэропорту Мемфиса. Капал холодный дождь. Самолет подрулил к месту высадки, и с озабоченным видом по трапу стали быстро спускаться пассажиры с сумками и кейсами в руках. У Митча в руках не было ничего, кроме брифкейса и журнала «Эсквайр». Он заметил стоящую около телефонов-автоматов Эбби и начал выбираться из толпы. Отшвырнув в сторону кейс с журналом, он сжал жену в объятиях. Четыре дня в Вашингтоне показались ему месяцем. Они целовались и целовались, шепча что-то друг другу.

— Отпразднуем встречу? — спросил Митч.

— Стол уже накрыт, вино охлаждается, — ответила она.

Держась за руки, они шли по заполненному людьми залу к ленте багажного транспортера. Он негромко проговорил:

— Нам необходимо побеседовать, а дома это невозможно.

Эбби чуть крепче сжала его руку.

— О!

— Да. Разговор получится длинный.

— Что случилось?

— Не здесь.

— Я почему-то начинаю волноваться.

— Успокойся. Улыбнись. За нами наблюдают.

Она улыбнулась:

— Кто наблюдает?

— Я тебе все объясню.

Внезапно он потянул ее влево. Вырвавшись из бесконечного потока мужчин, женщин, детей, они нырнули в полуосвещенную пещеру бара, заполненного делового вида людьми, пьющими пиво и смотрящими на экран телевизора в ожидании своих рейсов. Небольшой круглый столик, уставленный пустыми пивными кружками, только что освободился, и они сели — лицом к стойке и залу. Придвинулись поближе друг к другу: соседний столик был не далее чем в трех футах. Митч то и дело посматривал на вход в бар, изучая лицо каждого входящего человека.

— Мы долго здесь пробудем? — спросила Эбби.

— А что?

Она сбросила лисью шубку, сложила ее на спинке стула.

— Кого ты все высматриваешь?

— Не забывай про улыбку. Сделай вид, что ты действительно по мне соскучилась. Ну, поцелуй же меня.

Он прижался к ее губам, потом поцеловал в щеку и вновь повернулся ко входу. Подошедший официант быстро убрал со стола. Они заказали вина.

Она улыбнулась:

— Как поездка?

— Скучища. Восемь часов в день занятия, и так четыре дня. На второе же утро я еле нашел силы выйти из номера. Полугодовой курс лекций они умудрились втиснуть в тридцать два часа.

— И ты не видел никаких достопримечательностей?

Он улыбнулся и с нежностью посмотрел на нее:

— Я скучал по тебе, Эбби. Ни по кому еще в своей жизни я так не скучал. Я люблю тебя. Ты великолепна. Ты просто бесподобна. Мне не доставляет никакого удовольствия разъезжать одному, в одиночестве просыпаться в постели дурацкой гостиницы. И приготовься, я должен сказать тебе нечто по-настоящему страшное.

Улыбка Эбби пропала. Медленным взглядом Митч обвел помещение бара. У игральных автоматов суетились три человека, покрикивая друг на друга. В баре было довольно шумно.

— Сейчас я тебе все расскажу, — начал он, — но очень может быть, что за нами кто-то наблюдает. Слышать они не могут, но зато могут все хорошо видеть, так что улыбайся время от времени, хотя это и будет трудно.

Принесли вино, и Митч приступил к изложению событий. Он не упустил ничего. Эбби только один раз прервала его. Он рассказал ей об Энтони Бендини, о старом Моролто, о мальчике Натане Локе из Чикаго, об Оливере Ламберте и о парнях на пятом этаже.

Эбби в волнении отпивала из бокала вино и геройскими усилиями воли заставляла себя играть роль беззаботной жены, соскучившейся по мужу и наслаждающейся сейчас его рассказом о том, как проходил семинар по налоговому законодательству. Она поводила глазами в сторону людей у стойки, делала глоток-другой и улыбалась, в то время как Митч негромким голосом говорил об отмывании денег, об убитых юристах. Эбби сидела, объятая болью от страха, грудь ее вздымалась, как у загнанного животного. Но она слушала и играла, слушала и играла.

Принесли еще вина, толпа в баре начала редеть. Проговорив около часа, Митч уже шепотом сообщал Эбби последние детали.

— И Войлс сказал, что Тарранс свяжется со мной через пару недель, чтобы узнать, согласен я или нет. Потом он попрощался и ушел.

— Это было во вторник?

— Да, в первый же день.

— А что ты делал в оставшееся время?

— Немножко спал, немножко ел, а большую часть времени мучился головной болью.

— Вот и у меня сейчас начинается.

— Прости меня, Эбби. Мне сразу захотелось полететь домой и все тебе рассказать. Оставшиеся три дня я чувствовал себя напрочь выбитым из колеи.

— Именно так я сейчас себя и чувствую. Не могу этому поверить, Митч. Это как дурной сон, только еще хуже.

— А ведь это только начало. ФБР настроено в высшей степени серьезно. Иначе с чего бы самому директору встречаться со мной, начинающим юристом из Мемфиса, да еще на бетонной скамье парка в мороз? Этим делом заняты пять агентов в Мемфисе и трое в Вашингтоне, и еще он сказал, что готов пойти на любые затраты, лишь бы заполучить фирму в свои руки. Так что если я решу промолчать, проигнорировать их и остаться честным и преданным сотрудником фирмы «Бендини, Ламберт энд Лок», то однажды к нам придут люди с ордерами на аресты и на этом все кончится. Если же я приму решение сотрудничать, то нам с тобой придется бежать из Мемфиса глухой ночью сразу же после того, как я сдам фэбээровцам фирму. Будем жить с тобой где-нибудь в Бойсе, штат Айдахо, под именем мистера и миссис Уилбур Гейтс. Мы будем богаты, но нам придется работать, чтобы не вызвать подозрений. После пластической операции я устроюсь водителем автопогрузчика на складе, а ты сможешь часть дня работать в детском саду. У нас будет двое-трое детишек, и каждую ночь мы с тобой будем возносить Богу молитвы о том, чтобы люди, которых мы в глаза не видели, держали свои рты на замке и забыли про нас. Каждый день и каждый час мы будем жить в жутком страхе.

— Это предел, Митч, это просто конец всему. — Она едва сдерживала слезы.

Улыбнувшись, он посмотрел по сторонам.

— Есть третий вариант. Мы выйдем сейчас с тобой через эту дверь, купим два билета до Сан-Диего, переберемся через границу и будем питаться черепахами до конца своих дней.

— Пошли.

— Но за нами скорее всего последуют. С моим-то везением в Тихуане* нас будет ждать Оливер Ламберт со взводом своих головорезов. Не выйдет. Ты только подумай об этом.

— А Ламар?

— Не знаю. Он работает уже шесть или семь лет и, по-видимому, знает. Эйвери — тот вообще компаньон, а значит, не последнее среди них всех лицо.

— И Кей?

— Кто знает? Получается так, что вряд ли кто из жен знает. Я размышлял обо всем этом четыре дня, Эбби, прикрытие у них превосходное. Фирма выглядит так, как и должна выглядеть. Они надуют кого угодно. То есть я хочу сказать: как я, ты или любой другой человек, претендент на место, может хотя бы даже представить себе возможность такого? Это верх совершенства. С одним исключением — теперь об этом знает ФБР.

— И теперь ФБР хочет, чтобы ты за них делал их грязную работу. Почему они остановились на тебе, Митч? В фирме сорок юристов.

— Именно потому, что я ничего не знаю. Я — подсадная утка. ФБР не известно, когда происходит посвящение сотрудника в секреты фирмы, поэтому они не могут попытаться склонить на свою сторону кого-то еще. В прошлом году новичком оказался я, вот они и расставили капканы сразу после того, как я сдал экзамен на адвоката.

Эбби поджала губы и совершенно пустым взглядом уставилась на входную дверь.

---

* Город на территории Мексики, неподалеку от границы с США.

— И они слышат каждое наше слово, — задумчиво проговорила она.

— Нет. Только телефонные разговоры и то, о чем мы говорим дома или в машине. Но мы спокойно можем беседовать здесь, в большинстве ресторанов, а потом, всегда есть возможность выйти во двор. Конечно, в последнем случае нам нужно держаться подальше от двери, а еще лучше шептаться за гаражом.

— И ты еще пытаешься шутить? Сейчас не время для этого. Я в страхе, я зла и сбита с толку, я схожу с ума и не знаю, что делать. В собственном доме я боюсь слово сказать, боюсь отвечать по телефону, даже когда ошибаются номером. Каждый раз, когда раздается звонок, я подпрыгиваю. А теперь еще и это.

— Тебе нужен еще бокал вина.

— Мне нужно десять бокалов.

Митч схватил ее за кисть руки, сжал:

— Подожди. Я вижу знакомое лицо. Не смотри по сторонам.

Она задержала дыхание.

— Где?

— У конца стойки. Улыбайся и смотри на меня.

На высоком стуле у стойки, с интересом следя за экраном телевизора, сидел загорелый блондин в бело-голубом свитере, какие носят горнолыжники. Видно, прямо со склона. Где он оставил свои лыжи? Этого загорелого человека со светлыми усами Митч уже видел где-то в Вашингтоне. Он не сводил с мужчины глаз. Голубоватый свет телеэкрана падал на его лицо. Митч прятался в темноте. Блондин поднял бутылку пива, как бы раздумывая, сделать ли глоток, и — вот оно! — бросил быстрый взгляд в угол, где, прижавшись друг к другу, сидели Митч и Эбби.

— Ты уверен? — спросила она.

— Да. Он был в Вашингтоне, только не припомню где. В общем, я видел его там дважды.

— Он один из них?

— Откуда мне знать?

— Давай уйдем.

Митч положил на стол купюру в двадцать долларов, и они направились к выходу.

* * *

Сидя за рулем ее «пежо», он пересек стоянку, расплатился со служителем и погнал машину в центр города. После пяти минут, прошедших в полном молчании, она подалась к нему и прошептала в ухо:

— Мы можем разговаривать?

Он отрицательно покачал головой и спросил:

— Ну, как здесь было с погодой?

Эбби подняла голову, посмотрела в окно.

— Холодно. К вечеру обещали слабый снег.

— В Вашингтоне всю неделю было ниже нуля.

Эбби в изумлении подняла брови:

— Со снегом? — У нее даже глаза расширились, видимо, слова Митча ее поразили.

— Нет. Просто чертовски холодно.

— Какое совпадение! И здесь холод, и там.

Митч беззвучно хихикнул. Какое-то время они ехали в молчании.

— Как ты думаешь, кто выиграет кубок? — спросил он жену.

— «Ойлерс»?

— Ты так думаешь? По-моему, «Редскинз». В Вашингтоне только об этом и говорят.

— Боже, да там, видимо, только и знают, что развлекаться!

Опять тишина. Эбби поднесла ко рту тыльную сторону ладони и попыталась сосредоточиться на задних огнях идущей впереди машины. В данный момент, полностью дезориентированная, она бы все-таки попытала счастья в Тихуане. Ее муж, третьим окончивший курс (в Гарварде!), перед кем Уолл-стрит расстилала ковровую дорожку, кто мог устроиться где угодно, в любой фирме, ее муж связался с мафией! И если к поясу этих людей уже приторочены скальпы пятерых юристов, они не станут колебаться, когда речь зайдет о том, чтобы добавить к имеющимся и шестой. Ее мужа!

В голове Эбби пролетали обрывки разговоров с Кей Куин. Фирма приветствует рождение детей. Фирма разрешает женам работать, правда, не все время. Фирма не принимает никого с деньгами родителей. Фирма требует преданности. У фирмы самый низкий в стране показатель текучести кадров. Неудивительно.

Митч исподволь наблюдал за ней. Через двадцать минут после того, как «пежо» покинул аэропорт, Митч уже ставил его в гараж, рядом с «БМВ». Держась за руки, они прошли по бетонной дорожке до заборчика.

— Этого не может быть, Митч.

— Но это так. От этого никуда не денешься.

— Что нам делать?

— Не знаю, детка. Но делать что-то нужно быстро, и мы не можем ошибаться.

— Мне страшно.

— Я сам в ужасе.

Тарранс не заставил себя долго ждать. Прошла всего неделя с того дня, как у Мемориала он махнул Митчу рукой на прощание.

Быстрым шагом Митч приближался к зданию федеральных служб в северной части Мэйн-стрит, в восьми кварталах от фирмы Бендини. Некоторое время Тарранс следовал за ним, а потом юркнул в маленькую кофейню, расположенную почти напротив, с окнами, выходящими на улицу, или, как ее еще называли, Аллею. Автомобильное движение было здесь запрещено. Поверх асфальта уложена плитка, а проезжая часть давно перестала быть таковой, превратившись в бульвар. Однако деревьев здесь было мало: одинокие и случайные, они тянули свои уродливые ветви к окнам зданий. По бульвару слонялись нищие и городские бродяги, выпрашивая у прохожих деньги или еду.

Тарранс уселся у окна и заказал себе кофе и шоколадное пирожное. В окно он видел, как Митч, поднявшись по ступенькам, исчез внутри здания. Посмотрел на часы — было ровно десять утра. Если верить вывешенному в вестибюле здания списку назначенных на рассмотрение сегодня дел, Макдир сейчас присутствовал на слушании в Налоговом суде. Чиновник уведомил Тарранса, что слушание это очень короткое. Он сидел и ждал.

Коротких слушаний в суде не бывает. Через час Тарранс все так же сидел у окна и разглядывал через стекло спешащих куда-то людей. Он допивал уже третью чашку кофе. Но вот он внезапно поднялся, положил на стол два доллара, направился к выходу и замер там у двери. Увидев на противоположной стороне Митча, кинулся к нему. При виде Тарранса Митч на мгновение замедлил шаг.

— Привет, Митч. Ты не против, если я пройдусь с тобой рядом?

— Нет, я против, Тарранс. Тебе это не кажется опасным?

Оба ускорили шаг, избегая смотреть друг на друга.

— Видишь вон там магазинчик? — спросил Тарранс, указывая куда-то вправо. — Хочу купить себе пару обуви.

Они вошли в принадлежащий корейцу магазин. Тарранс прошел в самый дальний угол тесного помещения и остановился между двумя полками, забитыми подделкой под кроссовки фирмы «Рибок» по цене четыре доллара девяносто девять центов две пары. Митч проследовал за ним и взял в руки теннисные туфли десятого размера. Продавец, а может, владелец магазина смерил его и Тарранса подозрительным взглядом, но ничего не сказал. Стоя у полок, оба наблюдали за входной дверью.

— Вчера мне позвонил директор, — тихо сказал Тарранс, почти не шевеля губами. — Он спрашивал про тебя, Митч. Сказал, что пришло время принимать решение.

— Скажи ему, я все еще думаю.

— А своим коллегам ты говорил что-нибудь?

— Нет. Я думаю.

— Это хорошо. По-моему, тебе не стоит говорить им. — Он протянул Митчу визитную карточку: — Держи. На обороте два телефона. Звони по любому из них из автомата. На том конце провода будет автоответчик, и ты просто продиктуешь свое сообщение и скажешь точно, когда и где мы в следующий раз встретимся.

Митч положил карточку в карман.

Внезапно Тарранс резко пригнул голову.

— В чем дело? — требовательно спросил Митч.

— Похоже, нас засекли. Только что кто-то прошел мимо витрины и заглянул внутрь. Слушай, Митч, слушай меня внимательно. Сейчас мы с тобой выйдем на улицу, и в тот момент, когда мы окажемся в дверях, ты оттолкнешь меня и заорешь, чтобы я убирался к чертовой матери. Я сделаю вид, что хочу ударить тебя, и ты побежишь в сторону фирмы.

— Ты хочешь, чтобы меня убили, Тарранс?

— Делай, что я говорю. Как только ты вернешься в фирму, тут же расскажешь о случившемся компаньонам. Скажешь им, что я загнал тебя в угол и ты почел за благо унести ноги.

Митч толкнул его даже сильнее, чем требовалось, крича:

— Убирайтесь к дьяволу! Оставьте меня в покое!

Изо всех сил он бросился бежать по Юнион-авеню и только у самого здания фирмы перешел на шаг. Зашел в туалет на первом этаже, чтобы перевести дух. Подойдя к зеркалу, Митч смотрел на свое отражение и тяжело дышал.

Эйвери разговаривал по телефону, на панели которого мигали две лампочки. На диванчике устроилась секретарша с блокнотом, готовясь принять на себя лавину команд. Митч посмотрел на нее и попросил:

— Пожалуйста, выйдите. Мне необходимо поговорить с Эйвери наедине.

Она поднялась; Митч проводил ее до выхода и запер дверь.

Эйвери окинул Митча внимательным взглядом и положил трубку.

— В чем дело?

Митч стоял у диванчика, на котором только что сидела секретарша.

— Меня подкараулил агент ФБР, когда я выходил из Налогового суда.

— Дьявол! Кто это был?

— Тот же самый агент, Тарранс.

Эйвери вновь поднял трубку, продолжая говорить:

— Где это случилось?

— На Аллее, точнее, в северной части Мэйн-стрит. Я шел по тротуару, занятый мыслями...

— Это впервые после той встречи?

— Да. Я и узнал-то его не сразу.

Эйвери заговорил в трубку:

— Это Эйвери Толар. Мне необходимо немедленно поговорить с Оливером Ламбертом. Меня не интересует, что он разговаривает по телефону. Соедините меня с ним, и немедленно.

— Что происходит, Эйвери? — спросил его Митч.

— Привет, Оливер. Это Эйвери. Извини, что перебил твой разговор. У меня здесь Митч Макдир. Несколько минут назад, когда он возвращался из здания суда, на Аллее к нему прицепился фэбээровец... Что? Да, он пришел ко мне в кабинет и рассказал об этом... Хорошо, будем через пять минут. — Он положил трубку. — Успокойся, Митч. Такое случалось и прежде.

— Я знаю, Эйвери, но это же бессмыслица! Почему они вцепились в меня? Я же здесь самый неопытный.

— Это запугивание, Митч. Примитивное и явное. Обыкновенное запугивание. Садись.

Митч подошел к окну и стал смотреть на видневшуюся вдали реку. Эйвери — хладнокровный лжец. Сейчас начнется кропотливое выяснение всех обстоятельств. Успокойся, Митч! Успокойся? В то время как фирмой занимаются восемь агентов и сам директор ФБР мистер Дентон Войлс ежедневно лично справляется о ходе операции? Успокойся? Тебя только что поймали с агентом ФБР в мелочной лавке. Ты шептался с ним! А сейчас тебе придется прикинуться глупой пешкой, за которой охотятся самые темные силы федерального правительства. Запугивание? Тогда зачем от фирмы до суда тебя сопровождал еще один тип? Ответь-ка на это, Эйвери.

— Ты напуган, не так ли? — Эйвери положил руку ему на плечо.

— В общем-то не очень. В прошлый раз Лок мне все объяснил. Мне просто хочется, чтобы они оставили меня в покое.

— Все это гораздо серьезнее, Митч. Не стоит их недооценивать. Давай-ка зайдем к Ламберту.

Следом за Эйвери Митч отправился в угловой кабинет, принадлежавший Ламберту и находившийся в противоположном конце коридора. Дверь им открыл незнакомый человек в черном костюме. У небольшого стола стояли Ламберт, Натан Лок и Ройс Макнайт. Как и в прошлый раз, на столе находился магнитофон. Митчу предложили сесть поближе к нему. Напротив уселся мистер Черные Глаза.

Лицо его несло в себе угрозу, когда он заговорил. Улыбок в комнате вообще не было.

— Митч, виделся ли ты с Таррансом или еще с кем-либо из ФБР после первой встречи в августе?

— Нет.

— Ты в этом уверен?

Митч хлопнул ладонью по столу:

— Черт побери! Я сказал — нет! Может, вы приведете меня к присяге?

Лок был поражен. Все были поражены. Тяжелая, гнетущая тишина стояла в кабинете по меньшей мере минуту. Митч в упор смотрел на Черные Глаза, который отступил не упорствуя, как ни в чем не бывало качнув головой.

Ламберт, тонкий дипломат, опытный посредник, позволил себе вмешаться:

— Послушай, Митч, мы знаем, как это неприятно.

— Чертовски неприятно! Не нравится мне все это. Я занимаюсь только своим делом, девяносто часов в неделю усиленно изнашивая свою задницу, стараясь стать хорошим юристом и компаньоном фирмы, и вот по неизвестной мне причине ко мне начинают цепляться эти парни из ФБР. Нет, сэр. Мне нужны хоть какие-то объяснения.

Протянув руку к магнитофону, Лок нажал на красную кнопку.

— Мы вернемся к этому, но сначала ты расскажешь нам все, что на самом деле произошло.

— Все произошло очень просто, мистер Лок. К десяти часам я отправился в здание федеральных служб по требованию судьи Кофера на слушание дела Малкольма Делани. Примерно через час я закончил там все свои дела. Я вышел из здания и направился сюда, причем быстрым шагом, могу добавить. На улице довольно холодно. Я прошел всего один или два квартала, и вдруг откуда-то вылетает Тарранс, хватает меня за руку и заталкивает в какой-то магазинчик. Я чуть не набросился на него с кулаками, но ведь он, в конце концов, агент ФБР, да и скандала мне хотелось избежать. В лавке он мне сказал, что хочет минутку-другую со мной поговорить. Я вырвался и подскочил к двери, но он последовал за мной, попытался схватить меня, я его оттолкнул и побежал сюда. Пришел к Эйвери, рассказал ему все, абсолютно все.

— О чем он хотел поговорить?

— Я не позволил ему даже начать, мистер Лок. У меня нет никакого желания разговаривать с ФБР иначе, чем по судебной повестке.

— Ты уверен, что это был тот же агент?

— Думаю, да. Сначала я не узнал его, поскольку видел довольно давно, в августе. А в лавке он показал мне значок и вновь назвал свое имя. Тут я от него и рванул.

Лок привстал, чтобы нажать другую кнопку, и снова уселся. Позади него сидел Ламберт и дружески улыбался:

— Послушай, Митч, мы уже говорили об этом в прошлый раз. Эти парни из ФБР становятся все наглее. Месяц назад они пристали к Джеку Олдричу, когда он обедал в маленьком кафе-гриль на Секонд-стрит. Мы не можем сказать, чего они добиваются, но Тарранс явно спятил. Это просто запугивание.

Митч не спускал глаз с его губ, но почти ничего не слышал. Пока Ламберт говорил, Митч вспоминал похороны Ходжа и Козински, их вдов и маленьких детей.

Черные Глаза откашлялся.

— Все это очень серьезно, Митч. Но нам скрывать нечего. Уж если они подозревают какие-то злоупотребления законностью, пусть лучше займутся нашими клиентами. Мы юристы. Мы и в самом деле можем представлять интересы людей, которые, скажем так, флиртуют с законом, но сами мы совершенно чисты. Происходящее сбивает нас с толку.

Митч улыбнулся и развел руками.

— Что, по-вашему, я должен предпринять? — искренне спросил он.

— Ты ничего не можешь сделать, Митч, — ответил Ламберт. — Просто держись подальше от этого типа, увидишь его — беги. Даже если он только посмотрит на тебя — докладывай нам немедленно.

— Он так и сделал, — взял его под защиту Эйвери.

Митч стоял с самым невинным видом.

— Можешь идти, Митч, — отпустил его Ламберт. — И держи нас в курсе.

Митч вышел из кабинета один.

* * *

Де Вашер расхаживал вдоль своего стола, не обращая внимания на компаньонов.

— Он врет, говорю я вам. Он врет. Этот сукин сын врет, я знаю.

— Что видел твой человек? — спросил Лок.

— Мой человек видел кое-что другое. Он говорит, что Макдир и Тарранс вошли в лавку с невозмутимыми лицами. Никакого физического воздействия со стороны Тарранса. Ни малейшего. Тарранс подходит к нему, они обмениваются какими-то фразами, и оба ныряют в магазин. Мой человек говорит, они прошли в самый дальний угол, а появились на улице минуты через три, может, четыре. Другой наш человек прошел мимо витрины, заглянул в нее, но ничего не увидел. Очевидно, они его заметили, потому что через несколько секунд Макдир вылетел оттуда как ошпаренный, крича и размахивая руками. Что-то здесь не так, могу вас уверить.

— А Тарранс хватал его за руку, впихивал в лавку? — задал вопрос Лок.

— Нет, черт возьми. В этом-то и дело. Макдир пошел за ним добровольно, и, когда он говорит, что его схватили за руку, он лжет. Мой человек говорит, что, как ему кажется, они бы еще задержались внутри, если бы не насторожились.

— Но ты в этом не уверен?

— Не уверен. Меня же они с собой не пригласили.

Де Вашер продолжал мерить шагами кабинет, в то время как другие, опустив головы, смотрели в пол. Он развернул сигару и вставил ее в свой жирный рот.

Наконец раздался голос Ламберта:

— Вот что, Де Вашер. Очень может быть, что Макдир говорит правду, а ваш человек ошибся. Это вполне возможно. Я считаю, что все сомнения могут толковаться в его пользу.

Де Вашер ухмыльнулся, но промолчал.

— С августа у него были еще какие-нибудь контакты? — спросил Ройс Макнайт.

— Нам это не известно, но это не значит, что они не встречались, не так ли? О Ходже и Козински мы тоже не знали до тех пор, пока не стало поздно. Просто невозможно уследить за каждым их шагом. Невозможно.

Он зашагал вдоль стеллажа, погрузившись в размышления.

— Мне нужно поговорить с ним, — выдал он наконец.

— С кем?

— С Макдиром. Настало время нам немного побеседовать.

— О чем? — несколько нервно спросил Ламберт.

— Предоставьте это мне. Не вмешивайтесь.

— По-моему, еще рано, — вставил Лок.

— А мне наплевать, что там по-твоему. Если бы вы, шуты гороховые, отвечали за безопасность, вы бы все давно уже гнили по камерам.

Митч сидел за закрытой дверью своего кабинета и смотрел в стену. Голова раскалывалась от боли, его мутило. Послышался стук в дверь.

— Войдите, — сказал он негромко.

Дверь распахнулась, вошел Эйвери.

— Как насчет обеда, Митч?

— Нет, спасибо, я не голоден.

Эйвери сунул руки в карманы брюк и тепло улыбнулся:

— Митч, я знаю, ты взволнован. Давай-ка прервемся. Я сейчас должен мчаться в центр, у меня встреча. Почему бы нам не встретиться в «Манхэттене», в час? Мы пообедаем, обговорим все. Я заказал тебе лимузин, он будет ждать у входа без четверти час.

Митч вымучил улыбку, делая вид, что тронут такой заботой.

— Договорились, Эйвери. В самом деле, почему бы и нет?

— Отлично. Встретимся в час.

Без четверти час Митч вышел из дверей фирмы и направился к лимузину. Водитель распахнул перед ним дверцу, и Митч забрался внутрь. Его уже ждали.

На заднем сиденье в углу сидел неизвестно как попавший в машину лысый толстяк с выпирающей из воротника рубашки бычьей шеей. Он протянул Митчу руку:

— Де Вашер, Митч. Рад встрече.

— Я сел не в ту машину? — спросил Митч.

— Все верно, не волнуйся.

Водитель тронул машину с места.

— Чем я могу вам помочь? — спросил Митч.

— Ты можешь выслушать меня. Нам нужно поболтать немного.

Лимузин свернул на Риверсайд-драйв и покатил в сторону моста.

— Куда мы направляемся?

— Небольшая прогулка. Успокойся, сынок.

«Итак, я стал шестым, — пронеслось в голове у Митча. — Вот оно. Нет, подожди, они всегда были изобретательны и не пойдут на примитивное убийство».

— Митч, могу я называть тебя Митч?

— Называйте.

— Замечательно. Митч, я отвечаю за безопасность фирмы и...

— Зачем фирме служба безопасности?

— Слушай меня, сынок, я все тебе объясню. Фирма выработала детальную программу обеспечения безопасности еще благодаря старику Бендини. Он был просто помешан на безопасности и скрытности. Моя работа заключается в защите фирмы, и, честно говоря, мы все чрезвычайно озабочены интересом, проявляемым к нам ФБР.

— Я тоже озабочен.

— Да. Мы считаем, что ФБР намерено проникнуть в фирму, чтобы собрать информацию о некоторых наших клиентах.

— Каких клиентах?

— О богачах, чьи налоговые прикрытия вызывают вопросы.

Митч кивнул, глядя на реку. Лимузин уже находился на территории штата Арканзас, линия горизонта отступала все дальше назад. Де Вашер решил сделать перерыв. Он сидел как жаба, сложив руки на огромном животе. Митч ждал продолжения, пока ему не стало ясно, что паузы между фразами и неловкое молчание ничуть не беспокоят его спутника. Отъехав на несколько миль от реки, водитель свернул с автострады на неширокую дорогу, по длинной дуге уходящую на восток. Затем он сделал еще один поворот, машину затрясло на полузасыпанных гравием ухабах. Примерно с милю они ехали через засаженное фасолью поле вдоль реки. На противоположном берегу вновь показались крыши города.

— Куда мы едем? — с некоторой тревогой спросил Митч.

— Расслабься. Я хочу тебе кое-что показать.

Карьер с гравием, подумал Митч. Лимузин остановился над обрывом. Внизу была песчаная площадка, а чуть дальше начинался берег реки. Отсюда открывался прекрасный вид на Мемфис. Можно было видеть верхние этажи фирмы Бендини.

— Давай пройдемся, — предложил Де Вашер.

— Куда?

— Пойдем. Все будет хорошо.

Де Вашер распахнул дверцу, выбрался и начал обходить машину сзади. Митч неохотно последовал за ним.

— Как я уже говорил, Митч, нас беспокоит твой контакт с ФБР. Как только начинаешь с ними говорить, они наглеют, и уж сам Бог не скажет, каким будет их следующий шаг. Самое важное для тебя — это не вступать с ними в разговоры. Никогда. Это понятно?

— Да. Я понял это еще после первой встречи, в августе.

Де Вашер внезапно резко развернулся, оказавшись лицом к лицу с Митчем. Он злобно усмехался.

— У меня есть с собой кое-что, что заставит тебя быть с нами честным.

Он опустил руку в карман своей спортивной куртки и достал конверт из плотной бумаги.

— Взгляни-ка! — Он с ухмылкой подал конверт Митчу и отошел в сторону.

Митч прислонился к багажнику автомобиля и дрожащими пальцами вскрыл конверт. В нем лежали четыре черно-белые фотографии, очень четкие. Пляж. Девушка.

— О Господи! Кто их сделал?

— Какая разница? Ведь на них ты, не так ли?

Не могло быть никаких сомнений в том, кто запечатлен на снимках. Он разорвал карточки в клочья и швырнул их в Де Вашера.

— У меня в кабинете есть еще. — Голос Де Вашера был спокоен. — Целая пачка. Нам бы не хотелось ими воспользоваться, но еще одна маленькая встреча с Таррансом или другим фэбээровцем, и мы отошлем их по почте твоей жене. Как тебе это понравится, Митч? Представляю, как твоя очаровательная жена идет к почтовому ящику за своими журнальчиками и каталогами и вытаскивает странное послание, адресованное именно ей. Подумай об этом, Митч. Когда вы с Таррансом в следующий раз захотите пройтись по дешевым обувным лавкам, подумай и о нас, Митч. Потому что мы будем где-нибудь рядом.

— Кто еще об этом знает?

— Я и тот, кто делал снимки. Теперь еще ты. В фирме не знает никто, и я никому не собираюсь говорить об этом. Но если ты еще раз попытаешься нас надуть, боюсь, снимки пойдут за обеденным столом на пятом этаже по рукам. Я люблю жесткую игру, Митч.

Митч сел на пыльный багажник, стиснув голову ладонями. Де Вашер подошел почти вплотную.

— Послушай, сынок. Ты очень способный молодой человек. Ты на пути к большим деньгам. Не обмани себя. Делай свое дело, играй с нами, а не против, покупай себе машины, строй дома. Как все остальные. Не старайся стать героем. Мне бы не хотелось воспользоваться этим. — Он кивнул на клочки бумаги.

— Хорошо, хорошо.

ГЛАВА 21

В течение семнадцати дней и семнадцати ночей жизнь четы Макдиров протекала довольно спокойно: ни сам Уэйн Тарранс, ни его коллеги не давали о себе знать. Все вошло в обычную колею. Митч работал по восемнадцать часов в день и выходил из здания фирмы по одной-единственной причине — съездить домой. Обедал он за рабочим столом. На судебные слушания или просто с каким-нибудь поручением Эйвери посылал теперь других сотрудников. Митч почти не выбирался из кабинета, этой кельи пятнадцать на пятнадцать футов, в которой для Тарранса он был недостижим. Он старался держаться по возможности дальше от залов, туалетных комнат, кухоньки с кофеваркой. Чувство, что за ним наблюдают, не покидало его ни на мгновение. Он плохо представлял себе, кто именно, но было несомненно, что какая-то группа людей проявляла исключительный интерес ко всем его передвижениям. Поэтому Митч предпочитал большую часть времени проводить за своим столом, при закрытой двери, усердно работая, исступленно оформляя счета и пытаясь выбросить из головы, что в здании был пятый этаж с отвратительным жирным подонком Де Вашером, в распоряжении которого была коллекция снимков, способная его, Митча, уничтожить.

С каждым таким тихим, проходившим без всяких событий днем Митч все более укреплял в себе веру в то, что сцена в обувном магазине послужила уроком Таррансу, что его, возможно, даже уволили из ФБР. А вдруг Войлс просто забыл обо всей операции и Митчу вновь можно продолжить свое плавное восхождение на вершину богатства, к заветному слову — *компаньон*. Но все это были только мечты.

Для Эбби ее дом превратился в тюрьму, хотя она и могла позволить себе приходить и уходить когда вздумается. Но и она стала задерживаться в школе, больше проводить времени в прогулках по городу и по меньшей мере раз в день наведываться в небольшой магазин, торгующий бакалейными товарами. Она обращала внимание на каждого смотрящего на нее человека, особенно если тот оказывался мужчиной в темном костюме. Глаза ее постоянно были скрыты за темными стеклами солнцезащитных очков, которые она не снимала, даже когда шел дождь. Поздними вечерами, после ужина в одиночестве, сидя в ожидании мужа, Эбби ходила по комнатам, разглядывая стены и борясь с искушением заняться ими вплотную. Телефоны можно исследовать с помощью увеличительного стекла, а провода и микрофоны не могут же быть невидимыми, говорила она себе. Не раз ей в голову приходила мысль найти книгу, где описывались бы подобные штучки, — это помогло бы в поисках. Но Митч запретил ей и это. «Жучки» в доме есть, уверил он ее, и любая попытка их обнаружить может привести к непредсказуемым последствиям.

Поэтому в своем собственном доме она старалась двигаться беззвучно, чувствовала себя оскорбленной и знала, что долго так продолжаться не может. Оба знали: делать вид, что все в полном порядке, для них является жизненной необходимостью. Они старались поддерживать обычные разговоры о том, как прошел день, о его работе и ее учениках, о погоде. Но голоса их звучали не очень выразительно, порой казалось, что они заставляют себя говорить, иногда в них слышалось явное напряжение. Когда Митч учился, они занимались любовью каждую ночь, неистово отдавая себя друг другу. Теперь они почти лишили себя этого. Их кто-то слушал.

В привычку вошли полночные прогулки по кварталу, где они жили. Поздним вечером, съев по сандвичу, Митч и Эбби обменивались двумя-тремя фразами о пользе прогулок на свежем воздухе и устремлялись за дверь. Они шагали, держась за руки и делясь мыслями о фирме, о ФБР, о том, какой может быть выход, и сходились в одном: выхода нет. Никакого. Все это продолжалось семнадцать дней и семнадцать ночей.

Восемнадцатый день внес некоторое разнообразие. К девяти вечера Митч почувствовал себя обессиленным и решил отправиться домой. Он работал без перерыва пятнадцать с половиной часов. По двести долларов в час. Как обычно, он прошел по коридорам второго этажа, поднялся по лестнице на третий. Он обходил кабинеты просто так, чтобы посмотреть, есть ли еще кто-нибудь в здании работающий. На третьем этаже не было никого. Он поднялся на четвертый: света не было нигде, за исключением офиса Ройса Макнайта — тот работал допоздна. Митч бесшумно проскользнул мимо его двери к кабинету Эйвери, нажал на ручку замка. Замок был заперт. Митч прошел в библиотеку на этом же этаже, как бы в поисках какой-то книги.

Такими ночными обходами он занимался уже две недели и убедился в том, что скрытых камер в кабинетах и библиотеках, равно как и в коридорах, нет. Значит, они только слушают, решил Митч. Видеть они не могут.

У ворот Митч пожелал Датчу Хендриксу спокойной ночи, завел машину и направился к дому. Эбби наверняка удивится столь раннему возвращению. Он тихо открыл ключом дверь, соединяющую гараж с кухней, и вошел, включив свет. Эбби была в спальне. На пути туда нужно было пройти через прихожую, где на высоком бюро Эбби оставляла полученную за день почту. Положив на крышку бюро свой кейс, Митч сразу увидел его — большой конверт из плотной коричневой бумаги, на котором черным фломастером был написан адрес и имя его жены. Обратного адреса не было. Поперек конверта шла надпись крупными буквами: «ФОТОГРАФИИ — НЕ СГИБАТЬ». Сердце у него обмерло, дыхание перехватило. Он протянул руку — конверт был распечатан.

На лбу выступили крупные капли пота, рот пересох, горло свело — не глотнуть. В груди сердце отозвалось вдруг ударами отбойного молотка, каждый вдох и выдох вызывали боль, давались с трудом. Он почувствовал тошноту. С конвертом в руке он осторожно попятился от бюро. Она в постели, подумал он. Оскорбленная, больная, опустошенная и злая до безумия. Он вытер пот на лбу и постарался собраться. Встреть это как мужчина, сказал он самому себе.

Эбби лежала и читала книгу, телевизор был включен. Хорси тявкал где-то во дворе. Митч приоткрыл дверь спальни, и Эбби подбросило в постели от ужаса. С губ ее готов был сорваться вопль, но тут она его узнала.

— Как ты напугал меня, Митч!

Глаза ее блестели, сначала от страха, теперь от удовольствия. Но слез в них не было. Митч не мог произнести ни слова.

— Почему ты дома? — потребовала она объяснений, садясь в постели и радостно улыбаясь.

Улыбаясь?

— Я здесь живу, — сообщил он слабым голосом.

— Почему ты не позвонил?

— Неужели, прежде чем идти домой, мне нужно звонить?

Дыхание его почти пришло в норму. Но она — она просто великолепна!

— Да, это было бы неплохо. Подойди и поцелуй меня.

Он склонился над женой, поцеловал. Подал ей конверт.

— Что это? — спросил он небрежно.

— Я думала, ты мне объяснишь. Адресовано мне, но внутри — ничего. Просто пустота. — Она закрыла книжку и положила ее на ночной столик рядом.

Ничего! Он улыбнулся и поцеловал жену еще раз.

— Ты ждешь от кого-нибудь фотографий? — спросил Митч как ни в чем не бывало.

— Насколько я знаю, нет. По-видимому, это ошибка.

Митчу показалось, что в этот момент он прямо-таки слышит хохот Де Вашера. Эта толстая крыса стоит сейчас в какой-нибудь темной комнатке, набитой аппаратурой, стоит в наушниках на своей кочаноподобной голове и заходится от неудержимого хохота.

— Странно, — сказал он.

Эбби натянула джинсы и указала рукой на двор. Митч кивнул. Они привыкли к языку жестов: указательный палец или просто поворот головы в сторону двора — этого было достаточно.

Митч положил конверт на прежнее место, прикоснувшись на мгновение к буквам, выведенным фломастером. Наверное, Де Вашер сам писал. Митчу опять послышался его смех, он увидел даже его лицо с омерзительной усмешкой. А фотографии, наверное, компаньоны рассматривали за обеденным столом. Митч представил себе, как гогочут за кофе и десертом Ламберт с Макнайтом и даже Эйвери.

Пусть, черт бы их побрал, веселятся. Пусть наслаждаются последними несколькими месяцами карьеры блестящих и преуспевающих юристов.

Он схватил Эбби за руку.

— Что у нас сегодня на ужин? — Вопрос был задан исключительно ради тех, кто сидел сейчас на пятом этаже фирмы Бендини.

— Почему бы нам не поужинать в городе? Твой ранний приход необходимо отметить.

— Неплохая мысль.

Они вышли через боковую дверь, пересекли внутренний дворик и зашагали в темноте рядом.

— В чем дело? — спросил Митч.

— Тебе сегодня пришло письмо от Дорис. Она пишет, что находится в Нашвилле, но двадцать седьмого февраля возвращается в Мемфис. Ей необходимо увидеться с тобой. Это что-то важное. Письмо было очень коротким.

— Двадцать седьмого? Но сегодня уже двадцать восьмое!

— Я знаю. По-моему, она уже в городе. Интересно, что ей нужно?

— Да, а еще — где она находится?

— Она писала, что у ее мужа какое-то дело в городе.

— Отлично. Она сама нас разыщет, — ответил Митч.

* * *

Натан Лок закрыл дверь своего кабинета и указал Де Вашеру на небольшой стол у окна. Оба откровенно ненавидели друг друга и не пытались проявить хоть каплю любезности. Однако бизнес — это бизнес, ведь приказы они получают от одного хозяина.

— Лазаров велел мне переговорить с тобой один на один, — начал Де Вашер. — Последние два дня я провел рядом с ним в Вегасе, он очень обеспокоен. Они все обеспокоены, Лок, а тебе он доверяет больше, чем кому бы то ни было. Тебя он любит больше, чем меня.

— Это легко понять, — без улыбки ответил Лок. Морщинки вокруг его глаз сузились, взгляд устремлен на Де Вашера.

— В общем, он хочет, чтобы мы кое-что обсудили.

— Слушаю.

— Макдир лжет. Ты знаешь, Лазаров вечно хвастал, что в ФБР у него есть свой человек. Я-то никогда этому не верил, не верю и сейчас... по большей части. Но источник Лазарова сообщает, что, когда Макдир в январе был в Вашингтоне, он тайно встретился с какими-то шишками из ФБР. Там были наши люди, и они ничего не видели, но невозможно следить за человеком двадцать четыре часа в сутки и не попасться при этом ему на глаза. Вполне допустимо, что где-то ненадолго он выпадал из поля нашего зрения.

— Ты веришь этому?

— Не важно, верю ли в это я. В это верит Лазаров — вот что нужно принимать во внимание. Он приказал мне в любом случае заняться подготовкой предварительного плана по, так сказать, умиротворению Макдира.

— К черту, Де Вашер! Мы не можем продолжать убирать людей!

— Всего лишь предварительный план, не более. Я сказал Лазарову, что, по-моему, это несколько рановато, что это может стать ошибкой. Но они там себе места от волнения не находят, Лок.

— Так продолжаться не может, Де Вашер. В конце концов, надо думать и о репутации фирмы. Смертность от несчастных случаев у нас выше, чем на разработках нефти. Пойдут разговоры. Мы дойдем до того, что никто из студентов-юристов, если он в здравом уме, не согласится у нас работать.

— Я думаю, об этом и вовсе не стоит беспокоиться. Лазаров решил заморозить прием новых сотрудников. Он велел мне сказать тебе об этом. Ему также нужно знать, много ли наших сотрудников еще не посвящены в наши дела.

— По-моему, пять. Сосчитаем: Линч, Соррел, Бантин, Майерс и Макдир.

— О Макдире забудь. Лазаров уверен: он знает гораздо больше, чем мы предполагаем. Ты убежден, что оставшиеся четверо ни о чем не догадываются?

Лок задумался на минуту, беззвучно шевеля губами.

— Мы им ничего не говорили. Вы у себя там сидите, слушаете и смотрите. Что можете сказать вы?

— Об этих четырех — ничего. Выглядят они абсолютно несведущими и ведут себя соответственно. Их можно уволить?

— Уволить? Они — юристы, Де Вашер. Мы не увольняем юристов. Они — полноправные члены фирмы.

— Фирма меняет стиль работы, Лок. Лазаров хочет уволить непосвященных и прекратить прием новых сотрудников. Совершенно ясно, что фэбээровцы изменили стратегию, настало время менять и нам нашу. Лазаров собирается замкнуть круг и ликвидировать все утечки. Не можем же мы сидеть сложа руки и смотреть, как ФБР подбирается к нашим парням.

— Уволить, — с недоверием повторил Лок. — Ни разу еще фирма не уволила юриста.

— Очень трогательно, Лок. Мы избавились от пятерых, но ни разу не уволили ни одного. Это по-настоящему здорово. У тебя в распоряжении месяц, так что начинай обдумывать причину. Я бы советовал уволить всех четверых разом. Скажите им, что у вас большие финансовые потери, вы вынуждены сокращать штат.

— У нас нет финансовых счетов, у нас есть только клиенты.

— Ладно, замечательно. Ваш самый крупный клиент приказывает вам вышвырнуть Линча, Соррела, Бантина и Майерса. Начинайте разрабатывать планы.

— Как можно уволить их, не увольняя Макдира?

— Придумаешь что-нибудь, Нат. У тебя впереди месяц. Избавьтесь от них и не нанимайте больше никого. Лазарову нужен небольшой спаянный коллектив людей, где каждому можно доверять. Он напуган, Нат. Напуган и близок к помешательству. Мне нет нужды говорить тебе, что может случиться, если один из ваших парней выведет его из себя.

— Тебе нет нужды говорить об этом. Что он собирается делать с Макдиром?

— В настоящий момент ничего, кроме того, что сейчас делается. Мы слушаем его круглые сутки, и он ни словом не обмолвился ни о чем жене или еще кому. Ни словом! Дважды Тарранс подстерегал его, и оба раза парень докладывал вам об этом. Вторая его встреча была, что ни говори, подозрительной, поэтому мы сейчас очень осторожны. С другой стороны, Лазаров настаивает на том, что в Вашингтоне имела место тайная встреча. Он пытается найти этому подтверждение. Сказал, что источник его знает не много, но старается накопать еще информации. Если Макдир на самом деле встречался там с ФБР и не доложил об этом, то я уверен — Лазаров отдаст приказ действовать быстро. Вот почему ему нужен сейчас предварительный план.

— Как ты его себе представляешь?

— Пока еще слишком рано. Я не думал об этом.

— Ты знаешь, что через две недели он собирается с женой в отпуск на Кайманы. Они остановятся в одном из наших бунгало, как и все.

— Повторять то, что было, не годится. Слишком подозрительно. Лазаров советовал мне попытаться сделать так, чтобы она забеременела.

— Жена Макдира?

— Да. Он хочет, чтобы у них родился ребенок, маленький заложник. Она принимает таблетки, этим-то мы и воспользуемся: заменим пилюли в ее флакончике чем-нибудь безобидным.

Мрачные черные глаза Лока в этот момент подернулись вдруг пеленой грусти, он повернулся к окну.

— Что, черт возьми, в конце концов, происходит, Де Вашер? — тихо спросил он.

— Нас ждут перемены, Нат. Похоже, ФБР становится все более активным, они ведь так и шныряют вокруг. В один прекрасный день кто-то из ваших парней заглотнет наживку, и всем вам придется бежать из города.

— Я не верю этому, Де Вашер. Наши юристы не такие дураки, чтобы рисковать жизнью и семьей ради увещеваний ФБР. Я не верю, что такое может произойти. Наши парни слишком умны, слишком хорошие деньги они у нас получают.

— Надеюсь, что ты окажешься прав.

ГЛАВА 22

Прислонившись к стенке лифта, служащий конторы, сдававшей в аренду помещения, упивался созерцанием кожаной мини-юбки. Глаза скользнули до самого ее края, приходившегося намного выше коленей, и начали продвигаться вниз, вдоль шва черных шелковых чулок. Шов нырял в туфельки на высоком каблуке, изящные черные туфельки с красной полосой на носке. Уже упиравшийся в пол взгляд с восхищением пустился в обратный путь: по туфельке, шву, с него — на край юбки; отдохнул несколько мгновений на ее выразительных выпуклостях и вновь устремился вверх — по свитеру из красного кашемира, который, как заметил мужчина еще в вестибюле, мало что скрывал. Волосы спускались чуть ниже плеч и на красном фоне свитера смотрелись очень эффектно. Мужчине было ясно, что волосы крашеные, но в сочетании с кожаной юбкой, черными чулками, туфельками на высоком каблуке, обтягивающим свитером и двумя изумительными полушариями под ним выглядели великолепно. От такой женщины он бы не отказался. Прямо здесь. Не в лифте, конечно, нет. В конторе. Она пришла, чтобы снять помещение под офис. О цене можно было столковаться.

Лифт остановился. Створки дверей раздвинулись, и он проследовал за женщиной по узкому коридору.

— Туда, — сделал он жест, включая свет.

Подходя к двери в углу коридора, он обогнал ее и вставил ключ в замочную скважину старой деревянной двери.

— Вот, две комнаты, — сказал он, нащупав рукой еще один выключатель. — Около двухсот квадратных футов.

Она прошла к окну.

— А вид неплохой.

Тэмми стояла у окна и смотрела вдаль.

— Да, хороший вид, — с готовностью подхватил клерк. — И ковер на полу новый. Ремонт был прошлой осенью. Вход во вторую комнату через прихожую. Отличное место. Все здание целиком было отреставрировано лет восемь назад.

Сообщая Тэмми все это, он не сводил взора с черных швов на ее чулках.

— Неплохо.

Одобрение вовсе не относилось к тому, что она слышала. Она все так же стояла у окна и смотрела вниз.

— Как называется здание?

— Это «Хлопковая биржа», одно из самых старых зданий Мемфиса. Очень престижное место.

— А насколько престижна плата?

Он кашлянул и раскрыл папку, которую держал в руках. Уперся взглядом в ее каблуки.

— Офис такой маленький... Для чего, вы сказали, его снимаете?

— Для работы. Я секретарша, предоставляю свои услуги тому, кто в них нуждается.

Не обращая на него никакого внимания, она приблизилась к другому окну. Он следовал за ней.

— Понятно. На какой срок хотите снять помещение?

— На полгода с возможным последующим продлением на год.

— О’кей, на полгода цена составит триста пятьдесят в месяц.

Она остановилась, не дойдя до окна. Небрежным движением сбросив правую туфельку, она кошачьим движением провела ступней по левой икре. Мужчина успел заметить, что шов продолжался и вдоль всей ступни, а ноготки на пальцах ног были... красными! Чуть оттопырив свою задорную попку, Тэмми уселась на подоконник. Папка в руках клерка затряслась.

— Я буду платить вам двести пятьдесят в месяц, — авторитетно заявила она.

Он закашлялся. Какой смысл жадничать? Крошечные комнатки были ни на что не пригодны, годами их не снимал никто. А независимая секретарша могла понадобиться и конторе. Ему самому могла понадобиться независимая секретарша.

— Триста, и это мое последнее слово. На помещения огромный спрос. Девяносто процентов площади уже сданы. Триста в месяц, и это совсем задаром. Мы едва покроем издержки.

Внезапно она повернулась к нему, и ему уже просто некуда было девать свои глаза: он стал пожирать взглядом ее грудь. Высокую и полную, туго обтянутую тонким свитером.

— В объявлении говорилось, что офисы сдаются с мебелью, — заметила она.

— Мебель мы можем вам предоставить, — согласился он, готовый сотрудничать. — Что вам понадобится?

Тэмми посмотрела вокруг.

— Мне будет нужен стол секретаря и этажерка для картотеки. Стеллажи для папок, несколько штук. Пара стульев для клиентов. Никакой безвкусицы. Другую комнату можно оставить пустой. Я поставлю туда ксерокс.

— Нет проблем. — Он улыбнулся.

— За все это я буду платить триста долларов в месяц.

— Договорились.

Он достал из своей папки бланк и стал его заполнять.

— Ваше имя?

— Дорис Гринвуд.

Ее мать звали Дорис Гринвуд, а ее саму Тэмми Инес Гринвуд — до того как она вышла замуж за Бастера Хэмфила, позже официально сменившего свое имя на Элвиса Аарона Хэмфила, и с тех пор жизнь Тэмми перестала быть безоблачной. Мать жила в Эффингеме, штат Иллинойс.

— Отлично, Дорис, — сказал он непринужденно, как если бы они давно уже называли друг друга по имени и отношения их становились все более тесными. — Домашний адрес?

— А это вам для чего? — В голосе ее послышалось некоторое раздражение.

— Ну-у, нам просто нужна какая-то информация.

— Это не ваше дело.

— Ладно, ладно. Нет так нет.

Картинным жестом он оторвал корешок и поднес его ближе к глазам.

— Ну вот. Я оформил начиная с сегодняшнего дня, второго марта, на шесть месяцев, то есть по второе сентября. Нормально?

Она кивнула и закурила сигарету.

Он продолжал:

— Мы берем триста долларов задатка и плату за первый месяц авансом.

Из кармашка юбочки она достала пачку банкнот, отсчитала шесть стодолларовых бумажек и положила их на стол.

— Квитанцию, — потребовала она.

— Конечно. — Он продолжал что-то писать.

— На каком мы этаже? — спросила она его, подойдя к окну.

— На девятом. После пятнадцатого числа каждого месяца пеня за неуплату десять процентов. Мы сохраняем за собой право в любое время войти для осмотра. Помещения не могут быть использованы для незаконной деятельности. Вы оплачиваете все издержки и страховку за площадь. За вами закрепляется место на стоянке напротив здания, и вот вам два ключа. Вопросы?

— Что, если я буду работать сверхурочно? Я имею в виду до поздней ночи?

— Это не проблема. Вы можете приходить и уходить, когда вам удобно. После наступления темноты охранник у выхода на Франт-стрит впустит вас.

Тэмми зажала сигарету в ярко накрашенных губах и подошла к столу. Поколебавшись мгновение, взяла ручку и подписалась именем Дорис Гринвуд.

Закрыв дверь на замок, они проделали обратный путь вниз.

К полудню следующего дня необходимая мебель была доставлена, и Дорис Гринвуд из «Гринвуд сервис» уже установила на своем рабочем столе пишущую машинку и телефон. Сидя за машинкой, она могла, чуть повернув голову влево, к окну, наблюдать за проезжей частью Франт-стрит. Ящики стола она заполнила бумагой, блокнотами, карандашами и прочими канцелярскими мелочами. На стеллажи с папками и на маленький столик между двумя креслами, предназначенными для клиентов, положила несколько журналов.

В дверь постучали.

— Кто? — прокричала она.

— Принесли ксерокс, — прозвучал мужской голос.

Тэмми повернула ручку замка и открыла дверь. В комнату вкатился энергичный коротышка по имени Горди, осмотрелся и грубовато спросил:

— Ну, куда вам его поставить?

— Туда.

Тэмми ткнула пальцем в сторону маленькой комнатки, у которой даже не было двери. Двое молодых людей в голубых комбинезонах втолкнули тележку с ксероксом.

На ее стол Горди положил пачку бумаг.

— Это отличная, мощная машина. Выдает девяносто копий в минуту, с брошюратором и автоматической загрузкой. Хорошая машина.

— Где мне расписаться? — спросила она, не обращая внимания на его болтовню.

Он указал ей кончиком ручки.

— На полгода, за двести сорок в месяц. За эти деньги вы еще получите обслуживание, ремонт и пятьсот листов бумаги на первые два месяца. Какой вам нужен формат: стандартный или половинного размера?

— Стандартный.

— Платить каждый месяц десятого числа. Руководство я положил на стеллаж. Будут вопросы — звоните.

Оба парня в комбинезонах таращились на джинсы Тэмми в обтяжку. Горди подал ей желтый листок копии квитанции.

— Спасибо, что обратились к нам.

Троица ушла, и она закрыла за ними дверь. Подошла к окну и стала смотреть куда-то на север, в дальний конец Франт-стрит. На противоположной стороне улицы, в трех кварталах от «Хлопковой биржи», виднелись четвертый и пятый этажи фирмы Бендини.

Он сидел в одиночестве, по уши зарывшись в книги и папки с документами. Он был занят, занят для всех, кроме Ламара. Он прекрасно сознавал, что такое его затворничество не остается незамеченным окружающими, и это заставляло его еще глубже уходить в работу. Может, они будут не так подозрительны, если ему удастся закрывать счетами по двадцать часов в день. Может, деньги отгородят его от них. Нина оставила ему картонную коробку с холодной пиццей, когда уходила вечером. Он ел пиццу и наводил порядок на своем столе. Позвонил Эбби, сказал, что собирается поехать навестить Рэя и вернется в Мемфис в воскресенье вечером. После этого он вышел и направился на стоянку к машине.

Три с половиной часа он гнал автомобиль по автостраде, не сводя глаз с зеркала заднего вида. Никого. Ни разу не заметил он ни одной сомнительной машины. Видимо, уже предупредили по телефону и его поджидают впереди по трассе. В Нашвилле он вдруг резко свернул в центр города. Ориентируясь по схеме, которую сам же небрежно набросал, он то появлялся, то исчезал на оживленных улицах, разворачивался, где только было возможно — словом, вел себя за рулем как сумасшедший. В южной части города он завернул в жилой квартал и стал кружить между домами. То, что нужно. На стоянках были свободные места, люди вокруг принадлежали к белой расе. Черных он не заметил. Закрыв «БМВ» на ключ, он оставил машину у муниципального здания. Телефон-автомат на стене крытого бассейна работал. Он заказал такси, назвав место в двух кварталах от него. Повесив трубку, пробежал между зданиями на соседнюю улицу и оказался на месте одновременно с такси.

— Автостанция «Грейхаунд», — бросил он водителю. — И побыстрее, у меня всего десять минут.

— Спокойно, парень, это совсем рядом.

Митч опустился в кресло пониже и посматривал на машины вокруг. Таксист с невозмутимым видом не спеша крутил руль, и ровно через семь минут они остановились напротив автобусной станции. Митч оставил ему две пятерки и побежал к зданию автовокзала. В кассе он купил билет до Атланты на рейс в шестнадцать тридцать. Часы на стене показывали тридцать одну минуту пятого. Кассирша махнула ему рукой в сторону вращающейся стеклянной двери:

— Машина номер четыреста пятьдесят четыре, отправление — сейчас.

Водитель автобуса захлопнул дверцу багажного отделения, взял его билет. В салон они поднялись вместе. Первые три ряда сидений были заняты пожилыми чернокожими парами. Там и сям сидело еще с десяток пассажиров. Митч медленно шел по проходу, разглядывая лица справа и слева от себя, но не видя никого. Он уселся у окна в четвертом от конца салона ряду. Нацепив темные очки, обернулся, посмотрел назад. Никого. Черт побери, может, это не тот автобус? Он уставился в окно, пока автобус маневрировал в потоке транспорта. Будет остановка в Ноксвилле, может, встреча произойдет там?

Когда они выехали на автостраду и водитель набрал скорость, на сиденье рядом с Митчем неожиданно опустился мужчина в голубых джинсах и полосатой рубашке. Это был Тарранс. Митч с облегчением вздохнул.

— Где ты был? — задал он вопрос.

— В туалете. Ты отвязался от них? — Тарранс говорил очень тихо, внимательно изучая виднеющиеся над спинками кресел головы пассажиров. Никто их не слушал. Никто и не мог слышать.

— Я и не видел их, Тарранс. Поэтому не могу сказать, что отвязался. Но надо было быть суперменами, чтобы на этот раз не потерять меня.

— Ты заметил на автостанции нашего человека?

— Да. У телефона-автомата, в красной бейсбольной шапочке. Чернокожий парень.

— Он. Если бы за тобой кто-то был, он подал бы мне сигнал.

— Он кивнул мне, мол, давай-давай.

На Таррансе были зеркальные солнцезащитные очки под длинным козырьком спортивной шапочки. Митч уловил запах жевательной резинки.

— Нарушаешь форму одежды, — заметил Митч без улыбки. — Ты получил разрешение Войлса на подобный костюм?

— Забыл его спросить. Ничего, сделаю это завтра утром.

— В воскресенье утром?

— Естественно. Ему очень хочется как можно быстрее узнать о нашей небольшой прогулке. Я уже предупредил его, примерно за час до отъезда.

— Ладно, давай-ка сначала о главном. Как быть с моей машиной?

— Наши люди подберут ее через несколько минут. К тому моменту, как она тебе понадобится, она уже будет в Ноксвилле. Не беспокойся.

— Думаешь, они нас не обнаружат?

— Каким образом? Из Мемфиса за тобой никто не последовал, и в Нашвилле мы тоже не заметили никого подозрительного. Ты чист, как новорожденный.

— Извини за беспокойство, но после того фиаско в обувном магазине я понял, что ваши парни далеко не гениальны.

— Хорошо, это была ошибка. Мы...

— Большая ошибка. Она могла стоить мне жизни.

— Но ты им вправил мозги. Больше такого не повторится.

— Дай мне слово, Тарранс. Дай мне слово, что никто из вас никогда больше не подойдет ко мне в общественном месте.

Глядя в проход, Тарранс кивнул.

— Нет, Тарранс. Мне нужно это услышать. Обещай мне.

— Ладно, ладно. Больше такого не будет, обещаю.

— Благодарю. Теперь, может, мне удастся поесть в ресторане, не опасаясь, что кто-то схватит меня за руку.

— Я все понял, Митч.

По проходу между креслами, стуча палкой и улыбаясь, к ним приближался пожилой темнокожий джентльмен. Он прошел в конец автобуса, хлопнула дверца туалета.

Тарранс уткнулся в журнал, Митч смотрел в окно. Мужчина с тростью проковылял мимо них обратно, к своему месту в первых рядах кресел.

— А почему ты выбрал автобус? — спросил Тарранс, листая журнал.

— Не люблю самолеты. Я всегда езжу автобусом.

— Ясно. С чего думаешь начать?

— Войлс сказал мне, что у вас есть план.

— Есть. Мне нужно, чтобы ты сыграл в нападении.

— Хороший нападающий обойдется дорого.

— Деньги у нас есть.

— Это будет гораздо дороже, чем ты думаешь. Как мне представляется, я должен буду оставить карьеру юриста, то есть сорок лет работы по полмиллиона долларов в среднем за год.

— Это двадцать миллионов долларов.

— Да, знаю. Мы можем поторговаться.

— Рад слышать. Ты сказал, что собирался работать, или практиковать, точнее говоря, сорок лет. Вряд ли это обоснованный расчет. Смеха ради давай предположим, что в течение пяти лет мы накроем вашу фирму и ты получишь срок вместе со своими друзьями. Тебе будет предъявлено обвинение, которое обеспечит несколько лет тюрьмы. Долго тебя не продержат — ты же не уголовник, да и адвоката тебе найдут грамотного. Но в любом случае ты потеряешь лицензию на право заниматься юридической деятельностью, дом, свой маленький «БМВ». Может, и жена уйдет от тебя. Когда ты освободишься, то сможешь, наверное, открыть частное детективное агентство, как твой старый друг Ломакс. Работа эта не трудная, разве что придется перебирать несвежее белье своих клиентов.

— Я уже сказал. Можем поторговаться.

— Хорошо, давай поторгуемся. Сколько ты хочешь получить?

— За что?

Тарранс закрыл журнал, положил его под сиденье и достал толстую книжку, сделав вид, что читает. Митч разговаривал, едва шевеля губами и не сводя глаз с прохода.

— Ты хорошо поставил вопрос. — Голос Тарранса почти заглушался шумом двигателя. — Чего мы ждем от тебя? Хороший вопрос. Во-первых, забудь о карьере юриста. Ты поделишься с нами всеми своими записями и всеми секретами своих клиентов. Уже этого достаточно для того, чтобы ты навсегда лишился лицензии, но это не важно. Нам нужно с тобой договориться, что ты принесешь нам фирму на серебряном, так сказать, блюде. Когда мы придем к такому соглашению, если придем, то все остальное встанет на свои места. Во-вторых, и это самое главное, ты предоставишь в нашс распоряжение достаточно документов для того, чтобы предъявить обвинение каждому компаньону фирмы и большей части клана Моролто. Документация эта находится в здании на Франт-стрит.

— Откуда вам это известно?

Тарранс улыбнулся:

— Мы тратим миллионы долларов на борьбу с организованной преступностью. Семейство Моролто мы держим под наблюдением двадцать лет. Козински и Ходж успели нам кое-что сообщить перед тем, как погибнуть. Не принимай нас за недоумков, Митч, у нас есть источники.

— И вы считаете, что я смогу вынести нужную информацию из здания?

— Считаем, мистер адвокат. Действуя изнутри, ты сможешь взорвать эту чертову фирму и уничтожить одну из крупнейших группировок в организованной преступности. Ты сдашь нам фирму целиком. Кто работает в кабинетах? Как зовут секретарш, клерков, младший юридический персонал? Кто какими делами занят? У кого какие клиенты? Система руководства? Кто сидит на пятом этаже? Что там находится? Где хранятся записи? Есть ли централизованное хранилище документации? Степень компьютеризации? Как много материалов на микрофильмах? Микрофишах? И основное: всю информацию ты должен добыть и доставить нам. При наличии минимального предлога мы сможем войти туда официальным порядком и потребовать у них все, что нам нужно. Но это очень ответственный шаг. Потребуется солидная, прочная база для того, чтобы ворваться туда с ордерами на обыск.

— Это все, что вам нужно?

— Нет. Тебе придется выступить свидетелем против своих коллег в суде. Все это может занять годы.

Митч набрал полную грудь воздуха и прикрыл глаза. Автобус сбавил скорость, сдерживаемый караваном туристских домиков на колесах. Наступили сумерки, несущиеся навстречу автомобили уже зажгли фары. Выступить свидетелем на суде! Это ему и в голову не приходило. С теми миллионами, что пойдут на защиту, суд может никогда не кончиться.

Тарранс и в самом деле принялся за чтение — последний бестселлер Луи Лямура. У себя над головой он включил местное освещение — ни дать ни взять настоящий пассажир в настоящем путешествии. Миль тридцать они проехали в полном молчании. Наконец Митч снял свои темные очки, повернулся к Таррансу:

— А что будет со мной?

— У тебя будут деньги. Хорошие деньги. И тебе не будет стыдно смотреть людям в глаза. Ты сможешь жить где захочешь, по новым, естественно, документам и под новым именем. Мы найдем тебе работу, изменим внешность — словом, сделаем все, что захочешь.

Митч пытался сосредоточиться, глядя на дорогу, но это было невозможно. Он вновь перевел глаза на Тарранса:

— Не будет стыдно? Не говори мне больше об этом, Тарранс. Я — невинная жертва, и ты знаешь это не хуже меня.

На губах Тарранса играла самодовольная ухмылка.

Опять тишина разделила их на несколько миль.

— А моя жена?

— Можешь оставить ее себе, Митч.

— Очень остроумно.

— Прости. У нее будет все, что она пожелает. Что она знает?

— Все. — Он вспомнил про девушку на берегу. — Ну, почти все.

— Мы предоставим ей хорошо оплачиваемую государственную службу где-нибудь в органах социального обеспечения в том месте, которое ты выберешь. Все не так плохо, Митч.

— Да просто замечательно. До того момента, пока кто-нибудь из ваших людей не откроется незнакомцу. Тогда вы из газет узнаете что-нибудь обо мне или моей жене. Мафия ничего не забывает, Тарранс. Они страшнее крокодилов. И секреты они умеют хранить лучше, чем вы. Вы же теряли людей, не пытайся отрицать.

— Я не буду этого отрицать. Я готов признать, что когда они приговаривают кого-то к смерти, то убийство совершается с удивительной изобретательностью.

— Спасибо. Куда вы меня поселите?

— На твое усмотрение. В настоящее время около двух тысяч свидетелей мы обеспечили новыми именами, новыми адресами и новой работой. Все преимущества на твоей стороне.

— Так у меня еще и преимущества есть?

— Конечно. Либо ты получаешь хорошие деньги и уносишь ноги, либо становишься состоятельным юристом — если готов поспорить, что фирма окажется нам не по зубам.

— Замечательный выбор, Тарранс.

— Да. Я рад, что он тебе по вкусу.

Попутчица джентльмена с тростью выбралась из своего кресла и начала продвигаться навстречу им, хватаясь по пути за спинку каждого сиденья. Когда она проходила мимо, Тарранс подался в сторону Митча и замолчал. Ей было по меньшей мере девяносто, она едва передвигалась, вряд ли умела читать и чуть не придавила Тарранса своими телесами. Тот сразу же онемел.

Через пятнадцать минут дверь туалета распахнулась, послышались булькающие звуки воды, уносящейся в специальный бак, расположенный под днищем автобуса. Пожилая матрона проковыляла мимо них вперед.

— Кто такой Джек Олдрич? — спросил Митч.

Он подозревал, что рассказанный в кабинете Ламберта эпизод не имел места в действительности, и сейчас внимательно наблюдал за реакцией Тарранса. Тот оторвался от книги и уставился в спинку кресла перед собой.

— Имя мне знакомо, но где я его слышал, не помню.

Митч вновь повернулся к окну. Тарранс знал. Он чуть вздрогнул, и слишком уж сузились его глаза перед тем, как он ответил. Митч смотрел на проносившиеся мимо машины.

— Ну и кто же он? — задал, в свою очередь, вопрос Тарранс.

— А тебе это не известно?

— Иначе я не стал бы спрашивать.

— Он работает у нас в фирме. Тебе следовало бы знать об этом, Тарранс.

— В городе полно юристов, и ты, по-видимому, знаешь каждого.

— Я знаю всех в маленькой фирме «Бендини, Ламберт энд Лок», в тихой, спокойной фирме, которую вы изучаете вот уже семь лет. Олдрич работает шесть лет, и пару месяцев назад ФБР, вероятно, пыталось наладить с ним контакт. Это правда?

— Абсолютная чушь. Кто тебе это сказал?

— Не важно. Где-то слышал краем уха.

— Это ложь. С августа мы не имели дела ни с кем, кроме тебя. Могу дать тебе слово. У нас и планов таких не было, во всяком случае, до тех пор, пока ты не откажешься и нам не придется искать кого-то еще.

— Вы ни разу не беседовали с Олдричем?

— Ни разу.

Митч кивнул и взял журнал. Прошло еще полчаса. Тарранс отложил свой роман в сторону, проговорил:

— Слушай, Митч, примерно через час мы будем в Ноксвилле. Если мы хотим чего-то достичь, нам все-таки нужно договориться. У Войлса завтра утром будет множество вопросов.

— Сколько вы мне заплатите?

— Полмиллиона долларов.

Как и всякий грамотный юрист, Митч знал, что первое предложение должно быть отвергнуто. Всегда. Ему не раз приходилось видеть, как у Эйвери отвисала нижняя челюсть от удивления, а голова начинала качаться из стороны в сторону — так он выражал живейшее отвращение и недоверие первому предложению, каким бы разумным оно ни выглядело. Ведь еще будут встречные предложения, встречные предложения встречным предложениям, начнется торговля, переговоры... Но самое первое предложение всегда должно быть отвергнуто.

Поэтому Митч, покачивая головой и слегка улыбаясь, так, как будто он и предполагал это услышать, сказал «нет».

— В моих словах было что-то смешное? — спросил Тарранс — не юрист, не торговец.

— Да это просто смехотворно, Тарранс. Не думаешь же ты, что я сбегу с золотого прииска за полмиллиона? После вычета налогов у меня, дай Бог, останется тысяч триста.

— А если мы прикроем ваш прииск и пошлем всех ваших пижонов в ботиночках от Гуччи на государственное содержание?

— Если, если, если... Если вы так много знаете, почему же ничего не делаете? Войлс говорил, что уже семь лет следите за ними, изучаете их. Это здорово, Тарранс. Вы всегда так быстро двигаетесь вперед?

— Хочешь попробовать, Митч? Да пусть это займет у нас еще пять лет, а потом твоя задница будет сидеть и тухнуть в камере. Не станет ли тебе безразлично в этом случае, сколько времени у нас ушло, а? Результат-то ведь один.

— Извини. Я думал, у нас торговля, а не взаимные угрозы.

— Я свое предложение сделал.

— Это слишком мало. Вы ждете от меня, что я снабжу вас материалами, достаточными для сотни обвинительных заключений, помогу вам засадить за решетку самых изощренных преступников в стране. Мне это может стоить жизни, а вы предлагаете взамен жалкие гроши. По меньшей мере три миллиона.

Тарранс принял удар не дрогнув. Он ответил Митчу ясным прямым взглядом, и Митч — он умел вести переговоры — понял, что сумма не ошеломила собеседника.

— Это целая куча денег, — негромко проговорил Тарранс как бы самому себе. — Не думаю, чтобы мы когда-нибудь платили такую сумму.

— Но можете заплатить, не так ли?

— Сомневаюсь. Мне нужно поговорить с директором.

— С директором! Мне было сказано, что ты уполномочен сам решать все. Или мы так и будем бегать от директора и к нему до тех пор, пока не договоримся?

— Что еще?

— Есть кое-что, но мы не станем этого касаться, пока не разрешится вопрос с деньгами.

У джентльмена с тростью явно были слабые почки. Он поднялся и вновь начал неловко продвигаться по проходу в конец салона. Тарранс взял в руки книгу. Митч принялся листать старый номер журнала «Филд энд стрим».

Автобус компании «Грейхаунд» свернул с автострады в сторону Ноксвилла без двух минут восемь. Тарранс наклонился к Митчу и прошептал:

— Подойдешь к главному входу в автовокзал. Увидишь там парня в оранжевом спортивном костюме университета штата Теннесси, он будет стоять у белого «бронко». Он узнает тебя и назовется Джеффри. Пожмете друг другу руки как старые друзья и заберетесь в «бронко». Он отвезет тебя к твоей машине.

— Где она? — также шепотом спросил Митч.

— В университетском городке, позади здания общежития.

— Ее проверили на «жучки»?

— Думаю, да. Спросишь парня в «бронко». Если из Мемфиса за тобой следовали, то сейчас у них могут возникнуть подозрения. Направишься в Куквил, это примерно в ста милях от

Нашвилла. Остановишься на ночь в «Холидэй инн» и отправишься на свидание с братом. Мы тоже будем посматривать, и, если заметим что-нибудь настораживающее, я разыщу тебя в понедельник утром.

— Когда будет следующая поездка на автобусе?

— Во вторник день рождения твоей жены. Закажите столик у Гризанти, это итальянский ресторанчик по дороге в аэропорт. Ровно в девять вечера подойдешь к автомату по продаже сигарет в баре, опустишь шесть двадцатипятицентовиков и купишь что хочешь. Вместе с покупкой найдешь в ящичке и магнитофонную кассету. Купи себе перед этим какой-нибудь маленький плейер, с которым не расстаются спортсмены-ходоки, и прослушай кассету в машине, — в машине, а не дома, и уж ни в коем случае не в офисе. Через наушники. Дай прослушать жене. Ты услышишь мой голос, и я назову тебе нашу самую высокую цену и еще объясню кое-что. Прослушаешь запись несколько раз, а потом уничтожишь кассету.

— Все это довольно-таки сложно, нет?

— Сложно, зато недели две нам не нужно будет встречаться и разговаривать. Ведь они продолжают следить и слушать, Митч. И делают они это хорошо, не забывай.

— Обо мне не беспокойся.

— Какой номер был у тебя на футболке, когда ты играл в университете?

— Четырнадцать.

— А в колледже?

— Четырнадцать.

— Годится. Твоим кодом будет 1-4-1-4. В четверг вечером с кнопочного телефона-автомата позвони по номеру 757-6000. Тебя попросят назвать твой код. После того как ты удостоверишь свою личность, ты услышишь запись с моим голосом, я задам тебе некоторые вопросы. Так мы и начнем.

— Почему бы мне просто не заниматься юриспруденцией?

Автобус подъехал к зданию вокзала и остановился.

— Я поеду до Атланты, — обратился к Митчу Тарранс. — В случае крайней необходимости звони по одному из тех номеров, что я дал тебе раньше.

Митч стоял в проходе и смотрел на Тарранса.

— Три миллиона, Тарранс. Ни центом меньше. Если вы тратите десятки миллионов на борьбу с преступностью, то в состоянии найти три миллиона для меня. И, Тарранс, у меня все еще есть выбор. Я могу исчезнуть в ночи, раствориться в воздухе. Если так случится, вы можете сражаться с кланом Моролто до скончания века. А я в это время буду играть в домино где-нибудь в Карибском море.

— Ну конечно, Митч. Сыграй партию или две. А через неделю они тебя разыщут. Но только рядом уже не будет нас, чтобы защитить тебя. Пока, коллега.

Митч спрыгнул с подножки автобуса и побежал к автовокзалу.

ГЛАВА 23

Во вторник к восьми тридцати утра Нина разложила аккуратными стопками и пачками весь тот хлам, что заполнял его стол. Она наслаждалась ритуалом наведения порядка и планирования рабочего времени шефа. Журнал записи деловых встреч Митча лежал на самом виду на углу стола. Она раскрыла его.

— Сегодня у вас очень напряженный день, мистер Макдир.

Митч листал какую-то папку.

— У меня каждый день такой.

— В десять часов у вас встреча в кабинете мистера Махана по поводу запроса компании «Дельта шиппинг». В одиннадцать тридцать вас ждет у себя мистер Толар по вопросу распада «Гринбрайер», его секретарша уведомила меня, что разговор продлится не меньше двух часов.

— С чего это вдруг?

— Мне не платят за то, чтобы я задавала подобные вопросы, мистер Макдир. А если я начну проявлять чрезмерное любопытство, меня выставят отсюда вон. В три тридцать с вами хочет встретиться Виктор Миллиган.

— Для чего?

— И опять же, мистер Макдир, я не могу задавать такие вопросы. А через пятнадцать минут вы должны быть в центре города, в кабинете Фрэнка Малхолланда.

— Да, знаю. Где это?

— В здании «Хлопковой биржи». В четырех-пяти кварталах вверх по Франт-стрит. Вы проходили мимо этого здания сотни раз.

— Отлично. Что еще?

— Принести вам что-нибудь перекусить с обеда?

— Нет, перехвачу сандвич в городе.

— Тем лучше. Для Малхолланда у вас все готово?

Он указал на тяжелый черный портфель и ни слова не произнес в ответ. Нина вышла. Через несколько секунд за ней последовал и Митч: по коридору, вниз по лестнице и на улицу. Под фонарным столбом он на мгновение замер и тут же быстрым шагом устремился в центр. В правой руке он нес тяжелый черный портфель, в левой — коричневый кожаный атташе-кейс. Первый сигнал.

Перед зеленым фасадом здания, окна которого были скрыты за жалюзи, он опять замер, чуть ли не вплотную прижавшись к пожарному гидранту. Затем, резко повернувшись, начал пересекать Франт-стрит. Еще один сигнал.

На девятом этаже «Хлопковой биржи» Тэмми Гринвуд из «Гринвуд сервис» отошла от окна и надела свой жакет. Вышла из кабинета, закрыла его на ключ, нажала кнопку лифта. Она стояла и ждала. Ждала встречи, за которую могла поплатиться жизнью.

Митч вошел в вестибюль и направился к лифтам. Никаких подозрительных лиц вокруг себя он не заметил. В глаза ему бросились лишь пять-шесть джентльменов делового вида, на ходу разговаривавших между собой. Женщина говорила что-то в трубку телефона-автомата. Охранник подпирал стену у выхода на Юнион-авеню.

Митч нажал кнопку вызова. Рядом с ним никого не было. Но когда двери лифта раскрылись, первым мимо него проскользнул молодой человек в черном костюме, чем-то похожий на Меррила Линча*. Митч вздохнул — он надеялся оказаться в кабинке один.

---

* Известный американский киноактер.

Офис Малхолланда располагался на седьмом этаже. Митч нажал кнопку, не удостоив парня в черном костюме и взглядом. Когда лифт пополз вверх, оба уставились на табло с мелькающими цифрами. Митч стоял у самой стенки, поставив тяжелый портфель на пол рядом со своей правой ногой. На четвертом этаже лифт остановился, в раскрывшиеся двери вошла несколько нервничавшая Тэмми. Молодой человек окинул ее оценивающим взором. На этот раз Тэмми была одета в классическом стиле: не очень длинное простое вязаное платье, без всяких украшений. Никаких немыслимых туфель на каблуках. Волосы светились чуть красноватым оттенком. Стоящий у самой двери юноша еще раз взглянул на нее и нажал на кнопку закрытия дверей.

В руках у Тэмми был большой черный портфель, точная копия того, что стоял рядом с Митчем. Избегая его взгляда, Тэмми встала рядом и поставила свой портфель вплотную к его. На седьмом этаже Митч подхватил тот, что внесла Тэмми, и вышел. На восьмом вышел похожий на кинозвезду парень, Тэмми же поднялась на девятый, с трудом оторвала от пола портфель Митча, набитый папками из фирмы Бендини, и скрылась за своей дверью. Она не только повернула изнутри ключ, но и задвинула засов на двери. Затем сняла жакет, прошла в маленькую комнатку, где включенный ксерокс уже ждал ее. В ее распоряжении было семь папок, каждая толщиной в дюйм. Она аккуратно разложила их на складном столе рядом с машиной и взяла в руки первую, с наклейкой «Кокер-Хэнкс — управляющему Восточно-Техасского трубопровода». Раскрыв зажимы, Тэмми высвободила документы из обложки и осторожно поместила в автоматический загрузчик. Нажала на кнопку «Печатать» и стала смотреть, как из машины вылетают по две отлично исполненные копии каждого документа.

По прошествии тридцати минут все семь папок вернулись в черный портфель. Новые четырнадцать папок были надежно закрыты в несгораемый ящик, стоявший в крошечной кладовой. Кладовая тоже была закрыта на ключ. Тэмми поставила портфель рядом с дверью и принялась ждать.

* * *

Фрэнк Малхолланд был компаньоном в маленькой юридической фирме из десяти человек, которая главным образом занималась обеспечением банковского бизнеса и ценными бумагами. Его клиент, пожилой человек, создавший сеть магазинов «Сделай сам», где торговали всем — начиная от гвоздей и кончая запасными частями к автомобилям и радиодеталям, успел сколотить восемнадцатимиллионное состояние, однако был отстранен от управления делами и отправлен на пенсию предавшим его советом директоров и родным сыном. Он обратился с иском в суд; компания ответила встречным иском. Так они судились полтора года, иски сменялись контрисками, и конца тяжбе не предвиделось. Однако, изрядно набив карманы юристов деньгами и тем самым порадовав их сердца, стороны все же решили попытаться как-нибудь уладить дело. Фирма Бендини по просьбе сына и совета директоров занималась налогами компании, и вот два месяца назад Эйвери Толар представил Митча противоборствующим сторонам. Была идея предложить старому упрямцу пакет акций на пять миллионов, право на покупку дополнительных акций по льготным ценам и определенное количество облигаций.

Малхолланд отнесся к идее прохладно. Его клиент не был жадным, несколько раз объяснял он, старик отдавал себе отчет в том, что уже не вернет контроль над всем предприятием. Собственным предприятием! Но пяти миллионов было мало. Слишком мало. Любой суд присяжных, если он не будет состоять из одних только недоумков, примет сторону пожилого бизнесмена, и тут дураку станет ясно, что суд обяжет противную сторону выплатить по крайней мере... двадцать миллионов.

После часовой беседы в ходе выдвигаемых предложений и контрпредложений Митч согласился увеличить пакет акций до восьми миллионов, а Малхолланд на это ответил, что еще может согласиться подумать о пятнадцати. Митч сложил свои бумаги в атташе-кейс, Малхолланд вежливо проводил его до дверей. Они договорились встретиться через неделю и пожали друг другу руки так, будто были лучшими друзьями.

На пятом этаже кабина лифта остановилась, в нее как ни в чем не бывало вошла Тэмми. Кроме них двоих, в лифте никого не было. Когда двери закрылись, он спросил:

— Какие-нибудь трудности?

— Нет. Копии я заперла.

— Много ушло времени?

— Тридцать минут.

Лифт остановился этажом ниже, они обменялись портфелями.

— Завтра в полдень?

— Да, — ответил он.

Двери раздвинулись, она вышла.

Вестибюль внизу был пуст. Только охранник так же лениво подпирал стену. Митчел Макдир, адвокат и советник юстиции, держа в одной руке кейс, а в другой тяжелый портфель, быстро вышел из здания и с достоинством отправился в свой офис.

Празднование двадцать пятого дня рождения Эбби проходило довольно скромно. Сидя при свечах в темном уголке у Гризанти, они шептались и пытались улыбаться друг другу. Удавалось это с трудом. В это самое время где-то в ресторане сидел агент ФБР с магнитофонной кассетой, которую он должен был сунуть в автомат по продаже сигарет ровно в девять часов. Через несколько секунд Митчу предстояло забрать ее. И сделать это нужно было так, чтобы противник, кем бы он ни был и как бы ни выглядел, не смог этого заметить. А лента на кассете поведала бы, на какую сумму наличных чета Макдиров может рассчитывать за свидетельство в суде и всю последующую жизнь в бегах.

Они тыкали вилками в тарелки, обменивались деланными улыбками и старались поддерживать непрерывный диалог, но главным образом они беспокойно ерзали и незаметно посматривали на часы. Ужин был короток. Без четверти девять на их тарелках уже ничего не оставалось. Митч поднялся, направляясь к туалету. Проходя мимо бара, он всматривался в его темное нутро. Автомат по продаже сигарет стоял в углу, там, где и должен был стоять.

Был заказан и кофе, поэтому ровно в девять Митч прошел в бар, к автомату; он нервно стал опускать в щель монеты, затем потянул за рычаг с надписью «Мальборо лайтс» — в память об Эдди Ломаксе. Сунув руку в окошко автомата, он нащупал там пачку сигарет и, пошевелив еще пальцами, обнаружил и кассету. На стойке бара рядом с автоматом зазвонил телефон, и Митч от неожиданности вздрогнул. Он обернулся, обвел глазами помещение бара. Двое мужчин у дальнего конца стойки смотрели телевизор. Он услышал их пьяный смех.

Эбби не спускала с него глаз до тех пор, пока он не вернулся на свое место и не уселся напротив. Она вопросительно подняла брови:

— Ну?

— У меня. Твоя любимая кассета — черная «Сони».

Митч отпил из чашечки кофе и с улыбкой повел глазами по сторонам. За ними никто не наблюдал. Никому до них не было дела.

Подошедшему официанту Митч подал кредитную карточку и чек.

— Мы спешим, — предупредил он официанта.

Тот вернулся буквально через две секунды и дал Митчу подписать счет.

«БМВ» и в самом деле был нашпигован «жучками». Коллеги Тарранса осторожно и тщательно изучили его с помощью увеличительного стекла четырьмя днями раньше, когда Митч ехал в автобусе. Нашпигован профессионально, самой дорогой аппаратурой высшего качества, способной уловить даже вздох. Но «жучки» только слушали, видеть они не могли. За это Митч был очень им благодарен.

Он и Эбби не сказали друг другу ни слова, когда машина тронулась со стоянки у ресторана. Эбби взяла кассету и осторожно вставила ее в плейер, передала мужу наушники, которые тот тут же надел. Она нажала на кнопку и уже не спускала глаз с его лица, пока Митч бесцельно кружил по улицам.

В наушниках зазвучал голос Тарранса:

«Привет, Митч. Сегодня вторник, девятое марта, начало десятого вечера. Поздравляю с днем рождения твою очаровательную жену. Запись продлится минут десять, прослушай ее внимательно раз-другой, а потом уничтожь. В воскресенье у меня была беседа один на один с Войлсом, я передал ему все, о чем мы с тобой говорили в автобусе. Кстати, поездка мне очень понравилась. Войлс удовлетворен развитием событий, но считает, что слов сказано уже достаточно. Он хочет заключить сделку, и побыстрее. В самых недвусмысленных выражениях он объяснил мне, что ФБР еще ни разу не выплачивало никому трех миллионов долларов, и ты тоже не можешь на это рассчитывать. Он сыпал проклятиями, но, чтобы не отнимать твое время, скажу сразу: мы можем заплатить наличными миллион, не больше. Деньги будут помещены в швейцарский банк, и никто, в том числе Национальное налоговое управление, не узнает об этом. Миллион долларов, и без всякого налогообложения. Это максимум того, что мы можем предложить, и Войлс сказал, ты можешь убираться ко всем чертям, если не согласишься. Мы твердо намерены покончить с фирмой — с твоей помощью или без нее».

Митч усмехнулся, посмотрел в окно на обгоняющие его машины при выезде на автостраду. Эбби ждала знака, сигнала, вздоха удовлетворения или стона — чего-нибудь, что помогло бы понять: хорошие вести или плохие. Она молчала. Голос Тарранса между тем продолжал:

«Мы позаботимся о тебе, Митч. Ты сможешь воспользоваться защитой ФБР в любое время, как только сочтешь это необходимым. Если пожелаешь, мы будем периодически проверять твое окружение. Если через несколько лет ты захочешь перебраться в другой город, мы окажем содействие и в этом. Свое местожительство ты волен менять каждые пять лет, при желании мы оплатим все и подыщем тебе работу. Хорошую работу где-нибудь в управлении по делам ветеранов войны, или в сфере социального страхования, или в почтовом ведомстве. Войлс сказал даже, что мы в состоянии обеспечить тебе высокооплачиваемую работу в качестве частного подрядчика правительства. Словом, все, что ты сам выберешь. Мы, безусловно, снабдим тебя и твою жену новыми документами, и ты ежегодно сможешь менять их, если захочешь. Проблем с этим не будет. Или, если у тебя на уме есть нечто лучшее, мы готовы тебя выслушать. Предпочитаешь перебраться в Европу или в Австралию — только скажи об этом. К тебе будет особое отношение. Я знаю, обещаем мы много, но это очень серьезные обещания, и мы готовы подтвердить их в письменном виде. ФБР заплатит тебе миллион наличными без всяких налогов и устроит тебя там, где ты пожелаешь. Вот наши условия сделки. А ты, в свою очередь, отдашь нам фирму и семейство Моролто. Об этом мы поговорим позже. На сегодня это все. Войлс дышит мне в затылок, а это значит, действовать нам придется быстро. Позвони мне по тому номеру в четверг в девять вечера из телефона-автомата в баре Хьюстона, что на Поплар-стрит. Пока, Митч».

Он чиркнул пальцем по горлу, и Эбби нажала на кнопку «Стоп», а затем «Перемотка». Он передал жене наушники — был ее черед слушать.

Это была невинная прогулка влюбленных по парку: двое идут, взявшись за руки, в прохладном и чистом лунном свете. У пушек они остановились, любуясь видом величественной реки, несущей свои воды к Новому Орлеану. У тех самых пушек, где стоял мрачным зимним вечером Эдди Ломакс, делая один из последних в своей жизни докладов клиенту.

Держа в руке кассету, Эбби смотрела на плавно текущую внизу воду. Она прослушала запись дважды и отказалась оставить пленку в машине, откуда ее мог бы бог знает кто похитить. После проходивших в молчании недель, после разговоров во дворе слова выговаривались с трудом.

— Знаешь, Эбби, — не выдержал наконец Митч, похлопывая рукой по деревянному колесу пушки, — мне всегда хотелось работать на почте. У меня был дядя, ему как-то пришлось быть сельским почтальоном. Тихое и спокойное занятие.

Этой, возможно, не совсем удачной, шуткой он хотел ее раззадорить. Сработало. Поколебавшись мгновение, она легко рассмеялась. Митч мог бы поклясться, что ей действительно стало весело.

— Ну конечно, а я бы мыла полы в госпитале для ветеранов.

— Полы тебе мыть бы не пришлось. Меняла бы простыни: это более серьезная работа. Да и подозрений меньше. Жили бы мы в маленьком белом каркасном домике на Мэпл-стрит в Омахе. Я был бы Гарви, а ты Тельма, а фамилия какая-нибудь коротенькая, непритязательная.

— По, — предложила Эбби.

— Здорово! Гарви и Тельма По. Семья По. В банке у нас лежал бы миллион, но мы бы и десяти центов не могли потратить, чтобы люди на Мэпл-стрит не узнали об этом, и мы стали бы выделяться из толпы, а уж этого-то никак нельзя допустить.

— Я бы еще изменила форму носа.

— Да твой нос — само совершенство.

— Это у Эбби нос — совершенство. А у Тельмы? Его пришлось бы чуть-чуть подправить, тебе не кажется?

— Видимо, да.

Шутки уже утомили его, он смолк. Эбби встала напротив, он положил свои руки ей на плечи. Они стояли и смотрели на буксир, натужно тянущий вереницу барж под мостом. Небольшое облачко заслонило собой луну, прохладный ветерок поднялся и тут же стих.

— Ты веришь Таррансу? — услышал он голос Эбби.

— В каком смысле?

— Предположим, ты не станешь ничего предпринимать. Ты веришь в то, что в один день ФБР удастся проникнуть в фирму?

— Мне страшно не верить этому.

— Значит, мы получим деньги и ударимся в бега?

— Для меня это проще, Эбби, — взять деньги и бежать. Кроме тебя, у меня никого нет. У тебя же совсем другое дело. Ты никогда больше не увидишь родителей.

— Куда мы отправимся?

— Не знаю. Но вряд ли мне захочется остаться в этой стране. ФБР нельзя до конца верить. В другой стране я буду чувствовать себя безопаснее, но Таррансу я про это не собираюсь говорить.

— С чего же мы начнем?

— Мы заключим сделку, быстренько наберем достаточно материала для того, чтобы потопить этот пиратский корабль. Не имею ни малейшего представления о том, что именно им нужно, но я смогу им это достать. А когда Тарранс получит нужное ему количество документов, мы исчезнем. Получим наши денежки, подправим носы и исчезнем.

— Сколько будет денег?

— Побольше, чем миллион. Они играют с нами. Мы будем торговаться.

— Сколько мы получим?

— Два миллиона наличными, свободными от уплаты налогов. Ни центом меньше.

— И они заплатят?

— Да. Вопрос не в этом. Вопрос в том, стоит ли нам их брать и бежать.

Ей стало холодно, и он снял с себя пальто, накинул ей на плечи. Крепко прижал к себе.

— Дрянная это сделка, Митч, но по крайней мере мы будем вместе.

— Гарви. Не Митч.

— Ты думаешь, мы будем в безопасности, Гарви?

— Опасность угрожает нам здесь.

— Мне здесь не нравится. Мне одиноко и страшно.

— Я уже устал быть юристом.

— Давай возьмем деньги и махнем куда-нибудь.

— Договорились, Тельма.

Она отдала ему кассету. Повертев в руках, Митч швырнул ее вниз, через набережную, в воду. Держась за руки, они быстро прошли через парк к ожидавшему их на Франт-стрит «БМВ».

ГЛАВА 24

Второй раз за время его карьеры в фирме «Бендини, Ламберт энд Лок» Митч был приглашен в роскошную столовую на пятом этаже. Приглашение последовало от Эйвери, который объяснил, что компаньоны приятно удивлены показателями Митча за февраль: еженедельно счетами закрывался в среднем семьдесят один час; приглашение к обеду было небольшой наградой за столь самоотверженный труд. Подобное приглашение не смог бы отвергнуть ни один сотрудник, вне зависимости от его планов, встреч, клиентов и постоянного цейтнота, а также множества других чрезвычайно важных, имеющих решающее значение для карьеры в фирме факторов. Ни разу в истории почтенной юридической фирмы сотрудник не сказал «нет» такому приглашению. Их и бывало-то всего два в год, причем велся строгий учет.

На подготовку к обеду у Митча было два дня. Поначалу он хотел отказаться, когда Эйвери только упомянул об обеде, в голове его уже сложилась сотня формулировок отказа. Сидеть за одним столом, улыбаться, болтать и любезничать с бандой преступников, какими бы респектабельными они ни были, представлялось Митчу более отвратительным, чем хлебать какую-нибудь бурду из одной тарелки с бродягой на автобусной станции. Но отказ прозвучит как выстрел, он пробьет брешь в прекрасной традиции. А при существующем положении вещей его поведение и без того представляется многим достаточно подозрительным.

Поэтому Митчу не оставалось ничего иного, как, сидя спиной к окну, улыбаться и поддерживать беседу с Эйвери, Ройсом Макнайтом и, конечно же, с Оливером Ламбертом. Митч знал, что его место будет за одним столом с этими тремя. Знал еще два дня назад.

Он был уверен, что за ним будут наблюдать — незаметно, но внимательно, пытаясь уловить недостаток энтузиазма, или проблески цинизма, или безнадежность. Словом, что-нибудь. Будут прислушиваться к каждому его слову, вне зависимости от того, что станет он говорить. Будут хвалить и превозносить его, маня соблазнительными обещаниями.

Оливер Ламберт был обворожителен, как никогда прежде. Семьдесят один час в неделю, да еще в феврале, сказал он, — это было рекордом фирмы для сотрудника. Рузвельт в это самое время подавал на стол знаменитые ребрышки. Компаньоны поражены, более того, поражены сверх меры его достижениями, заметил Ламберт, обводя глазами присутствующих. Нанизывая кусочек мяса на вилку, Митч выдавил из себя улыбку. Сидящие вокруг него либо выражали вежливое удивление, либо с равнодушными лицами поглощали еду. Митч насчитал восемнадцать компаньонов, бывших еще в строю, и семь пенсионеров, одетых не так чопорно и пребывавших в расслабленном состоянии духа.

— У тебя удивительный запас энергии, Митч, — проговорил Ройс Макнайт с набитым ртом.

Митч вежливо кивнул. «Да, да, — подумал он, — я подзаряжаюсь каждый день». Мысли его были сконцентрированы на Джо Ходже, Марти Козински и трех других юристах, чьи портреты висели в зале библиотеки на первом этаже. Но нельзя было также отделаться и от воспоминаний о девушке на острове — неужели они все видели эти фотографии? Пускали их по рукам во время одного из таких маленьких семейных обедов? Де Вашер обещал держать снимки при себе, но что толку в обещаниях негодяя? Конечно, видели. Войлс же говорил, что все компаньоны и большая часть сотрудников знали все. Значит, и это тоже знали.

Для человека, полностью лишенного аппетита, он совсем неплохо справлялся с тем, что ему подавали. Он даже намазал маслом и съел лишнюю булочку — чтобы казаться нормальным, с аппетитом, мол, у него все в порядке.

— Значит, через неделю ты с Эбби летишь на Кайманы? — полюбопытствовал Оливер Ламберт.

— Да. В школе у нее каникулы, а я еще два месяца назад записался в одно из наших бунгало. Мы сгораем от нетерпения.

— Ты бросаешь меня в самое трудное время, — с деланной обидой прогудел Эйвери. — Мы отстаем не меньше чем на месяц.

— Мы всегда отстаем на месяц, Эйвери. Одна неделя погоды не сделает. А потом, ты же наверняка захочешь, чтобы я взял работу с собой.

— Неплохая идея. Я всегда так поступаю.

— И не вздумай, Митч! — В голосе Ламберта звучал шутливый протест. — Фирма не рухнет до твоего приезда. Вы с Эбби заслужили неделю полной свободы.

— Тебе там понравится, — сказал Макнайт так, будто бы Митч не был на островах ни разу, на пляже ничего не произошло и фотографий никто не видел.

— Когда вы вылетаете? — спросил Ламберт.

— В воскресенье утром, рано.

— На «лире»?

— Нет. На «дельте», прямым рейсом.

Ламберт и Макнайт обменялись взглядами, которые Митчу полагалось не заметить. На него бросали взгляды с других столиков, взгляды, полные любопытства, и уж на них он имел полное право обращать свое внимание. Его здесь, черт побери, должны были разглядывать.

— Ты плаваешь с аквалангом? — задал новый вопрос Ламберт, все еще размышляя о том предпочтении, которое Митч оказал рейсовому самолету.

— Нет, но мы собираемся понырять с масками.

— На севере острова, в Рум-Пойнте, есть один парень по имени Адриан Бенч, у него отличная секция, за неделю он тебя обучит. Будет, конечно, нелегко, попотеешь на инструктажах, но дело того стоит.

Другими словами, держись подальше от Эбанкса, подумал Митч.

— Как называется секция? — спросил он.

— Секция ныряльщиков «Рум-Пойнт». Отличное место.

Митч вежливо кивнул, как бы давая понять, что принял информацию к сведению. Внезапно Оливер Ламберт погрустнел.

— Но будь там осторожнее, Митч. Все мы помним о Марти и Джо.

На мгновение Эйвери и Ройс Макнайт прекратили жевать, отдавая долг памяти погибшим коллегам. Едва не подавившись, Митч готов был рассмеяться в лицо Ламберту. Но лицо его сохранило свою невозмутимость, он печально склонил голову вместе с остальными. Марти и Джо, и их молодые и безутешные вдовы, и дети, оставшиеся без отцов. Марти и Джо, два способных и преуспевающих юриста, которых убрали, лишив возможности говорить. Марти и Джо, две в будущем хищные акулы, сожранные своими сородичами. Войлс наставлял Митча вспоминать их каждый раз, как он видит Ламберта.

Сейчас ему предстояло всего лишь за какой-то миллион долларов сделать то, что не успели сделать те двое, но при этом нужно было умудриться остаться в живых. А ведь вполне возможно, что через год новый молодой сотрудник будет сидеть здесь и слушать грустные воспоминания компаньонов о своем предшественнике Митчеле Макдире, о том, каким энергичным он был, какую замечательную карьеру готовила ему судьба, если бы не несчастный случай. Скольких же они еще убьют?

Митчу требовалось два миллиона. И еще пара вещей.

Проведя примерно час за важными и интересными разговорами и прекрасной едой, компаньоны начали поодиночке вставать, приносить извинения остающимся, говорить Митчу два-три ласковых слова и убывать домой. Они гордятся им, напоминал ему чуть ли не каждый. Наша восходящая звезда. Будущее фирмы.

Он улыбался и благодарил.

Примерно в то время, когда Рузвельт подавал обедающим банановый пирог, Тэмми Гринвуд Хэмфил из «Гринвуд сервис» остановила свой замызганный «фольксваген» рядом со сверкающим «пежо» на стоянке у школы Святого Андрея. Оставив машину урчать двигателем, она сделала четыре шага, открыла ключом багажник «пежо» и достала тяжелый на вид черный чемоданчик. Захлопнув багажник, уселась за руль своей машины и умчалась.

Стоя у небольшого окошка в учительской с чашкой кофе в руке, Эбби сквозь ветви деревьев наблюдала за стоянкой, расположенной позади игровых площадок. Ее «пежо» едва виднелся в отдалении. Посмотрев на часы, она с удовлетворением улыбнулась: ровно двенадцать тридцать, как она и планировала.

В потоке машин Тэмми осторожно пробиралась к центру города. Очень утомительно вести автомобиль, не сводя глаз с зеркала заднего вида. Но, как и раньше, ничего настораживающего она в нем не видела. Добравшись до места, Тэмми оставила «фольксваген» на стоянке напротив «Хлопковой биржи».

На этот раз в чемоданчике было девять папок. Разложив их аккуратно на откидывающейся крышке стола, Тэмми занялась копированием. «Сигэлас партнерс», «Лэтти Планк траст», «Хэндимэн хардуэр» и две толстые папки, схваченные широкой резиновой лентой и помеченные «Папки Эйвери». Она снимала две копии с каждого листа и, методично подравнивая их, откладывала в сторону. В конторскую книгу вносила дату, время и название каждой папки. Записей таких было уже двадцать девять. Митч предупредил ее, что всего их должно быть около сорока. Копию каждой папки она закрывала в несгораемый ящик, а оригинал и другую копию укладывала в чемоданчик Митча.

Следуя его инструкциям, в небольшом складе на Саммер-авеню она сняла кладовую комнату размером двенадцать на двенадцать футов. Склад находился в четырнадцати милях от центра города, и ей потребовалось полчаса, прежде чем она, добравшись туда, открыла помещение под номером 38. Из чемоданчика Митча Тэмми вытащила вторые экземпляры копий, переложила их в картонную коробку, надписала на крышке дату и поставила коробку на пол рядом с тремя такими же.

Ровно в три пополудни она въехала на стоянку у школы, затормозила рядом с «пежо», открыла его багажник и оставила чемоданчик Митча там, где он и был.

Как только она это сделала, из главного входа фирмы Бендини вышел Митч. Сделав глубокий вдох, он выбросил в стороны руки, потягиваясь и оглядывая улицу. Чудесный весенний день. В трех кварталах от себя и девятью этажами выше он увидел окно с наглухо задернутыми шторами. Сигнал. Отлично. Все идет как нужно.

Улыбнувшись, Митч вернулся в кабинет.

В три часа утра следующего дня он выбрался из постели, натянул выцветшие джинсы, фланелевую рубашку, оставшуюся еще со студенческих времен, белые носки, разыскал старые рабочие ботинки. Ему хотелось стать похожим на водителя грузовика. Не произнеся ни слова, он поцеловал Эбби, которая тоже проснулась, и вышел из дома. Улица, где они жили, была совершенно пустынна, как и те, по которым он добирался до автострады. Вряд ли в это время за ним кто-то последует.

По шоссе ему нужно было проехать двадцать пять миль в сторону Сенатобии, штат Миссисипи. Чуть в стороне от четырехрядной полосы ярко засветились огни полностью забитой ночной стоянки для большегрузных автомобилей. Осторожно маневрируя между грузовиками, Митч пробрался к дальнему концу стоянки, где в кабинах машин отдыхали водители. Он остановился рядом с мойкой и приготовился ждать. У шлангов с водой суетились человек десять шоферов, наводя глянец на свои огромные трейлеры.

Откуда-то из-за угла вышел темнокожий парень в бейсбольной кепке и уставился на «БМВ». Митч узнал в нем того, кто махнул ему рукой на автовокзале в Ноксвилле. Он выключил двигатель и вылез из машины.

— Макдир? — услышал он обращенный к нему вопрос.

— Естественно. Кто же еще? Где Тарранс?

— Внутри, в кабинке у окна. Ждет.

Митч распахнул дверцу «БМВ» и передал агенту ключи.

— Куда вы отгоните машину?

— Здесь неподалеку. Мы о ней позаботимся. Следа за тобой из Мемфиса не было. Не волнуйся.

Он забрался на место Митча, вырулил между двумя качавшими воду насосами и выехал на автостраду. Митч проводил машину взглядом и вошел в придорожное кафе. Было без четверти четыре.

Шумное помещение заполняли крепко сбитые, среднего возраста, мужчины, пьющие кофе и поедающие купленные здесь же пироги. Люди тянулись за зубочистками, говорили о ловле окуня, о политике, слышался громкий говор северян, из музыкального ящика раздавался голосок Мерл Хаггард.

Митч неловко пробирался к задней стенке заведения, пока в неосвещенном углу не заметил знакомое лицо, прятавшееся, как и тогда, под бейсбольной шапочкой и темными очками. Улыбавшийся Тарранс держал в руке меню и не сводил глаз с входной двери. Митч проскользнул к нему в кабинку.

— Привет, приятель, — сказал Тарранс, — как дела за баранкой?

— Неплохо. Но в автобусе мне нравилось больше.

— В следующий раз попробуем поезд или что-нибудь еще. Для разнообразия. Ты передал машину Лейни?

— Лейни?

— Чернокожий малый. Ты же знаешь, он наш агент.

— Нас забыли представить друг другу. Да, передал. Куда он ее отогнал?

— Чуть дальше по автостраде. Он вернется примерно через час. Постараемся до пяти с тобой уложиться, так, чтобы в шесть ты уже был в фирме. Не хотелось бы нарушать твой распорядок.

— Вы уже сделали это.

Полуувечная официантка по имени Дот, приковыляв к столику, осведомилась, что они будут заказывать. Только кофе. Двери кафе распахнулись, и новый поток уставших водителей хлынул во все уголки зала. В общем гаме Мерл Хаггард была почти не слышна.

— Как дела в фирме? — бодрым голосом спросил Тарранс.

— Все идет отлично. Пока мы тут говорим, счетчик щелкает и компаньоны становятся все богаче. Рад был ответить на твой вопрос.

— Взаимно.

— А как поживает старина Войлс?

— Он очень переживает, правда. Сегодня он уже дважды звонил мне, чтобы напомнить в десятый раз о своем желании услышать твой ответ. Говорил, что у тебя было достаточно времени на размышления. Я сказал ему, что сегодня мы должны с тобой встретиться. Чтобы быть до конца точным, могу добавить: через четыре часа он ждет моего звонка.

— Скажи ему, Тарранс, что за миллион долларов у него ничего не выйдет. Вы, парни, любите распространяться о деньгах на борьбу с организованной преступностью, ну так отстегните пару миллионов и мне. Что такое два миллиона для федерального правительства?

— Теперь это уже два миллиона?

— Ты чертовски прав, Тарранс, теперь это два миллиона. И ни центом меньше. Я потребую миллион сейчас и миллион позже. Сейчас я занят копированием всех своих дел, на это уйдет еще несколько дней. Это все абсолютно чистые дела, я уверен. Если я передам их кому-нибудь, меня пожизненно лишат права заниматься юридической практикой. Вот я и получу с вас мой первый миллион, когда передам папки. Так сказать, плата за добросовестность.

— Каким образом ты хочешь его получить?

— Положите его на банковский счет в Цюрихе. Но детали обговорим после.

Дот поставила перед обоими чашки с блюдцами и начала лить кофе, держа кофейник в ярде над ними. Брызги летели во все стороны.

— Добавка бесплатно, — пробурчала она и удалилась.

— А второй миллион? — Тарранс не обращал внимания на кофе.

— Когда мы, то есть ты, я и Войлс, придем к соглашению, что информации достаточно для предъявления обвинений, вы заплатите половину. После того как я последний раз выступлю в суде — вторую. По-моему, это абсолютно честно, Тарранс.

— Согласен. Договорились.

Митч почувствовал, как его начинает охватывать слабость, сделал глубокий вдох. Договорились. Сделка заключена. Соглашение достигнуто. Никогда оно не будет подписано, но выполняться должно обеими сторонами неукоснительно. Митч сделал глоток, но вкуса кофе не ощутил. Насчет денег они договорились. Он оказался на высоте. Надо двигаться дальше.

— И еще, Тарранс...

Тот склонился над столиком:

— Да?

Митч придвинулся к нему, упершись локтями в столешницу:

— Это не будет стоить вам ни гроша, не потребует никаких усилий.

— Я слушаю.

— Мой брат Рэй находится в тюрьме «Браши маунтин». До выхода ему осталось семь лет. Вы вытащите его оттуда.

— Это смешно, Митч. Мы можем многое, но, черт побери, уверяю тебя, даже мы не в состоянии освободить государственного преступника, осужденного судом штата. Если бы еще это был федеральный суд — можно было бы попробовать, но на суд штата мы никак не можем подействовать.

— Слушай меня, Тарранс, слушай внимательно. Если уж мне придется спасаться бегством от мафии, то брат последует со мной. Это — непременное условие. Я знаю, что, если директор ФБР захочет освободить его из тюрьмы, он сможет это сделать. Я это знаю. Так что вам остается только продумать, как все провернуть.

— У нас нет никакой возможности влиять на решения суда штата.

Митч улыбнулся и сделал еще один глоток.

— Но ведь бежал из тюрьмы Джеймс Эрл Рэй, именно из «Браши маунтин». И без всякой помощи извне.

— Просто здорово. Мы организовываем нападение на тюрьму и освобождаем твоего брата. Великолепно.

— Не прикидывайся невинным ягненком, Тарранс. Мы можем все обговорить.

— Хорошо, хорошо. Посмотрим, что здесь можно сделать. Еще что-нибудь? Еще один сюрприз?

— Нет. Только несколько вопросов типа того, куда мы отправимся и что будем делать. Только мелочи. Где нам прятаться вначале? Где прятаться в перерывах между судебными заседаниями? Где скрываться всю оставшуюся жизнь?

— Все это можно обсудить позднее.

— Что вам рассказали Ходж и Козински?

— Не много. Мы завели небольшое досье, в котором собрано все, что мы знаем на сегодняшний день о клане Моролто и о фирме. Главным образом это сведения о Моролто: организация, ключевые фигуры, незаконная деятельность и прочее. Тебе необходимо со всем этим ознакомиться, прежде чем мы начнем действовать.

— А это случится не раньше, чем после того, как я получу первый миллион.

— Безусловно. Когда мы сможем увидеть твои дела?

— Примерно через неделю. Я сделал копии четырех папок, принадлежащих другому лицу, и рассчитываю скопировать еще несколько.

— Кто снимает копии?

— Не твое дело.

Тарранс решил пропустить это мимо ушей.

— Сколько всего папок?

— Сорок — пятьдесят. Мне приходится выносить их по нескольку штук зараз. Насколько я могу судить, все это нормальные клиенты.

— Со сколькими из них ты встречался лично?

— С двумя или с тремя.

— Я бы не поручился на твоем месте за то, что все клиенты чисты. Ходж рассказывал нам о фальсифицированных, или, как их называют компаньоны, «потогонных» папках, на которых обтачивают свои зубы все новички. Эти папки требуют сотен часов и дают таким, как ты, ощущение причастности к большому и важному делу.

— «Потогонных»?

— Так называл их Ходж. Все очень просто, Митч. Тебя соблазняют деньгами. Изнуряют работой, которая кажется совершенно законной и, возможно, таковой в основном и является. И на протяжении нескольких лет ты исподволь втягиваешься в тайные операции. Тебя прибрали к рукам, не оставив и щелочки для выхода. Даже тебя, Митч. Ты приступил к работе в июле, восемь месяцев назад, и, наверное, уже имел дело с кое-какими подобными папками. Ты об этом не знал, у тебя и повода подозревать что-то не было. Они уже начали подбираться к тебе.

— Два миллиона, Тарранс. Два миллиона и брат.

Тарранс отпил из чашки едва теплого кофе и крикнул хромавшей мимо Дот принести ему кусок пирога. Посмотрел на часы. Обвел глазами сидевших за столиками водителей — галдящих, с сигаретами во рту, пьющих свой кофе. Поправил очки.

— Итак, что мне сказать мистеру Войлсу?

— Передай ему, что сделка не состоится, если он не согласится вытащить Рэя из тюрьмы. Сделки не будет, Тарранс.

— Возможно, мы что-нибудь придумаем.

— Я уверен, что это в ваших силах.

— Когда ты улетаешь на Кайманы?

— В воскресенье рано утром. А что?

— Просто интересно.

— Мне хотелось бы знать, сколько народу последует туда за мной. Или это большой секрет? Уверен, что их будет целое стадо, а нам с женой, честно говоря, нужно пожить и личной жизнью.

— В бунгало фирмы?

— Ну да.

— Забудьте о личной жизни. Скорее всего оно опутано проводами больше, чем телефонная станция. А может, и камеры установлены.

— Ты меня успокоил. Пару ночей мы сможем провести в секции Эбанкса. Если кто-нибудь из ваших будет поблизости, пусть заходят пропустить стаканчик.

— Очень остроумно. Если мы там и будем, то этому найдется другая причина, и ты об этом знать не будешь.

В три приема Тарранс доел свой кусок пирога, оставил на столе два доллара, и они вдвоем вышли и направились в дальний конец стоянки. От непрерывного рева дизельных двигателей вокруг асфальт под ногами дрожал. Они стояли в предрассветной мгле и ждали.

— Я буду разговаривать с Войлсом через несколько часов. Почему бы тебе вместе с женой не совершить в субботу после обеда какую-нибудь вылазку?

— Куда именно?

— К востоку отсюда, в тридцати милях, есть городок Холли-Спрингс. Старый, застроенный домиками времен еще до Гражданской войны, оплот конфедератов. Женщинам нравится приезжать туда и рассматривать древние постройки. Появитесь где-нибудь около четырех дня, и мы сами тебя разыщем. Твой знакомый, Лейни, будет править ярко-красным «шевви» с номерами штата Теннесси. Поедешь за ним. Найдем местечко и побеседуем.

— Это вполне безопасно?

— Доверься нам. Если мы увидим или учуем что-то, мы смоемся. Ты покружишь по городу, и если в течение часа не заметишь Лейни, то съешь сандвич и покатишь домой. Значит, они были слишком близко. Рисковать мы не будем.

— Благодарю. Предусмотрительные вы парни!

Подъехал Лейни на «БМВ»:

— Кругом все чисто. Никого.

— Отлично. Завтра увидимся, Митч. Давай за баранку!

Они попрощались за руку.

— Я уже не торгуюсь, Тарранс, — напомнил ему Митч.

— Зови меня Уэйн. До завтра.

ГЛАВА 25

Темные тучи и проливные дожди давно уже согнали с пляжа «Седьмая миля» всех туристов, когда уставшие и промокшие Митч и Эбби прибыли в роскошное бунгало фирмы.

Митч подогнал взятый напрокат джип «Мицубиси» через газон прямо к двери. Коттедж номер 2. В первый свой приезд он жил в коттедже номер 1. Здания были совершенно одинаковые, отличаясь только окраской и отделкой. Открыв входную дверь, они начали перетаскивать багаж, быстро промокнув насквозь в потоках усилившегося дождя.

Сменив одежду, супруги принялись распаковываться в спальне на втором этаже, длинный балкон которой выходил на пустой мокрый пляж. Осторожно обмениваясь словами, обследовали все комнаты, ванную, кладовую. Холодильник на кухне был пуст, зато бар ломился от напитков. Митч смешал два коктейля из рома и кока-колы, в честь острова. Они уселись на балконе и подставили босые ноги под стекавшие с крыши струи дождя. Океанские волны бросали на песок клочья пены. В «Румхедсе» было тихо, бар едва виднелся за пеленой воды. У стойки сидели двое местных, пили и смотрели на море.

— Вон там находится «Румхедс». — Митч вытянул в том направлении руку со стаканом.

— «Румхедс»?

— Я рассказывал тебе о нем. Это веселенькое местечко, где туристы пьют, а местные играют в домино.

— Понятно.

Особого впечатления на Эбби это не произвело. Она зевнула и глубже опустилась в пластиковое кресло, прикрыла глаза.

— Вот это мне нравится, Эбби! Наша первая поездка за рубеж, первый настоящий медовый месяц, а ты засыпаешь через десять минут после того, как мы прибыли.

— Я устала, Митч. Всю ночь, пока ты спал, паковала вещи.

— Ты набила восемь чемоданов: шесть для себя и два для меня. Уложила всю нашу одежду. Когда тебе было спать!

— Не хочу, чтобы вдруг мне здесь не хватило одежды.

— Не хватило? Сколько бикини ты взяла? Десять? Двенадцать?

— Шесть.

— Здорово! По купальнику на день. Что же ты до сих пор ни один не надела?

— Что?

— Ты слышала, что я сказал. Поди надень тот голубой, с двумя ниточками, что должны прикрывать грудь. Он весит полграмма и стоит шестьдесят долларов, у тебя в нем все так и колышется, когда ты проходишь мимо. Поди и надень, я хочу его видеть.

— Митч, но ведь идет дождь. Ты притащил меня на этот остров в самый сезон дождей. Посмотри на тучи, они такие огромные и черные, и такие неподвижные. На этой неделе мне не понадобится никакой купальник.

Митч заулыбался, растирая ноги:

— А мне дождь нравится. Надеюсь, что он не перестанет всю неделю. Будем сидеть здесь, не вылезая из постели, попивая ром и выясняя, кто из нас двоих сильнее.

— Ты шокируешь меня! Ты что, действительно хочешь заняться любовью? В этом месяце один раз это уже было.

— Два раза.

— Я-то думала, что ты всю неделю будешь плавать с аквалангом или с маской.

— Ну уж нет. Там меня поджидают акулы.

Ветер подул сильнее, заливая сидящих на балконе потоками воды.

— Пойдем и снимем с себя все, — сказал Митч, вставая.

Примерно через час погода все-таки начала меняться. Дождь ослабел, потом стал моросить, а вскоре и кончился. Небо прояснилось, тучи уходили на северо-восток, к Кубе. Незадолго до захода на короткое время выглянуло солнце. Его появление опустошило бунгало, домики местных жителей, номера в отелях — все тут же устремились по еще не просохшему песку к воде. «Румхедс» внезапно оказался набитым игроками в дартс и умиравшими от жажды туристами. Возобновилась оборванная на середине партия в домино. У «Пальм» музыканты взяли в руки инструменты, над пляжем поплыла уже знакомая Митчу мелодия регги.

Вместе с Эбби они бродили вдоль кромки прибоя в направлении Джорджтауна, прочь от того места, где когда-то он сидел с девушкой. Время от времени он ловил себя на мысли, что не может забыть ни ее, ни фотографии. Он решил, что девушка была профессионалкой, что Де Вашер заплатил ей за то, чтобы она соблазнила его и подставила под объективы скрытых камер. Он не рассчитывал увидеть ее в этот раз.

Как по сигналу, музыка вдруг смолкла, прогуливавшиеся по пляжу замерли, шум в баре стих, и тысячи глаз устремились к той точке на горизонте, где нижний край солнечного диска соприкоснулся с поверхностью воды. Крошечные облака, остатки бушевавшей днем грозы, вместе с солнцем медленно погружались в воду. Заходящее светило окрашивало их в красные, желтые, розовые тона. На несколько мгновений небо превратилось в огромный кусок холста, раскрашиваемый мощными взмахами невидимой кисти. Затем оранжевый диск полностью ушел под воду, облака стали черными и медленно разошлись. Такими бывали на островах закаты.

Со страхом и всеми мыслимыми предосторожностями Эбби правила джипом на забитых транспортом узеньких улицах торгового квартала. Ведь она была родом из Кентукки, и ей никогда прежде не приходилось ездить по левой стороне дороги. Митч подсказывал ей, куда править, и одновременно не сводил глаз с зеркала заднего вида. Тротуары были полны туристов, разыскивающих взглядами в витринах беспошлинные фарфор, хрусталь, парфюмерию, кинофотоаппаратуру и ювелирные изделия.

Митч указал ей на незаметную боковую улочку, и джип резко свернул в нее, разделив надвое большую группу туристов. Он поцеловал жену.

— Буду здесь в пять.

— Не забывай про осторожность, — сказала она. — Я отправлюсь в банк, а потом вернусь на пляж, поближе к бунгало.

Он хлопнул дверцей и исчез в проходе между двумя магазинчиками. Проход вывел на более широкую улицу, упиравшуюся в Поросячий залив. Митч нырнул в небольшую, полную туристов лавку, где торговали рубашками, соломенными шляпами и солнцезащитными очками. Он выбрал рубашку с кричащими желтыми и зелеными цветами и широкополую панаму и уже через две минуты уселся на заднее сиденье притормозившего у лавки такси.

— В аэропорт. И побыстрее. Посматривай, чтобы никто не увязался следом.

Таксист не отозвался. Проехав мимо зданий банков, они выбрались на шоссе, и уже через десять минут машина остановилась перед зданием аэропорта.

— За нами кто-нибудь ехал? — обратился к водителю Митч, доставая деньги.

— Нет, дружище. Четыре доллара десять центов.

Митч бросил на сиденье пятерку и быстро прошел внутрь. Рейс местной компании на остров Кайман-Брак был ровно в девять. У прилавка с сувенирами он купил чашку кофе и спрятался между двух рядов полок, уставленных всякими безделушками. Поглядывая из своего укрытия в сторону зала ожидания, он не заметил никого. Конечно, он даже не представлял себе, как они могли выглядеть, но, во всяком случае, он не увидел никого, кто бы шнырял по залу в поисках потерявшегося друга или родственника. Может, они последовали за джипом, а может, прочесывали торговый квартал. Все возможно.

За семьдесят пять местных долларов он купил заранее зарезервированный последний билет на десятиместный трехмоторный «трисландер». Эбби заказала его по телефону-автомату вечером того дня, как они прилетели. В самый последний момент он бегом бросился по бетону к трапу и забрался в салон. Пилот закрыл дверь, машина начала двигаться к взлетной полосе. Других самолетов видно не было. Где-то справа мелькнул маленький ангар.

Пассажиры-туристы восхищались бирюзовым морем и почти не разговаривали за время двадцатиминутного полета. Когда они уже подлетали к острову, пилот превратился на время в туристского гида и сделал в воздухе широкий круг, обращая внимание своих пассажиров на крутые утесы, отвесно обрывавшиеся в море на восточной оконечности острова. Без этих утесов, заметил он, островок был бы таким же плоским, как и Большой Кайман.

Машина мягко приземлилась на узкую полосу асфальта.

Рядом с небольшим каркасным домиком, на всех четырех стенах которого было намалевано краской слово «Аэропорт», стоял мужчина, представитель белой расы, с приятными чертами лица, наблюдавший за высадкой. Это был Рик Эклин, специальный агент. Стекавший градом пот насквозь промочил рубашку на его спине. Он сделал едва заметный шаг вперед.

— Митч, — сказал он негромко, как бы самому себе.

Мгновение поколебавшись, Митч подошел к нему.

— Машина ждет нас.

— А где Тарранс? — Митч посмотрел по сторонам.

— Ты увидишь его.

— В машине есть кондиционер?

— К сожалению, нет. Извини.

Машине не хватало не только кондиционера, но и мощности двигателя и поворотных огней. Это был автомобиль 1974 года выпуска, и Эклин объяснил, пока они ехали по пыльной дороге, что на острове был не очень широкий выбор марок, предлагавшихся напрокат. Единственной причиной того, что представители правительства США были вынуждены арендовать эту машину, являлась невозможность обнаружить на острове такси. Слава Богу, что за столь короткое время удалось найти комнату.

Аккуратные домики сбились в тесную кучку, за ними виднелось море. Автомобиль остановился на покрытой песком стоянке заведения, называвшегося «Ныряльщики острова Брак». К выступавшему в море старому пирсу было привязано около сотни лодок и катеров всех размеров. Вдоль пляжа располагался десяток тростниковых хижин, в которых обитали любители подводного плавания, прибывшие сюда со всех концов мира. Рядом с пирсом находился бар, без названия, но с неизменными дартсом и домино. С потолка между стропилами свисали вентиляторы, древние, выполненные из дуба и бронзы. Лопасти их вращались медленно и бесшумно, посылая прохладу бармену и игрокам.

Уэйн Тарранс сидел в одиночестве за столиком, попивая кока-колу и глядя на то, как группа ныряльщиков грузила с пирса в катер сотню, не меньше, одинаковых желтых баллонов. Даже для туриста одет он был вызывающе. Темные очки в лимонного цвета оправе, коричневые соломенные сандалии, явно новые черные носки, тесноватая гавайская рубашка неописуемо яркой и сложной расцветки и старые, поношенные спортивные шорты, которые были слишком коротки ему. Из них торчали худосочные, болезненно-белые ноги. При виде Митча Тарранс взмахнул банкой колы и указал ему на свободные стулья.

— Замечательная рубашка, — проговорил Митч с нескрываемым изумлением.

— Спасибо, Митч. Нужно же хоть изредка доставить себе удовольствие.

— И загар неплохой.

— Да, да. Стараюсь не выделяться из толпы, сам понимаешь.

Рядом в ожидании заказа суетился официант. Эклин попросил кока-колы. Митч сказал, что будет колу с каплей рома. Все трое принялись разглядывать катер и ныряльщиков, грузящих свое громоздкое оборудование.

— Что случилось в Холли-Спрингс? — спросил наконец Митч.

— Жаль, но мы ничего не смогли поделать. Они следовали за тобой из Мемфиса, а в Холли-Спрингс у них было даже две машины. Мы так и не смогли приблизиться.

— Вы с женой говорили в доме о том, куда собираетесь? — задал вопрос Эклин.

— По-видимому, да. Наверное, пару раз упомянули.

Эклин казался удовлетворенным.

— Они были уже наготове. Миль двадцать за тобой следовал «скайларк», потом он исчез. Мы решили отменить операцию.

Тарранс глотнул колы и сказал:

— Поздно вечером в субботу «лир» вылетел из Мемфиса и приземлился на Большом Каймане. Мы считаем, что на борту было два-три головореза. Самолет вылетел отсюда в воскресенье утром.

— Значит, они здесь и следят за нами?

— Безусловно. Кто-то из них, один или двое, видимо, летели вместе с вами. Это мог быть мужчина, могла быть женщина, а может, и то и другое. Вполне вероятно, что он окажется негром, а она — какой-нибудь восточной красавицей. Кто знает, Митч. Денег у них хватает. Двоих мы опознали. Один был в Вашингтоне одновременно с тобой. Блондин, около сорока лет, шесть футов один-два дюйма ростом, с очень короткими волосами, почти армейская стрижка. Похож на скандинава. Двигается быстро. Вчера мы засекли его за рулем красного «форда», взятого напрокат здесь в конторе «Коконат кар ренталс».

— По-моему, я его видел.

— Где? — спросил Эклин.

— В Мемфисе, в баре аэропорта, в тот вечер, когда я вернулся из Вашингтона. Я заметил, что он наблюдает за мной, и подумал, что видел его где-то в Вашингтоне.

— Это он. Теперь он здесь.

— А кто второй?

— Тони Верклер, мы прозвали его Тони Две Тонны. Бывший заключенный с длинным послужным списком, работал главным образом в Чикаго. Он связан с Моролто уже многие годы. Весит почти триста фунтов, замечательно справляется со слежкой — никому и в голову не приходит подумать на него.

— Вчера вечером он сидел в «Румхедсе», — добавил Эклин.

— Вчера вечером? Мы тоже были там вчера вечером.

Под шум радостных выкриков катер с ныряльщиками отдал концы и устремился в открытое море. Рыбаки в лодках тянули свои сети, парусные катамараны уходили все дальше от берега. После неторопливого, полусонного утра остров начинал пробуждаться к активной жизни. Половина лодок и катеров уже отчалила от пирса, другие вот-вот собирались это сделать.

— Ну а вы когда объявились в городе? — Митч пригубил свой напиток, в котором рома было гораздо больше, чем колы.

— В воскресенье вечером, — ответил ему Тарранс, глядя вслед катеру.

— Спрашиваю из чистого любопытства, — предупредил Митч. — Сколько на острове ваших людей?

— Четверо мужчин, две женщины, — ответил Тарранс.

Эклин превратился в немого, предоставив своему шефу вести все разговоры.

— И для какой, собственно, цели вы находитесь здесь?

— О, таких целей у нас несколько. Первое: мы хотим поговорить с тобой и уточнить условия сделки. Войлс озабочен, он настаивает на таком соглашении, которое полностью бы устроило и тебя. Второе: нам необходимо понаблюдать за ними, чтобы знать, сколько из их шайки находится здесь. Мы проведем тут около недели, выясняя, кто есть кто. Островок невелик, заниматься наблюдением здесь — одно удовольствие.

— А третье — это то, что ты должен бы немного подзагореть?

Эклин позволил себе едва слышно хихикнуть. Тарранс улыбнулся, а затем нахмурился:

— Нет, не совсем. Мы обеспечиваем здесь твою защиту.

— Мою защиту?

— Именно. Когда я последний раз сидел за этим столиком, мы разговаривали с Джо Ходжем и Марти Козински. Примерно девять месяцев назад. За день до того, как их убили, если уж быть точным.

— И ты считаешь, что меня тоже вот-вот убьют?

— Нет. Пока — нет.

Митч сделал бармену знак повторить. Игроки в домино начинали горячиться.

— Слушайте, парни, пока мы тут с вами говорим, головорезы, как вы их называете, шляются по пятам за моей женой на Большом Каймане. Я буду нервничать, если в ближайшее время не увижу ее. Так что там о нашей сделке?

Тарранс повернулся лицом к Митчу:

— С двумя миллионами все в порядке и...

— Еще бы не в порядке, мы же об этом договорились, разве нет?

— Остынь, Митч. Мы заплатим миллион после того, как ты передашь нам свои дела. В этот момент тебе уже не будет дороги назад, как они говорят. Ты увязнешь по самые уши.

— Тарранс, это мне ясно и так. Я же сам это предложил, если помнишь.

— Но это самая простая часть дела. В общем-то нам твои папки не нужны — там все чисто. Это нормальные папки. Законные, так сказать. Нам же нужны другие, Митч. Те, которые дадут возможность предъявить обвинения. К тем папкам подобраться будет гораздо труднее. Но когда ты это сделаешь, мы заплатим тебе половину второго миллиона. А после суда — оставшуюся часть.

— А мой брат?

— Мы попробуем.

— Меня это не устраивает, Тарранс. Мне нужен только положительный результат.

— Я не могу обещать тебе доставить брата непосредственно тебе в руки. Черт возьми, за ним еще семь лет тюрьмы!

— Но он мой брат, Тарранс. И мне наплевать, будь он даже обычным убийцей, приговоренным к смертной казни и сидящим в камере в ожидании последней в жизни миски с тюремной баландой. Он мой брат, и, если я вам нужен, вы освободите его.

— Я же сказал, что мы попытаемся, но без гарантий. Нет никакого легального, даже формального, повода к его освобождению. Нам придется изобрести что-то другое. А если его подстрелят при попытке к бегству?

— Вытащите его из тюрьмы, Тарранс.

— Попробуем.

— Вы употребите на это всю власть и все возможности ФБР, так, Тарранс?

— Обещаю тебе.

Митч откинулся на спинку стула, сделал большой глоток из стакана. Теперь в сделке было учтено все. Он с облегчением вздохнул и улыбнулся расстилающейся перед ним морской глади.

— Когда мы увидим твои дела?

— Мне показалось, что они не нужны вам. Они слишком чистые, ты же сам сказал.

— Они нужны нам, Митч, потому что когда они окажутся в наших руках, то вместе с ними там же окажешься и ты. Отдав нам папки, ты вручишь нам и себя самого, свою, так сказать, лицензию на право юридической деятельности.

— На это потребуется десять — пятнадцать дней.

— Сколько всего будет дел?

— Сорок — пятьдесят. Самая маленькая папка будет толщиной в дюйм. Большие не поместятся на этом столе. Я не могу делать с них копии в офисе, приходится идти кружным путем.

— Может быть, мы поможем тебе в этом? — вновь подал голос Эклин.

— Может быть, лучше не надо. Может быть, если мне понадобится ваша помощь, я сам, может быть, попрошу ее.

— Каким образом ты рассчитываешь нам их переправить? — спросил Тарранс; Эклин опять смолк.

— Это очень просто, Уэйн. Когда я сделаю все копии и когда я буду иметь свой миллион там, где мне необходимо, я вручу вам ключ от некоей небольшой комнатки, находящейся неподалеку от Мемфиса, и вы погрузите их в свой грузовичок.

— Я говорил тебе, что деньги будут переведены на счет в швейцарском банке.

— А теперь мне не нужен счет в швейцарском банке, Тарранс. Я продиктую вам условия перевода, и все будет сделано так, как я скажу. Теперь моя голова находится под прицелом, парни, так что условия вам придется принимать мои. Во всяком случае, большую их часть.

Тарранс усмехнулся и уставился на пирс.

— Значит, ты не доверяешь швейцарцам?

— Просто у меня другой банк на уме, скажем так. Я ведь работаю на тех, кто занят отмыванием денег, не забывай про это, Уэйн, я стал экспертом в том, как нужно прятать деньги на заморских счетах.

— Ясно.

— Когда я ознакомлюсь с вашим досье на Моролто?

— После того, как мы получим твои папки и заплатим тебе за это. Мы отдадим в твое распоряжение всю информацию, которой сами располагаем, но тебе придется рассчитывать главным образом только на себя. Нам с тобой нужно будет часто видеться, и это будет, безусловно, опасно. Возможно, потребуется несколько автобусных поездок.

— Хорошо, но в следующий раз рядом с проходом буду сидеть я.

— Конечно, конечно. Человек, который стоит два миллиона, естественно, имеет право выбрать место в автобусе.

— Ты не представляешь, какое мне это доставит удовольствие, Уэйн. Нет, ты не можешь себе этого представить.

Митч увидел его в трех милях от Джорджтауна, на узкой петляющей дороге к Боддентауну. Мужчина склонился под поднятым капотом старенького «фольксвагена»: похоже, у него были проблемы с двигателем. Одет он был как местный, никакой туристской раскраски. Его легко можно было принять за какого-нибудь англичанина, работающего на правительство или на один из банков. Хороший, ровный загар. В руке он держал какой-то гаечный ключ; промчавшийся по левой стороне дороги джип Митча он окинул равнодушным взглядом. Это был Скандинав.

Он был уверен, что Митч не обратил на него ровным счетом никакого внимания.

Совершенно бессознательно Митч сбросил скорость до тридцати миль — чтобы дождаться его. Эбби обернулась назад. Узкая лента шоссе, ведущего в Боддентаун, на протяжении пяти миль тянулась вдоль берега, затем, после развилки, резко уходила в сторону. Через несколько минут они оба заметили маленький «фольксваген», огибающий очередной изгиб дороги. Джип оказался вдруг гораздо ближе, чем это было желательно Скандинаву. Поняв, что его заметили, он сразу же сбавил скорость и бросил машину вправо, в неприметный выезд к океану.

Митч надавил на педаль газа и устремился к городу. Не доезжая до него, он свернул на юг и меньше чем через милю выехал на берег.

В десять утра стоянка у секции Эбанкса была полна лишь наполовину. Два утренних катера с аквалангистами отчалили всего полчаса назад. Митч и Эбби быстро прошли к бару, где Генри уже подавал пиво и сигареты игрокам в домино.

Бэрри Эбанкс стоял, прислонившись к столбу, подпирающему тростниковую крышу бара, и смотрел, как два его суденышка огибают небольшой мыс. Находившиеся на катере спортсмены должны были сделать по два захода каждый: у арки Бонни и грота Дьявола, а затем у скалы Идена и у рифа Роджера, то есть там, где сам он, наверное, уже тысячу раз проводил подводные экскурсии. А некоторые места он сам и открыл.

Супруги подошли к нему, Митч представил ему свою жену. Эбанкс не был особенно любезен, но не был и груб. Они направились к небольшому пирсу, на котором рулевой готовил к отплытию тридцатифутовую рыболовецкую лодку. Эбанкс разразился потоком не поддающихся расшифровке команд, но молодой парень оказался либо абсолютно глухим, либо совершенно непочтительным к своему боссу.

Митч стоял рядом с Эбанксом и указывал ему на бар неподалеку от пирса.

— Вы знаете всех там, в баре? — спросил он.

Эбанкс только покосился на него.

— За мной хотели проследить, — объяснил ему Митч. — Я спрашиваю из чистого любопытства.

— Обычное сборище, — ответил ему Эбанкс. — Никого из посторонних.

— А утром в округе вы чужих не приметили?

— Послушай, это место привлекает многих людей. Я не веду дневника, отмечая в нем каждого нового человека.

— Вам не попадался толстый американец с рыжими волосами, не меньше трехсот фунтов весом?

Эбанкс покачал головой. Рулевой наконец оттолкнул лодку от пирса и стал неспешно выгребать в море. Эбби уселась на невысокую скамеечку и наблюдала за отправкой еще одного катера с ныряльщиками. У ее ног лежал виниловый пакет с двумя новенькими масками и трубками для ныряния. Невинная поездка, чтобы немного поплавать под водой, может, поудить, если будет клев. Эбанкс согласился принять участие в их прогулке по морю только после длительных уговоров Митча, который настаивал на том, что им втроем необходимо обговорить кое-какие личные вопросы.

Личные вопросы, имеющие некоторое отношение к гибели его сына.

С увитого зеленью балкона на втором этаже коттеджа, стоявшего на пляже, Скандинав следил за двумя головами в масках, которые то выныривали на поверхность, то скрывались под водой неподалеку от рыболовного катера. Он передал бинокль Тони Верклеру, тут же, впрочем, соскучившемуся и вернувшему мощную оптику прежнему владельцу. Восхитительно сложенная яркая блондинка в черном купальнике, высоко, чуть ли не до грудной клетки, открывавшем ее стройные ноги, взяла из рук Скандинава бинокль. Ее интересовал рулевой.

Первым заговорил Тони:

— Не понимаю. Если у них серьезный разговор, то зачем им еще парень? Для чего пара лишних ушей?

— Может, они говорят о нырянии и рыбной ловле, — отозвался Скандинав.

— Не знаю, — сказала блондинка. — Для Эбанкса это очень нетипично — проводить время на рыбной ловле. Он предпочитает иметь дело с аквалангистами. Видимо, у него есть основательная причина проторчать целый день рядом с двумя ныряльщиками в масках. Что-то здесь не так.

— А кто этот парень? — спросил Тони.

— Один из тех, кто у него на побегушках, — ответила женщина. — У него таких десяток.

— Ты сможешь с ним позже поговорить? — обратился к ней Скандинав.

— Да, — поддержал его Тони, — дай ему себя погладить, покрути попкой. Он заговорит.

— Постараюсь, — ответила она.

— Как его зовут? — спросил Скандинав.

— Кейт Рук.

Кейт Рук подогнал катер к пирсу у Рум-Пойнта. Митч, Эбби и Эбанкс выбрались из суденышка и направились к пляжу. Кейта к обеду не пригласили. Он остался на борту и начал лениво драить палубу.

Бар «Кораблекрушение» находился недалеко от берега, в тени редких здесь деревьев. Внутри было темно и уютно, окна прикрыты ставнями, под потолком с неторопливым скрипом вращались пропеллеры вентиляторов. Было тихо: ни регги, ни домино, ни стрелок. Послеобеденные посетители чинно сидели за столами, погруженные в негромкие разговоры.

От их столика было хорошо видно море. Заказали пиво и бутерброды с сыром — основную еду островитян.

— Здесь совсем другая обстановка, — заметил негромко Митч.

— Именно так, — откликнулся Эбанкс, — и тому есть свои причины. Это место постоянных встреч торговцев наркотиками. Им принадлежит в округе немало жилых домов и бунгало. Прилетают сюда на собственных самолетах, помещают свои деньги в наши банки, которых здесь множество, а потом пару дней отдыхают на пляжах, осматривают свои местные владения.

— Хорошенькое соседство.

— Да, пожалуй. В их распоряжении миллионы, и держатся они тесным кружком.

Официантка, крепко сложенная мулатка, не проронив ни слова, поставила перед ними три бутылки ямайского пива. Эбанкс чуть подался к своим собеседникам, низко опустив к столу голову, — это была обычная манера разговора в баре «Кораблекрушение».

— Так ты думаешь, что сможешь уйти?

Митч и Эбби тоже склонились над столом.

— Не уйти — убежать. Бежать со всех ног, лишь бы спастись. И мне понадобится ваша помощь.

Эбанкс задумался, приподнял голову. Затем пожал плечами:

— Но что мне нужно будет сделать?

Он отпил пива.

Первой ее увидела Эбби. Только женщина может заметить, как другая, с изяществом чуть наклонив головку, пытается подслушать чужой разговор. Спиной к Эбанксу сидела грациозная блондинка с лицом, полускрытым огромными дешевыми солнцезащитными очками и обращенным в сторону океана. Она внимательно вслушивалась в долетавшие до нее слова, а когда троица сидела голова к голове, блондинка, повернувшись всем телом, готова была впитать в себя каждый звук. Сидела она за соседним столиком на двоих.

Эбби впилась своими ноготками в колено мужа, и за столом воцарилась тишина. Блондинка в черных очках вновь повернулась к открытой двери, через которую виднелась водная гладь, и поднесла к губам бокал.

К пятнице Уэйн Тарранс значительно улучшил свой гардероб. Куда-то пропали сандалии, коротенькие шорты и очки, рассчитанные на подростка. Тощие ноги стали красными, обожженные тропическим солнцем до неузнаваемости. После трех дней пребывания на задворках, известных более под названием Кайман-Брак, он вместе с Эклином, действуя от имени правительства Соединенных Штатов, перебрался в дешевую комнатку на Большом Каймане. Дом, где они остановились, находился на изрядном расстоянии от пляжа «Седьмая миля», и до моря было дальше, чем Тарранс мог позволить себе пройти пешком. Номер в мотеле «Коконат» с двумя кроватями и холодным душем стал их штабом, из которого прослеживались все перемещения четы Макдиров и других лиц, представлявших определенный интерес. В среду утром им удалось связаться с Макдиром и потребовать встречи и детального разговора в самое ближайшее время. Макдир ответил отказом. Он сказал им, что чрезвычайно занят, что у него с женой медовый месяц и что по этой причине такая встреча состояться не может. Может быть, позже, добавил он.

Тогда в четверг поздно вечером, когда Митч и Эбби, сидя в «Маяке», по дороге на Боддентаун, наслаждались морским окунем-гриль, Лейни, агент Лейни, одетый в живописные лохмотья и неотличимый от местного жителя, остановился на секунду у их столика и передал приказ: Тарранс ждет встречи.

Цыплят на Каймановы острова приходилось ввозить, и это были далеко не лучшие цыплята. Так себе, средние — они предназначались не островитянам, а американским туристам, заброшенным далеко от дома и отрезанным от своего основного и любимого блюда. Тяжелое было времечко для полковника Сандерса*, когда он приехал сюда научить местных темнокожих девушек жарить цыплят. Столь высокое искусство оказалось для них совершенно чуждым.

Специальный агент ФБР Уэйн Тарранс, назначая срочную секретную встречу в единственном на Большом Каймане ресторане «Кентукки фрайд чикен», располагал всей этой информацией. Единственный ресторан на острове. Тарранс был уверен, что заведение окажется вымершим. Он ошибся.

По меньшей мере сотня голодных туристов из Джорджии, Алабамы, Техаса и Миссисипи с аппетитом поедала хрустящие куриные ножки с рубленой капустой и картофелем в сметане. В «Тапило» было, конечно, вкуснее, но и здесь терпимо.

Тарранс и Эклин сидели в кабинке переполненного зала и, нервничая, не спускали глаз с входной двери. Менять что-либо было уже поздно. Но как много народу! Наконец появился Митч,

---

* Полковник Сандерс из города Тапило в штате Кентукки — создатель сети популярных в Америке недорогих ресторанов «Кентукки фрайд чикен», где основное блюдо — кусочки жаренной во фритюре курятины.

встал в конец длинной очереди. Держа в руках картонную коробочку с жареной курятиной, подошел к их столику и сел, не проронив ни слова, даже не поздоровавшись. Приступил к своему обеду, за который было заплачено почти пять каймановых долларов. За привозного цыпленка!

— Где ты был? — спросил его Тарранс.

Митч впился зубами в ножку.

— На острове. Глупее места для встречи не придумаешь, Тарранс. Слишком много народу.

— Мы знаем, что делаем.

— Да, как тогда в обувной лавке.

— Тонко подмечено. Почему ты не захотел встретиться в среду?

— В среду я был занят. Я не хотел вас видеть в среду. За мной не было хвоста?

— Конечно, нет. Лейни дал бы тебе знать еще у входной двери, если б был.

— Мне не нравится это место, Тарранс.

— Почему ты отправился к Эбанксу?

Митч вытер губы, продолжая держать в руке недоеденную ножку. Очень маленькую.

— У него катера, а мне хотелось поплавать с маской и порыбачить. Мы с ним договорились. А где был ты, Тарранс? В субмарине? Следил за нами в перископ?

— Что тебе сказал Эбанкс?

— О, он знает немало слов: привет, дай мне пива, кто следит за нами. Целая куча слов.

— Ты знаешь, что они действительно за вами следили?

— Они! Какие «они»? Ваши «они» или их «они»? За мной следит так много народу, что на перекрестках это вызывает пробки.

— Те самые люди, Митч. Из Мемфиса, из Чикаго и Нью-Йорка. Те, кто убьет тебя завтра, если ты не перестанешь острить.

— Глубоко тронут. Значит, они за мной следили. И куда же я их привел? Понырять с маской? Половить рыбки? Брось, Тарранс. Они следят за мной, вы следите за ними; вы следите за мной, и они следят за вами. Да если я ударю по тормозам, то мне в задницу уткнется не меньше двадцати носов. Почему мы сидим здесь, Тарранс? Здесь же уйма народу.

Тарранс с отчаянием посмотрел по сторонам.

Митч закрыл картонную коробку с недоеденной курятиной.

— Видишь, Тарранс, я волнуюсь, аппетит пропал.

— Успокойся. За тобой никого не было, когда ты выходил из бунгало.

— За мной вечно никого не бывает, Тарранс. Видимо, то же самое было с Ходжем и Козински, со всеми их передвижениями. За ними никого не было у Эбанкса. И на катере тоже никого не было. И похорон, наверное, тоже не было. Это не самая умная твоя идея, Тарранс. Я ухожу.

— Хорошо. Во сколько вы летите?

— В чем дело? Вы хотите лететь вместе? Со мной или с ними? А если за вами последуют они? А если все перемешается к чертовой матери и за всеми вами начну следить я?

— Ладно тебе, Митч.

— В девять сорок утра. Постараюсь занять тебе место. Сядешь у окна, а рядом устроится Тони Две Тонны.

— Когда мы получим твои дела?

Митч стоял с коробкой в руках.

— Через неделю или около этого. Дай мне десять дней, Тарранс. И больше никаких встреч в подобных местах. Запомни, они охотятся на юристов, а не на тупоголовых агентов ФБР.

ГЛАВА 26

В понедельник в восемь утра Оливер Ламберт и Натан Лок переступили порог металлической двери на пятом этаже и проследовали через лабиринт каморок и кабинетов к офису Де Вашера. Тот уже ждал их. Закрыв за вошедшими дверь, он указал им на кресла. Движения его были заторможенными: ночь прошла в безуспешном поединке с водкой. Глаза покраснели, веки набрякли, голова раскалывалась.

— Вчера в Лас-Вегасе я разговаривал с Лазаровым. Как мог, пытался объяснить ему, почему вы, парни, так не хотите расстаться с четырьмя вашими юристами: с Линчем, Соррелом,

Бантином и Майерсом. Перечислил ему все ваши доводы. Он обещал подумать, но, пока он будет это делать, проследите за тем, чтобы руки четверки не касались ничего, кроме совершенно чистых дел. Не пытайтесь играть в самостоятельность и следите за ними в оба.

— Он славный парень, не правда ли? — подал голос Ламберт.

— О да! Душка. Он сказал, что мистер Моролто уже на протяжении полутора месяцев еженедельно справляется у него о положении в фирме. Там у них все взбудоражены.

— Что ты ему ответил?

— Сказал, что пока все нормально, мы в безопасности. Протечки ликвидированы, на сегодняшний день. Не думаю, что он мне поверил.

— А как Макдир?

— Провел чудесную неделю вместе с женой. Вам не приходилось видеть ее в бикини? Она не вылезала из него семь дней. Это что-то потрясающее. Мы сделали несколько снимков, так, развлечения ради.

— Я пришел сюда не для того, чтобы смотреть на фотографии, — пробурчал Лок.

— Не скажи. Они провели целый день с нашим маленьким другом Эбанксом — их двое, Эбанкс и рулевой. Дурачились в воде, ловили рыбу. И говорили, много говорили. Неизвестно о чем. Приблизиться было невозможно. Все это внушает подозрения, причем сильные подозрения.

— Не могу понять почему, — сказал Оливер Ламберт. — О чем они могли говорить, кроме плавания, рыбалки, ну и, конечно, Ходжа и Козински? Хорошо, пусть они действительно говорили о наших погибших коллегах, в чем беда?

— Он никогда не был знаком с Ходжем и Козински, Оливер, — заметил Лок. — С чего бы ему интересоваться их смертью?

— Не забудьте, — добавил Де Вашер, — Тарранс еще при первой встрече сказал ему, что смерть тех двоих не была случайной. Видимо, он вообразил себя Шерлоком Холмсом и занялся поисками разгадки.

— Но ведь он ничего не найдет, Де Вашер, не так ли?

— Нет, черт побери. Это была отличная работа. Да, на некоторые вопросы ответов так и не нашли, но ведь ясно как день, что и кайманская полиция окажется здесь бессильной. Так что вряд ли удастся что-то и Макдиру.

— Почему же ты беспокоишься?

— Потому что беспокоятся в Чикаго. А они платят мне достаточно хорошие деньги, чтобы я тоже волновался вместе с ними. К тому же, пока ФБР не оставит нас в покое, каждый будет испытывать беспокойство, не так ли?

— Чем еще он занимался?

— Обыкновенный отпуск на Кайманах. Секс, солнце, ром, покупки по мелочам, достопримечательности. На острове было трое наших, и пару раз они его теряли из виду, но, надеюсь, ничего серьезного не упустили. Я всегда говорил, что нельзя следить за человеком семь дней в неделю двадцать четыре часа в сутки без того, чтобы он вас не засек. Поэтому иногда мы спускали его с поводка.

— Ты считаешь, Макдир становится разговорчивым? — обратился к нему Лок.

— Я знаю, что он лжет, Нат. Он солгал нам о встрече в обувном магазине месяц назад. Вы не захотели тогда в это поверить, однако я убежден, что он пошел за Таррансом по своей воле, поскольку хотел поговорить с ним. Один из наших ребят совершил ошибку, подойдя слишком близко, их беседа прервалась. Это не совсем то, о чем рассказал нам Макдир, но так было на самом деле. Да, Нат, мне кажется, что он становится разговорчивым. Может, он встречается с Таррансом для того, чтобы послать его к черту. Может, они вместе курят травку. Не знаю.

— Но у тебя нет ничего конкретного, Де Вашер, — заметил Олли.

Боль волнами перекатывалась от висков по всему черепу, от нее можно было сойти с ума.

— Нет, Олли, ничего, подобного Ходжу и Козински, если ты это имеешь в виду. Тех мы записали, и было известно точно, что они вот-вот расколются. С Макдиром все немного по-другому.

— К тому же он зеленый новичок, — напомнил Лок. — Юрист с восьмимесячным стажем, не знает ровным счетом ничего. Он бог знает сколько часов провел над «потогонными» папками, а единственными его клиентами были наши совершенно чистые заказчики. Эйвери особо тщательно отбирал дела, с которыми работал Макдир. У нас был с ним разговор.

— Он ничего не скажет, так как ничего не знает, — добавил Олли. — Марти и Джо знали гораздо больше, но ведь они давно у нас работали. Макдир еще слишком неопытен.

Де Вашер нежными движениями пальцев начал массировать виски.

— Значит, вы приняли на работу тупого мерзавца. Давайте допустим, что у ФБР есть предчувствие относительно того, кто является нашим главным клиентом. О'кей. Порассуждаем вместе. Давайте еще предположим, что Ходж и Козински успели достаточно их просветить по поводу специфики этого нашего клиента. Вам ясно, к чему я веду? ФБР могло рассказать Макдиру все, что им было о нас известно, кое-что приукрасив, конечно. И таким образом ваш зеленый новичок превратился в весьма осведомленного человека. И в весьма опасного.

— Ты в состоянии это доказать?

— Для начала мы ужесточим наблюдение. Установим двадцатичетырехчасовую слежку за женой. Я уже звонил Лазарову, требовал еще людей. Сказал ему, что нам необходимы свежие физиономии. Завтра вылечу в Чикаго, чтобы лишний раз посоветоваться с Лазаровым и, может быть, с мистером Моролто. Лазаров считает, что у Моролто есть ход к кому-то внутри ФБР. Этот кто-то довольно близок к Войлсу и может продать свою информацию. Безусловно, это будет стоить денег. Все это мы обсудим, и они решат, как нам поступить.

— И ты скажешь им, что Макдир начинает болтать? — спросил Лок.

— Я скажу им то, что я знаю, и то, что подозреваю. Боюсь, что если мы будем сидеть в ожидании конкретики, то опоздаем. Я почти уверен, что Лазаров захочет обсудить планы его устранения.

— Предварительные планы? — В голосе Олли звучала надежда.

— Предварительная стадия уже закончена, Олли.

* * *

Таверна «Песочные часы» в Нью-Йорке выходила фасадом на Сорок шестую улицу, неподалеку от того места, где она перекрещивалась с Девятой авеню. Это было небольшое темное помещение всего на двадцать два места, оно прославилось благодаря своему исключительно дорогому меню и тому, что на прием пищи каждому посетителю отводилось ровно пятьдесят девять минут. На стене над каждым столиком были укреплены песочные часы, беззвучно сыпавшие минутами и секундами до того момента, как хранительница времени — официантка — не подходила к столику для окончательного расчета. Пользуясь популярностью у прохожих на Бродвее, таверна обычно была переполнена, а постоянные посетители терпеливо дожидались своей очереди у дверей.

Лу Лазаров любил «Песочные часы» за их мрак, в котором так удобно было поговорить с нужным человеком, не привлекая чужого внимания. Поговорить недолго, накоротке, под часами. Нравилось ему здесь еще и потому, что таверна располагалась не в итальянском квартале. Сам он не был итальянцем и, даже будучи под началом у сицилийцев, не обязан был есть их еду. А еще он чувствовал себя здесь уютно по той причине, что родился и сорок лет жизни провел в театральной среде. Затем штаб-квартира корпорации переместилась в Чикаго, ему тоже пришлось переезжать. Однако бизнес требовал по крайней мере дважды в неделю приезжать в Нью-Йорк, и когда интересы дела диктовали необходимость встречи с равным себе по статусу членом другого клана, Лазаров в качестве нейтральной территории обычно предлагал «Песочные часы». У Тубертини статус был соответствующий, даже чуть выше. Соглашение на таверну он дал не очень охотно.

Лазаров приехал первым, и ему не пришлось долго ждать, пока освободится столик. Из собственного опыта он знал, что толпа к четырем часам пополудни уже рассеется, к тому же сегодня был четверг. Он попросил стакан красного вина, официантка повернула над его головой песочные часы, и время пошло. Лазаров сидел у ближайшего к выходу столика и, повернувшись спиной к залу, смотрел на улицу. Ему исполнилось пятьдесят восемь, у него была широкая грудь и солидных размеров живот. Положив руку на скатерть в красную клетку, он потягивал вино и рассматривал проносящиеся мимо автомобили.

Слава Богу, Тубертини оказался пунктуальным: вниз успела пересыпаться ровно четвертая часть белого песка. Мужчины вежливо пожали руки; Тубертини пренебрежительным взором обвел небольшое помещение. Он послал Лазарову деланную улыбку и уставился на свое место у окна — сквозь стекло его спину можно прекрасно рассмотреть с улицы, это будет раздражать. Это опасно. Но машина его находилась рядом, а в ней — двое его людей. Тубертини решил быть вежливым. Он обошел вокруг стола и уселся.

Выглядел Тубертини с иголочки. Тридцатисемилетний зять самого старика Палумбо, член Семьи. Женился на его единственной дочери. Изящный, с худощавым загорелым лицом и короткими черными волосами, аккуратно зачесанными назад. Заказал себе то же вино, что и Лазаров.

— Как поживает мой старый друг Джой Моролто? — вежливо осведомился он с улыбкой.

— Отлично. А мистер Палумбо?

— Неважно со здоровьем и совсем плохо с характером. Как обычно.

— Ему мои наилучшие пожелания.

— Передам обязательно.

Приблизившаяся официантка многозначительно посмотрела на сыплющийся песок.

— Только вино, — ответил на ее немой вопрос Тубертини. — Еды не нужно никакой.

Лазаров бросил взгляд на меню, передал его женщине:

— Тушеный лосось и еще один бокал вина.

Тубертини посмотрел на своих людей в автомобиле, ему показалось, что они начали дремать.

— Что не в порядке в Чикаго? — спросил он.

— Все в порядке. Нам только нужна кое-какая информация, вот и все. Мы слышали, и это не более чем слух, что у вас есть кто-то очень надежный внутри Бюро, довольно близкий к Войлсу человек.

— Ну а если это и так?

— Нам бы весьма пригодилась информация от него. У нас в Мемфисе есть небольшая фирма, куда фэбээровцы пытаются сунуть свои носы. Один из сотрудников фирмы попал под подозрение, но мы так и не смогли убедиться, действительно ли он начал двойную игру.

— А что будет, когда вы в этом убедитесь?

— У него вырвут печенку и отдадут ее крысам.

— Серьезно?

— В высшей степени серьезно. Что-то говорит мне, что ищейки вышли в Мемфисе на наш след, это причиняет массу неудобств.

— Назовем нашего человека Альфред и допустим, что он весьма близок к Войлсу.

— Хорошо. От Альфреда нам нужен ответ на очень простой вопрос. Мы хотим знать, работает ли наш сотрудник в паре с ФБР.

Тубертини не сводил с лица Лазарова своих черных глаз и маленькими глотками пил вино.

— Альфред как раз специализируется на простых ответах. Он предпочитает говорить либо «да», либо «нет», и больше ничего. Мы использовали его дважды, и оба раза вопрос был: работают ли ищейки там-то или там-то? Он чрезвычайно осторожен. Не думаю, что он выдаст вам еще и детали.

— Его информации можно доверять?

— На сто процентов.

— Тогда он смог бы нам помочь. Если ответ будет «да», мы примем соответствующие меры. Если «нет», то сотрудник продолжит свою работу дальше как ни в чем не бывало.

— Альфред очень дорого обходится.

— Я так и предполагал. Насколько дорого?

— Он работает в Бюро уже шестнадцать лет, для него это вопрос карьеры. Поэтому и нам приходится быть весьма осмотрительными. Слишком многое поставлено на карту.

— Насколько дорого?

— Пятьсот тысяч.

— Черт побери!

— Естественно, мы тоже должны заработать на этой сделке. В конце концов, Альфред принадлежит нам. Небольшой процент.

— Небольшой процент?

— Очень небольшой. Почти все деньги уйдут к Альфреду. Он общается с Войлсом каждый день, его кабинет находится через одну дверь.

— Хорошо, мы заплатим.

По губам Тубертини скользнула победная улыбка, он пригубил вино.

— Мне кажется, вы солгали, мистер Лазаров. Небольшая фирма в Мемфисе? Это же неправда, так?

— Неправда.

— Как называется фирма?

— Фирма Бендини.

— Дочка старика Моролто вышла замуж за Бендини.

— Именно так.

— Имя вашего сотрудника?

— Митчел Макдир.

— На это может уйти две-три недели. Самым трудным будет встретиться с Альфредом.

— Согласен. Постарайтесь сделать это побыстрее.

ГЛАВА 27

Это было из ряда вон выходящее событие — когда в тихой крепости на Франт-стрит появлялась чья-либо жена. Если такое случалось, то гостью встречали с распростертыми объятиями и уверениями в том, что всегда рады ее видеть. Однако приглашений почти не бывало. Так что никто не встретил у входных дверей Эбби Макдир, никто не оповестил мужа о ее приходе. Ей было совершенно необходимо увидеться с мужем, объяснила она секретарше в вестибюле. Та позвонила Нине на второй этаж, и через несколько секунд Нина быстрым шагом спустилась по лестнице навстречу Эбби, тепло приветствуя жену своего босса. Митч находится на совещании, сказала ей Нина. Он вечно на этих проклятых совещаниях, отозвалась Эбби. Вызовите его! Они направились в кабинет, где Эбби закрыла за собой дверь и уселась ждать.

Митч наблюдал за очередным безумством, сопровождавшим новый отъезд Эйвери. Секретарши толкали друг друга, набивая чемоданы делами, а Эйвери, по своему обыкновению, кричал в телефонную трубку. Митч сидел на диване с блокнотом в руках и с улыбкой смотрел на суету. Эйвери на два дня должен был вылететь на Большой Кайман. Дата 15 апреля на настольном календаре приближалась со скоростью пожарной команды, все настоятельнее становилась необходимость навести порядок в кое-каких банковских записях. Двое суток будут отданы исключительно работе, убеждал его Эйвери. Он начал говорить о поездке еще за пять дней, он проклинал ее, однако по его же словам, выходило, что избежать ее невозможно. Он отправится туда на «лире», который, как только что заметила секретарша, уже ждет его.

Видимо, уже набитый мешками с наличностью, подумал про себя Митч.

Эйвери с треском обрушил трубку на рычаг и подхватил свой пиджак. В дверь вошла Нина и уставилась на Митча:

— Мистер Макдир, пришла ваша жена. Она говорит, это срочно.

В кабинете воцарилась полная тишина. Митч тупо смотрел на пуговицу пиджака Эйвери. Секретарши замерли.

— В чем дело? — спросил он ее.

— Она ждет вас в вашем кабинете.

— Митч, мне пора, — проговорил Эйвери. — Позвоню тебе завтра. Надеюсь, все в порядке.

— Хорошо.

Он молча последовал за Ниной. Эбби сидела у его стола. Закрыв дверь, он щелкнул ручкой замка. Внимательно посмотрел на жену.

— Митч, мне нужно поехать домой.

— Почему? Что произошло?

— Только что в школу позвонил отец. У мамы в легком обнаружили опухоль. Завтра операция.

Дыхание его стало прерывистым.

— Мне очень жаль.

Он даже не пытался дотронуться до нее. Глаза ее оставались сухими.

— Я должна ехать. В школе я взяла отпуск за свой счет.

— Надолго?

Вопрос был не из легких.

Она смотрела в сторону, на стену с его дипломами.

— Не знаю, Митч. Нам необходимо какое-то время пожить отдельно. Здесь сейчас я чувствую себя очень усталой. Мне нужно время. Так будет лучше для нас обоих.

— Давай-ка поговорим об этом.

— Ты слишком занят для разговора, Митч. Я пыталась поговорить с тобой на протяжении шести месяцев, но ты так и не услышал меня.

— Как долго ты собираешься там прожить, Эбби?

— Не знаю. По-видимому, это будет зависеть от мамы. И не только от нее.

— Ты пугаешь меня, Эбби.

— Я вернусь, обещаю. Я только не знаю когда. Может, через неделю. Может, через месяц. Мне нужно кое в чем разобраться.

— Месяц?

— Я не знаю, Митч. Мне просто необходимо какое-то время, и еще мне нужно сейчас быть рядом с мамой.

— Надеюсь, с ней все будет в порядке. Мне очень хочется в это верить.

— Я знаю. Соберу дома кое-какие вещи и через час поеду.

— Хорошо. Будь осторожна.

— Я люблю тебя, Митч.

Он кивнул и стал смотреть, как Эбби открывает дверь и быстрым шагом направляется к лестнице.

Взаимных объятий не было.

Техник у магнитофона на пятом этаже перемотал пленку и нажал на кнопку срочного вызова Де Вашера. Тот явился немедленно, надел на свой огромный череп наушники. Вслушался.

— Еще раз, — потребовал он.

Второй раз прослушал с неослабным вниманием.

— Когда это все случилось?

Техник бросил взгляд на панель с часами:

— Две минуты четырнадцать секунд назад. В его кабинете на втором этаже.

— Черт! Черт! Она собирается бросить его или нет? Никакой болтовни о разводе или о раздельном проживании?

— Нет. Мы бы знали об этом. Они только спорили о его рабочем дне, он нелестно отзывался о ее родителях, но ничего другого.

— Да, да. Соединись с Маркусом, узнай, слышал ли он что-нибудь такое. Прослушай все записи — вдруг мы что-то упустили? Черт побери!

Эбби направилась в Кентукки, но так и не добралась туда. После часа езды к западу от Нашвилла она съехала с автострады и повернула на север. Дорога позади ее машины была пуста. Время от времени она сбрасывала скорость с восьмидесяти до пятидесяти миль в час, но и тогда в зеркальце не замечала ни одной машины. В крошечном городке Кларксвил, неподалеку от границы штата Кентукки, она свернула на шоссе номер 12. Примерно через час она вкатила в Нашвилл по какой-то почти разбитой колее; красный «пежо» быстро затерялся в потоке автомашин.

Эбби припарковала автомобиль на стоянке для убывающих около городского аэропорта и на автобусе добралась до здания аэровокзала. В кабинке женского туалета на первом этаже она переоделась в шорты цвета хаки, кроссовки и синий вязаный пуловер. Для такого туалета в Мемфисе сезон еще не наступил, но она отправлялась в места с более теплым климатом. Волосы собрала в конский хвост и засунула под воротник. Переменила темные очки, сунула в сумку платье, туфли, пояс с чулками.

Минуло почти пять часов с того момента, как она выехала из Мемфиса. Поднявшись по трапу самолета авиакомпании «Дельта», она предъявила билет и попросила найти ей место у окна.

Ни один рейс авиакомпании «Дельта» в свободном мире не мог миновать Атланты, но, к счастью, ей не пришлось делать пересадку. Она сидела у иллюминатора и ждала, когда на шумный аэропорт упадет ночная тьма. Она нервничала, но старалась не думать об этом. Выпила стакан вина, углубилась в «Ньюсуик».

Через два часа она уже была в аэропорту в Майами. Быстро прошла через все здание, привлекая взгляды мужчин, но не обращая на них внимания. Обычная дань восхищения и похоти, сказала она себе. Ничего больше.

У единственного в аэропорту выхода на посадку на самолеты кайманской авиакомпании она показала контролеру свой билет в оба конца, свидетельство о рождении и водительские права. Какие милые люди эти кайманцы, вот только откажутся впустить вас к себе на острова, если у вас на руках нет еще и обратного билета. «Пожалуйста, приезжайте к нам и оставляйте у нас свои деньги, а потом убирайтесь. Пожалуйста».

Усевшись в уголке маленького переполненного зала ожидания, Эбби попыталась читать. Молодой отец рядом со своей симпатичной женой и двумя детишками начал пристальным взглядом изучать ее ноги, но никто этого, кроме нее самой, не замечал. Вылет рейса на Большой Кайман через тридцать минут.

С некоторым трудом раскачавшись, Эйвери вошел наконец в деловой ритм и провел в джорджтаунском отделении Монреальского королевского банка целых семь часов. Когда к пяти часам дня он покидал небольшой конференц-зал, где он работал, все помещение было заполнено компьютерными распечатками и итоговыми справками по счетам. Завтра он со всем закончит. Ему был необходим здесь Макдир, однако обстоятельства складывались так, что планы приходилось менять на ходу. Эйвери чувствовал себя изнуренным работой и жаждой. А еще ему была нужна женщина.

В баре «Румхедс» он взял банку пива и стал прокладывать своим загорелым мускулистым телом дорогу к внутреннему дворику, где можно было попытаться найти столик. В то время как он с невозмутимым видом проходил мимо игроков в домино, Тэмми Гринвуд Хэмфил, едва заметно нервничая, но небрежно, пробралась через толпу и уселась у стойки бара. Она неотрывно следила за Эйвери. Загар у нее был домашний, высиженный под ультрафиолетовой лампой, некоторые участки кожи смотрелись явно более темными, чем соседние. Но в целом такому загару в конце марта можно было позавидовать. Волосы ее уже не были обесцвечены: она выкрасила их в цвет теплого песка, косметику наложила крайне скупо. Бикини являло собой произведение искусства: ярко-оранжевый флуоресцирующий треугольник между ее обольстительных бедер требовал внимания. Безукоризненной формы грудь так растягивала узенькие ленточки купальника, что те готовы были лопнуть. А глядя на Тэмми со спины, каждый бы решил, что на ней вообще ничего не надето. Ей было сорок, но не менее двадцати пар голодных глаз проводили ее до высокого стула в баре, где она потребовала себе содовой и закурила сигарету. Тэмми пускала дым и во все глаза смотрела на Эйвери.

Эйвери был настоящим волком. Он выглядел хорошо и знал это. Прикладываясь к банке с пивом, он медленным внимательным взглядом изучал каждую женщину в радиусе пятидесяти ярдов вокруг себя. Выбрал одну, молодую блондинку, и готов был уже подойти к ней, когда ее молодой приятель опередил его и она бросилась ему навстречу. Эйвери продолжил свой обзор.

Тэмми заказала еще один стакан, с капелькой лимонного сока, и направилась во внутренний дворик. «Волк» уставился своими алчущими глазами на ее груди, неуклонно приближающиеся к его столику.

— Вы не против, если я присяду? — услышал он ее голос.

Он привстал, отодвигая для нее стул:

— Прошу вас.

Внутри его все ликовало. Из всей стаи «голодных волков», рыскающих вокруг бара в поисках добычи, она выбрала его! Знавал он партнерш и помоложе, но в данный момент первым номером была эта.

— Эйвери Толар. Из Мемфиса.

— Рада встрече. Я — Либби. Либби Локс из Бирмингема.

Теперь она была Либби. Либби было имя ее сестры, мать звали Дорис, а саму ее Тэмми. Сейчас она боялась только одного — запутаться во всех этих именах. Хотя она не носила кольца, она была замужней женщиной, и ее муж, чье имя было Элвис, должен был быть в данное время в Оклахоме, наряженным под Элвиса Пресли. Скорее всего он в эту самую минуту соблазняет какую-нибудь девчонку-подростка, пришедшую на его выступление в майке с надписью «Люби меня нежно»*.

— Что привело вас сюда? — спросил ее Эйвери.

— Просто желание развлечься. Прилетела сегодня утром, остановилась в «Пальмах». А вы?

— Я юрист, занимаюсь налогами и, поверите ли, приехал сюда по делу. Приходится наезжать на острова по нескольку раз в год. Настоящая пытка.

— Где вы остановились?

Он махнул рукой в сторону пляжа:

— У моей фирмы здесь два бунгало.

— Неплохо.

— Хотите посмотреть?

Она хихикнула, как первокурсница:

— Может, позже?

Он улыбнулся ей. Это будет нетрудно. Господи, как же он любил эти острова!

— Что будете пить?

— Джин с тоником. И чуть-чуть лимонного сока.

Он сходил за напитками. Усаживаясь, поставил свой стул поближе к ее, так, чтобы ноги их соприкасались. Груди ее покоились на столе; нагнув голову, он уставился в ложбинку между ними.

— Вы одна здесь? — Ответ был очевиден, но он должен был спросить ее.

— Да. А вы?

— То же самое. Поужинаем вместе?

— Я не против.

— Отлично. Неподалеку от «Пальм» готовят прямо на открытом воздухе начиная с шести вечера. Лучший морской ресторанчик на острове. Неплохая музыка. Пунш с ромом. Никаких вечерних туалетов.

— Сдаюсь.

Они сдвинулись еще ближе, рука его скользнула ей между коленей. Локоть упирался в ее обворожительную грудь. Эйве-

---

* «Love me tender» — название одной из самых известных песен, исполнявшихся Элвисом Пресли.

ри улыбался. Она тоже. В общем-то это даже не так и противно, подумала она. Но дело прежде всего.

«Босоногие» ударили в свои инструменты, и празднество началось. Слонявшиеся по пляжу туристы стали потихоньку тянуться к столикам, которые раскладывали и накрывали скатертями местные парни в белоснежных шортах и коротеньких пиджачках. В воздухе поплыл аромат вареных креветок, шашлыка из акулы, жареных трепангов. Как два голубка, Эйвери и Либби, взявшись за руки, проследовали к буфету.

Три часа они предавались еде и танцам. Они ели и танцевали, пили и танцевали, все больше и больше распаляя друг друга. После того как он опьянел, она опять вернулась к своему напитку — содовой. Вот-вот должно было начаться то, для чего она сюда приехала, — дело.

К десяти вечера он уже еле передвигал ногами, так что ей пришлось помочь ему добраться от танцевальной площадки до стоящего совсем рядом бунгало. В дверях он обхватил ее своими длинными и крепкими руками, и минут пять они стояли и целовались. Потом он все же справился с ключом и замком, и они наконец оказались внутри.

— Давай еще выпьем, — обратилась она к нему дружеским голосом.

Эйвери подошел к бару, смешал ей джин с тоником. Налил себе виски. Они уселись на балконе спальни, любуясь серпом луны над ровной гладью моря.

«В выпивке она от меня не отстает, — подумал Эйвери, — и если она способна еще пить, то что же говорить обо мне, мужчине?» Однако природа требовала своего, и он, извинившись, вышел. Бутылка виски стояла у ее локтя на плетеном столике, Тэмми улыбнулась ей в сумерках. Все оказалось даже проще, чем она предполагала. Из оранжевого треугольничка на животе она извлекла целлофановый пакетик и опустила в его стакан капсулу хлоралгидрата. Поднесла к губам свой бокал.

— Пей до дна, — велела она Эйвери, когда он вернулся. — Я хочу в постель.

Он выпил виски залпом. Мышцы стали расслабляться, расслабляться, и вот уже голова склонилась на грудь, качнувшись пару раз в стороны, дыхание стало прерывистым.

— Спи спокойно, любимый, — сказала она едва слышно.

Для человека весом в сто восемьдесят фунтов такая доза хлоралгидрата означала десять часов беспробудного сна. Она взяла в руку его стакан — в нем почти ничего не осталось. Ну, скажем, восемь часов.

Тэмми с трудом вытащила его из кресла и доволокла до постели. Уложив, осторожно сняла с него желто-голубые шорты, положила на пол рядом с кроватью. Долгим взглядом окинула его тело, набросила поверх простыню и нежно поцеловала в щеку.

На шкафу для одежды она обнаружила два кольца с ключами, целых одиннадцать штук. Внизу, в коридорчике между кухней и гостиной, откуда открывался вид на ночное море, Тэмми нашла ту таинственную, закрытую на замок дверь, которая еще в ноябре заинтересовала Митча. Митч тогда измерил шагами каждую комнату на первом и втором этажах и вычислил, что помещение за дверью должно быть площадью не менее чем пятнадцать на пятнадцать футов. Подозрение вызвало то обстоятельство, что дверь была металлической, да еще с табличкой «Кладовая» на ней. Единственная табличка во всем бунгало. Когда они неделей раньше жили с Эбби в соседнем бунгало, то ничего подобного там не видели.

На одном из колец висели два ключа от входных дверей фирмы Бендини, ключ от «мерседеса», два ключа от квартиры и ключ от рабочего стола Эйвери. На втором кольце никак не помеченные ключи казались самыми обыкновенными. Она начала с них, и четвертый по счету ключ подошел. Затаив дыхание, Тэмми открыла дверь. Сирена не завыла, удара током она тоже не получила, не произошло ровным счетом ничего. Митч велел ей открыть дверь, подождать пять минут и только потом включать свет.

Тэмми прождала десять минут, десять долгих, полных страха минут. По мнению Митча, это бунгало использовалось компаньонами и избранными гостями фирмы, а то, другое, предназначалось для сотрудников и прочих лиц, за которыми требовался постоянный надзор. В таком случае, как он надеялся, бунгало, где сейчас находилась Тэмми, может быть и не оборудовано микрофонами, камерами, охранной сигнализацией и другой электроникой. Десять минут прошло, она распахнула дверь и включила свет. Опять замерла в ожидании, и опять ничего не произошло. Она оказалась в квадратной комнате пятнадцать на пятнадцать футов, с белыми стенами, без всяких ковров, но с двенадцатью несгораемыми шкафами для папок стандартного размера. Медленно приблизившись к одному из шкафов, она попробовала вытянуть верхний ящик. Тот поддался на удивление легко.

Тогда Тэмми выключила свет, закрыла дверь и вернулась в спальню наверху, где Эйвери спал, заполняя всю комнату оглушительным храпом. Часы показывали половину одиннадцатого. Ей предстояло восемь часов исступленной работы, необходимо было закончить все до шести утра.

У стола в углу аккуратно стояли три больших атташе-кейса. Тэмми схватила их, выключила в доме все огни и вышла. Небольшая неосвещенная стоянка была совершенно пуста, покрытая гравием дорожка вела к шоссе. Выложенная плиткой тропинка вилась среди кустов вдоль фасадов обоих бунгало и упиралась в белую изгородь — границу владений фирмы. Ворота в изгороди выводили на невысокий, покрытый густой травой холм, на котором высилось здание «Пальм».

Несмотря на то что расстояние между бунгало и отелем было совсем незначительным, к тому времени как Тэмми добралась до дверей номера 188, руки ее онемели от тяжелой ноши. Номер находился на первом этаже, его окна выходили не на пляж, а на противоположную сторону, к бассейну. Тяжело дыша, мокрая от пота, Тэмми едва нашла в себе силы постучать в дверь.

Эбби распахнула ее настежь. Подхватив кейсы, занесла их в номер, бросила на кровать.

— Что-нибудь не так?

— Пока все нормально. Спит как убитый. — Тэмми вытерлась полотенцем и открыла банку колы.

— Где он? — Эбби не была расположена к шуткам, дело прежде всего.

— В своей постели. У нас около восьми часов, до шести утра.

— Удалось попасть в ту комнату?

Эбби подала ей свежие шорты и просторную хлопчатобумажную рубашку.

— Да. Там штук десять больших шкафов с папками. Шкафы открыты. Несколько картонных коробок и еще какая-то дрянь.

— Десять шкафов?

— Да, такие высокие. Под стандартные папки. Нам здорово повезет, если к шести управимся.

Они находились в одноместном номере с кроватью королевских размеров. Эта кровать, кресло, журнальный столик были сдвинуты к стене, чтобы освободить место для копировальной машины: «Кэнон» модели 8580 с автоматической загрузкой и брошюратором стоял в центре комнаты, готовый к работе. Машину пришлось брать напрокат по разбойной цене в триста долларов в сутки, включая доставку. В конторе им объяснили, что на острове это новейшая, самая мощная модель и что с ней даже на день им жалко расстаться. Но тут Эбби пустила в ход все свои чары и стала выкладывать перед служащим стодолларовые купюры. Конечно, тот сдался. Две коробки с бумагой — десять тысяч листов — стояли рядом с кроватью.

Женщины открыли первый атташе-кейс и достали из него шесть довольно тонких папок.

— То же самое, — пробормотала Тэмми себе под нос. Раскрыв зажим, она вытащила документы из папки. — Митч предупреждал, что они очень внимательны в обращении с папками, — объясняла она Эбби, разброшюровывая десятистраничный документ. — Он говорил, что у юристов выработалось шестое чувство и они сразу определяют, когда в их отсутствие в папке копался клерк или секретарша. Поэтому будь внимательнее, работай без спешки. Скопировав документ, постарайся попасть скрепкой в прежние дырки. Это скука, но это необходимо. Делай копию только одного документа сразу, вне зависимости от количества страниц. Не торопясь собери все страницы в изначальном порядке. Затем вставишь аккуратно в брошюратор так, чтобы скрепка прошла через старые дырки. Тогда все будет в порядке.

С автоматической загрузкой десятистраничный документ был готов через восемь секунд.

— Довольно быстро, — оценила Тэмми.

С первым кейсом они покончили за двадцать минут. Тэмми передала Эбби кольца с ключами, подхватила два новых объемистых пустых кейса и устремилась в бунгало.

Эбби проводила ее до двери, вышла сама и закрыла дверь на ключ. Она направилась на стоянку отеля, где Тэмми оставила свой взятый напрокат «ниссан». Из-за непривычного левостороннего движения она не совсем уверенно чувствовала себя за рулем, приближаясь к ночному Джорджтауну. В двух кварталах от импозантного здания Швейцарского банка на узкой боковой улочке, застроенной аккуратными каркасными домиками, она нашла тот, в котором проживал единственный на Большом Каймане слесарь. Или, во всяком случае, он был единственным, кого смогла она обнаружить без посторонней помощи. Слесарь жил в зеленом доме с широкими окнами и отделанными резьбой ставенками.

Она оставила машину на улице и подошла к невысокому крыльцу, у которого сидели сам хозяин дома, его соседи и друзья. Компания выпивала и слушала передаваемую по радио музыку, опять же вечный регги. При ее приближении никто и не подумал подняться. Было почти одиннадцать вечера. Слесарь говорил ей, что возьмется за работу и выполнит ее тут же, в своей маленькой домашней мастерской, что расценки у него весьма умеренные и что в качестве аванса он хотел бы выпить сто граммов хорошего рома.

— Мистер Дэнтли, простите, что я беспокою вас так поздно. Может, в качестве компенсации вы согласитесь принять это?

Она протянула ему бутылку рома «Майерс» емкостью почти в литр. Мистер Дэнтли внезапно возник из темноты, осторожно принял из ее рук бутылку, осмотрел ее.

— Парни, у нас целая бутылка «Майерса»!

Из шепота сидевших на ступеньках людей Эбби не поняла ни слова, однако ей стало ясно, что подарок взволновал всю компанию. Мистер Дэнтли передал бутылку друзьям и провел Эбби внутрь дома, а через него прямо в крошечный сарайчик, полный разных механизмов, инструмента и просто всякой рухляди. С потолка одиноко свисала электрическая лампочка, на свет которой миллионами слеталась мошкара. Эбби вручила ему одиннадцать ключей, и слесарь со знанием дела разложил их на своем верстаке.

— Это будет нетрудно, — проговорил он, не поднимая на нее глаз.

Несмотря на то что одиннадцать вечера явно не казалось ему слишком поздним временем для выпивки, руками своими Дэнтли владел мастерски. Видимо, его нервная система выработала иммунитет к рому. Он надел защитные очки с толстыми стеклами и начал возиться с заготовками. Минут через двадцать заказ был выполнен. Дэнтли вручил Эбби две связки оригиналов и сделанные им копии ключей.

— Спасибо вам, мистер Дэнтли. Сколько я вам должна?

— Это не отняло у меня много времени, — протянул он. — По доллару за каждый.

Она тут же вручила ему деньги.

Два небольших чемодана Тэмми заполнила содержимым верхней полки стеллажа. Пять полок, двенадцать стеллажей, это означало шестьдесят ходок к копировальной машине и назад. За восемь часов. Ну что ж, время позволяло. Тут еще были какие-то папки, записные книжки, компьютерные распечатки. Митч велел копировать все. «Поскольку, — сказал он, — я и сам еще толком не знаю, что искать, скопировать нужно будет все».

Она выключила свет и бегом поднялась наверх, чтобы взглянуть на своего незадачливого любовника. Тот беспробудно спал. Правда, храп стал чуть тише.

Чемоданы весили фунтов по тридцать каждый, и руки Тэмми ныли от напряжения, когда она ввалилась в гостиничный номер 188. А ведь это только первый рейс из шестидесяти. Нет, она не выдержит. Эбби из Джорджтауна не вернулась, поэтому Тэмми пришлось самой аккуратно выложить содержимое кейсов на постель. Сделав глоток кока-колы, она подхватила опустевшие емкости и вышла в ночь. Назад, в бунгало. Вторая полка была точным повторением первой. Тэмми по порядку уложила папки, застегнула молнии. Она была вся в поту, ей не хватало дыхания. Сколько ей осталось еще? Почему не четыре ходки? Не две, не одна? Метнулась наверх — он так и не пошевелился за ее отсутствие.

Машина тихо урчала и пощелкивала, когда она вернулась в гостиницу. Эбби уже почти справилась с первой партией и была готова приступить к следующей.

— Сделала ключи? — спросила ее Тэмми.

— Да, без проблем. Как там твой мужчина?

— Если бы эта штука была выключена, ты бы услышала его храп.

Тэмми быстренько выложила папки. Схватив влажное полотенце, вытерла им лицо и отправилась в обратный путь.

Эбби закончила с документами из кейсов и приступила к папкам со стеллажей. Она уже достаточно освоилась с машиной и через полчаса двигалась со сноровкой опытного клерка. Она разброшюровывала папки, загружала документы, сброшюровывала их вновь, а машина в это время без устали выдавала лист за листом, автоматически скрепляла их и выплевывала на пол.

Из третьего рейса Тэмми вернулась совершенно без сил, с кончика носа капал пот.

— Третья полка, — доложила она. — Этот продолжает храпеть.

Расстегнув молнии, она выгрузила принесенное. Едва переведя дыхание, уложила уже отработанные папки в чемоданы. Весь остаток ночи ей придется только этим и заниматься: бегать, нагружать и выгружать.

В полночь «Босоногие» спели свою последнюю песню, и на «Пальмы» опустилась ночная тишина. За стенами их номера тихое жужжание машины было совершенно неслышным. Дверь закрыта на замок, шторы опущены до самого пола, свет выключен, за исключением небольшой лампы у кровати. Некому было обратить внимание на падавшую от усталости даму, насквозь мокрую от пота, бегавшую с одними и теми же кейсами туда-сюда.

После полуночи они уже не разговаривали. Они были измождены, слишком заняты, их переполнял страх. Да и говорить, собственно, было не о чем, разве что Тэмми докладывала иногда о состоянии спящего. Эйвери был неподвижен до часу ночи, когда он совершенно бессознательно перевернулся на живот, а минут через двадцать опять перевернулся на спину. Тэмми заглядывала к нему каждый раз и все время спрашивала себя, что она будет делать, если он вдруг раскроет глаза и очнется. В кармашке ее шорт был маленький баллончик с газом — так, на всякий случай, если придется спасаться бегством. Этот вопрос они с Митчем в деталях как-то не обсуждали. Главное, сказал тогда Митч, — это не допустить, чтобы он вошел в гостиничный номер. «Угости его струей газа в лицо и беги со всех ног с криком "Насильник!"» — вот что сказал тогда Митч.

Но где-то после двадцать пятой ходки Тэмми вдруг почувствовала уверенность в том, что пробуждение Эйвери — вопрос всего одного-двух часов. Мало того, что она носилась туда-сюда, как нагруженный мул, ей приходилось еще каждый раз взбираться наверх — а это четырнадцать ступенек, — чтобы проверить, все ли в порядке с неудавшимся Казановой. Но усталость брала свое — она решила проверять его через раз. Затем — каждую третью ходку.

Около двух ночи, потратив почти половину имевшегося в их распоряжении времени, они сняли копии с папок, размещавшихся на пяти стеллажах. У них уже получилось более четырех тысяч листов, и вся кровать была уложена аккуратными пачками документов. Копии лежали и на полу возле стены: семь аккуратных столбиков высотой чуть ли не до пояса.

Они позволили себе пятнадцать минут отдыха.

В половине шестого в восточной части небосклона показались первые признаки зари, и они забыли об отдыхе. Эбби ускорила все свои манипуляции и молилась только о том, чтобы машина не загорелась от перенапряжения. Тэмми помассировала колени и вновь отправилась назад, в бунгало. Это был рейс номер пятьдесят один или пятьдесят два — она уже потеряла счет. Нужен небольшой перерыв. Вдруг Эйвери уже ждет ее?

Она открыла дверь и направилась в кладовую. Так же, как обычно, поставила кейсы на пол и быстро поднялась по лестнице в спальню. На пороге она в ужасе остановилась. Эйвери сидел на краю постели лицом к балкону. Видимо, он услышал, как она поднималась, голова его медленно повернулась к ней. Глаза его опухли и блестели, он грозно посмотрел на нее.

Инстинкт подсказал ей, что делать. Быстрым движением она расстегнула шорты, и они упали к ее ногам.

— Эй, малыш! — развязно сказала она, надеясь, что дыхание ее уже вошло в норму. Подошла к нему вплотную. — Помоему, ты рановато подхватился. Давай-ка еще поспим.

Взгляд его вновь обратился к окну. Он не проронил ни слова. Усевшись рядом, она положила свою ладонь на его бедро, ласково повела пальцами. Он не пошевелился.

— Ты проснулся? — спросила она Эйвери.

Никакого ответа.

— Эйвери, детка, ответь же. Ну давай еще поспим. На улице темно.

Он боком упал в постель, уткнувшись лицом в подушку, что-то хрюкнул. Не сказал — он и не пытался ничего сказать, — а лишь хрюкнул. Потом глаза его закрылись вновь. Тэмми подняла на постель его ноги, накрыла Эйвери простыней.

Она просидела у его постели минут десять, пока храп не зазвучал с прежней силой, затем надела шорты и бросилась в «Пальмы».

— Он проснулся, Эбби! — в панике прокричала она. — Проснулся и тут же снова уснул.

На мгновение Эбби прервала свои манипуляции; обе женщины посмотрели на кровать, где лежали еще не обработанные документы.

— Хорошо. Поди прими душ, — рассудительным голосом сказала Эбби, — а потом ложись с ним в постель и жди. Дверь в кладовку запри. Когда он проснется и отправится в душ, позвони мне. Я займусь тем, что осталось. Мы оттащим все обратно после того, как он уйдет на работу.

— Это очень рискованно.

— Все, что мы делаем, рискованно. Поторопись.

Через пять минут Тэмми-Дорис-Либби в ярком оранжевом бикини сделала последнюю ходку в бунгало — уже без кейсов. Входную дверь она закрыла на замок, дверь кладовой — тоже. Прошла в спальню, сняла с груди узенькую полоску ткани и, приподняв простыню, улеглась рядом с Эйвери.

Минут пятнадцать храп помогал ей бороться со сном. Поймав себя на том, что засыпает, Тэмми уселась в постели. Ей вдруг стало страшно от близости лежащего рядом голого мужчины, который без колебаний убил бы ее, если бы узнал. Ее уставшее тело расслаблялось все больше, сон становился неизбежным. Она закрыла глаза.

Незадачливый любитель плотских утех пришел в себя в три минуты десятого утра. Он застонал, перекатившись к краю постели. Веки медленно поползли вверх, яркий солнечный свет ударил в глаза. Эйвери вновь издал протяжный стон. Поворочал чугунной головой, пытаясь привести мозги в рабочее состояние, сделал глубокий вдох. Усилием воли заставил себя подумать о правой руке. Нужно ее поднять. Нервным импульсам потребовалось удивительно много времени, чтобы добраться от мозга до двигательных центров. Наконец ему удалось ее поднять; теперь требуется по очереди сфокусировать глаза: сначала правый, затем левый.

Не менее тридцати секунд Эйвери не отрывал взгляда от циферблата своих электронных часов, прежде чем смог извлечь требовавшуюся информацию. Девять ноль пять. Дьявол! В девять ему нужно было быть в банке. И опять из груди его вырвался стон. До сознания внезапно дошло, что рядом женщина.

Тэмми почувствовала, что он беспокойно заворочался. Сама она лежала неподвижно, глаза были закрыты. Она молилась в душе, чтобы он только до нее не дотронулся. Кожей она ощутила на себе его взгляд.

Эйвери, на поверку оказавшемуся бабником и гулякой, было не впервой просыпаться по утрам в тяжком похмелье. Но так плохо ему еще ни разу не было. Он рассматривал лицо лежавшей рядом женщины и пытался заставить свое тело вспомнить пережитые ощущения. Хороша ли она была в постели? Уж это-то он всегда помнил, даже если забывал все остальное. Вне зависимости от тяжести похмельного синдрома женщину он помнил всегда. Но сейчас ничего не вспоминалось. Он отвел глаза в сторону.

— Черт побери! — в сердцах бросил он, поднявшись и попробовав сделать несколько шагов.

Ноги казались обутыми в свинцовые сапоги, с большим трудом подчинялись они идущим от мозга командам. Для опоры он ухватился рукой за балконную дверь.

До ванной комнаты было футов двадцать, и Эйвери решил, что это ему по силам. Заплетающимися шагами, каждый из которых отзывался в голове резкой болью, опираясь то на стол, то на шкаф, он в конце концов преодолел это расстояние. Постоял над унитазом.

Тэмми повернулась лицом к балконной двери. Глаз она так и не раскрыла, даже почувствовав, что он сел на постель рядом.

Мягким движением Эйвери положил руку ей на плечо:

— Либби, поднимайся. — Он легонько потряс ее. — Вставай, дорогая.

Настоящий джентльмен. Она подарила ему свою лучшую утреннюю улыбку, полную признательности и обещания. Улыбку удовлетворенной женщины.

— Ты был превосходен, малыш, — прошептала она, так и не раскрыв глаз.

Несмотря на боль в голове и тошноту, несмотря на налитые свинцом ноги, его охватило привычное чувство гордости. «Значит, я сумел произвести на нее впечатление. Значит, — вспомнил он наконец, — ночью я был совсем не плох».

— Послушай-ка, Либби, мы с тобой проспали. Мне нужно на работу, я уже опоздал.

— Ты не в настроении? — хихикнула она, надеясь в душе, что это именно так.

— Нет, во всяком случае, не сейчас, — отказался он. — Как насчет вечера?

— Я буду здесь, малыш, — пообещала она.

— Договорились. Пойду приму душ.

— Разбуди меня, как освободишь ванную.

Он пробормотал в ответ что-то невразумительное и закрыл за собой дверь ванной комнаты. Тэмми выскользнула из постели и бросилась к телефону. Эбби сняла трубку после трех гудков.

— Он в душе.

— С тобой все нормально?

— Да. Все хорошо. Сейчас он ни на что не способен, даже если от него этого и потребовать.

— Почему ты звонишь так поздно?

— Он не просыпался.

— Подозревает что-нибудь?

— Нет. Он ничего не помнит. Думаю, у него болит голова.

— Долго ты еще там пробудешь?

— Расцелую его на прощание, как только он выйдет из душа. Десять, от силы пятнадцать минут.

— Хорошо. Поторопись.

Эбби положила трубку, и Тэмми вновь улеглась. На чердаке у нее над головой еле слышно щелкнул миниатюрный магнитофон, обозначив этим звуком свою готовность записать следующий разговор.

К половине одиннадцатого они были полностью готовы для последнего штурма бунгало. Все остававшиеся у них в номере документы были разделены на три равные части. Предстоят три ходки посреди бела дня, на виду у всех. Сунув новенькие ключи в кармашек своей блузки, Тэмми подхватила кейсы. Шла она быстрой упругой походкой, стреляя по сторонам спрятанными под темными очками глазами. Стоянка возле бунгало попрежнему пуста, движение по шоссе не очень большое.

Новый ключ подошел сразу, Тэмми очутилась внутри. Замок кладовки тоже поддался без малейшего труда, и через пять минут она уже выходила на улицу. Второй и третий рейсы были столь же быстрыми и не привлекли к себе ничьего внимания. Перед тем как в последний раз выйти из кладовой комнаты, Тэмми тщательно осмотрелась по сторонам. Все было в полном порядке, как в тот момент, когда она вошла сюда впервые. Она закрыла входную дверь бунгало на ключ, взяла кейсы и вернулась к себе в номер.

Около часа они валялись на постели и хохотали над Эйвери и его похмельем. Бóльшая часть работы была выполнена. Они совершили самое настоящее преступление, в котором Эйвери принял участие, не подозревая, правда, об этом. Все это оказалось совсем не трудно, подумали две молодые женщины.

Вся гора изобличающих документов уместилась в одиннадцать с половиной коробок из гофрированного картона. В половине третьего в дверь номера постучали. Местный парень, вошедший в комнату в соломенной шляпе, но без рубашки, отрекомендовал себя представителем компании, ведавшей складскими помещениями на острове. Эбби молча указала ему на коробки. С величавой медлительностью парень взял в руки первую и с видом человека, которому никуда и никогда не приходилось спешить, понес ее в свой фургон. Он жил в местном ритме. Никакой спешки, дружище!

На взятом напрокат автомобильчике они проследовали за ним до самого склада, находившегося в Джорджтауне. Эбби внимательным взглядом изучила помещение склада и тут же арендовала его на три месяца, расплатившись наличными.

ГЛАВА 28

Уэйн Тарранс сидел в последнем ряду кресел автобуса, выехавшего в одиннадцать сорок вечера по маршруту Луисвилл — Чикаго через Индианаполис. Хотя рядом с ним никто не сидел, все остальные места в салоне были заняты — вечер пятницы. С полчаса назад автобус выехал за пределы штата Кентукки, и к этому времени Тарранс уже был убежден, что где-то произошел сбой. Тридцать минут, и ни слова, никакого знака. Может, он ошибся автобусом? Может, Макдир передумал? Да что угодно может быть. Задние места автобуса располагались всего в нескольких дюймах от дизельного двигателя, и теперь Тарранс понимал, почему бывалые путешественники старались усесться поближе к водителю. От мелкой вибрации начиналась головная боль. Тридцать минут. И ничего.

Он услышал, как в находившемся напротив него туалете спустили воду. Открылась дверь, на него пахну́ло, и он отвернул лицо к окну, за которым проносились мчащиеся на юг машины. В кресло рядом с ним опустилась непонятно откуда взявшаяся женщина, прокашлялась. Тарранс скосил на нее глаза: похоже, где-то он ее уже видел.

— Вы — Тарранс?

Одета она была в поношенные джинсы, белые кроссовки и зеленый свитер крупной вязки. Глаз за стеклами темных очков видно не было.

— Да. А вы...

Она протянула ему руку. Пожатие ее было крепким.

— Эбби Макдир.

— Я ждал вашего мужа.

— Знаю. Но он решил не ходить, и вместо него пришла я.

— Я... собирался поговорить с ним.

— Я в курсе. Он послал меня. Можете рассматривать меня как его личного агента.

Тарранс положил книжку, которую он пролистывал, в сетку под сиденьем и вновь уставился в окно.

— Где он?

— Почему вам это так важно, мистер Тарранс? Он послал меня поговорить с вами о деле, и вы тоже здесь с той же целью. Так что давайте поговорим.

— Хорошо. Говорите потише и, если кто-то пойдет к нам, улыбнитесь и возьмите меня за руку. Сделайте вид, что мы с вами женаты или что-то в этом роде. Договорились? Так, мистер Войлс — вы знаете, кто это?

— Я знаю все, мистер Тарранс.

— Хорошо. Так вот, мистер Войлс намерен расторгнуть нашу сделку, поскольку мы не получили от Митча папок, которые нас интересуют. Вам понятна их важность, не правда ли?

— О да.

— Нам нужны эти папки.

— А нам нужен миллион долларов.

— Да, так мы и договаривались. Но сначала папки.

— Нет. Мы договорились, что получим от вас миллион долларов в том месте, которое вам укажут, а после этого вручим вам папки.

— Где они?

— В камере хранения в Мемфисе. Там пятьдесят одно дело. Все в аккуратных и надежных коробочках. Вам это понравится. Мы хорошо поработали.

— Мы? Вы видели эти дела?

— Естественно. Укладывала их в коробки. В коробке под номером восемь кое-какая неожиданная информация.

— Так, что именно?

— Митчелу удалось сделать копии с трех дел Эйвери Толара, и у него возникли вопросы. Два дела связаны с компанией

«Данн Лейн», по нашим данным, эта подконтрольная мафии корпорация зарегистрирована на Кайманах. Компания создана в восемьдесят шестом году с первоначальным капиталом десять миллионов отмытых долларов. В папках информация о двух строительных проектах, которые финансируются компанией. Занимательнейшее чтение.

— Как вы узнали, что компания зарегистрирована на Кайманах? Откуда стало известно о десяти миллионах? Ведь этого в папках быть не может.

— Не может. Но у нас есть и другие записи.

Тарранс задумался. Ему было ясно, что он не увидит их до тех пор, пока чета Макдиров не получит первый миллион.

— Не уверен, что мы сможем передать вам деньги, не увидев папок.

Отговорка была слабая. Эбби прекрасно поняла это и улыбнулась:

— Неужели мы будем играть с вами, мистер Тарранс? Почему бы вам просто не заплатить нам эти деньги и прекратить мышиную возню?

Какой-то иностранный студент, похожий на араба, приближался к ним по проходу, направляясь в туалет. Тарранс замер, повернув голову к окну, Эбби похлопывала его по руке, словно была его подружкой. Вода низвергнулась вниз с ревом маленького водопада.

— Когда? — спросил он. Руку свою Эбби уже убрала.

— Папки готовы. А вы когда сможете решить вопрос с деньгами?

— Завтра.

Чуть повернув голову в сторону, Эбби еле слышно проговорила:

— Сегодня пятница. В следующий вторник ровно в десять утра вы обеспечите перевод миллиона долларов с вашего счета в манхэттенском «Кемикл банк» на номерной счет «Банка Онтарио» во Фрипорте. Эта абсолютно чистая, законная финансовая операция займет у вас всего пятнадцать секунд.

Тарранс внимательно слушал, нахмурившись.

— А что, если у нас нет счета в «Кемикл банк» в Манхэттене?

— Нет сейчас, так будет в понедельник. Уверена, что в Вашингтоне у вас найдется человек, способный выполнить простейшую операцию по переводу денег с одного счета на другой.

— Безусловно.

— Отлично.

— Но почему именно «Кемикл банк»?

— Таково распоряжение Митча, мистер Тарранс. Вы можете ему верить, он знает, что делает.

— Вижу, свое домашнее задание он выполнил.

— Он всегда выполняет домашнее задание. И еще одно вам надлежит помнить всегда: Митч — человек гораздо более ловкий, чем вы.

Тарранс фыркнул и деланно хихикнул. Мили две они просидели в молчании.

— Ну ладно, — кивнул Тарранс. — А когда мы получим папки?

— Нас известят о том, что деньги поступили во фрипортский банк. В среду утром, еще до десяти тридцати, в ваш мемфисский офис доставят бандероль с запиской и ключом от камеры хранения.

— Значит, я могу сказать мистеру Войлсу, что в среду до полудня документы будут в наших руках?

В ответ Эбби только пожала плечами. Тарранс и сам понял, что вопрос прозвучал глупо. Он тут же решил исправиться:

— Нам нужно знать номер счета во Фрипорте.

— Я уже записала его. Передам вам, когда автобус остановится.

С деталями было покончено. Тарранс достал из-под сиденья книжку и начал листать с видом человека, отыскивающего место, на котором он остановился.

— Подождите еще минутку, — обратился он к Эбби.

— Остались еще какие-то вопросы?

— Да. Не могли бы мы немного поговорить о записях, о которых вы упомянули?

— Пожалуйста, слушаю вас.

— Где они?

— Славный вопрос. По условиям сделки, как мне их объяснили, сначала мы должны получить следующую выплату, то есть полмиллиона, в обмен на некоторые свидетельства, достаточные для предъявления обвинения в суде. Таким образом, записи относятся к следующему этапу сделки.

Тарранс перевернул страницу.

— Вы хотите сказать, что... гм... «грязные папки» уже у вас в руках?

— Мы располагаем почти всем, что нам необходимо. Да, у нас уже целая куча этих папок.

— И где же они?

— Могу вас уверить, что они не в камере хранения. — Эбби мягко улыбнулась и похлопала его по руке.

— Но они в пределах вашей досягаемости?

— Скажем так. Хотите увидеть парочку собственными глазами?

Тарранс захлопнул книжку и глубоко вздохнул. Посмотрел на сидящую рядом Эбби.

— Безусловно.

— Я так и думала. Митч сказал, что мы передадим вам пачку бумаг, дюймов в десять толщиной, по корпорации «Данн Лейн» — копии банковских документов, уставы компаний, деловые записки, правила внутреннего распорядка, списки служащих и держателей акций, документы, подтверждающие переводы денег, письма Натана Лока Джою Моролто и другие лакомые кусочки, о которых мечтают ваши люди. Дивный материал. Митч считает, что только из них вы сможете выстроить не менее тридцати обвинительных заключений.

Тарранс слушал и верил каждому ее слову.

— Когда я смогу все это увидеть? — спросил он, с большим трудом подавляя нетерпение.

— Когда Рэй выберется из тюрьмы. Это непременное условие, вы должны о нем помнить.

— О да. Рэй.

— Либо он оказывается по ту сторону тюремной стены, мистер Тарранс, либо вам вообще лучше забыть о фирме Бендини. Мы с Митчем подхватываем свой жалкий миллион и делаем ноги.

— Я уже работаю над этим вопросом.

— Больше усердия, мистер Тарранс.

Тарранс знал, что это было не просто пожелание. Он вновь раскрыл книгу.

Эбби вытащила из кармана визитную карточку фирмы «Бендини, Ламберт энд Лок» и осторожно уронила ее между страниц. На обратной стороне был написан номер счета: 477DL-19584, «Банк Онтарио», Фрипорт.

— Я возвращаюсь на свое место. Насчет вторника мы договорились?

— Полностью, подружка. Выходите в Индианаполисе?

— Да.

— А куда дальше?

— В Кентукки, к родителям. Мы с Митчем решили пожить отдельно.

С этими словами она оставила его одного.

Тэмми стояла в длиннющей очереди на таможне в аэропорту Майами. На ней были шорты, легкие сандалии, соломенная панама. Полоска бикини едва прикрывала грудь, на глазах солнцезащитные очки — словом, уставшая от отдыха дама среди тысяч других таких же туристов, возвращающихся с прогретых солнцем пляжей Карибского моря. Прямо перед ней стояла молодая пара с сумками, набитыми бутылками со спиртным и косметикой, купленными в не облагающихся пошлиной магазинах Каймановых островов. Супруги яростно о чем-то спорили. У ног Тэмми стояли два новеньких кожаных чемодана, в которых лежало достаточно документов, чтобы отдать под суд человек сорок юристов. Ее работодатель, тоже, кстати, юрист, посоветовал купить чемоданы с колесиками: их проще будет волочить по мраморному полу международного аэропорта Майами. С плеча Тэмми свешивалась небольшая сумочка со всякими мелочами типа блузки и туалетных принадлежностей.

Примерно каждые десять минут молодые люди впереди нее продвигались в направлении стойки с таможенником. Тэмми тоже толкала свои чемоданы. Ей понадобился всего час стояния в очереди, чтобы подойти к стойке.

— Что-нибудь предъявляете? — рявкнул ей чиновник на довольно плохом английском.

— Нет! — рявкнула она в ответ.

Он кивнул в сторону чемоданов:

— Что в них?

— Бумага.

— Какая бумага?

«Туалетная, — подумала она. — Я проводила свой отпуск, стараясь пополнить коллекцию туалетной бумаги».

— Всякий мусор вроде обычной документации. Я юрист.

— О, конечно. — Он раскрыл молнию на ее сумочке, заглянул внутрь. — Так. Следующий!

Тэмми поволокла за собой чемоданы. Все они ждут чаевых, подумала она. Подошедший носильщик поставил ее багаж на тележку.

— Рейс двести восемьдесят шесть на Нашвилл, компания «Дельта», стойка сорок четыре, коридор «Б», — сказала она ему, вручая бумажку в пять долларов.

В Нашвилл она прибыла в субботу, почти в полночь. Погрузила чемоданы в дожидавшийся ее на стоянке автомобиль. Добравшись до пригородного района Брентвуд, загнала машину на стоянку около дома и по одному перенесла чемоданы в квартиру.

В однокомнатной квартирке не было никакой мебели, кроме дивана-кровати. Тэмми распаковала чемоданы и принялась за скучный и утомительный процесс разборки документов. Митчу требовался список с указанием каждого документа, реквизиты каждой банковской справки, каждой корпорации. Он сказал, что наступит день, когда всем им придется действовать в крайней спешке, поэтому все должно быть готово заранее.

Составление описи заняло часа два. Сидя на полу, Тэмми делала записи. Три раза ей пришлось летать на Большой Кайман за документами. Комната потихоньку наполнялась стопками бумаг. В понедельник предстоит еще один полет.

У нее было такое ощущение, что за прошедшие две недели она проспала не более трех часов. Однако Митч настаивал, чтобы это было сделано срочно. Это вопрос жизни и смерти, сказал он.

Терри Росс, известный в определенных кругах также под именем Альфред, сидел в самом темном углу бара отеля «Феникс-Парк» в Вашингтоне. Встреча, которой он ждал, попивая кофе, должна быть в высшей степени короткой.

Он решил, что просидит здесь еще не более пяти минут. Чашечка с кофе в его руке заметно подрагивала, когда он подносил ее ко рту. Часть кофе даже выплеснулась на стол. Он в отчаянии посмотрел на лужицу, изо всех сил сдерживая желание осмотреться по сторонам. Он ждал.

Человек появился внезапно, как бы ниоткуда. Он уселся за столиком спиной к стене. Это был Винни Коццо, головорез из Нью-Йорка, из клана Палумбо.

Винни сразу заметил дрожавшую чашечку и разлитый кофе.

— Успокойся, Альфред. Здесь достаточно темно.

— Чего ты хочешь? — прошипел тот.

— Выпить.

— Пить некогда. Мне пора идти.

— Расслабься, парень. В баре никого нет.

— Чего ты хочешь? — повторил свой вопрос Альфред.

— Мне нужна кое-какая информация.

— Это будет дорого стоить.

— Не дороже, чем всегда, — отозвался Винни.

Подошел официант, принял заказ на виски с содовой.

— Как дела у моего друга Дентона Войлса? — спросил он после того, как официант удалился.

— Пошел ты в задницу, Коццо. Мне пора. Сиди здесь один.

— Ладно тебе, не дергайся. Мне действительно нужна информация.

— Тогда давай побыстрее. — Альфред с тревогой обвел взглядом бар.

Официант принес виски, и Винни сделал хороший глоток.

— В Мемфисе возникли проблемы. Ребята начинают волноваться. Тебе приходилось слышать о фирме Бендини?

Повинуясь безотчетному инстинкту, Альфред отрицательно покачал головой. Всегда сначала нужно сказать «нет». А потом, осторожно прощупав собеседника и его намерения, он сможет сказать «да». Да, он слышал о фирме старика Бендини и ее почтенном клиенте. Операция «Прачечная». Так ее назвал сам Войлс, он тогда был очень горд своей изобретательностью.

Винни сделал еще один глоток.

— Так вот, у них там работает парень по имени Макдир, Митчел Макдир. У нас есть основания думать, что он подставил свою задницу и вашим людям. Тебе ясно, что я имею в виду? Мы считаем, он продает фэбээровцам информацию о фирме. Необходимо увериться, так ли это на самом деле. Вот и все.

Альфред выслушал его с непроницаемым лицом, хотя это и было нелегко. Ему была известна даже группа крови Макдира, даже его любимый ресторан в Мемфисе. Он знал, что Макдир раз пять-шесть беседовал с Таррансом и завтра, во вторник, он станет миллионером. Неплохой кусок отхватил этот парень.

— Посмотрю, что можно сделать. Давай договоримся о деньгах.

Винни закурил «Салем», затянулся, выпустил струю дыма.

— Хорошо, Альфред, вопрос серьезный, не собираюсь тебя обманывать. Двести тысяч наличными.

Альфред уронил чашку, которую вертел в руках. Вытащил из кармана носовой платок и принялся яростно протирать стекла очков.

— Двести тысяч? Наличными?

— Именно так я и сказал. Сколько мы тебе заплатили в прошлый раз?

— Семьдесят пять.

— Теперь ясно, насколько я серьезен? Это очень важно, Альфред. Сможешь с этим справиться?

— Да.

— Когда?

— Дай мне две недели.

ГЛАВА 29

За неделю до 15 апреля трудоголики фирмы «Бендини, Ламберт энд Лок» вошли в такой раж, что силы их поддерживались исключительно выбросами адреналина. И страхом. Страхом забыть о каком-нибудь переводе, или о списанных со счетов суммах, или об амортизационных отчислениях, что в конце концов могло обойтись клиенту в миллион или около того. Страшно было даже представить себе, что придется снять телефонную трубку и поставить клиента в известность о том, что налоговая декларация составлена и что, к великому сожалению, в этом году придется уплатить казне на восемьсот тысяч больше. Страшно было подумать, что можно не успеть и клиенту придется платить чудовищную пеню. Словом, автостоянка у здания фирмы к шести утра была уже забита. Секретарши работали по двенадцать часов в день. Перекуров почти не было, все разговоры стали торопливыми и отрывистыми.

Теперь, когда ему уже не нужно было спешить домой к жене, Митч пропадал в фирме почти круглые сутки. Сонни Кэппс ругался и проклинал Эйвери на чем свет стоит, потому что должен был заплатить налогов на четыреста пятьдесят тысяч долларов. И это при годовом доходе шесть миллионов! Эйвери, в свою очередь, адресовал проклятия Митчу, и вместе они снова и снова углублялись в бумаги Кэппса, весьма нелестно проходясь по его адресу. Митч отыскал две очень удачные отговорки, позволившие снизить общую сумму налогов до трехсот двадцати тысяч. Кэппс заявил, что вынужден будет подыскать себе другую юридическую фирму. Где-нибудь в Вашингтоне.

За шесть дней до истечения срока Кэппс потребовал встречи с Эйвери в Хьюстоне. «Лир» был свободен, и Эйвери вылетел на нем в полночь. Митч подвез его на машине в аэропорт. Сидя за рулем, он всю дорогу выслушивал инструкции патрона.

Около половины второго ночи он вернулся в офис. На стоянке были три «мерседеса», «БМВ» и «ягуар». Охранник открыл Митчу боковую дверь, и он поднялся на лифте на четвертый этаж. Как обычно, Эйвери запер дверь кабинета на ключ. Партнеры всегда закрывали свои кабинеты. В конце коридора слышался чей-то голос. Руководитель отдела налогов Виктор Миллиган сидел за столом и последними словами крыл свой компьютер. Другие кабинеты были закрыты, свет в них потушен.

Затаив дыхание, Митч сунул ключ в замочную скважину. Ручка двери поддалась, и он очутился внутри. Зажег свет, прошел к небольшому столу, за которым они с Эйвери просидели весь день и большую часть ночи. Вокруг кресел стопками высились сложенные на полу папки. По всему кабинету разбросаны бумаги, справочники и регистрационные книги.

Митч уселся за стол и вновь погрузился в папку Кэппса. По данным ФБР, выходило, что Кэппс, на протяжении восьми лет пользовавшийся услугами фирмы, был обыкновенным законопослушным бизнесменом. Людей Войлса он не интересовал.

Где-то через час голос в конце коридора умолк, Миллиган вышел из кабинета и закрыл дверь на ключ. Он спустился по лестнице, даже не попрощавшись. Поднявшись, Митч обежал все кабинеты сначала на четвертом этаже, затем и на третьем. Никого. Было почти три часа ночи.

Сбоку от книжных полок в офисе Эйвери стояли четыре солидных, дубового дерева, стеллажа, заполненных папками. На протяжении месяцев Митчу не приходилось видеть, чтобы Эйвери хоть раз подходил к ним. Все папки, с которыми он имел дело, хранились на трех металлических этажерках, стоявших рядом с окном. В них обычно копались секретарши, а Эйвери вечно кричал на них. Закрыв за собой дверь на ключ, Митч подошел к дубовым стеллажам. Их дверцы тоже оказались на замке. На кольце Митч отобрал два небольших ключика, не более дюйма в длину каждый. Один сразу же подошел к первому стеллажу.

Из составленной Тэмми описи Митч запомнил множество названий компаний на Кайманах, где отмывались грязные деньги. Он быстро прошелся по папкам в верхнем ящике стеллажа, перед его глазами замелькали знакомые имена: «Данн Лейн», «Истпойнт лтд.», «Вирджин-Бэй лтд.», «Инлэнд контрэкторс», «Галф-Саут». Еще больше таких названий он нашел во втором и третьем ящиках. В папках были документы о займах, предоставленных кайманскими банками, банковские квитанции о переводе денег, акты о поручительстве, договоры об аренде, закладные, тысячи других бумаг. В первую очередь Митча интересовало все, что имело какое-то отношение к «Данн Лейн» и «Галф-Саут». У Тэмми уже была хорошая подборка материалов по этим двум компаниям.

Он взял папку, полную квитанций о переводах денег и заемных обязательств Монреальского королевского банка. С папкой в руках он вышел в коридор и приблизился к копировальной машине. Посмотрел по сторонам, пока она разогревалась.

Все спокойно. Поднял голову к потолку — никаких телекамер, как уже неоднократно он в этом убеждался. Загорелась надпись «Номер допуска». Митч набрал на клавишах машины номер дела некоей миссис Летти Планк. Ее почти законченная налоговая декларация лежала на его столе на втором этаже. Ничего страшного не произойдет, если он поставит ей в счет несколько дополнительных копий. Положил документы в автозагрузчик и через три минуты получил нужные ему копии, сто двадцать восемь листов, которые оплатит из своего кармана миссис Летти Планк. Вернулся к стеллажу за новой папкой по «Галф-Саут». На этот раз набрал номер «Гринмарк партнерс», компании по торговле недвижимостью из Бартлетта, штат Теннесси. Тоже вполне респектабельная компания, декларацию которой он уже подготовил и кто тоже в состоянии оплатить несколько лишних ксерокопий. Девяносто одну, точнее говоря.

В кабинете Митча на его столе лежали восемнадцать законченных или почти законченных налоговых деклараций: их оставалось только подписать. Со своими клиентами он закончил за шесть дней до срока. И всем восемнадцати в счет автоматически будет вставлена оплата копий документов, относящихся к «Данн Лейн» и «Галф-Саут». Их номера он записал на листочке бумаги и положил у себя перед глазами рядом с ксероксом. Использовав все, он позаимствовал три номера из папок Ламара и три номера из папок Кэппса.

Через небольшое отверстие в стене от копировальной машины бежал тоненький проводок, который в неприметном шкафчике соединялся с другими проводками, тянувшимися от трех остальных ксероксов, стоявших на четвертом этаже. Проводок чуть потолще спускался на третий этаж и входил в стоящий в отдельном помещении компьютер, который фиксировал все копии, сделанные на находящихся в здании фирмы ксероксах. Невинного вида серая проволочка, выходящая из компьютера, поднималась по стене вверх, проходила через весь четвертый этаж и устремлялась на пятый, где заканчивала путь в чреве другого компьютера, который запоминал номер допуска, количество копий и номер аппарата, сделавшего каждую копию.

* * *

15 апреля рабочий день в фирме «Бендини, Ламберт энд Лок» закончился в семнадцать часов. К шести вечера на стоянке не осталось ни одного автомобиля: все они, или почти все, оказались в двух милях от здания фирмы, у известного ресторана, специализировавшегося на блюдах из даров моря и называвшегося по имени владельца «Андертон». Для ежегодного торжества был зарезервирован небольшой банкетный зал. Присутствовали все работающие в фирме партнеры и сотрудники, а также одиннадцать партнеров, уже отошедших от дел. Пенсионеры все как один были загорелыми и в хорошей форме, сотрудники же выглядели замученными и уставшими. Однако настрой у тех и у других был радостным. В этот вечер забывались строгие правила и всяческое воздержание, в силу вступало новое для Митча уложение: 16 апреля никто из занятых в фирме людей не имел права показываться на работе.

На столах, расставленных вдоль стен, уже красовались блюда с охлажденными вареными креветками, вазы с устрицами. Собравшихся ожидал огромный бочонок, набитый льдом и бутылками с отменным шампанским. Бутылки стояли и в ящике позади бочонка. Рузвельт извлекал из них пробки с удивительным для его лет проворством. Позже, уже ночью, он напьется так же, как и все присутствующие, и Оливер Ламберт вызовет такси, которое отвезет Рузвельта домой, к его Джесси. Это уже стало ритуалом.

Двоюродный брат Рузвельта, известный по прозвищу Малыш Бобби Любитель Блюзов, сидел у рояля и наигрывал что-то печальное. Просто так, пока люди собирались. Скоро он будет не нужен.

Не обращая внимания на еду, Митч подхватил со стола ледяную зеленую бутылку с пивом и направился к небольшому столу рядом с роялем. Положив на тарелку фунта два креветок, за ним проследовал Ламар. Оттуда они наблюдали за тем, как их коллеги сбрасывали верхнюю одежду и с воодушевлением направлялись к шампанскому.

— Все закончил? — обратился к Митчу Ламар, не забывая о креветках.

— Да, — ответил Митч, — свои дела я подбил еще вчера. По Сонни Кэппсу мы с Эйвери работали до пяти вечера. Все.

— И сколько у вас получилось?

— Четверть миллиона.

— Ого! — Ламар отпил прямо из горлышка. — Столько ему платить еще не приходилось, а?

— Ни разу, и потому он в ярости. Я не совсем его понимаю. Он заработал на различных сделках шесть миллионов, а теперь сходит с ума из-за того, что должен заплатить пять процентов налогов.

— А как Эйвери?

— Он немного волнуется. На прошлой неделе Кэппс заставил его слетать в Хьюстон, и там все прошло не так гладко. Вылетел он на «лире» в полночь. По возвращении рассказал мне, что Кэппс сидел у себя в офисе в четыре часа утра и ждал его над стопкой налоговых справок, вне себя от гнева. Он во всем обвинил Эйвери. Грозился, что найдет себе другую фирму.

— По-моему, он все время так говорит. Пиво будешь? — Ламар отошел на мгновение и тут же вернулся с четырьмя маленькими пивными бутылками. — Как дела у матери Эбби?

Митч взял с тарелки креветку, очистил.

— Пока неплохо. Ей удалили легкое.

— А сама Эбби? — Прекратив жевать, Ламар смотрел на друга.

Митч открыл бутылку с пивом.

— С ней все в порядке.

— Послушай, Митч, ведь наши ребята ходят в ее школу. Ни для кого не секрет, что она взяла отпуск за свой счет. Уже две недели, как ее нет. Мы знаем об этом, и всех нас это тревожит.

— Все устроится. Ей нужно на время сменить обстановку. В этом нет ничего страшного.

— Брось, Митч. По-моему, все-таки страшно, когда жена уходит из дома и неизвестно, когда ее ждать назад. Нечто в этом роде она по крайней мере заявила директору школы.

— Эбби сказала правду. Она и в самом деле не знает, когда вернется. Может, через месяц или около этого. Нагрузка в школе у нее была немалая.

Когда все собрались, Рузвельт закрыл дверь. Шум в зале сразу же стал громче. Малыш Бобби Любитель Блюзов принимал заказы.

— Ты не думаешь немного сбросить обороты? — задал Ламар новый вопрос.

— Нет. А с какой это стати?

— Митч, мы с тобой друзья, ведь так? Я беспокоюсь о тебе. Все равно это невозможно — за первый же год заработать миллион.

«Запросто, — подумал Митч. — Миллион я заработал на прошлой неделе». Всего десять секунд потребовалось на то, чтобы мизерный счет в десять тысяч во Фрипорте увеличился до одного миллиона десяти тысяч. А через пятнадцать минут после этого счет был закрыт, деньги же переместились в недосягаемые сейфы швейцарских банков. Вот что такое современный банковский перевод. И благодаря этому заработанному им миллиону сегодняшний день будет его первым и последним 15 апреля в короткой, но отмеченной столькими важными событиями карьере служащего юридической фирмы. А лучший друг, которого сейчас волнует вопрос счастливой семейной жизни Митча, окажется вскоре, по-видимому, за решеткой. Как и все остальные, присутствующие в этом зале. Кроме Рузвельта. Черт побери, а ведь у Тарранса хватит ума, чтобы посадить и Рузвельта вместе с Джесси — так, для веселья.

Потом начнутся судебные заседания. «Я, Митчел Макдир, торжественно клянусь говорить правду, только правду, и ничего, кроме правды. И да поможет мне Господь». И ему придется сидеть на скамье свидетеля обвинения и указывать пальцем на своего доброго друга Ламара Куина. А в первом ряду расположатся дети и жена Ламара Кей, они будут тихо плакать и надеяться на снисхождение суда.

Митч допил вторую бутылку пива и принялся за третью.

— Я знаю это, Ламар, но снижать темпы не вижу никакой необходимости. Эбби привыкнет. Все войдет в свою колею.

— Как знаешь. Кей приглашает тебя завтра на бифштекс. Будем жарить его в гриле и есть во внутреннем дворике. Как? Придешь?

— Да, но с одним условием: про Эбби ни слова. Она поехала домой навестить мать и скоро вернется. Договорились?

— Конечно. Значит, ждем.

Напротив них за столик уселся Эйвери с полной тарелкой креветок. Принялся чистить их.

— Мы с Митчем только что говорили о Кэппсе, — обратился к нему Ламар.

— Не самая приятная тема для разговора, — буркнул Эйвери.

Митч смотрел, как он чистит креветки. Когда на столе образовалась маленькая кучка — штук шесть, — Митч быстро сгреб их со стола и отправил в рот.

Эйвери смотрел на Митча усталым печальным взглядом. Глаза его были красными. Он пытался как-то отреагировать на проделку коллеги, но тут же махнул на это рукой и принялся поглощать неочищенные креветки.

— Жаль, что они без голов. С головами гораздо вкуснее, — проговорил он с набитым ртом.

Митч подхватил с тарелки пригоршню и тоже захрустел.

— А мне больше нравятся хвосты. Всегда ел с хвостами.

Ламар замер с бутылкой пива у рта и взглянул на них:

— Да вы шутите!

— Ничего подобного, — отозвался Эйвери. — Помню, когда я был еще мальчишкой и жил в Эль-Пасо, мы заходили недалеко в реку и забрасывали сети, и в них всегда попадало множество креветок. Мы пожирали их тут же, они еще бегали. — Панцири креветок так и хрустели на его крепких зубах; он остановился, чтобы перевести дух. — Голова — это самое вкусное, в ней же все соки, которые питают мозг.

— Креветки в Эль-Пасо?

— Да, Рио-Гранде полна ими.

Ламар вновь отправился за пивом. Усталость, волнения, переживания, страхи — это, да еще замешенное на изрядной доле алкоголя, быстро развязывало людям языки, в помещении становилось все оживленнее. Малыш Бобби наигрывал одну из композиций «Степпенволфа»*. Даже Натан Лок сидел улыбаясь и вставляя в общую беседу время от времени громкие фра-

* Популярная в 80-е годы группа. Название взято из известного романа Германа Гессе «Степной волк».

зы. Прямо-таки свой в доску парень. Рузвельт принес еще пива, положил на лед.

В десять вечера все решили спеть. На стул возле рояля взгромоздился Уолли Хадсон и, сорвав галстук-бабочку, принялся руководить хором, затянувшим довольно воинственно звучавшую австралийскую застольную песню. Ресторан к этому времени уже закрылся для публики, так что посторонние им не мешали. Следующим выступить решил Кендалл Махан. Когда-то в молодые годы он играл в регби в Корнеллском университете, с тех времен в его репертуар вошли весьма забористые песенки. Ему вторило человек пятьдесят — пьяных и бесталанных, но совершенно счастливых.

Митч извинился и вышел в туалет. Какой-то мальчик из прислуги открыл заднюю дверь, и он оказался на стоянке. На таком расстоянии в доносившемся до его слуха пении было даже нечто приятное. Направившись к своей машине, Митч на полпути передумал и подошел к окну. Стоя в темноте у угла здания, он наблюдал и слушал. За роялем сидел Кендалл, аккомпанируя хору, который с воодушевлением выводил полный непристойностей куплет.

Веселые голоса счастливых и богатых людей. Взгляд Митча неторопливо скользил с одного лица на другое. Многие уже раскраснелись, глаза у людей начали приобретать не совсем трезвый блеск. Вот сидят перед ним друзья и коллеги — семейные положительные мужчины, у каждого дома жена и дети, — и каждый чудовищно нарушает закон.

В прошлом году в этот же день Джо Ходж и Марти Козински пели вместе со всеми.

В прошлом году в это самое время он был в числе лучших гарвардских выпускников, и на него так и сыпались предложения о приеме на работу.

И вот он уже стал миллионером, и очень скоро за его голову будет назначена награда.

Вот как много может произойти за год.

Пойте, пойте же, братья.

Митч повернулся и зашагал к машине.

Около полуночи вдоль Мэдисон-стрит вытянулась цепочка такси, и богатейших в городе юристов, усадив на задние сиденья, развезли по домам. Оливер Ламберт был, без сомнения, самым трезвым из всех. Он-то и руководил эвакуацией. Всего пятнадцать машин с лежащими в них партнерами и сотрудниками фирмы.

Именно в это время на другом конце города на Франт-стрит остановились два одинаковых «форда»-фургончика, раскрашенных желтым и голубым и с надписью по бортам «Борцы с пылью». Датч Хендрикс распахнул ворота. Фургончики задним ходом подкатили к служебным дверям, из них высыпали восемь женщин в одинаковых комбинезонах и принялись выгружать пылесосы, ведерки с тряпками и баллончиками аэрозоля. Затем из фургонов достали швабры, тряпки, рулоны бумажных полотенец. Переговариваясь, женщины входили в здание. Как было предусмотрено инструкциями, поочередно убирался каждый этаж, начиная с четвертого. По этажам ходили охранники и внимательно следили за уборщицами.

А женщины не обращали на них никакого внимания, говоря на каком-то своем языке что-то одним им понятное о корзинах для мусора, протирке мебели, чистке пылесосами и отмывании кафеля в туалетных комнатах. Среди них была одна новенькая, которая двигалась чуть медленнее подруг. Зато она была более наблюдательна. Когда охранник отворачивался, она тянула на себя ручки выдвижных ящиков стеллажей и письменных столов. Она на все обращала внимание.

Уже третью ночь она приходила в это здание заниматься уборкой и узнавала все больше и больше. Кабинет Толара на четвертом этаже она обнаружила в первую же ночь и от удовольствия едва не рассмеялась.

На ней были грязные потертые джинсы и разношенные теннисные туфли.

Комбинезона ей еще не выдали, только фирменную голубую блузу, которая была чрезмерно велика, зато скрадывала фигуру, делая похожей на других уборщиц, толстых и бесформенных. На кусочке ткани, пришитом поверх нагрудного кармана, было написано ее имя: *Дорис*. Дорис, уборщица.

Когда женщины убрали половину второго этажа, подошедший охранник велел Дорис и двум другим уборщицам, Сьюзи и Шарлотте, следовать за ним. Вместе с ним женщины вошли в кабину лифта. Он вставил в отверстие на панели ключ, и лифт опустился вниз, в подвал. Выйдя из лифта, охранник открыл другим ключом тяжелую, массивную металлическую дверь и жестом приказал им войти в довольно просторное помещение, разделенное перегородками на множество отсеков. На столах царил беспорядок, повсюду стояли дисплеи компьютеров. Вдоль стен — наглухо закрытые, черного цвета, стеллажи. Никаких окон.

— Розетки там. — Охранник указал на туалетную комнату.

Включив пылесос и приготовив баллончики со спреем, женщины принялись за работу.

— На столах ничего не трогать, — предупредил он.

ГЛАВА 30

Завязав шнурки своих найковских кроссовок, Митч уселся на кушетку в ожидании телефонного звонка. Хорси, за две недели отсутствия хозяйки успевший соскучиться, был вялым, сидел рядом и клевал носом. Звонок раздался ровно в десять тридцать. Это оказалась Эбби.

В их разговоре не было никаких сентиментальностей типа «сердечко мое», «детка» или «милый». Голоса звучали холодно и отчужденно.

— Как твоя мать? — спросил он.

— Намного лучше. Она уже встает и ходит, только еще очень слаба. Но настроение бодрое.

— Рад это слышать. А отец?

— Как обычно. Целыми днями занят. Как там мой пес?

— Тоскует без тебя.

— Я очень по нему скучаю. Что нового у тебя на работе?

— Довольно нормально пережили всю эту суету вокруг 15 апреля. Народ приободрился. Половина партнеров на следующий день отправились в отпуска, так что сейчас у нас значительно тише.

— Надеюсь, ты уже перешел на шестнадцатичасовой рабочий день?

Поколебавшись, он решил пропустить вопрос мимо ушей. Какой смысл затевать сейчас дискуссию?

— Когда ты возвращаешься?

— Не знаю. Еще пару недель мне нужно побыть с мамой. От отца, боюсь, помощи ждать не придется. У них, правда, есть прислуга, но сейчас тут нужна я. — Эбби сделала паузу, как бы собираясь известить его о чем-то неприятном. — Я позвонила сегодня в школу и предупредила, что в этом семестре на работу не выйду.

Он принял новость совершенно спокойно.

— До конца еще два месяца. Ты хочешь сказать, что тебя так долго не будет?

— По крайней мере месяц, Митч. Мне просто нужно какое-то время, и все.

— Время для чего?

— Не будем начинать все сначала, хорошо? У меня нет сейчас желания спорить.

— Хорошо. Замечательно. Отлично. А какие у тебя сейчас желания?

Наступил ее черед проигнорировать вопрос. Пауза затянулась.

— Сколько миль в день ты пробегаешь?

— Парочку. Добираюсь шагом до трека, устраиваю небольшую пробежку и возвращаюсь.

— Будь осторожнее на треке. Там такая темень.

— Спасибо за заботу.

Опять долгая, долгая пауза.

— Мне пора идти, — сказала Эбби. — Маме нужно ложиться спать.

— Завтра вечером позвонишь?

— Да. В это же время.

Она положила трубку, даже не сказав «до свидания» или «я люблю тебя». Просто положила трубку.

Митч подтянул белые носки, одернул белую ветровку. Закрыв кухонную дверь на ключ, он быстрым шагом направился вниз по темной улице. Школа со спортгородком располагалась в шести кварталах на восток от Ист-Медоубрук. Позади школьных зданий, сложенных из красного кирпича, находилось поле для бейсбола, а еще дальше за ним лежало футбольное поле, вокруг которого шла гаревая дорожка, или, как называли ее любители бега, трек.

Любителей было немало, но только не в это время — одиннадцать ночи, тем более что и луны на небе не видно. На треке было пустынно, и Митча это устраивало. Весенний воздух был чистым и полным прохлады, и на первую милю Митчу потребовалось всего восемь минут. Он перешел на расслабленный шаг. Проходя мимо трибун из легких алюминиевых конструкций, установленных с той стороны, что была ближе к его дому, он краем глаза заметил чью-то темную фигуру. Митч продолжал двигаться размеренной, расслабленной походкой.

— П-с-с-с-т, — донеслось до его слуха.

Митч остановился:

— Кто там?

И снова негромкий хриплый голос:

— Джой Моролто.

Митч направился к трибунам.

— Очень остроумно, Тарранс. За мной нет хвоста?

— Конечно, нет. Вон там в школьном автобусе сидит Лейни с фонариком. Когда ты подходил сюда, он мигнул мне зеленым, а если ты увидишь красный, срывайся с места и несись по треку, как Карл Льюис*.

Они поднялись на самый верхний ряд трибуны и прошли в незапертую ложу для прессы. Уселись на скамьи, не сводя глаз с учебных корпусов. Под их окнами стояло несколько школьных автобусов.

— Ну что, здесь достаточно тихо для тебя? — спросил Митч.

— Сойдет. Кто эта женщина?

— Я-то знаю, что ты предпочитаешь встречаться среди бела дня, когда вокруг толпа людей, как в той столовке или в обувной лавке. Ну а мне больше по вкусу такие места.

— Замечательно. Кто эта женщина?

— Неплохо придумано, а?

— Отличная идея. Так кто же она?

— Я ее нанял.

---

* Известный спортсмен-легкоатлет.

— Где ты ее нашел?

— Какое это имеет значение? Почему ты вечно задаешь вопросы, которые совершенно не важны?

— Не важны? Сегодня мне звонит некая женщина, о которой я раньше и не слышал, говорит, что ей нужно побеседовать со мной по поводу одного дельца в фирме Бендини, настаивает на том, чтобы мы с ней обменялись телефонами, и приказывает мне явиться в некий телефон-автомат, расположенный у определенного овощного магазина. Причем она требует, чтобы я был в будке в определенное время, обещая, что позвонит туда сама ровно в час тридцать. Я захожу в будку, и ровно в час тридцать она звонит. Обрати внимание: в радиусе ста футов находились три моих человека, которые не спускали глаз с любого движущегося объекта. И вот она приказывает мне быть здесь ровно в десять сорок пять вечера, проследить за тем, чтобы рядом не шатались подозрительные типы, и предупреждает, что ты прибежишь сюда трусцой.

— И ведь все это сработало, нет?

— Да. Но кто она? То есть я хочу сказать, что теперь ты привлек к делу еще одного человека, это не может нас не беспокоить, Макдир. Кто она такая и как много ей известно?

— Доверься мне, Тарранс. Она — моя сотрудница, и ей известно все. Скажу тебе, что если бы ты знал все, что знает она, то ты сейчас сидел бы и подписывал обвинения против известных тебе лиц, а не препирался со мной из-за нее.

Тарранс сделал глубокий вдох.

— Ладно, расскажи мне, что именно она знает.

— Она знает, что за последние три года семейство Моролто со своими подручными вывезло из страны более восьмисот миллионов долларов наличными и поместило в различные банки, разбросанные по всему Карибскому бассейну. Она знает названия банков, номера счетов, даты, имена. Ей также известно, что клан Моролто контролирует по меньшей мере триста пятьдесят компаний, зарегистрированных на Кайманах, а компании эти регулярно пересылают к нам уже отмытые денежки. У нее есть информация о датах и размерах банковских переводов. А еще она знает не меньше сорока корпораций здесь, в США, которые принадлежат корпорациям Кайманов, а те, в свою очередь, являются собственностью семейки Моролто. Она, черт побери, много знает, Тарранс! Очень осведомленная женщина, не правда ли?

Тарранс не мог произнести ни слова. Он тупо смотрел в темноту.

Митчу это показалось забавным.

— Она также выяснила, как они собирают наличность, обменивают на стодолларовые купюры и, самое главное, как они вывозят деньги из страны.

— И как же?

— На самолете фирмы, на «лире», конечно. Но они прибегают и к помощи, так сказать, «мулов». Этих «мулов» у них целая армия: всякая бандитская мелочь и их дамы, а кроме них, еще и студенты и другие добровольцы. Каждому вручают по девять тысяч восемьсот долларов и оплачивают билеты до Кайманов или Багам и обратно. Как ты сам понимаешь, для сумм, не превышающих десяти тысяч, деклараций заполнять не требуется. И вот эти «мулы» летят туда под видом обычных туристов с карманами, набитыми деньгами, и приносят их прямо в банк. Сумма, конечно, несерьезная, но не забывай: это человек триста, и каждый совершает по двадцать рейсов в год, так что общий итог выглядит уже гораздо солиднее. Это называется просачиванием, ты должен знать.

Тарранс слегка наклонил голову, как если бы он и в самом деле знал.

— Многие горят желанием «просочиться» — бесплатно слетать на острова и получить деньги на карманные расходы. И в конце концов, есть и «супермулы» — особо доверенные люди, которые берут с собой по миллиону зараз. Они аккуратно заворачивают деньги в газету, потом укладывают их в свои кейсы и поднимаются с ними на борт самолета вместе с остальными пассажирами. На них пиджаки и галстуки, выглядят они как джентльмены с Уолл-стрит. Или же на них могут быть сандалии и соломенные панамы, а деньги лежат в походной сумке с туалетными принадлежностями. Ваши люди ловят их чисто случайно, примерно один процент от общего числа, как мне кажется, и, когда это происходит, такой «супермул» оказывается в тюрьме. Но они всегда молчат, не так ли, Тарранс? Случается также, что «мул» задумается над суммой в кейсе и решит, что было бы недурно оставить всю ее себе. И бывает, он исчезает с деньгами. Но Семья никогда не прощает такого. На это может потребоваться год или два, однако «человека-мула» обязательно где-то находят. Денег, как правило, к этому времени уже не остается, ну что ж, не остается также и следов «мула». Ведь таких никогда не прощают, да, Тарранс? Так же, как не забудут обо мне и не простят меня, а?

Тарранс молчал до тех пор, пока не был вынужден произнести хоть что-то:

— Ты получил свой миллион.

— И признателен вам за это. Я почти готов к следующей выплате.

— Почти?

— Да, мне с моей сотрудницей нужно прокрутить еще пару дел. Постараемся добыть кое-что из здания на Франт-стрит.

— Сколько уже в вашем распоряжении документов?

— Более десяти тысяч.

Челюсть Тарранса отвисла — агент смотрел на Митча с крайним недоверием.

— Черт побери! Откуда они взялись?

— Опять наивные вопросы.

— Десять тысяч документов!

— По крайней мере десять тысяч. Банковские расписки, квитанции о переводах, уставы корпораций, расписки о займах, внутренняя переписка между самыми различными людьми. Отличный материал, Тарранс.

— Твоя жена говорила что-то про компанию «Данн Лейн». Мы просмотрели папки, которые ты уже передал нам. Неплохо. Что еще об этой компании тебе известно?

— Многое. Зарегистрирована в восемьдесят шестом году с капиталом в десять миллионов, который был переведен в корпорацию с номерного счета в «Банко де Мехико», те самые десять миллионов, которые прибыли на Большой Кайман в виде наличных на некоем самолетике «лир», принадлежащем одной из небольших юридических фирм в Мемфисе. На самом-то деле миллионов было четырнадцать, но после выплаты долей каймānской таможни и местных банкиров осталось всего десять.

Компания была зарегистрирована на имя некоего Диего Санчеса, который волею судеб оказался вице-президентом «Банко де Мехико». Президентом компании стала нежная душа по имени Натан Лок, секретарем назначили нашего старого приятеля Ройса Макнайта, а казначеем славной маленькой корпорации сделали парня, которого звали Эл Рубинштейн. Уверен, что вы с ним знакомы. Я — нет.

— Один из людей Моролто.

— Какой сюрприз, надо же! Этого мало?

— Продолжай.

— После того как в дело была пущена первая партия денег, то есть эти десять миллионов, в течение последующих трех лет наличными же были внесены еще девяносто миллионов. Предприятие оказалось весьма прибыльным. Компания приступила к скупке на территории Соединенных Штатов всех видов товара: хлопковые фермы в Техасе, жилые дома в Дэйтоне, ювелирные магазины в Беверли-Хиллз, отели в Сент-Питерсберге и Тампе. Большинство сделок заключалось путем банковского перевода средств из четырех или пяти банков, расположенных на Кайманах. Это, так сказать, базовая операция по отмывке денег.

— И все это у тебя задокументировано?

— Дурацкий вопрос, Уэйн. Не будь у меня документов, как бы я узнал обо всем этом? Я ведь работаю только по чистым делам, помнишь?

— Сколько тебе еще потребуется времени?

— Пара недель. Мы с подружкой по-прежнему крутимся на Франт-стрит. И это не очень-то здорово. Оттуда вытащить папки будет чрезвычайно трудно.

— А откуда взялись эти десять тысяч?

Митч сделал вид, что не слышал вопроса. Он вскочил со скамейки и направился к двери ложи.

— Нам с Эбби хотелось бы поселиться в Альбукерке. Это большой город, и расположен вроде бы в стороне от оживленных мест. Приступайте к работе в этом направлении.

— Не спеши так.

— Я же сказал: две недели, Тарранс. Через две недели я доставлю вам все, а это будет означать, что мне придется немедленно уносить ноги.

— Не так быстро. Сначала мне нужно будет увидеть несколько документов.

— У тебя короткая память, Тарранс. Моя очаровательная жена пообещала передать вам пачку бумаг по «Данн Лейн», как только Рэй выйдет из тюрьмы.

Тарранс опять уперся взглядом во тьму.

— Посмотрю, что там можно сделать.

Митч подошел к нему и процедил:

— Слушай меня, Тарранс, и слушай внимательно. Похоже, мы не понимаем друг друга. Сегодня 17 апреля. Через две недели — 1 мая, и 1 мая я, как обещал, предоставлю в ваше распоряжение более десяти тысяч в высшей степени убедительных документов, это позволит поставить под угрозу одно из самых могущественных преступных сообществ в мире. И это может стоить мне жизни. Но я связал себя обещанием. Равно как и вы обещали мне, что мой брат выйдет из тюрьмы. В вашем распоряжении одна неделя, до 24 апреля. В противном случае я исчезну. А вместе со мной — и ваша операция, и твоя карьера.

— Чем он займется, когда выйдет на свободу?

— Опять ты со своими дурацкими вопросами! Он бросится бежать со всех ног, вот чем он займется. У него есть брат с миллионом долларов, являющийся экспертом по отмыванию денег и электронному банковскому делу. Рэй покинет страну в течение двенадцати часов, и уж он-то не выпустит из рук свое счастье.

— Он отправится на Багамы?

— Багамы! Ты идиот, Тарранс. На Багамах эти деньги превратятся в пыль меньше чем за десять минут. Неужели их можно доверить тамошним коррумпированным дуракам?

— Мистеру Войлсу не по вкусу тупиковые ситуации. Он будет по-настоящему расстроен.

— Скажи Войлсу, пусть поцелует меня в задницу. Скажи, пусть приготовит следующие полмиллиона, так как я почти готов. Скажи ему, пусть вытащит моего брата из тюрьмы, или сделка не состоится. Скажи ему все, что хочешь, Тарранс, но или Рэй через неделю выходит из тюрьмы, или из игры выхожу я.

Хлопнув дверцей ложи, Митч начал спускаться. Тарранс следовал за ним.

— Когда следующая встреча? — приглушенным голосом крикнул он в спину Митчу.

Тот уже перепрыгнул через невысокую загородку и был на треке.

— Моя сотрудница позвонит тебе. Сделаешь все, как она скажет.

ГЛАВА 31

Ежегодный трехдневный отпуск, который Натан Лок позволял себе после 15 апреля и который привык проводить в Вейле, был на этот раз отменен. И сделал это Де Вашер по прямому указанию Лазарова. Лок сидел вместе с Оливером Ламбертом в кабинете на пятом этаже и слушал Де Вашера, докладывавшего о ситуации и пытавшегося из разрозненных кусочков информации восстановить целостную картину. Особых успехов в этом он пока не добился.

— Итак, его жена уезжает. Говорит, что ей необходимо поехать домой к матери, у которой врачи обнаружили рак легкого. И что к тому же она уже устала от его работы. На протяжении нескольких месяцев мы время от времени засекали между ними размолвки. Она ругалась с ним по поводу того, что он слишком много времени проводит на работе, но ничего более серьезного. В общем, она едет к мамочке. Утверждает, будто не знает, когда вернется назад. Ведь мамочка больна, так? Ей же удалили легкое, правда? Однако мы так и не смогли отыскать больницу, где бы что-нибудь знали о такой пациентке, как Максима Сазерленд. Мы проверили каждую клинику в Кентукки, Индиане и Теннесси. Вам не кажется это странным, парни?

— Ну и что, Де Вашер? — Это был Ламберт. — Четыре года назад моей жене делали операцию, и мы с ней летали в клинику Майо. Не слышал я о законе, который бы запрещал людям обращаться в больницу, расположенную более чем в ста милях от дома. Это просто абсурд. А потом, они все же люди с положением. Может, она зарегистрировалась под другим именем, чтобы не привлекать к себе внимания. Это обычная история.

Лок кивнул в знак согласия.

— Он много с ней разговаривает?

— Она звонит раз в день. Иногда говорят довольно долго: о том о сем. О собаке, о ее мамочке. О работе. Вчера она сказала ему, что не вернется еще месяца два.

— Что-нибудь насчет клиники она говорила? — поинтересовался Лок.

— Ни разу. Она весьма осторожна. Об операции вообще почти ничего не было сказано. Мамочка, предположительно, уже дома. Если, конечно, она вообще покидала дом.

— К чему ты хочешь нас подвести, Де Вашер? — спросил Ламберт.

— Заткнись и слушай. Давай только предположим, что все это — лишь предлог, позволяющий ей убраться из города. Оказаться подальше от нас, подальше от того, что надвигается. Понятна моя мысль?

— Так ты считаешь, что он все-таки работает на них?

— Мне платят за то, чтобы я делал такие предположения, Нат. Я допускаю, что он знает о прослушивании, поэтому так осторожен в телефонных разговорах. Я допускаю, что он убрал жену из города, надеясь таким образом защитить ее.

— Шатко, — сказал Ламберт. — Все это довольно шатко.

Де Вашер мерил шагами комнату. Бросив острый взгляд на Олли, он сдержал себя.

— Дней десять назад кто-то на четвертом этаже сделал огромное количество непонятных копий. Странно и то, что происходило все это в три утра. Согласно нашим данным, в то время, когда делались эти копии, в здании находились только два юриста: Макдир и Скотт Кимбл. Ни тому, ни другому делать на четвертом этаже было нечего. Были использованы двадцать четыре номера допуска. Три взяты из папок Ламара Куина. Три — из папок Сонни Кэппса. Остальные восемнадцать числятся в папках Макдира. Нет ни одного номера Кимбла. Виктор Миллиган отправился домой около половины третьего ночи, Макдир в это время работал в кабинете Эйвери. Он отвозил Эйвери в аэропорт. Эйвери утверждает, что запер свой кабинет, но он мог и забыть. Либо он действительно забыл это сделать, либо у Макдира есть ключ. Я поднажал на Эйвери, но он почти уверен, что, уходя, закрыл дверь на замок. Но ведь была полночь, а он смертельно устал и к тому же торопился в аэропорт. Мог и забыть, верно? Но он не давал никаких указаний Макдиру относительно работы в его офисе. Пустяки, не важно, они же просидели там целый день, заканчивая налоговую декларацию для Кэппса. Это был ксерокс номер одиннадцать, ближайший к кабинету Эйвери. Я думаю, не будет ошибкой считать, что копии сделаны Макдиром.

— Сколько их было сделано?

— Две тысячи двенадцать.

— Из каких дел?

— Восемнадцать — наши клиенты по налогообложению. Я почти уверен, Макдир объяснит все тем, что заканчивал их декларации и на всякий случай снимал копии со всех документов. Звучит вполне логично, так? За исключением того, что копии обычно снимают секретарши. На кой же черт ему понадобилось торчать на четвертом этаже в три часа утра, для чего срочно понадобилось сделать более двух тысяч копий? Все это произошло 7 апреля. Скажите, многие ли ваши ребята заканчивают годовую работу на неделю раньше, а потом развлекаются у ксерокса?

Он остановился посреди кабинета и окинул сидящих тяжелым взглядом. Лок и Ламберт погрузились в размышления. Вот где он прижал их.

— А особый смак заключается в том, что пятью днями позже его секретарша использовала те же восемнадцать номеров на своем ксероксе, установленном на втором этаже. Она сделала около трехсот копий. Я, конечно, не юрист, но эта цифра, по-моему, более логична. Вам не кажется?

Оба молча кивнули. Оба были профессиональными юристами, приученными скрупулезнейшим образом рассматривать каждый вопрос во всех мыслимых плоскостях. Но не проронили ни слова. Де Вашер змеино улыбнулся и вновь принялся расхаживать по кабинету.

— Значит, мы поймали его на том, что он снял две тысячи копий, объяснить назначение которых он окажется не в состоянии. Вопрос заключается в следующем: что он копировал? Если ему пришлось использовать чужие номера допусков, чтобы запустить машину, то что же он мог копировать? Я не знаю. Все кабинеты были закрыты, кроме офиса Эйвери, конечно. И я спросил у Эйвери. У него там стоит металлическая этажерка, где лежат настоящие дела. Обычно они закрыты на ключ, однако в тот день он сам, Макдир и секретарши копались в них с утра до вечера. Эйвери мог и забыть закрыть их на ключ, когда торопился в аэропорт. Подумаешь! Зачем Макдиру снимать копии с настоящих, нормальных дел? Он бы этого делать не стал. Но, как и у каждого, кто работает на четвертом этаже, у Эйвери стоят четыре стеллажа с секретными папками. К ним никто не подходит, верно? Таковы правила фирмы. Эти дела закрыты понадежнее, чем мои. Значит, без ключа Макдиру до них не добраться. Эйвери показал мне свои ключи. Сказал, что не подходил к стеллажам два дня. Я попросил его посмотреть, все ли там в порядке. Он сделал это, и, по его мнению, там все в норме. Он не может сказать, что в папках кто-то копался. А вы смогли бы, посмотрев на свои дела, заявить, что с них сняли копии? Не смогли бы. И я бы не смог. Поэтому я собрал все эти папки сегодня утром и решил отослать их в Чикаго. А там уж их проверят на предмет наличия отпечатков пальцев. Это займет около недели.

— Не мог он снять копии с тех дел, — проговорил Ламберт.

— А с чего же он мог еще снимать копии, Олли? То есть я хочу напомнить вам: на четвертом и на третьем этажах все было закрыто. Все, кроме кабинета Эйвери. И если допустить, что Макдир шепчется по углам с Таррансом, то что еще может заинтересовать его у Эйвери? Только секретные папки.

— Значит, ты тем самым допускаешь и то, что у него были ключи? — заметил Лок.

— Да. Я считаю, он сделал весь набор ключей Эйвери.

Олли фыркнул и рассмеялся недобрым смехом:

— Этого не может быть. Я этому не верю.

Черные Глаза уставился на Де Вашера с вызывающей улыбочкой:

— А каким же образом ему это удалось?

— Хороший вопрос, как раз на него-то я и не могу пока найти ответ. Эйвери показывал мне свои ключи: два кольца, одиннадцать штук. Он с ними не расстается — правила фирмы, так?

Ведет себя как положено. Когда он бодрствует — ключи у него в кармане; когда спит — они у него под подушкой.

— Он куда-нибудь ездил в том месяце? — внезапно спросил Черные Глаза.

— О поездке в Хьюстон на прошлой неделе можно не вспоминать. Слишком близко по времени. А до этого он на два дня вылетал на Большой Кайман, по делам. Это было 1 апреля.

— Помню, — сказал Ламберт, внимательно слушая.

— Отлично, Олли. Я спросил его, как он провел обе ночи, и он ответил, что за работой. Посидел разок в баре, и все. Клянется, что спал один. — Де Вашер нажал кнопку на небольшом магнитофоне. — Но он лжет. Из спальни бунгало, в котором он остановился, в девять пятнадцать утра 2 апреля был сделан телефонный звонок.

Лок и Ламберт напряженно вслушивались.

— Он в душе, — послышался первый женский голос.

— С тобой все нормально? — прозвучал второй.

— Да. Все хорошо. Сейчас он ни на что не способен, даже если от него этого и потребовать.

— Почему ты звонишь так поздно?

— Он не просыпался.

— Подозревает что-нибудь?

— Нет. Он ничего не помнит. Думаю, у него болит голова.

— Долго ты еще там пробудешь?

— Расцелую его на прощание, как только он выйдет из душа. Десять, от силы пятнадцать минут.

— Хорошо. Поторопись.

Де Вашер нажал другую кнопку, продолжая мерить шагами кабинет.

— Понятия не имею, кто они, и давить на Эйвери я пока не стал. Пока. Он тревожит меня. Жена его подала на развод, и он утратил над собой всякий контроль. Все время бегает за бабами. Это ставит под угрозу всю систему нашей безопасности, и, я думаю, Лазаров потребует принятия серьезных мер.

— По ее словам выходило, что у него было тяжкое похмелье, — поделился мнением Лок.

— Это очевидно.

— Ты думаешь, она сделала дубликаты ключей? — задал вопрос Олли.

Де Вашер пожал плечами и уселся в свое старое кожаное кресло. Запал его подошел к концу.

— Возможно, но я сомневаюсь в этом. У меня долгие часы ушли на размышления. Предположим, что это была какая-то женщина, которую он подцепил в баре, и они там напились, и было уже довольно поздно, когда они улеглись в постель. Как же ей в таком случае удалось посреди ночи сделать дубликаты на небольшом островке? Вот поэтому я и сомневаюсь.

— Но у нее была подружка, — настаивал Лок.

— Да, и это тоже сбивает с толку. Может, они пытались вытащить его бумажник, но что-то им помешало? Эйвери вечно таскает с собой пару тысяч наличными, и, если тогда он был навеселе, мало ли что он мог наболтать им на пьяную голову. Может, она собиралась стянуть у него в последний момент деньги и дать тягу? Но она этого не сделала. Не знаю.

— Есть еще какие-нибудь предположения? — повернулся к нему Ламберт.

— Пока нет. Я люблю строить предположения и гипотезы, но если допустить, что женщины вытащили ключи, каким-то образом умудрились глубокой ночью на острове сделать их копии, да причем так, что Эйвери ничего не узнал об этом, а потом одна из них еще и пробралась к нему в постель... Нет, так мы зайдем слишком далеко. А потом все это еще нужно будет как-то увязать с Макдиром и ксероксом на четвертом этаже. Это уже чересчур.

— Согласен, — кивнул Олли.

— А что кладовая комната? — вспомнил Лок.

— Я тоже об этом подумал, Нат. Честно тебе скажу, у меня даже сон пропал от этих мыслей. Если женщина была заинтересована в материалах, которые хранятся в кладовой, то в таком случае должна как-то прослеживаться ее связь с Макдиром или еще с кем-то, кто ошивался бы неподалеку. А связи этой я никак не нахожу. Предположим, она обнаружила кладовку и документацию. Ну и что она может с ней сделать ночью, да еще со спящим наверху Эйвери?

— Прочесть.

— Еще бы, там ведь всего пара страниц. Но не забывай: она должна была пить наравне с Эйвери, иначе он бы что-нибудь заподозрил. Значит, она провела весь вечер сначала за выпивкой, а потом — развлекаясь с Эйвери в постели. И вот она дожидается, пока он уснет, а затем ее вдруг охватывает неодолимое желание спуститься вниз, в кладовую, и почитать банковские документы. Нет, парни, так не пойдет.

— Она могла работать на ФБР, — произнес Олли, гордясь своей смекалкой.

— Нет, не могла.

— Почему?

— Это слишком просто, Олли. ФБР не стало бы этого делать, потому что обыск считался бы незаконным и ни в одном суде документы бы не признали. Есть и еще одна причина, получше.

— Что же?

— Будь она из ФБР, не стала бы пользоваться телефоном. Ни один профессионал не позволил бы себе такого звонка. Я думаю, она была просто мелкой воровкой.

Эта же гипотеза была предложена Лазарову, который попытался было указать на сотню ее слабых мест, но в конце концов не смог придумать ничего лучшего. Он приказал сменить все замки на третьем и четвертом этажах, и в подвале, и в обоих бунгало на Кайманах. Он также приказал разыскать на острове всех слесарей — а их не должно быть слишком много — и выяснить, не приходилось ли одному из них делать набор ключей вечером 1-го или ночью 2 апреля. Дайте им денег, сказал он Де Вашеру. Заплатите им, и у них сразу развяжутся языки. Лазаров настоял на проверке отпечатков в кабинете Эйвери. С чувством законного удовлетворения Де Вашер ответил, что уже сделал соответствующие распоряжения. Образцы отпечатков пальцев Макдира были в папке с результатами его экзамена на звание адвоката.

Помимо всего прочего, Лазаров счел целесообразным отстранить Эйвери Толара от работы на два месяца. По мнению Де Вашера, это могло спровоцировать Макдира на нечто необычное. Хорошо, согласился Лазаров, предложите Толару лечь в клинику на обследование по поводу болей в груди. Двухмесячный, так сказать, отпуск — по настоянию врачей. Скажите Толару, пусть завершит все свои дела. Закроет свой кабинет. Макдира закрепите за Виктором Миллиганом.

— Ты сказал, что у тебя есть неплохой план, как нам обезопасить Макдира, — обратился к Лазарову Де Вашер.

Тот усмехнулся, почесал кончик носа.

— Да, — лениво протянул он, — думаю, мы остановимся именно на этом. Его нужно будет послать в небольшую деловую поездку на острова, ну а там произойдет совершенно загадочный взрыв.

— Терять двух пилотов? — озабоченно нахмурился Де Вашер.

— Что поделаешь, нужно, чтобы все выглядело красиво.

— Не стоит этого делать поблизости от Кайманов. Получится слишком много совпадений.

— Согласен. Пусть это случится над водой. Тем меньше найдут обломков. Мы вставим туда штучку помощнее, так что скорее всего копы вообще ничего не найдут.

— Этот план обойдется недешево.

— Да, я обговорю его сначала с Джоем.

— Тебе виднее, ты — босс. Дай мне знать, если от нас потребуется какая-либо помощь.

— Само собой. Я уже начал размышлять над этим.

— Что слышно от твоего человека в Вашингтоне? — вдруг вспомнил Де Вашер.

— Жду. Сегодня я звонил в Нью-Йорк, они заняты проверкой. Через неделю будем знать.

— Это значительно все упростит.

— Пожалуй. Но если ответ будет положительным, нам придется избавиться от него в двадцать четыре часа.

— Я немедленно займусь этим вопросом.

Субботним утром в здании фирмы было спокойно и тихо. Работой занимались всего несколько партнеров и сотрудников, одетых в простые спортивные костюмы. Секретарш не было. Митч просмотрел свою почту и записал на диктофон ответы. Просидев в кабинете пару часов, он вышел. Пора было навестить Рэя.

Пять часов он мчался в автомобиле как идиот. С сорока пяти миль в час он вдруг прыгал до восьмидесяти пяти, останавливался тут и там, резко уходил с левой полосы. Заглушал мотор у подземных переходов и ждал, до боли в глазах вглядываясь в серую ленту шоссе. Никого. Ни разу не попалась ему на глаза подозрительная машина, какой-нибудь грузовик или фургон. Только на огромные трейлеры не обращал Митч никакого внимания. Никого. Сзади все чисто, в противном случае он бы их заметил.

Охрана проверила его передачу: несколько книг и сигареты, и он прошел в кабинку номер девять. Через несколько минут по ту сторону толстого стекла уселся Рэй.

— Где ты пропадал? — спросил Рэй брата с едва уловимым раздражением в голосе. — Ты — единственный в мире, кто еще не забыл меня здесь, и вот за последние четыре месяца я вижу тебя лишь второй раз.

— Знаю. Просто был разгар налоговой кампании, и я закрутился. Я исправлюсь, обещаю. А потом, я же тебе писал.

— Да, раз в неделю я получал пару строк: «Привет, Рэй. Мягко тебе там спится? Как жратва? Стены не давят? Что с твоим греческим или итальянским? У меня все нормально. У Эбби — замечательно. Пес прихворнул — ему нужно больше бегать. Скоро приеду. Твой Митч». И это еще длинное послание, братишка. Приходится мне дорожить твоими письмами.

— Твои писульки не лучше.

— А о чем мне-то писать? Охрана торгует травкой. Прирезали дружка — на теле тридцать одна ножевая рана. Видел, как насиловали ребенка. Брось, Митч, кому это интересно?

— Я исправлюсь.

— Как мама?

— Не знаю. После Рождества я туда не ездил.

— А ведь я просил тебя навестить ее, Митч. Я беспокоюсь за нее. Если тот подонок продолжает ее бить, я хочу, чтобы ты прекратил это. Мне бы только выбраться отсюда, я сам навел бы там порядок.

— Ты так и сделаешь. — Это прозвучало как утверждение. Митч прижал к губам палец и медленно кивнул.

Рэй подался вперед, опершись на локти и внимательно вслушиваясь.

Митч негромко произнес по-испански:

— Говори медленно.

Рэй чуть заметно улыбнулся:

— Когда?

— На следующей неделе.

— В какой день?

На мгновение Митч задумался.

— Во вторник или в среду.

— Во сколько?

Пожав плечами, Митч улыбнулся и посмотрел по сторонам. Дальнейший разговор братья опять вели на английском.

— Как Эбби? — спросил Рэй.

— Поехала к родителям в Кентукки на пару недель. Мать у нее заболела. — Глядя брату прямо в глаза, он прошептал: — Верь мне.

— Что с ней?

— Ей удалили легкое. Рак. Всю жизнь она слишком много курила. Тебе тоже нужно бросать.

— Брошу, когда выйду отсюда.

Митч улыбнулся, медленно кивнул:

— У тебя еще семь лет впереди.

— Да, а побег исключается. Время от времени кое-кто пытается, но всех либо ловят, либо убивают на месте.

— Но ведь Джеймс Эрл Рэй выбрался? — И опять Митч, задавая этот вопрос, неторопливо склонил вниз голову.

Рэй улыбался, наблюдая за братом.

— Да, а потом его все же словили. Они позвали на помощь каких-то горцев с собаками, и те разыскали его довольно быстро. Не думаю, что кому-то удастся спастись в горах, даже если получится перелезть через эту чертову стену.

— Поговорим о чем-нибудь другом, — предложил Митч.

— С удовольствием, — согласился Рэй.

Позади кабинок для посетителей у окна стояли два охранника. Они были поглощены разглядыванием снимков, сделанных, видимо, «Полароидом» в тот момент, когда мужчина и женщина и представить себе не могли, что за ними кто-то наблюдает. Фотографии, наверное, пытался переправить кто-то из посетителей. Охранники хихикали и перешептывались, совершенно не обращая внимания на тех, кто пришел на свидание. По половине, где сидели заключенные, ходил один-единственный надзиратель, полусонно размахивая резиновой дубинкой.

— А когда мне ждать появления своих маленьких племянников и племянниц? — задал вопрос Рэй.

— Может, через пару-тройку лет. Эбби не терпится завести мальчика и девочку, она бы не против и прямо сейчас, но я не позволяю. Я к этому еще не готов.

Охранник прошелся за спиной Рэя, даже не повернув головы. Братья смотрели друг на друга, пытаясь прочитать что-то в глазах.

— И куда мне идти? — быстро проговорил Рэй по-испански.

— В «Хилтон» на Пердидо-Бич, — как ни в чем не бывало на родном языке отвечал Митч. — В прошлом месяце мы с Эбби летали на Каймановы острова. Отлично провели там отпуск.

— Никогда о таких местах не слышал. Где это?

— В Карибском море, южнее Кубы.

— Как меня будут звать? — опять по-испански спросил Рэй.

— Ли Стивенс. Подводное плавание. Вода была замечательная. У фирмы там два бунгало, прямо на пляже. Платить пришлось только за авиабилеты. Словом, было здорово.

— Достань-ка мне какую-нибудь книжку. Я хотел бы прочитать про это. — И на испанском: — А документы?

Митч улыбнулся, все также медленно кивая брату головой. Охранник подошел и остановился как раз за спиной Рэя. Братья вспоминали Кентукки.

В сумерках он остановил «БМВ» на темной стороне торговой улочки в пригороде Нашвилла. Не вытащив ключа зажигания, захлопнул дверцу — в кармане у него всегда был запасной. Близилась Пасха, и люди торопились сделать все необходимые покупки заранее. Митч влился в толпу покупателей, устремлявшуюся в двери универсального магазина фирмы «Сирс». Оказавшись внутри, он быстро направился в секцию мужской одежды и принялся придирчиво изучать носки и нижнее белье, время от времени бросая внимательные взгляды на вход. Но по-прежнему не замечал ничего подозрительного. Митч вышел из магазина и направился вниз по переполненной прохожими улице. Внимание его привлек черный свитер в витрине магазина. Зайдя туда, Митч примерил его и решил не снимать, так он ему понравился. Пока продавец отсчитывал сдачу, Митч успел найти в телефонной книге номер вызова такси. Он вышел, нашел взглядом у входа в другой универсальный магазин телефонную будку. Диспетчер обещал ему, что машина подойдет минут через десять.

На улице стало почти совсем темно; южная весна еще несла с собой по вечерам прохладу. Митч наблюдал за улицей, сидя у выхода в небольшом баре. Он был уверен, что сегодня за ним никто не шел, по крайней мере здесь, на этой торговой улочке, и неторопливо приблизился к остановившемуся рядом такси.

— Брентвуд, — бросил Митч водителю, опускаясь на заднее сиденье.

До Брентвуда оказалось минут двадцать езды.

— Жилой комплекс «Саванна-Крик», — уточнил он адрес.

Чуть поплутав в подъездных путях, машина в конце концов остановилась у одного из корпусов. Митч бросил на переднее сиденье двадцать долларов и хлопнул дверцей. Оказавшись перед дверью с номером 480Е, подергал ручку. Дверь была закрыта.

— Кто? — послышался из-за двери нервный женский голос, услышав который Митч почувствовал, что напряжение начинает спадать.

— Бэрри Эбанкс, — ответил он.

Эбби настежь распахнула дверь и бросилась ему в объятия. Он приподнял жену, внес ее в квартиру, ударом ноги захлопнул дверь. Все это время они исступленно целовались. Митч не отдавал себе отчета в том, что делали его руки: менее чем за две секунды он сорвал с Эбби свитер, расстегнул лифчик и опустил до коленей юбочку. Но пока ни Эбби, ни Митч не готовы были прекратить целоваться. Краем глаза Митч успел бросить оценивающий взгляд на неудобный дешевый диван-кровать. Либо это, подумал он, либо пол. Он бережно опустил Эбби на диван и снял с нее одежду.

Диван оказался слишком коротким и на редкость скрипучим. Матрац представлял собой два дюйма поролона, прикрытого простыней. Металлические пружины выпирали из-под него, впиваясь в тело.

Но ничего этого Эбби и Митч не чувствовали.

Когда на улице совсем стемнело и толпа покупателей начала постепенно редеть, позади «БМВ» остановился черный сверкающий «шевроле». Из него выскочил маленький человечек с аккуратной прической и бакенбардами, повел головой по сторонам и ловким движением вставил в замок передней дверцы «БМВ» острое жало отвертки. Через несколько месяцев, когда ему будут выносить приговор, он признается судье, что на его счету более трехсот угнанных автомобилей в восьми штатах и что, имея отмычку, он быстрее откроет любую машину и заведет ее, чем это сделает уважаемый судья ключами. Он скажет, что в среднем на эту операцию у него уходит двадцать восемь секунд. Тем не менее на судью это не произведет ровным счетом никакого впечатления.

Надо же — какой-то идиот оставил ключи в замке зажигания! Так ведь на нее уйдет гораздо меньше, чем двадцать восемь секунд. Машину заметил его наводчик. Ну что ж. Маленький человечек сел за руль и повернул ключ. Улыбнулся. «БМВ» взревел и последовал за черным «шевроле».

Скандинав выскочил из фургона и проводил «БМВ» долгим взглядом. Слишком поздно. Уж больно велика скорость. На какое-то мгновение другая машина закрыла от него «БМВ», когда же она свернула в сторону, «БМВ» окончательно пропал из виду. Угнали! Прямо у него на глазах. В злости он пнул ногой колесо фургона. Ну, что же он будет об этом докладывать?

Забравшись в фургон, Скандинав принялся ждать возвращения Макдира.

После часа, проведенного на диване, боль одиночества отступила. Они взад и вперед ходили по квартирке, взявшись за руки, и целовались. А позже Митч впервые увидел то, что потом все трое стали называть бумагами Бендини. До этого ему приходилось видеть только заметки, сделанные рукой Тэмми, ее опись, но не сами документы. Комнатка была похожа на шахматную доску, уставленную коробками с бумагами. На двух стенах комнаты Тэмми разместила большие белые листы на манер доски объявлений, теперь они были покрыты ее записями, страничками из блокнотов, информационными схемами.

Позже, видимо, ему придется провести в этой комнате немало часов, разбирая бумаги и готовясь к судебному заседанию. Но только не сегодня. Через несколько минут он оставит Эбби, ему пора возвращаться.

Она опять потянула его к дивану.

ГЛАВА 32

Коридор на десятом этаже клиники «Баптист хоспитал» был фактически пуст, если не считать старшей медицинской сестры и писавшего что-то за своим столом санитара. Больных разрешалось посещать до девяти, а сейчас часы показывали половину одиннадцатого. Он прошел по коридору, сказал несколько слов сестре, причем санитар так и не поднял головы, а затем постучал в дверь.

— Входите, — услышал он звучный мужской голос.

Он толкнул довольно тяжелую дверь и прошел в палату, остановившись у кровати.

— Привет, Митч, — обрадовался его приходу Эйвери. — Ты мне не поверишь.

— Что произошло?

— Я проснулся сегодня в шесть утра от колик в желудке, как мне показалось. Принял душ и тут же почувствовал боль вот здесь, в плече. Стало трудно дышать, я весь покрылся потом. Подумал еще, нет, только не я. Черт побери, мне всего сорок четыре, я в отличной форме, все время в работе, прилично питаюсь, ну разве что люблю иногда выпить. Нет, нет, только не я! Позвонил своему врачу, он предложил мне встретиться с ним здесь, в клинике. Он считает, что это был удар, небольшой сердечный приступ. Говорит, ничего серьезного, но несколько дней уйдет на обследование.

— Сердечный приступ?

— Так сказал врач.

— Ничего удивительного, Эйвери. У нас в фирме заслуживает уважения тот юрист, который доживает до пятидесяти.

— Это все Кэппс, Митч. Сонни Кэппс. Именно он виноват во всем. Он позвонил в пятницу и заявил, что нашел для себя новую фирму в Вашингтоне. Потребовал все свои бумаги. И это мой лучший клиент! В прошлом году он заплатил фирме почти четыреста тысяч, это моя заслуга — я выбил из него почти столько же, сколько он выплатил налогов казне. Расходы на юристов его нисколько не смущают, но одна мысль об уплате налогов приводит его в бешенство. Я отказываюсь его понимать, Митч.

— В любом случае он не заслуживает, чтобы из-за него умирали. — Митч обвел глазами палату, рассчитывая увидеть электрокардиограф, но палата оказалась совершенно пустой, аппаратуры не было никакой. Он уселся на стоявший у стены единственный стул, ноги положил на край постели.

— Джин потребовала развода, знаешь?

— Да, я слышал об этом. Но ведь тут нет ничего странного, так?

— Я удивлен, что она не додумалась до этого еще в прошлом году. Я предложил ей неплохую сумму, лишь бы дело закончилось тихо. Надеюсь, она примет деньги. Мне не нужны никакие шумные процессы.

«Кому они, интересно, нужны?» — подумал Митч.

— А что сказал Ламберт? — спросил он.

— Это был настоящий спектакль, право слово! За девятнадцать лет работы я ни разу не видел, чтобы он терял над собой контроль. А вот тут не выдержал, сорвался. Заявил, что я слишком много пью, хожу по бабам и черт знает что еще. Сказал, будто я бросаю тень на репутацию фирмы. Предложил мне обратиться к психиатру.

Говорил Эйвери медленно, как бы с трудом, голос его время от времени слабел, прерывался. Во всем этом чувствовалась какая-то фальшь: иногда он забывал о необходимости держать себя в узде и начинал говорить нормально. На кровати он лежал вытянувшись, совершенно неподвижно, края простыни были аккуратно подоткнуты со всех сторон. Цвет лица у Эйвери был на редкость здоровый.

— Думаю, тебе действительно стоит поговорить со своим психиатром. Даже, может, не с ним одним.

— Благодарю. Мне нужно погреться месяц на солнышке. Доктор сказал, меня выпустят отсюда через три-четыре дня, но к работе я смогу вернуться не раньше чем через два месяца. Это шестьдесят дней, Митч. Он твердо заявил, что я ни при каких условиях и близко не должен подходить к фирме в течение этих шестидесяти дней.

— Какое блаженство! Я тоже хочу пережить такой приступ.

— С твоими темпами он тебе гарантирован.

— Ты уже успел здесь заделаться врачом?

— Нет. Я просто испугался. Когда тебя вот так прижмет, начинаешь задумываться над разными вещами. Сегодня я впервые в жизни размышлял о смерти. Когда человек не думает о смерти, он начинает меньше ценить жизнь.

— Наш разговор становится уж больно серьезным.

— Да, пожалуй. Как Эбби?

— Все нормально, я так надеюсь по крайней мере. Мы с ней давненько не виделись.

— Может, тебе было бы лучше съездить за ней и привезти домой? И подумать наконец о ней тоже. Шестьдесят часов в неделю — этого вполне хватит, Митч. Если ты будешь работать больше, то твоя семейная жизнь полетит ко всем чертям, да и сам ты раньше времени сойдешь в могилу. Она хочет детей — так заведите их. Если бы я мог начать сначала!

— К черту, Эйвери! На какое число назначены твои похороны? Тебе сорок четыре, у тебя был сердечный приступ. Ну так что? Пока ты не превратился в растение.

В дверь заглянул санитар:

— Уже поздно, сэр. Вам пора уходить.

Митч вскочил:

— Да, конечно. — Он похлопал Эйвери по плечу, направился к двери. — Встретимся через пару дней.

— Спасибо, что пришел. Передай привет Эбби.

Кабина лифта была совершенно пуста. Митч нажал на кнопку шестнадцатого этажа и уже через несколько секунд вышел из раздвинувшихся дверей.

Сделав несколько шагов по коридору, он прошел к лестничной клетке и бросился по ступенькам вверх. Оказавшись на восемнадцатом этаже, он перевел дух, толкнул дверь и вышел в коридор. В глубине его, на изрядном расстоянии от лифтового холла, у стены стоял Рик Эклин, ждал и бормотал что-то в трубку неработающего телефона-автомата. Увидев приближающегося Митча, он кивнул ему, указывая рукой на небольшое помещение, в котором обычно сидели взволнованные родственники больных. Сейчас в комнате стояла темнота. Там внутри не было ничего, кроме двух рядов складывающихся кресел и телевизора, который не работал. Единственным источником света служило небольшое окошечко в автомате по продаже кока-колы. Рядом с автоматом сидел Тарранс и перелистывал какой-то старый, потрепанный журнал. На нем был костюм из фланели, поперек лба — трикотажная лента, поддерживающая волосы, темно-синие носки и белые парусиновые туфли. Тарранс-спортсмен. Митч уселся рядом, лицом к коридору.

— Ты чист. Они шли за тобой до стоянки, потом свалили. В коридоре дежурит Эклин, где-то рядом — Лейни. Не волнуйся.

— Какая изящная у тебя ленточка.

— Спасибо.

— Как я понимаю, до тебя дошло мое сообщение.

— Это и так ясно. А ты умник, Макдир. Сегодня после обеда сижу у себя за столом, голова занята мыслями, ведь, кроме фирмы Бендини, есть еще и другие дела. В том числе и у меня, ты это знаешь. И тут входит моя секретарша и говорит, что звонит какая-то женщина, которая хочет побеседовать о человеке по имени Марти Козински. Я подпрыгиваю в кресле, хватаю трубку, и, естественно, это оказывается твоя, скажем, служащая. Утверждает, что дело срочное, ну, так всегда говорят. Хорошо, отвечаю, слушаю вас. Но нет, она в такие игры не играет. Она заставляет меня бросить все дела и мчаться сломя голову в «Пибоди», в бар — как его там? «Малларда»? — чтобы сидеть и ждать там бог знает чего. Прилетаю, сажусь, начинаю размышлять о том, какая это все глупость — ведь наши телефоны чисты. Черт меня побери, Митч, но я знаю, что они не прослушиваются! Мы можем смело по ним говорить! Сижу, пью кофе, и тут подходит бармен и спрашивает, не моя ли фамилия Козински. Я ему в ответ: «А имя?» — так просто, смеха ради, если уж мы начали этот спектакль, а? Он с удивлением — представляешь? — уточняет: «Марти Козински». Я говорю: «Да, конечно, это я», — но каким же дураком, Митч, я себя чувствую. И после этого он сообщает, что мне звонят. Подхожу к стойке и вновь слышу голос твоей служащей. У Толара, видите ли, сердечный приступ или нечто в этом роде. Ты придешь его навестить около одиннадцати. Неплохо придумано.

— Правда? И ведь сработало.

— Да, и сработало бы ничуть не хуже, если бы она сразу передала мне все это по телефону.

— Так мне больше по вкусу. Так безопаснее. А потом, нужно же тебе хоть иногда вылезать из кабинета.

— Вот я и вылез. И не я один — со мной еще трое.

— Слушай, Тарранс, пусть будет по-моему, хорошо? Головой-то рискую я, а не ты.

— Хорошо, хорошо. На чем это ты сюда подъехал?

— Взял «форд» напрокат. Аккуратная штучка, а?

— Что же случилось с пижонским «БМВ»?

— Насекомые замучили. Просто некуда деться от «жучков». Был в субботу вечером в Нашвилле, оставил его там с ключами внутри у торгового центра. Ну кто-то и позаимствовал. По секрету, я очень люблю петь, но у меня ужасный голос. Получив права, я пел только сидя за рулем, в полном одиночестве. А когда в машине завелись «жучки», сам понимаешь, я начал стесняться. Пение стало меня утомлять.

Тарранс не смог сдержать улыбку.

— Это по-настоящему хорошо, Макдир. Действительно хорошо.

— Видел бы ты лицо Оливера Ламберта, когда я сегодня утром вошел в его кабинет с полицейским рапортом в руках. Он начал заикаться и мямлить что-то про то, как искренне ему жаль. Я показал ему, что тоже весьма огорчен. Страховка возместит потери, так что старина Оливер пообещал мне новый, не хуже. Затем он сказал, что пока фирма хочет арендовать для меня машину, на что я ответил, что уже сделал это сам. Прямо там же, в Нашвилле, вечером. Это ему не понравилось, поскольку он знал: эта — без «жучков». Он тут же снял трубку и при мне позвонил представителю компании, торгующей «БМВ». Спросил, какой цвет я предпочитаю. Я ответил, что черный мне надоел, пусть будет лучше бургунди, цвета старого вина. А салон обит оливковой кожей. Вчера я сам специально ездил в их демонстрационный зал: ни одной модели цвета бургунди у них нет. Он сказал в трубку, что мне требуется, и выслушал ответ. Может, все-таки черный, спросил меня, может, темно-синий, или серый, или красный, белый? Нет, заартачился я, нет. Только бургунди. В таком случае им придется его заказать, объяснил он мне. Ну что ж, согласился я, отлично. Тогда он положил трубку и спросил, неужели мне на самом деле захотелось именно бургунди? Бургунди, подтвердил я. Он начал было спорить, но тут же осознал, насколько глупо это выглядит со стороны. Таким образом, я впервые за десять месяцев получил возможность петь в собственной машине.

— Но «форд», Митч! Для успевшего стать модным в нашем городе юриста! А как же гордость?

— С этим я как-нибудь справлюсь.

Тарранс продолжал улыбаться, все еще находясь под впечатлением от услышанного.

— Интересно, что будут делать эти парни-перекупщики, когда покопаются в твоем «БМВ» и обнаружат его интересную начинку?

— Может, сдадут в лавку, где торгуют граммофонами. Сколько подобная аппаратура может стоить?

— Наши ребята говорят, что у тебя стояла самая лучшая, это от десяти до пятнадцати тысяч. Точно я не знаю. Прямо смех!

Громко разговаривая, по коридору прошли две санитарки, шаги их стихли за поворотом, и опять стало спокойно. Эклин вновь с усердием накручивал телефонный диск.

— Как дела у Толара? — задал новый вопрос Тарранс.

— Великолепно. Когда у меня забарахлит сердце, надеюсь, буду чувствовать себя так же, как он. Он пролежит здесь несколько дней, а потом — двухмесячный отпуск. Ничего серьезного.

— Ты можешь попасть в его кабинет?

— Зачем? Все, что там можно было сделать, я сделал.

Тарранс чуть подался вперед, всем видом давая понять, что ждет другого ответа.

— Нет. Я не могу попасть в его кабинет, — раздельно сказал Митч. — Они поменяли все замки на третьем и на четвертом этажах. И в подвале.

— Откуда ты это знаешь?

— Моя служащая, Тарранс, моя сотрудница сказала. На прошлой неделе ей удалось побывать в каждом кабинете фирмы, включая подвальное помещение. Она проверила каждую дверь, подергала за ручку каждый ящик, заглянула в каждый шкаф. Прочитала почту, посмотрела кое-какие папки, порылась в мусоре. Мусора там не много. В здании установлено десять машинок для уничтожения документов, и четыре из них — в подвале. Вам это было известно?

Тарранс впитывал каждое слово, на лице его не дрогнул ни один мускул.

— Как она...

— Не спрашивай, Тарранс, я все равно не отвечу тебе.

— Она там работает! Секретарша или что-то в этом роде! Она помогает тебе изнутри.

С показным сочувствием Митч покачал головой:

— Браво, Тарранс, блестяще. Сегодня она звонила тебе дважды. Первый раз в два пятнадцать, второй — примерно через час. Скажи мне, каким образом секретарша умудрилась два раза позвонить в ФБР с перерывом в один час?

— Может, она сегодня не работает? Может, она звонила из дома?

— Ты ошибаешься, Тарранс, и прекрати задавать вопросы. Не нужно напрасно тратить на это время. Она работает на меня и поможет мне доставить по адресу интересующий вас товар.

— Что находится в подвале?

— Довольно большое помещение, разделенное перегородками на двенадцать комнатушек, в которых стоят двенадцать заваленных письменных столов и сотни стеллажей с папками. Стеллажи закрываются на ключ и оборудованы сигнализацией. Мне кажется, именно оттуда дают команды по отмыванию денег. На стенах этих комнатушек она заметила названия и телефонные номера нескольких десятков банков в регионе Карибского моря.

На виду там почти нет никакой информации — они весьма осторожны. Чуть в стороне находится небольшая комната со множеством хитрых запоров, набитая компьютерами.

— Похоже, это именно то самое.

— Так и есть, только выбрось это из головы. Оттуда невозможно ничего взять, не подняв общую тревогу. Есть, правда, один способ.

— Ну?

— Ордер на обыск.

— Забудь об этом. А основание?

— Слушай меня, Тарранс. Вот как это будет выглядеть. Я не могу предоставить вам все документы, что вы хотите. Но я могу дать вам все, что вам необходимо. В моем распоряжении более десяти тысяч листов, и хотя я еще не все просмотрел, но мне достаточно того, что я видел, чтобы понять: если эти документы окажутся у вас, то вы сможете предъявить их судье, а уж он оформит ордер на обыск. То, чем я сейчас располагаю, поможет обосновать обвинительные заключения против, наверное, половины фирмы. Но если на основании тех же самых документов вы получите ордер на обыск, то для перевозки обвинительных заключений потребуется хороший грузовик. По-другому с этим делом не справиться.

Тарранс вышел в коридор, огляделся по сторонам. Ни души. Он потянулся, подошел к окну и, опершись рукой на автомат, торгующий банками кока-колы, выглянул в небольшое окно, как бы пытаясь рассмотреть в темноте здание фирмы «Бендини, Ламберт энд Лок».

— Почему ты говоришь только про половину фирмы?

— Для начала хватит и половины. Плюс еще какое-то количество партнеров, ушедших на пенсию. По моим документам тут и там разбросано немало имен таких партнеров, которые на денежки клана Моролто пооткрывали на Кайманах дутые компании. Состряпать против них обвинительные заключения особого труда не составит. Когда же у тебя в руках окажутся все документы, то ваша теория глобального заговора найдет подтверждение и вы сможете прижать всех.

— Где ты добыл документы?

— Мне повезло. Очень повезло. Я, можно сказать, вычислил, что фирме нет никакого резона держать свои бумаги по кайманским банкам здесь, у нас. И у меня возникло такое чувство, что документы там, на Кайманах. К счастью, я оказался прав. Там мы и сняли с них копии.

— Мы?

— Моя сотрудница. И еще один друг.

— Где документы сейчас?

— Опять ты со своими вопросами, Тарранс! Документы в надежном месте. Это все, что тебе нужно знать.

— Мне нужны бумаги из подвала.

— Выслушай меня внимательно, Тарранс. То, что находится в подвале, никогда не выйдет на свет, пока вы не явитесь с ордером на обыск. Это просто невозможно, ты слышишь меня?

— Что за люди работают в подвале?

— Не знаю. Я работаю там десять месяцев и никого из них ни разу не видел. Я не знаю, где они оставляют свои машины, как они попадают в подвал и как выходят на улицу. Может, они невидимки. По моим расчетам, партнеры и люди внизу выполняют всю грязную работу.

— Какое там установлено оборудование?

— Два ксерокса, четыре машинки для уничтожения документов, скоростные принтеры и черт знает какие компьютеры. Обитель высокого искусства.

Стоя у окна, Тарранс задумался.

— В этом что-то есть. В этом много чего есть. Мне все время не давала покоя мысль: как же фирма, имеющая столько секретарш, клерков, младшего персонала, умудряется хранить в тайне свои связи с Моролто?

— Тут все просто. Ни секретарши, ни клерки, ни младший персонал ни во что не посвящены. Они заняты только с настоящими, законными клиентами. Партнеры и сотрудники со стажем сидят в своих роскошных кабинетах и находят новые, все более экзотические способы отмывания денег, а команда в подвале занята, видимо, черновой работой. Здесь отличная режиссура.

— Значит, у фирмы немало нормальных клиентов?

— Сотни. В фирме работают талантливые юристы, и клиентура у них замечательная. А это классное прикрытие.

— Так ты, Макдир, говоришь, у тебя достаточно документов, чтобы сформулировать обвинения и предъявить ордер на обыск? Что они в твоем распоряжении?

— Именно так.

— Здесь, в США?

— Да, Тарранс. Здесь, в США. Собственно говоря, они очень недалеко отсюда.

Тарранс потерял покой. Он стоял, переминаясь с ноги на ногу, похрустывая суставами пальцев, дыхание его сделалось учащенным.

— Что ты еще можешь принести нам с Франт-стрит?

— Ничего. Слишком опасно. Они сменили все замки, и это беспокоит меня. Какого черта поменяли каждый замок на третьем и четвертом этажах и не сделали этого на первом и втором? Две недели назад на четвертом этаже я снимал кое-какие копии, и теперь мне кажется, что это было глупой затеей. У меня дурные предчувствия. С Франт-стрит вы больше ничего не получите.

— А как насчет твоей сотрудницы?

— Теперь и она не сможет.

— Мне нужны документы, Макдир, и нужны срочно. Скажем, завтра.

— А когда Рэй получит свои бумаги?

— Сегодня понедельник. Думаю, его проблема будет решена завтра ночью. Ты не поверишь, какими проклятиями меня осыпал Войлс. Ему пришлось задействовать все свои связи. Думаешь, я вру? Он созвонился с обоими сенаторами от Теннесси, и те лично вылетели в Нашвилл, чтобы встретиться с губернатором. Чего я только не услышал в свой адрес, Митч, и все это из-за твоего брата!

— Он оценит это по достоинству.

— Что он будет делать, когда окажется на свободе?

— Об этом позабочусь я сам. Ваше дело — вытащить его из тюрьмы.

— Без всяких гарантий. Если с ним что-то случится, то это не наша вина.

Митч поднялся, посмотрел на часы:

— Мне нужно бежать, я уверен, что на улице кто-нибудь уже ждет меня.

— Когда мы встретимся?

— Она позвонит тебе. Сделай так, как она скажет.

— Оставь это, Митч. Не пойму, зачем вся эта возня. Она же может просто позвонить. Клянусь, наши линии чисты. Прошу тебя, не нужно больше игр.

— Как зовут твою мать, Тарранс?

— Что? Дорис.

— Дорис?

— Да. Дорис.

— Тесен мир. Дорис мы не можем использовать. С кем ты последний раз показывался на вечеринке у начальства?

— По-моему, я на нее и не ходил.

— Меня это не удивляет. Хорошо, а как звали твою первую любовь, если, конечно, она у тебя была?

— Мэри Элис Бреннер. Она была такой пылкой, все домогалась меня.

— Ну еще бы! Значит, мою сотрудницу зовут Мэри Элис. Когда Мэри Элис позвонит тебе в следующий раз, сделай так, как она скажет, хорошо?

— Я не могу ждать.

— Будь так добр, Тарранс, окажи мне услугу. По-моему, Толар притворяется, а у меня поганое чувство, что его актерская игра как-то связана со мной. Поручи своим ребятам покрутиться здесь и выяснить, действительно ли у него сердечный приступ.

— Договорились. Больше нам делать нечего.

ГЛАВА 33

Во вторник утром повсюду в здании фирмы можно было слышать сочувственные разговоры об Эйвери Толаре. Он поправится. Сейчас его обследуют. Говорят, серьезных нарушений нет. Просто переработал. Перенервничал. Это все Кэппс. Это все развод. Эйвери нужно хорошенько отдохнуть.

Нина внесла пачку писем, которые Митч должен был подписать.

— Вас хотел бы видеть мистер Ламберт, если вы, конечно, не очень заняты. Он звонил только что.

— Хорошо. В десять у меня встреча с Фрэнком Малхолландом. Вы знаете об этом?

— Естественно, я об этом знаю. Я — ваша секретарша. Я знаю все. Встреча будет здесь или в его офисе?

Митч начал перелистывать свой настольный календарь как бы в поисках записи. Ага, вот: контора Малхолланда в здании «Хлопковой биржи».

— В его, — сказал он с недовольной гримасой.

— В последний раз вы тоже были у него, так? Интересно, чему вас учат в ваших университетах? Никогда, я повторяю, никогда нельзя дважды подряд встречаться на территории соперника. Это непрофессионально. Этим вы выказываете свою слабость.

— Неужели вы никогда мне этого не простите?

— Вы дождетесь, что я расскажу все своим коллегам. Они уверены, что вы ловкач и везунчик. Все будут потрясены, когда узнают, какой вы зануда.

— Ничего, встряска им не повредит.

— Как дела у матери Эбби?

— Ей уже гораздо лучше. Я собираюсь их проведать в конце недели.

Нина взяла в руки две папки.

— Ламберт ждет, — напомнила она.

Оливер Ламберт указал Митчу на довольно жесткий диванчик и предложил кофе. С совершенно прямой спиной он сидел в своем вращающемся кресле, с чашечкой кофе в руках похожий на английского аристократа.

— Меня волнует Эйвери, — начал он.

— Я был у него вчера вечером, — сказал Митч. — Врачи настаивают на двухмесячном отпуске.

— Да. Поэтому ты и здесь. Следующие два месяца я просил бы тебя поработать с Виктором Миллиганом. Он возьмет на себя почти все дела Эйвери, так что ничего принципиально нового в твоей работе не будет.

— Отлично. Мы с Виктором друзья.

— Ты многому у него научишься. В налогах он гений. Проглатывает по две книги в день.

Тем лучше, подумал Митч. В тюремной камере он улучшит этот результат до десятка.

— Да, он крепкий парень. Пару раз здорово выручал меня.

— Ну вот и хорошо. Думаю, вы сработаетесь. Постарайся увидеться с ним в первой половине дня. Теперь вот еще что: Эйвери не успел закончить дела на Кайманах. Ты знаешь, он часто летает туда на встречи с банкирами. Предполагалось, что завтра он вылетит туда на пару дней. Сегодня утром он сказал мне, что тебе известны клиенты и их счета. Нужно, чтобы ты отправился туда вместо Эйвери.

Тысяча мыслей разом мелькнула в его голове. «Лир», миллион долларов, бунгало, кладовка. Все смешалось.

— На Кайманы? Завтра?

— Да. Это довольно срочно. Трое его клиентов настоятельно требуют информации по своим счетам. Сначала я думал послать Миллигана, но утром его, оказывается, ждут в Денвере. Эйвери сказал мне, что ты справишься.

— Конечно, справлюсь.

— Очень хорошо. Отправишься на «лире». Вылетишь завтра около полудня, а вернешься в пятницу вечером коммерческим рейсом. Вопросы?

Вопросов было много. Выходил на свободу Рэй, Тарранс требовал своих бумаг, нужно было успеть забрать полмиллиона долларов. А ему приходилось исчезнуть.

— Никаких.

Он вернулся к себе, закрыл дверь на ключ. Сбросил ботинки, вытянулся во весь рост на полу и закрыл глаза.

Лифт остановился на седьмом этаже, Митч выскочил из него и бегом бросился по лестнице на девятый. Тэмми раскрыла ему дверь и тут же повернула за ним ручку замка. Митч подошел к окну.

— Ты следила? — спросил он.

— Конечно. Охранник с вашей автостоянки с тротуара наблюдал за тем, как ты вошел сюда.

— Надо же! Даже Датч следит за мной. — Он обернулся и внимательно посмотрел на Тэмми. — У тебя усталый вид.

— Усталый? Да я еле живая! Последние три недели я была уборщицей, секретаршей, адвокатом, банкиром, проституткой, рассыльным и частным детективом. Девять раз смоталась на Большой Кайман, купила девять новых чемоданов и перевезла, наверное, с тонну бумаг. В Нашвилл я ездила четыре раза на машине, а десять раз добиралась самолетом. Я прочитала столько банковских документов и прочей дряни, что почти ослепла. А когда все добрые люди отправляются спать, я надеваю какие-то обноски и в течение шести часов изображаю уборщицу. У меня столько имен, что я вынуждена записывать их на ладошке, чтобы не перепутать, случаем.

— Теперь появилось новое.

— Этим ты меня не удивишь. Какое?

— Мэри Элис. Начиная с этого момента во всех разговорах с Таррансом ты будешь Мэри Элис.

— Дай-ка я запишу. Тарранс мне не нравится. Очень уж он груб по телефону.

— У меня для тебя хорошая новость.

— Сгораю от нетерпения.

— С уборкой по ночам покончено.

— Сейчас я лягу и заплачу от радости. А почему?

— Это безнадежно.

— Я говорила тебе об этом еще неделю назад. Сам Гудини* не смог бы добыть оттуда документы, снять с них копии, а потом вернуть бумаги на место без того, чтобы его не повязали.

— Ты виделась с Эбанксом?

— Да.

— Он получил деньги?

— Да, деньги были посланы в пятницу.

— Он готов?

— Говорит, что да.

— Ладно. Как насчет того спеца?

---

* Гарри Гудини, наст. имя — Эрих Вайс (1874—1929) — прославленный американский иллюзионист, знаменитый тем, что умел мастерски высвобождаться из кандалов и цепей, заколоченных сундуков и даже закопанных гробов.

— У меня с ним встреча сегодня после обеда.

— Кто он?

— Бывший заключенный. Старый приятель Ломакса. Эдди говорил, что документы лучше его не делает никто.

— Дай-то Бог, если так. Сколько?

— Пять тысяч. Наличными, естественно. Новые удостоверения личности, паспорта, водительские удостоверения и визы.

— А времени на все это ему потребуется много?

— Не знаю. А когда тебе нужно?

Митч присел на край письменного стола. Глубоко вздохнув, он попытался сосредоточиться.

— Чем быстрее, тем лучше. Я думал, что у меня в запасе еще неделя, но теперь я не знаю. Просто скажи ему, что чем быстрее, тем лучше. Можешь ты сегодня вечером съездить в Нашвилл?

— О да. С удовольствием. Ведь я целых два дня там не была!

— Купишь видеокамеру «Сони» со штативом, установишь в спальне. Еще купишь коробку кассет. И я попрошу тебя на несколько дней остаться там, у телефона. Просмотри снова все бумаги, доработай свои заметки.

— То есть я должна буду остаться там?

— Да. А в чем дело?

— Я заработала себе ущемление двух позвонков на том диване.

— Ты сама его выбирала.

— А что с паспортами?

— Как зовут спеца?

— Док какой-то там. У меня есть его номер.

— Дай его мне. Скажешь ему, что позвоню через день. Сколько у тебя денег?

— Вопрос очень кстати. Начинала я с пятидесяти тысяч, так? Десять тысяч у меня ушло на авиабилеты, отели, багаж, аренду машин. И траты продолжаются. Теперь тебе нужна еще и видеокамера. И фальшивые документы. Ты пускаешь деньги на ветер.

Митч направился к двери.

— Словом, еще пятьдесят тысяч тебе не помешают?

— Возьму.

Он подмигнул ей и закрыл за собой дверь, размышляя, увидит ли он ее еще когда-нибудь.

Камера была размером восемь на восемь футов, с унитазом в углу и двумя койками, расположенными одна над другой. Верхняя уже в течение года пустовала. На нижней лежал Рэй. От ушей его тянулись проводки наушников. Рэй разговаривал, казалось, сам с собой на каком-то весьма непонятном языке. На турецком. Смело можно было биться об заклад, что на его этаже в это время он был единственным человеком, внимательно вслушивавшимся в тарабарщину, передаваемую из Стамбула.

Вправо и влево по коридору из-за дверей камер доносился негромкий говор. Почти все огни были выключены. Вторник, одиннадцать вечера. К двери его камеры неслышно подошел охранник.

— Макдир, — позвал он очень тихо через решетку глазка.

Рэй уселся на краешке койки, посмотрел в сторону двери. Вытащил из ушей наушники.

— Тебя хочет видеть надзиратель.

«Ну да, — подумал он, — надзиратель сидит в одиннадцать вечера у себя за столом и ждет меня».

— Куда мы направляемся? — тревожно спросил Рэй охранника.

— Обуйся и выходи.

Рэй обвел глазами камеру, произведя быстрый учет своего нажитого за долгие тюремные годы имущества. За восемь лет он успел стать владельцем черно-белого телевизора, хорошего плейера, двух картонок, полных кассетами с записями, нескольких десятков книг. Он зарабатывал три доллара в день в тюремной прачечной, но после расходов на сигареты на приобретение другой собственности средств почти не оставалось. Вот все, что удалось ему нажить здесь за восемь лет.

Охранник вставил в замочную скважину тяжелый ключ, приоткрыл на несколько дюймов дверь, выключил в камере свет.

— Следуй за мной, и без всяких выходок. Не знаю, кто ты такой, мистер, но друзья у тебя мощные, ничего не скажешь.

У него оказались и другие ключи, которые подошли к другим дверям. Две тени остановились под баскетбольным щитом.

— Встань позади меня, — скомандовал охранник.

Глаза Рэя метнулись по темной площадке. В некотором отдалении, в противоположном конце тюремного двора, там, где проходила дорожка для прогулок, по которой он исходил тысячи миль, выкурив тонны сигарет, возвышалась массивная стена. Шестнадцати футов в высоту, ночью она казалась гораздо выше. Через каждые пятьдесят ярдов на ней располагались хорошо освещенные вышки с охраной. Та, естественно, была вооружена.

Его охранник вел себя совершенно спокойно и невозмутимо. Еще бы, ведь он был в форме и при оружии. Уверенно он прошел между двумя зданиями котельной, велев Рэю держаться рядом и не дергаться. За углом котельной они остановились, охранник бросил взгляд на стену, находившуюся в восьмидесяти футах от них. Как и ежевечерне, по двору тюрьмы шарили лучи прожекторов. Оба мужчины отступили в тень.

«Почему мы прячемся? — спросил себя Рэй. — Интересно, те парни на вышках — на чьей они стороне? Хорошо бы это выяснить до того, как станет слишком поздно».

Охранник указал на то самое место на стене, через которое бежал Джеймс Эрл Рэй со своими сокамерниками. Место, известное каждому заключенному «Браши маунтин», место, постоянно привлекавшее к себе восхищенные взоры обитателей камер. Или, во всяком случае, взоры белой их части.

— Минут через пять подставят лестницу. Проволока наверху уже перерезана. Там же найдешь крепкую веревку.

— Можно мне кое-что уточнить?

— Давай побыстрее.

— А прожекторы?

— Их направят в другое место. Здесь будет полная темнота.

— А парни с оружием наверху?

— Не беспокойся. Они тоже отвернутся.

— Черт побери! Ты уверен?

— Послушай, друг, мне приходилось видеть здесь кое-какую работенку, но твой случай особенный. Латтимер, надзиратель, сам планировал все, лично. Он и сейчас здесь, вон там. — Охранник указал на ближайшую вышку.

— Надзиратель?

— Да-да. Чтоб все прошло без неожиданностей.

— Кто установит лестницу?

— Парочка наших.

Рукавом Рэй провел по лбу, смахивая пот, сделал глубокий вдох. Во рту у него пересохло, в коленях ощущалась слабость.

— По ту сторону, — прошептал охранник, — тебя будет ждать человек. Его зовут Бад, он белый. Он сам найдет тебя, делай все, что он скажет.

Лучи прожектора прошлись по двору и вдруг погасли.

— Приготовься, — услышал Рэй голос охранника.

Во внезапно наступившей темноте тишина показалась оглушающей. Стена стала совершенно черной. С ближайшей вышки послышались два коротких свистка. Рэй опустился на колени и ждал.

Он увидел, как из-за соседнего здания к стене метнулись две тени. Руками они стали шарить по траве у себя под ногами.

— Давай, — толкнул его охранник, — беги!

Пригнув голову, Рэй рванул в темноту. Самодельная лестница уже ждала его. Две тени помогли ему взобраться на первую ступеньку. Лестница раскачивалась, пока он поднимался. На самом верху он обнаружил, что ширина стены составляет пару футов. В свернутой спиралью колючей проволоке была сделана изрядная дыра. Он проскользнул в этот проем. Веревка оказалась именно там, где и должна была быть, он мигом спустился. Футах в восьми от земли веревка кончалась, и Рэй прыгнул. Присев на корточки, осмотрелся. Кругом было попрежнему темно. Прожекторы пока не включали.

Открытое пространство тянулось от стены на расстояние не более ста футов, дальше начинались какие-то заросли.

— Сюда, — послышался чей-то спокойный голос.

Рэй направился в ту сторону и заметил в черных кустах мужчину.

— Поторопись! За мной!

Когда Рэй оглянулся, стены уже не было видно. Они остановились у покрытой грязью тропинки. Мужчина протянул ему руку:

— Бад Рили. Неплохое развлечение, а?

— Я не могу в это поверить. Рэй Макдир.

Бад оказался плотным мужчиной с черной бородой и в черном берете. На нем были армейские ботинки, джинсы, пятнистая куртка десантника. Оружия Рэй не заметил. Бад вытащил пачку сигарет.

— С тобой кто-нибудь есть? — спросил его Рэй.

— Никого. Иногда я берусь выполнить кое-какую просьбу тюремного начальства. Обычно меня зовут, когда кто-нибудь перебирается через стену. Сейчас, конечно, совсем другое дело, а так я беру с собой собак. Думаю, нам стоит задержаться на минутку, пока завоют сирены, чтобы ты послушал их. Будет не совсем правильно, если ты их не услышишь. Я хочу сказать, что ведь они вроде бы как в твою честь.

— Понятно. Но мне приходилось слышать и раньше.

— Да, но ты не слышал их отсюда. Волшебный звук.

— Бад, я...

— Не волнуйся, Рэй. У нас полно времени. Тебя не будут очень уж преследовать.

— Очень уж?

— Ну, они ведь должны устроить грандиозный спектакль, поднять всю округу на ноги, подать это как настоящий побег. Но по следу твоему никто не пойдет. Уж и не знаю, кто за тобой стоит, но, видно, люди со связями.

Завыли сирены, и Рэй от неожиданности подпрыгнул. На небе заиграли отблески лучей прожекторов, в отдалении послышались тревожные крики охраны.

— Теперь ты понял, что я имел в виду?

— Пошли, — уже на ходу сказал Рэй.

— У меня тут грузовик, чуть дальше по дороге. Я привез тебе кое-что из одежды, твои размеры мне дали заранее. Думаю, ты будешь доволен.

Когда они добрались наконец до машины, дыхание Бада сделалось прерывистым. Рэй быстро переоделся в оливкового цвета брюки и темно-синюю рубашку из хлопка.

— Отлично, Бад, — поблагодарил он.

— Свое тюремное тряпье просто швырни в кусты, — ответил тот.

По петляющей горной дороге они проехали мили две, пока не остановились в темной складке холма. Бад слушал по радио какую-то песенку и молчал.

— Куда мы направимся, Бад? — спросил наконец Рэй.

— Видишь ли, надзиратель сказал, что им это все равно, им это даже не нужно знать. Так что тебе виднее. Я бы предложил тебе добраться до более или менее крупного города, в котором есть автобусная станция. А там — ты и сам знаешь, куда тебе нужно.

— Как далеко ты можешь меня забросить?

— В моем распоряжении ночь, Рэй. Ты только назови мне город.

— Хорошо бы отъехать отсюда подальше, прежде чем начать подыскивать автостанцию. Может, Ноксвилл?

— Есть такой городок. А куда ты подашься потом?

— Не знаю. Мне нужно будет выбраться из страны.

— С такими друзьями, как у тебя, это не составит большого труда. Но на всякий случай будь осторожен: к завтрашнему дню твоя фотография будет висеть в кабинете каждого шерифа по меньшей мере в десятке штатов.

Три автомобиля с синими огоньками на крышах медленно взбирались по склону холма прямо напротив них. Рэй скользнул с сиденья вниз.

— Спокойно, Рэй. Они же тебя не видят.

Рэй проводил их взглядом.

— А посты на дорогах?

— Не будет на дорогах никаких постов, Рэй. Уж поверь мне. — Бад сунул руку в карман и, вытащив, бросил на сиденье скомканные бумажки. — Пять сотен. Лично из рук надзирателя. У тебя надежные друзья, приятель.

ГЛАВА 34

В среду утром Терри Росс поднимался по ступенькам лестницы, ведущей на четвертый этаж отеля «Феникс-Парк». На площадке перед дверью он остановился, чтобы перевести дыхание. На лбу выступили бисеринки пота. Сняв темные очки, он вытер их рукавом плаща. Внезапный приступ тошноты заставил его опереться на перила. Кейс его упал, Терри пришлось присесть на бетонную ступеньку. Он массировал живот, надеясь справиться с позывом рвоты.

Тошнота и в самом деле отступила, он вздохнул с облегчением. «Будь смелее! — приободрил он себя. — Там, за дверью в коридор, тебя ждут двести тысяч долларов. Если у тебя есть мужество, ты войдешь туда и возьмешь эти деньги. Если у тебя есть мужество, то с ними же ты и выйдешь отсюда. — Он отдышался, рука замерла. — Где твоя выдержка? — спросил он себя. — Ты же мужчина».

В коленях чувствовалась предательская слабость, но он все же подошел к двери, толкнул ее, зашагал по коридору мимо номеров. Ему нужна была дверь с номером восемь, по правую сторону. Задержав дыхание, он постучал.

Прошло несколько секунд. В темном коридоре через очки почти ничего не было видно.

— Да, — прозвучал голос изнутри.

— Это Альфред. — «До чего же дурацкое имя! — подумалось ему. — Откуда оно взялось?»

Дверь чуть скрипнула, раскрываясь, и в образовавшейся щели он увидел наброшенную цепочку, а позади нее — знакомое лицо. Цепочку сняли, Альфред тут же прошел внутрь.

— Доброе утро, Альфред, — проникновенно поздоровался Винни Коццо. — От кофе не откажешься?

— Я пришел сюда не за этим, — хмыкнул Альфред.

Он положил свой кейс на постель и уставился на Коццо.

— Ты всегда слишком нервничаешь, Альфред. Почему бы тебе не успокоиться? Здесь тебя поймать невозможно.

— Я не хочу тебя слушать, Коццо. Где деньги?

Винни указал ему на кожаный портфель, на лице его светилась добрая, все понимающая улыбка.

— Поговори со мной, Альфред.

И опять он почувствовал приближение тошноты, но собрался с силами и устоял на ногах. Опустив голову, он не сводил глаз со своих ботинок; сердце сумасшедше стучало.

— Ну хорошо. Вашему парню, Макдиру, уже заплатили миллион долларов. Вот-вот заплатят и второй. Он предоставил первую партию документов по фирме Бендини и говорит, что в его распоряжении еще десять тысяч листов.

Острая боль, как игла, пронзила его пах. Он сел на край кровати, снял очки.

— Продолжай, — поощрил его Коццо.

— В последние полгода Макдир неоднократно встречался с нашими людьми и беседовал с ними. Он будет выступать свидетелем на процессе, а потом скроется как подлежащий охране особо важный свидетель. Он и его жена.

— Где находятся другие документы?

— Этого я, черт побери, не знаю! Он не говорит. Но документы уже готовы к отправке. Давай сюда мои деньги, Коццо.

Винни бросил портфель на кровать. Альфред раскрыл его, а следом раскрыл и свой кейс. Руки его бешено тряслись, когда он хватал пачки с деньгами.

— Двести тысяч? — спросил он, не веря своим глазам.

Винни улыбнулся:

— Таков был наш уговор, Альфред. А через пару недель для тебя будет еще работа.

— Ну уж нет, Коццо. Больше я не выдержу. — Он захлопнул кейс и чуть ли не бегом отправился к двери. Остановился, пытаясь успокоиться. — Что вы сделаете с Макдиром? — спросил Росс, избегая встречаться взглядом с Коццо.

— А как ты сам думаешь, Альфред?

Он поджал губы, подхватил кейс под мышку и вышел. Винни с улыбкой повернул в замке ключ. Затем вынул из кармана карточку и, сняв телефонную трубку, попросил телефонистку связаться с мистером Лу Лазаровым, дав ей его домашний чикагский номер.

Охваченный паникой, Терри Росс быстрым шагом шел по коридору. Глаза его почти ничего не различали. Он успел миновать семь дверей и почти дошел до лифта, когда откуда-то сбоку вытянулась чья-то мощная рука и втащила его в комнату. Дверь за ним захлопнулась, рука отвесила сначала пощечину, и тут же он ощутил сильнейший удар в живот. Потом кулак опустился на его нос. Терри оказался на полу, теряя сознание, перепачканный кровью. Кейс его, уже пустой, валялся на кровати.

Кто-то поднял Терри с пола, швырнул в кресло. Разлепив глаза, он увидел рядом трех своих коллег, агентов ФБР. С искаженным от отвращения лицом к нему приближался директор ФБР Войлс. Другой сотрудник, с чьими тяжелыми кулаками он только что познакомился, стоял в пугающей близости. Еще один был занят подсчетом денег.

Войлс склонился к нему:

— Ты оказался предателем, Росс. Худшим из подонков. Не могу в это поверить.

Росс разрыдался, у него началась истерика.

— Кто? — выразительно спросил Войлс.

Ответа не последовало, рыдания стали громче.

Резко развернувшись, Войлс отвесил Россу оплеуху, удар пришелся в висок. Терри вскрикнул от боли.

— Кто, Росс? Скажи мне.

— Винни Коццо, — выдавил тот, всхлипывая.

— Я знаю, что Коццо, будь ты проклят! Это я знаю! О чем ты с ним говорил?

У Росса текли слезы, нос кровоточил. Он трясся и извивался в кресле, взывая к жалости, но молчал.

Войлс ударил его еще раз и еще.

— Скажи мне, сукин ты сын! Скажи мне, чего хотел Коццо? — За этим последовал новый удар.

Росс сложился пополам, голова его упала на колени. Истерика начала стихать.

— Двести тысяч долларов, — послышался голос за спиной Войлса.

Войлс опустился на колени и почти шепотом спросил:

— Это Макдир, а, Росс? Боже, скажи мне, что это не Макдир! Скажи же мне, Терри, что это не Макдир!

Упершись локтями в колени, Росс не отводил глаз от пола. Кровь из разбитого носа образовала на ковре маленькую лужицу. Итак, проверка на мужество, Терри. Теперь нет нужды цепляться за деньги, ты на пути в тюрьму. Какое же ты ничтожество, Терри! Ты просто маленький грязный, вонючий кусок дерьма, вот и все. Что ты выиграешь своим молчанием? Ну, сколько же в тебе мужества? А, Терри?

Войлс продолжал, казалось, умолять его:

— Скажи, что это не Макдир, Терри, ну скажи мне это!

Терри выпрямился в кресле, вытер слезы, глубоко вздохнул. Кашлянул раз-другой, прочищая горло. Прикусив верхнюю губу, посмотрел скорбно на Войлса и кивнул.

* * *

У Де Вашера не было времени ждать лифт. Бегом он спустился на четвертый этаж и устремился в угол, в кабинет Натана Лока. Почти половина партнеров уже были здесь: Лок, Ламберт, Миллиган, Макнайт, Данбар, Дентон, Лоусон, Бэнахан, Крюгер, Уэлч и Шотц. За остальными послали.

В помещении царила атмосфера тихой паники. Де Вашер уселся во главе стола, другие расположились вокруг.

— Так вот, парни. Еще не время отрывать задницы от стульев и мчаться сломя голову в Бразилию. Пока еще не время. Сегодня утром мы получили подтверждение, что он самым активным образом общался с фэбээровцами, что они уже заплатили ему миллион наличными и обещали еще один, что у него есть какие-то документы, которые могут сыграть для нас самую печальную роль. Информация поступила непосредственно из ФБР. В это самое время, пока мы тут с вами сидим и разговариваем, в Мемфис летит Лазаров со своими ребятами. Похоже, худшее еще не произошло. Пока не произошло. Если верить нашему источнику — одному весьма высокопоставленному чину в ФБР, — в распоряжении Макдира десять с лишним тысяч документов и он может передать их ФБР. На настоящий момент он вручил им только ничтожно малую их часть. Мы так думаем. Значит, у нас еще есть время справиться со сложившейся ситуацией. Если удастся предотвратить его дальнейшие шаги, все будет нормально. Я говорю это, принимая во внимание даже то, что какие-то сведения уже у них есть. Совершенно очевидно: то, чем они могут похвастать, ничего серьезного собой не представляет, в противном случае они бы заявились сюда с ордером на обыск.

Де Вашер был на высоте, он наслаждался своей ролью, как старый актер. Фразы он перемежал покровительственной улыбкой, поглядывая с удовлетворением то на одно, то на другое встревоженное лицо.

— Ну ладно. Где сейчас Макдир?

Ему ответил Миллиган:

— У себя в кабинете. Я только что говорил с ним. Он ни о чем не подозревает.

— Великолепно. Через три часа он собирается лететь на Большой Кайман, так, Ламберт?

— Совершенно верно. Около полудня.

— Вот что скажу я вам: самолет туда не долетит. Летчик сделает остановку в Новом Орлеане, чтобы дозаправиться, а потом возьмет курс на остров. Через тридцать минут после этого, когда под ними будут воды Мексиканского залива, с экранов диспетчеров исчезнет маленькая точка. Исчезнет навсегда. Обломки окажутся разбросанными на площади более тридцати квадратных миль, тел не обнаружат. Это очень грустно, но совершенно необходимо.

— И «лир»?.. — спросил Дентон.

— Да, сынок, и «лир»... Мы купим тебе новую игрушку.

— Не слишком ли много предположений, Де Вашер? — раздался голос Лока. — Мы рассчитываем, что в тех документах, которые уже у них, нет ничего опасного. Четыре дня назад ты считал, что Макдир снял копии с кое-каких секретных папок Эйвери. Это не дает им...

— Эти папки внимательно изучили в Чикаго. Да, там полно серьезной информации, но ее все же мало, чтобы уже сейчас ФБР предприняло какие-либо шаги. Они не смогут предъявить обвинений. Вы все хорошо знаете: самые взрывоопасные бумаги хранятся на острове. Ну и, конечно, в подвале. В подвал проникнуть невозможно. Мы проверили также документы в кладовой бунгало. Там, похоже, все в порядке.

Но Лока это не удовлетворило.

— Тогда откуда взялись эти десять тысяч?

— Ты исходишь из того, что они у него есть. Я же в этом сомневаюсь. Не забывайте, прежде чем свалить, ему ведь нужно забрать свой второй миллион. Скорее всего он им лжет и шныряет в поисках дополнительных бумаг. Если бы у него уже были десять тысяч листов наших документов, то что могло помешать ему передать их фэбээровцам?

— Чего же в таком случае нам бояться? — задал вопрос Ламберт.

— Бояться следует неизвестности, Олли. Мы не знаем точно, чем он еще, кроме своего миллиона, располагает. Не такой уж он простак, мог и наткнуться на что-нибудь за то время, что был предоставлен самому себе. Ничего подобного мы не можем допустить впредь. Лазаров, видите ли, сказал, цитирую: «Чтоб задницу его разнесло в воздухе». Конец цитаты, кавычки закрыть.

— Каким образом новичку удалось найти и скопировать такое количество секретных документов? — прямо спросил Крюгер, оглядываясь по сторонам в поисках поддержки.

Кое-кто из сидевших за столом угрюмо кивнул ему.

— Для чего сюда приезжать Лазарову? — с совершенно искренним недоумением задал вопрос Данбар, занимавшийся проблемами недвижимого имущества.

— Глупый вопрос! — выпалил в ответ Де Вашер, посмотрев на Данбара, как на идиота. — Во-первых, нам нужно позаботиться о Макдире и убедиться, что нанесенный им ущерб минимален. Во-вторых, придется как следует проанализировать деятельность фирмы и внести в нее, если потребуется, необходимые изменения.

Лок поднялся и посмотрел на Ламберта:

— Проследи за тем, чтобы Макдир оказался на борту.

Тарранс, Эклин и Лейни сидели в напряженной тишине и слушали раздававшийся из динамика голос. Это был Войлс, сообщавший им из Вашингтона о том, что произошло. Директор ФБР собирался в течение часа вылететь в Мемфис. Голос его почти дрожал от отчаяния.

— Ты должен предупредить его, Тарранс. И побыстрее. Коцци не знает, что нам стало известно о Терри Россе, однако Росс сказал ему, что Макдир вот-вот передаст нам все материалы. Они могут расправиться с ним в любой момент. Тебе нужно будет разыскать его во что бы то ни стало. Понял? Ты знаешь, где он сейчас?

— У себя в офисе.

— Отлично. Доставь его ко мне. Я буду у вас через два часа, я хочу говорить с ним. Всего!

Тарранс подвинул к себе телефон, набрал номер.

— Куда ты звонишь? — спросил его Эклин.

— В фирму «Бендини, Ламберт энд Лок». В юридическую фирму.

— Ты сошел с ума, Уэйн?

— Твое дело — слушать.

Ему ответила телефонистка фирмы.

— Соедините меня, пожалуйста, с Митчелом Макдиром, — попросил он.

— Одну минутку.

Затем в трубке раздался голос секретарши:

— Кабинет мистера Макдира.

— Могу я говорить с мистером Макдиром?

— Очень сожалею, сэр. Он на совещании.

— Послушайте, милая девушка, с вами говорит судья Генри Хьюго. Ваш босс должен был быть у меня ровно пятнадцать минут назад. Уже все собрались и ждут только его. Дело весьма срочное.

— Но в его календаре на сегодняшнее утро нет никаких пометок.

— Это вы договариваетесь о его деловых встречах?

— Да, я, сэр.

— Тогда это ваша вина. А теперь позовите его к телефону.

Нина бросилась в кабинет Митча:

— Митч, на проводе судья Хьюго. Говорит, что сейчас вы должны быть в здании суда. Поговорите с ним сами.

Митч вскочил, резким движением снял телефонную трубку. Лицо его сделалось бледным.

— Слушаю вас.

— Мистер Макдир, — донесся до него голос Тарранса, — это говорит судья Хьюго. Вы опаздываете в суд. Жду вас у себя.

— Да, судья. — Митч на ходу уже схватил пиджак и кейс, бросил хмурый взгляд на Нину: — Прошу меня извинить, у вас в календаре ничего не было.

Митч пробежал по коридору, вниз по лестнице, промчался мимо сидевшей в вестибюле секретарши и вылетел на улицу. Что было духу он бежал по Франт-стрит в направлении «Хлопковой биржи». Нырнув в ее вестибюль, он выскочил через боковую дверь и бросился в сторону торгового района города.

Может, где-нибудь молодой человек в пиджаке с кейсом под мышкой, со всех ног несущийся по улице, и не привлек бы к себе взглядов прохожих, но не в Мемфисе. Люди обращали на него внимание.

Митч остановился позади киоска, торговавшего фруктами, и перевел дыхание. Огляделся, но не увидел позади себя ни одной бегущей фигуры. Купил яблоко, съел. «Если дело до этого дойдет, — подумал он, — хорошо бы, чтобы за мной припустил Тони Две Тонны».

Он никогда не был высокого мнения об Уэйне Таррансе. Вспомнить только провал с обувным магазинчиком или переполненный ресторан на Кайманах. Его записная книжка с информацией о клане Моролто нагнала бы тоску и на бойскаута. Но вот его идея кода на крайний случай — сигнала типа «незадавай-вопросов-а-беги-со-всех-ног» — оказалась действительно блестящей мыслью. Вот уже целый месяц Митч знал, что если раздастся звонок от судьи Хьюго, то это может значить лишь одно: пора бежать, сметая все на своем пути. Видимо, случилось худшее и люди с пятого этажа уже вышли на свою охоту. «Где Эбби?» — мелькнула мысль.

Вдоль по Юнион неторопливо парами куда-то шагали пешеходы. Митчу требовались заполненные людьми тротуары, но рядом никого не было. Он вытянул голову, рассматривая угол Юнион и Франт-стрит, но так и не заметил ничего подозрительного. Пройдя еще пару кварталов, он небрежной походкой вошел в вестибюль «Пибоди» и осмотрелся в поисках телефона. Телефон он заметил на стене антресолей, охватывающих вестибюль, в нешироком проходе, ведущем к мужскому туалету. Прыгая через несколько ступенек, он устремился вверх по лестнице, мигом набрал номер мемфисского отделения ФБР.

— Уэйна Тарранса, пожалуйста. Весьма срочно. Это Митч Макдир!

Тарранс взял трубку через какие-то секунды.

— Митч, где ты находишься?

— Ладно, Тарранс, что у вас там происходит?

— Где ты?

— В здании фирмы меня уже нет, судья. Пока я в безопасности. Что случилось?

— Митч, тебе необходимо прийти к нам.

— Такой глупости я не совершу, Тарранс. Во всяком случае, пока ты не объяснишь мне всего.

— Ну, мы... У нас кое-какие осложнения. Произошла, так сказать, небольшая утечка информации. Тебе нужно...

— Утечка? Ты сказал «утечка», Тарранс? Но маленьких утечек информации не бывает. Говори же быстрее, говори, прежде чем я повешу трубку и исчезну. Вы же определяете сейчас, откуда я звоню, не так ли? Я кладу трубку.

— Нет! Слушай, Митч. Они знают. Знают о том, что мы встречались и беседовали, знают о деньгах и о папках.

Последовала долгая пауза.

— И это ты называешь небольшой утечкой, Тарранс? Да это похоже на прорыв плотины. Расскажи мне побыстрее об этой утечке.

— Видит Бог, мне это нелегко. Я хочу, чтобы ты знал, Митч, как мне трудно это сделать. Войлс просто в отчаянии. Информацию продал один из наших самых высокопоставленных сотрудников. Его поймали сегодня утром с поличным в одном из отелей Вашингтона. За то, что он рассказал им о тебе, ему заплатили двести тысяч. Мы все потрясены.

— Господи, как я тронут! Как я переживаю из-за вашего потрясения, Тарранс! Поэтому ты и хочешь, чтобы я прибежал в ваш офис: мы усядемся рядышком и станем утешать друг друга, да?

— К полудню здесь будет Войлс, Митч. Он уже вылетел сюда со своими ближайшими помощниками. Он хочет встретиться с тобой, Митч. Мы вытащим тебя из города.

— Ну конечно. Вы ждете, что я брошусь в ваши объятия в поисках защиты. Ты тупица, Тарранс. И твой Войлс тоже идиот. Все вы там идиоты. Я сам был дураком, когда поверил вам. Вы уже проследили, откуда я звоню?

— Нет!

— Ты лжешь. Я вешаю трубку, Тарранс. Сиди спокойно, и через полчаса я перезвоню тебе с другого телефона.

— Нет! Митч, послушай, если ты не придешь к нам, можешь считать себя покойником.

— Всего доброго, Уэйн. Жди у аппарата.

Митч повесил трубку на рычаг и осмотрелся. Подошел к мраморной колонне и обвел взглядом пространство вестибюля внизу. В фонтане резвились маленькие утки-мандаринки. У стойки бара — ни души. Только за столиком сидела компания богатых старух, они пили свой чай и сплетничали. Одинокий постоялец ждал у окошка регистратуры.

Внезапно из-за растения в кадке выступил Скандинав, не сводя взгляда с Митча.

— Вон он! — прокричал Скандинав помощнику.

Оба они уставились на Митча, а потом глаза их сместились, изучая ступени лестницы, возле которой он стоял. Бармен тоже поднял на него взгляд, затем перевел его на Скандинава и его спутника. Сохраняя достоинство, к ним повернулись и старухи, оставив на время сплетни.

— Вызовите полицию! — прокричал Митч, прыгая назад, к стене.

Оба мужчины бросились через вестибюль к лестнице. Несколько мгновений Митч стоял выжидая, затем, опять же прыжком, оказался рядом с невысокими перилами, шедшими вдоль антресолей. Бармен так и не шелохнулся, пожилые леди застыли в немом изумлении.

До него донесся шум с лестницы. Митч перебросил через перила кейс, затем перелез через них сам и прыгнул с высоты в двадцать футов на покрытый ковром пол вестибюля. Приземлился он довольно тяжело, но не упал, только боль пронзила его от пяток до макушки. В поврежденном еще в студенческие годы колене что-то хрустнуло, но Митч устоял на ногах.

Позади, почти вплотную к лифтам, находился крошечный галантерейный магазинчик, чуть ли не киоск, витрины которого были заполнены галстуками и дорогой французской парфюмерией. Митч стремительно вошел внутрь. За прилавком он увидел юношу лет девятнадцати, почти подростка, скучавшего в ожидании посетителей. Но посетителей не было. Наружная дверь выводила из магазинчика прямо на Юнион-стрит.

— Она закрыта? — спокойным голосом спросил Митч, кивая на дверь.

— Да, сэр.

— Хочешь заработать тысячу наличными? Ничего противозаконного. — Митч мигом отсчитал десять стодолларовых банкнот и положил их на прилавок.

— Конечно, еще бы!

— И ничего противозаконного, — повторил Митч. — Клянусь. Мне ни к чему впутывать тебя в неприятности. Открой эту дверь и, когда сюда секунд через двадцать вбегут двое мужчин, скажи им, что я выскочил отсюда на улицу и сел в стоящее рядом такси.

Паренек лучезарно улыбнулся и сгреб деньги:

— Само собой. Запросто.

— Есть здесь примерочная?

— Да, сэр. Вон там, рядом со шкафом.

— Не забудь открыть дверь. — Митч втиснулся в примерочную кабинку, присел, растирая колени и лодыжки.

Юный торговец подравнивал галстуки на витрине, когда Скандинав и его подручный ворвались в тесное помещеньице.

— Доброе утро, джентльмены, — бодро приветствовал их молодой человек.

— Ты не видел мужчину среднего роста, в сером костюме и красном галстуке? Он не пробегал здесь?

— Да, сэр, он только что выбежал от меня вон через ту дверь и вскочил в такси.

— Такси! Черт побери!

Дверь на улицу раскрылась и тут же закрылась, в магазинчике стало тихо. Продавец подошел к прилавку с обувью, позади которого была примерочная:

— Они ушли, сэр.

Митч продолжал растирать колени.

— Отлично. Подойди к двери и понаблюдай пару минут. Скажи мне, если где-нибудь их заметишь.

Через пару минут парень вернулся:

— Они действительно ушли, сэр.

— Хорошо. — Не поднимаясь с места, Митч улыбнулся. — Мне понадобится вон та светло-зеленая спортивная куртка, сорок восьмого размера, и пара белых мокасин из оленьей кожи. Будь добр, принеси все сюда. И между делом посматривай на улицу.

— Не беспокойтесь, сэр.

Он быстро подобрал необходимую одежду и обувь, подсунул их под дверь. Митч сорвал с себя галстук и в мгновение ока переоделся.

— Сколько я тебе должен? — прокричал он из-за двери.

— Ну, нужно подсчитать. Как насчет пяти сотен?

— Договорились. Вызови такси и дай мне знать, когда оно подойдет.

Тарранс прошагал мили три вокруг своего письменного стола. Звонок Митча, естественно, отследили: оказывается, он разговаривал из «Пибоди», но Лейни подъехал слишком поздно. Теперь он сидел рядом с Эклином и нервничал, видимо, так, за компанию. Минут через сорок после первого звонка Тарранс услышал по интеркому голос своей секретарши:

— Мистер Тарранс, Макдир!

Тарранс схватил трубку:

— Где ты?

— В городе. Но ненадолго.

— Опомнись, Митч, в одиночку ты и двух дней не протянешь. К ним понаехало столько головорезов, что хватит, чтобы начать настоящую войну. Ты должен разрешить нам помочь тебе.

— Не знаю, Тарранс. По какой-то мне самому непонятной причине я не верю теперь вашим людям. Не знаю почему. Просто у меня такое чувство.

— Прошу тебя, Митч, не соверши ошибки.

— Как я понимаю, вы хотите, чтобы я поверил, что вы сможете меня защитить на всю мою оставшуюся жизнь? Комичная складывается ситуация, Тарранс: я заключил сделку с ФБР, после чего меня едва не пристрелили в собственном кабинете. Вот это защита!

— А как же документы? Мы же заплатили тебе за них миллион.

— Ты блефуешь, Тарранс. Миллион вы заплатили мне за совершенно чистые дела. Вы получили их, я получил миллион. Само собой, это всего лишь часть сделки. Такая же часть, как и моя защита.

— Передай нам эти чертовы папки, Митч. Они ведь спрятаны где-то неподалеку от нас, ты сам мне это говорил. Смывайся, если так хочешь, но оставь нам дела!

— Так не пойдет, Тарранс. Сейчас я могу исчезнуть, и люди Моролто либо увяжутся за мной, либо нет. Если у вас не будет дел, значит, вам не с чем будет идти в суд. Если против клана не выдвинут никаких обвинений, то тогда, если мне сильно повезет, в один прекрасный день обо мне просто забудут. Получится, что я сильно напугал их всех, но реального вреда не нанес. Они, черт возьми, может, даже снова возьмут меня к себе на работу.

— Ты и сам в это не веришь. Они будут преследовать тебя до тех пор, пока не загонят в угол. А если мы не получим документы, то в погоню придется включиться и нам. Все это очень просто, Митч.

— В таком случае я бы поставил все свои денежки на Моролто. Если вы доберетесь до меня первыми, произойдет утечка. Небольшая утечка.

— Ты, должно быть, рехнулся, Митч. Если ты решил, что можешь прихватить с собой свой миллион и исчезнуть, то ты явно сошел с ума. Да они посадят наемных убийц на верблюдов и прочешут пустыню, но найдут тебя. Не делай этого, Митч!

— Всех благ, Уэйн. Привет тебе от Рэя.

Голос в трубке смолк. Тарранс схватил аппарат и с размаху запустил им в стену.

Митч взглянул на часы, висевшие на стене аэропорта. Набрал еще один номер. К телефону подошла Тэмми.

— Здравствуй, милочка, прости, что разбудил.

— Не переживай, на этом диване не очень-то поспишь. В чем дело?

— Крупные неприятности. Возьми карандаш и слушай меня внимательно. У меня нет ни одной лишней секунды. Я в бегах, и мне наступают на пятки.

— Говори, я готова.

— Прежде всего позвони Эбби — она у своих родителей. Скажи ей, чтобы бросала все и убиралась прочь из города. У нее нет времени на то, чтобы обмениваться с мамочкой прощальными поцелуями или паковать вещи. Скажи ей, чтобы она сразу, после того как положит трубку, садилась за руль и мчалась как можно дальше от города. И пусть не оглядывается назад. Скажешь, чтобы она поехала по автостраде номер 64 в Хантингтон, это в Западной Виргинии. Она найдет там аэропорт. Долетит из Хантингтона до Мобила. В Мобиле возьмет напрокат машину и поедет по автостраде номер 10 на восток, в сторону берега Мексиканского залива, а потом, по шоссе номер 182, до Пердидо-Бич. В местном «Хилтоне» она остановится под именем Рэкел Джеймс. И будет ждать. Записала?

— Записала.

— Второе. Мне нужно, чтобы ты села в самолет и вылетела в Мемфис. Я звонил Доку, паспорта и прочее еще не готовы. Я обругал его, но пользы от этого никакой. Он обещал мне проработать всю ночь и к утру закончить. Меня здесь утром не будет, но будешь ты. Заберешь документы.

— Слушаюсь, сэр.

— Третье. Сядешь в самолет и прилетишь назад, в Нашвилл. Вернешься в квартиру и сядешь дежурить около телефона. Ни при каких условиях не отходи от телефона.

— Поняла и записала.

— Четвертое. Позвони Эбанксу.

— О'кей. Каковы ваши планы?

— Я буду в Нашвилле, только не знаю точно когда. Мне уже пора. Слушай, Тэмми, скажи Эбби, что через час ровно она уже может лежать мертвой, если не поторопится унести ноги из города. Пусть смывается, пусть летит!

— О'кей, босс.

Быстрым шагом Митч подошел к стойке номер 22 и через несколько минут поднялся на борт самолета авиакомпании «Дельта», вылетавшего в 10.04 в Цинциннати. В руках у него был журнал, между страниц которого лежали купленные на кредитную карточку билеты в один конец. В Тулсу, на рейс 233, вылетавший в 10.14; приобретен на имя Митчела Макдира. В Чикаго, на рейс 861, вылетающий в 10.15, на имя Митчела Макдира. В Даллас, на рейс 562, вылетающий в 10.30, на имя Митчела Макдира. В Атланту, на вылетающий в 11.10, на имя Митчела Макдира.

Билет до Цинциннати он купил за наличные, представившись кассирше как Сэм Форчун*.

Лазаров вошел в кабинет на четвертом этаже, и в знак почтения головы присутствующих отвесили глубокий поклон. Де Вашер стоял перед ним, как напуганный ребенок, которого уже выпороли. Партнеры внимательно изучали шнурки собственных ботинок, в животах у некоторых урчало от страха.

— Мы не можем его найти, — сказал Де Вашер.

Лазаров был не тем человеком, чтобы повышать голос или ругаться. Он весьма гордился тем, что при любых обстоятельствах сохранял полную невозмутимость.

— Ты хочешь сказать, что он просто поднялся и вышел отсюда? — с холодным интересом спросил он.

Ответа не последовало. Да и кому нужен был этот ответ?

— Хорошо, Де Вашер. Вот тебе план действий. Всех своих людей пошли в аэропорт. Проверяйте каждую компанию, все рейсы. Где его машина?

— На стоянке.

— Отлично, значит, он ушел отсюда пешком. Из вашей маленькой крепости он ушел пешком. Джою это очень понравится. Проверьте все компании, сдающие машины напрокат. Так, сколько у нас тут почтеннейших партнеров?

— Присутствуют шестнадцать.

— Раздели их на пары и пошли каждую в аэропорты Майами, Нового Орлеана, Хьюстона, Атланты, Чикаго, Лос-Анджелеса, Сан-Франциско и Нью-Йорка. Обшарьте залы ожидания. Поселитесь в этих аэропортах. Ешьте в них, спите в них. Не спускайте глаз с пассажиров, вылетающих международными рейсами. Подмогу вам пошлем завтра. Вы, достопочтенные господа, знаете его, так будьте добры отыскать. Предприятие это довольно рискованное, но что, с другой стороны, мы теряем? Вам, господа адвокаты, нужно чем-то заняться. Мне очень не хочется огорчать вас, джентльмены, однако вынужден предупредить: потерянное время вам никто не оплатит. Так, ну а где же его жена?

— В Дэйнсборо, штат Кентукки. У своих родителей.

---

* Fortune (*англ.*) — удача, везение.

— Поезжайте туда. Женщину не обижать, только доставить сюда.

— Приступить к уничтожению документов? — спросил Де Вашер.

— Подождем двадцать четыре часа. Пошлите человека на Большой Кайман, чтобы уничтожить там все архивы. Ну, поторапливайся же, Де Вашер.

Кабинет опустел.

Войлс вразвалку расхаживал вокруг стола Тарранса и отрывистым, лающим голосом отдавал приказания. Каждую его команду записывали не меньше десятка молодых лейтенантов.

— Перекрыть аэропорт. Проверить каждый рейс. Поставить в известность наши отделения в каждом крупном городе. Свяжитесь с таможней. У нас есть фотографии Макдира?

— Не можем найти ни одной, сэр.

— Найдите, и найдите поскорее. К вечеру снимки должны быть в каждом отделении ФБР и у таможенников. Убежал! Сукин он сын!

ГЛАВА 35

Автобус выехал из Бирмингема почти в два часа пополудни. Была среда. Рэй сидел на заднем сиденье и внимательно изучал каждого входившего в салон. Выглядел он по-спортивному. На такси он подъехал к торговому центру и за тридцать минут купил новые джинсы «Ливайс», клетчатую рубашку с коротким рукавом и кроссовки «Рибок» — белые с красным. За это же время он успел съесть пиццу и постричься: волосы его стали короткими, как у морского пехотинца. Глаза он скрыл за огромными солнцезащитными очками, а в придачу ко всему натянул на голову бейсболку.

Рядом с ним уселась темнокожая женщина, коротенькая и невероятно толстая. Рэй улыбнулся ей.

— Откуда вы? — спросил он ее по-испански.

Ее лицо расплылось от удовольствия, широкая улыбка открыла взору остатки зубов.

— Из Мехико, — с гордостью ответила женщина. — А вы говорите по-испански? — живо поинтересовалась она.

— Да.

Все два часа, пока автобус добирался до Монтгомери, они проболтали по-испански. Время от времени ей приходилось повторять фразы, но Рэй удивлялся себе. Он уже восемь лет не занимался испанским, и, конечно, язык подзабылся.

Позади автобуса по дороге катил «додж», в котором сидели два агента ФБР, Дженкинс и Джоунз. Дженкинс был за рулем, Джоунз спал. Задание превратилось в совершеннейшую тоску через десять минут после того, как они вслед за автобусом выехали из Ноксвилла. Обычное наблюдение, было сказано им. Если и потеряете его, ничего страшного. Но лучше не терять.

До рейса Хантингтон — Атланта было еще два часа, и Эбби уселась в уединенном уголке темного бара, поглядывая по сторонам. На стуле рядом с ней лежала ее дорожная сумка. Вопреки данным ей инструкциям она все-таки уложила в сумку туалетные принадлежности, косметичку, кое-что из одежды. Она даже решилась написать записку родителям: ей совершенно необходимо вернуться в Мемфис, она должна увидеть Митча, с ней все в порядке, не стоит беспокоиться, обнимаю, целую, люблю, Эбби. Не обращая внимания на чашку с кофе, она смотрела, как приземляются и взмывают в воздух самолеты.

Эбби не знала даже, жив ли еще ее муж или уже нет. Тэмми сказала, что он был очень напуган, но все же полностью владел собой. Как всегда. Она сказала еще, что он собирается лететь в Нашвилл, а она сама, Тэмми, вылетит в Мемфис. Все это несколько сбивало с толку, однако Эбби была уверена: он знает, что делает. Значит, ей нужно было добраться до Пердидо-Бич и ждать.

Никогда ранее Эбби не приходилось слышать о месте с таким названием. И она твердо знала, что Митч тоже ни разу в жизни там не был.

Атмосфера в баре начинала действовать на нервы. С удручающей регулярностью каждые десять минут к ней подходил какой-нибудь подвыпивший бизнесмен, предлагая скрасить скуку ожидания в его компании. Эбби предложила убираться уже по меньшей мере десятку мужчин.

Через два часа объявили посадку. Эбби уселась в кресло у прохода. Застегнув ремень безопасности, расслабилась. И тут же увидела ее.

Это была ослепительная блондинка с высокими скулами и волевым подбородком, который выглядел почти мужским. Тем не менее женщина была весьма привлекательна. Ее выразительное лицо Эбби уже встречалось где-то. Блондинка скользнула по Эбби взглядом и прошла мимо, чтобы занять свое место в самом конце салона.

Бар «Кораблекрушение»! В баре тоже сидела блондинка. Она еще пыталась подслушать разговор с Эбанксом. Значит, они нашли ее! А уж если они нашли ее, то где сейчас мог быть ее муж? Что они с ним сделали? Ей пришла на память дорога от Дэйнсборо до Хантингтона: два часа по горному серпантину, а ведь она неслась как сумасшедшая! Нет, они не могли ее выследить.

Двигатели взвыли, самолет начал разбег. Через несколько минут он взял курс на Атланту.

Второй раз за последние три недели с борта «Боинга-727» Эбби смотрела на то, как сумерки падают на Атланту. Но любовалась этим зрелищем не она одна. Через полчаса они обе были уже на земле и опять-таки обе отправились в Мобил.

Из Цинциннати Митч вылетел в Нашвилл. Самолет приземлился в среду в шесть вечера, банки к этому времени уже давно были закрыты. В телефонной книге он разыскал адрес фирмы, сдававшей напрокат небольшие грузовички, и тут же махнул рукой, останавливая такси.

Он арендовал самый маленький. Расплатился наличными и тем не менее был вынужден предъявить свое водительское удостоверение и оставить в залог кредитную карточку. Если Де Вашеру удастся проследить его до этой небольшой конторы в Нашвилле, что ж, значит, это сама судьба.

Митч купил двадцать картонных упаковочных ящиков и отправился на квартиру.

Он ничего не ел целые сутки, но тут ему просто повезло: Тэмми оставила в кухоньке пакет воздушной кукурузы и две банки с пивом. Все это Митч уничтожил в мгновение ока. В восемь вечера он первый раз набрал номер «Хилтона» в Пердидо-Бич, спросил о Ли Стивенсе. Еще не прибыл, ответили ему. Тогда он растянулся прямо на полу и начал думать о том, что могло произойти с Эбби. Может, ее в этот момент уже нет в живых, а он ничего не знает. Даже позвонить не может.

Диван-кровать стоял разложенным, на пол свисали дешевые простыни — домохозяйка из Тэмми была неважная. Митч посмотрел на неудобное временное ложе и опять вспомнил жену: всего пять лет назад они могли заниматься любовью где и когда угодно. Остается только надеяться, что она сейчас на борту самолета. Одна.

Он прошелся по квартире. Сел на нераспечатанную коробку с надписью «Сони», полюбовался коробками с документами. На ковре Тэмми выстроила две башни из бумаг — одна содержала в себе сведения о кайманских банках, другая — о кайманских же компаниях. На вершине каждой башни лежало по блокноту, где были перечислены названия, указаны номера страниц, абзацы. И — имена!

Даже Тарранс теперь смог бы довести операцию до конца. Тут будет чем поживиться Большому жюри. Генеральный прокурор созовет пресс-конференцию. А суды будут предъявлять обвинение за обвинением, обвинение за обвинением.

Специальный агент ФБР Дженкинс зевнул в телефонную трубку и набрал номер мемфисского отделения. Он не смыкал глаз двадцать четыре часа. Джоунз храпел в кабине машины.

— ФБР, — ответил ему мужской голос.

— С кем я говорю? — спросил Дженкинс. Проверить все-таки не помешает.

— Это Эклин.

— Привет, Рик. Дженкинс. Мы...

— Дженкинс? Где вы пропадали? Не бросай трубку!

Дженкинсу удалось справиться с зевотой, он окинул быстрым взглядом автобусную станцию. В прижатой к уху трубке послышался злой и раздраженный голос:

— Дженкинс! Где вы находитесь? — Это был Уэйн Тарранс.

— На автобусной станции в Мобиле. Мы потеряли его.

— Что вы?.. Да как вы могли?..

С Дженкинса окончательно слетела дремота, он быстро заговорил в трубку:

— Минутку, Уэйн. Нам были даны указания следовать за ним в течение восьми часов, чтобы выяснить, куда он направится. Ты сам назвал это рутиной.

— Я не могу поверить, что вы его потеряли.

— Уэйн, нам ни слова не было сказано о том, что мы должны ни на шаг не отходить от него до конца жизни. Всего восемь часов, Тарранс. Мы же не слезали с его хвоста целых двадцать часов. Но он ушел.

— Почему вы не звонили до этого?

— Пытались дважды. Из Бирмингема и Монтгомери. Оба раза ваш номер был занят. Что происходит, Уэйн?

— Подождите минуту.

Дженкинс в ожидании переложил трубку в другую руку. Голос, который он услышал, принадлежал уже другому человеку.

— Алло, Дженкинс?

— Да.

— Это директор ФБР Войлс. Что, черт побери, случилось?

У Дженкинса перехватило дыхание, глаза стали бешеными.

— Сэр, мы потеряли его. Мы следовали за ним двадцать часов, и, когда он вышел из автобуса здесь, в Мобиле, мы упустили его в толпе.

— Замечательно, сынок. Давно это было?

— Двадцать минут назад.

— Отлично. Слушай меня. Нам абсолютно необходимо разыскать его. Его братец исчез вместе с нашими деньгами. Свяжись там с нашим местным отделением, скажи им, кто ты такой, и скажи еще, что у них в городе находится убийца, совершивший побег из тюрьмы. Пусть расклеят его фотографии, если у них есть, по всем стенам. Его мать проживает на пляже Панама-Сити, так что предупредите каждого нашего на всем протяжении от Мобила до Панама-Сити. Я высылаю туда наши подразделения.

— О'кей. Мне очень жаль, сэр, но нам не приказывали следить за ним целую вечность.

— Это мы обсудим позже.

* * *

В десять Митч позвонил в Пердидо-Бич во второй раз. Справился о Рэкел Джеймс. Еще не прибыла, ответили ему. А мистер Ли Стивенс? Минуточку, ответила телефонистка. Митч опустился на пол, вслушиваясь в долгие гудки. После десятого трубку наконец сняли.

— Да? — Голос прозвучал отрывисто.

— Ли? — спросил Митч.

— Да-а, — последовал ответ после паузы.

— Это Митч. Поздравляю.

Рэй упал на кровать, закрыл глаза.

— Это оказалось так просто, Митч. Как тебе удалось?

— Расскажу, когда будет время. Сейчас же за мной гонится свора бешеных псов, чтобы убить меня. И Эбби тоже. Нам приходится бежать.

— Кто эти люди, Митч?

— Потребуется часов десять, чтобы рассказать тебе первую главу. Давай об этом попозже. Запиши номер: 615-889-4380.

— Это не в Мемфисе.

— Нет, это Нашвилл. Я сижу в квартире, которая представляет собой нечто вроде командного пункта. Запомни этот номер. Если меня здесь не будет, к телефону подойдет женщина по имени Тэмми.

— Тэмми?

— Это тоже долгая история. Просто делай, как я говорю. Сегодня вечером должна подъехать и Эбби, она зарегистрируется под именем Рэкел Джеймс. У нее будет взятый напрокат автомобиль.

— Она приедет сюда?

— Слушай, слушай, Рэй. Нас преследуют настоящие каннибалы, но пока мы на шаг опережаем их.

— Кого «их»?

— Мафию. И ФБР.

— Это все?

— Думаю, да. Есть некоторая вероятность, что за Эбби будет «хвост». Тебе нужно найти ее, понаблюдать за ней и увериться на все сто, что вместе с ней никто не пришел.

— А если кто-то...

— Ты позвонишь мне, мы договоримся.

— Я понял тебя.

— Не подходи к телефону, разве что только позвонить сюда. Долго говорить мы не можем.

— Но у меня куча вопросов, братишка.

— Я отвечу тебе на них, но не сейчас. Позаботься о моей жене и позвони, как только она доберется до тебя.

— Обязательно. И — спасибо тебе, Митч.

— Всего!

Через час Эбби свернула с автострады номер 182 на петляющую подъездную дорожку, ведущую к «Хилтону». Она оставила свой четырехдверный «форд»-седан с номерными знаками штата Алабама на стоянке и торопливо направилась к входным дверям. На мгновение остановившись, оглянулась, бросила взгляд на дорожку и вошла в здание.

Двумя минутами позже неподалеку от входа в отель, рядом с микроавтобусом, остановился желтого цвета автомобиль, прибывший из Мобила. Рэй не сводил с него глаз. Женщина на заднем сиденье подалась вперед, к мужчине, сидевшему за рулем. Они о чем-то говорили. Прошла еще минута. Она вытащила из кошелька деньги, расплатилась. Выбравшись из машины, женщина дождалась, пока автомобиль отъедет. Первое, на что Рэй обратил внимание, был цвет ее волос. Блондинка. С отличной фигурой; длинные стройные ноги плотно обтянуты черными брюками из вельвета. И в темных солнцезащитных очках, что показалось Рэю довольно странным, ведь была полночь. Настороженно оглядываясь, блондинка подошла к дверям, постояла возле них несколько секунд и вошла. Неспешной походкой Рэй отправился за ней.

Блондинка приблизилась к сидящему в полном одиночестве за стойкой клерку.

— Мне нужен номер, — донеслось до Рэя.

Клерк подал женщине регистрационную карточку. Та вписала в нее свое имя.

— Простите, — обратилась она к клерку, — как имя той дамы, что поселилась только что? По-моему, она моя старая знакомая.

Тот прошелестел карточками.

— Рэкел Джеймс.

— Да, это именно она. Откуда она приехала?

— Из Мемфиса.

— А в каком она номере? Я хотела бы зайти к ней.

— Такую справку я дать не могу.

Блондинка вытащила из сумочки две двадцатидолларовые купюры и положила их перед клерком.

— Мне просто хочется повидать ее перед тем, как она ляжет.

Он взял деньги.

— Комната шестьсот двадцать два.

За свой номер блондинка заплатила наличными.

— Где у вас тут телефон?

— Вон там, за углом.

Рэй метнулся за угол и увидел на стене четыре телефона-автомата. Схватив трубку аппарата, что был вторым слева, он начал говорить что-то в микрофон.

Блондинка подошла к самому крайнему телефону и повернулась к Рэю спиной. До его слуха доносились только обрывки ее речи:

— ...поселилась... комната номер шестьсот двадцать два... Мобил... кое-какой помощи... не смогу... час?.. да... поторопись...

Она повесила трубку, и Рэй повысил голос, обращаясь к несуществующему собеседнику.

Через десять минут в дверь номера блондинки постучали. Она вскочила с постели, схватила «кольт» 45-го калибра и сунула его за пояс, под выпущенную поверх брюк рубашку. Не накидывая цепочки, рванула дверь на себя.

От сильнейшего удара с той стороны дверь грохнула в стену, едва не треснув. Рэй навалился на блондинку, вырвал у нее оружие, швырнул женщину на пол. Уперев дуло «кольта» ей в ухо, негромко произнес:

— Убью, если издашь хоть звук.

Она прекратила сопротивляться и прикрыла глаза.

— Кто ты такая? — Ответа не последовало, и Рэй ткнул ее стволом пистолета, но без всякого результата. — Ни звука, ни движения? Ну-ну! Я с удовольствием отстрелил бы твою башку.

Он уселся ей на спину, позволив себе немного расслабиться, и подхватил с пола ее сумочку. Высыпав все, что там лежало, увидел пару чистых белых носков.

— Открой рот, — потребовал он.

Она не пошевелилась. Рэй вновь пощекотал стволом у нее за ухом, и блондинка медленно раскрыла рот. Рэй тут же запихал в него ее собственные носки, затянул ей глаза и рот свернутой в жгут шелковой ночной рубашкой. Руки и ноги связал чулками, а потом, для верности, и разодранными на полосы простынями. За это время женщина ни разу не пошевелилась. Когда Рэй закончил, блондинка напоминала спеленутую мумию. Он запихал ее под кровать.

В кошельке Рэй обнаружил шестьсот долларов наличными и выданное в Иллинойсе водительское удостоверение. Миссис Карен Айдер из Чикаго. Дата рождения: 4 марта 1962 года. Документы и оружие он забрал с собой.

Телефонный звонок раздался в час ночи, но Митч не спал. Он сидел за столом, перебирая груду банковских отчетов. Восхитительных отчетов, полных в высшей степени криминальной информации.

— Алло? — осторожно сказал он.

— Это командный пункт? — Говоривший явно стоял рядом с музыкальным автоматом.

— Где ты, Рэй?

— В притоне под названием «Бар Флорибама». Прямо на границе штата.

— Где Эбби?

— В машине. С ней все в порядке.

Митч вздохнул с облегчением, улыбнулся в трубку.

— Нам пришлось убираться из отеля, — продолжал Рэй. — За Эбби следила женщина, та самая, которую вы видели в каком-то баре на Кайманах. Эбби сама тебе все объяснит. Женщина шла за ней по пятам весь день и объявилась под конец в «Хилтоне». Я пообщался с ней, и мы тут же унесли ноги.

— Пообщался с ней?

— Да, она оказалась не очень-то разговорчивой, но на некоторое время я нейтрализовал ее.

— А что Эбби?

— С ней все нормально. Мы оба чертовски вымотаны. Что ты собираешься делать?

— Вы находитесь примерно в трех часах езды от Панама-Сити. Я знаю, что вы устали, но вам нужно как можно быстрее убираться оттуда. Езжайте в Панама-Сити, избавьтесь там от машины и снимите два номера в «Холидэй инн». Потом позвоните мне из гостиницы.

— Надеюсь, ты отдаешь себе отчет в том, что делаешь.

— Верь мне, Рэй.

— Я верю, но сейчас мне почему-то кажется, что в тюрьме было спокойнее.

— Обратной дороги для тебя не существует, Рэй. Или мы все исчезнем, или будем мертвы.

ГЛАВА 36

Такси остановилось перед красным огнем светофора в центре Нашвилла, и Митч выбрался из него, с трудом передвигая негнущиеся, побаливающие в коленях ноги. Кое-как проковылял он через забитый машинами перекресток, уворачиваясь на каждом шагу от утреннего потока машин.

Здание Юго-Восточного банка представляло собой тридцатиэтажный стеклянный цилиндр, выдержанный в тех же пропорциях, что и жестянка для теннисных мячей. Стекло было темным, почти черным. Банк гордо высился чуть в стороне от перекрестка, в окружении выложенных плиткой тротуаров, фонтанов и аккуратно подстриженной зелени.

Поток спешащих на работу служащих внес Митча в вестибюль через высокие вращающиеся двери. На отделанных мрамором стенах Митч нашел указатель и направился к лифтам. Выйдя на третьем этаже, он толкнул тяжелую стеклянную дверь и оказался в просторном круглом помещении. Очень красивая женщина лет сорока, сидевшая за покрытым толстым стеклом столом, повернулась к нему. Лицо ее было строгим и неулыбчивым.

— Мне нужен мистер Мэйсон Ликок, — обратился он к ней.

— Присядьте. — Она указала ему на кресло.

Мистер Ликок не заставил себя долго ждать, появившись как бы из ниоткуда с таким же неприветливым выражением лица, как у его секретарши.

— Чем могу быть вам полезен? — Он говорил в нос.

Митч поднялся:

— Мне нужно перевести небольшую сумму.

— У вас есть счет в нашем банке?

— Да.

— Могу я узнать ваше имя?

— Это номерной счет. — «Вы не услышите моего имени, — подумал Митч, — оно вам ни к чему».

— Хорошо. Пройдите, пожалуйста, за мной.

В его кабинете не было окон, так что Митч не мог оценить красоту вида, открывавшегося с третьего этажа. Зато вокруг такого же стеклянного стола, как у секретарши, на столиках поменьше располагались несколько компьютеров. Митч сел.

— Номер вашего счета, будьте добры.

Без труда Митч вызвал из памяти ряд цифр.

— 214—31—35.

Ликок склонился над клавиатурой, пробежал по ней пальцами, уставился на экран монитора.

— Это счет по коду «три», открытый некоей Т. Хэмфил с допуском только на нее и на мужчину, отвечающего следующим требованиям, предъявляемым к его внешности: рост около шести футов, вес от ста семидесяти пяти до ста восьмидесяти пяти фунтов, голубые глаза, каштановые волосы, возраст от двадцати пяти до двадцати шести лет. Вы соответствуете этому описанию, сэр. — Ликок не отрывался от экрана. — Последние четыре цифры вашего личного номера по коду социального страхования, сэр?

— 8585.

— Отлично. Вы допущены к счету. Слушаю вас.

— Мне требуется перевести сюда некоторую сумму из банка на острове Большой Кайман.

Ликок едва заметно нахмурился и достал из нагрудного кармана карандаш.

— Название банка, сэр.

— Монреальский королевский банк.

— С какого счета?

— Это тоже номерной счет.

— Полагаю, вам известен его номер?

— 499DFH2122.

Ликок записал номер и встал:

— Я оставлю вас очень ненадолго. — Он вышел.

Прошло десять минут. Правой ногой Митч начал отбивать едва слышную чечетку, рассматривая экраны мониторов.

Ликок вернулся со старшим ревизором мистером Ноуксом, вице-президентом какой-то ассоциации. Ноукс представился Митчу несколько невнятно, не протянув руки. Оба мужчины заметно нервничали, глядя на Митча.

Теперь заговорил Ноукс, держа в руке небольшой лист компьютерной распечатки:

— Сэр, это счет с весьма ограниченным допуском. Прежде чем мы начнем операцию по переводу денег, вы должны представить нам определенную информацию.

Митч согласно склонил голову.

— Будьте добры сообщить нам даты и суммы трех последних вкладов, сэр. — Оба не спускали с него глаз, будучи уверены в том, что вопрос поставит Митча в тупик.

И вновь память не подвела его. Никаких записей.

— 3 февраля сего года. Шесть с половиной миллионов. 14 декабря прошлого года. Девять и две десятых миллиона. 8 октября прошлого года. Восемь миллионов.

Ликок и Ноукс впились глазами в распечатку. Наконец Ноукс выдавил профессиональную улыбку:

— Отлично, сэр. Теперь вы допущены к вашему основному номеру.

Ликок приготовил карандаш.

— Ваш номер, сэр? — спросил Ноукс.

Митч улыбнулся:

— 72083.

— А условия перевода?

— Десять миллионов должны быть переведены немедленно в этот банк, на счет 214—31—35. Я подожду.

— Вам вовсе не обязательно ждать, сэр.

— Я подожду. Когда вы закончите с этим переводом, я предложу вам кое-что еще.

— Много времени это не займет. Не хотите ли кофе?

— Нет. Спасибо. У вас нет газет?

— Безусловно, есть, — с готовностью отозвался Ликок. — Вон там, на столе.

Они вышли из кабинета. Пульс Митча начал приходить в норму. Он открыл городскую газету «Теннессиэн», быстро пробежал глазами колонки и нашел абзац, в котором сообщалось о бегстве опасного преступника из тюрьмы «Браши маунтин». Без всяких фотографий. Очень мало деталей. Они находились в полной безопасности, сидя в «Холидэй инн» на пляже Панама-Сити, штат Флорида.

Тылы пока чистые, подумал Митч. Ему очень хотелось в это верить.

Ликок вернулся один. Теперь он являл собой само дружелюбие. Этакий рубаха-парень.

— Перевод осуществлен. Ваши деньги здесь, сэр. Какие у вас еще будут пожелания?

— Теперь вы переведете их на другие счета. Большую их часть.

— По скольким адресам?

— По трем.

— Будьте любезны указать мне первый.

— Миллион долларов вы переведете в Пенсаколу, в «Кост нэшнл банк», на номерной счет с допуском только для одного человека. Это будет белая женщина, возраст около пятидесяти лет. Позже я укажу ей ее основной номер.

— Этот счет уже открыт?

— Нет. Вы откроете его там вместе с переводом.

— Я понял вас. Следующий адрес?

— Один миллион долларов должен быть переведен в Дэйнсборо, штат Кентукки, в «Дэйн каунти банк», на счет Гарольда или Максимы Сазерленд или на их общий счет. Банк этот небольшой, но у него есть связь с центральным банком штата в Луисвилле.

— Записано. Третий перевод, сэр?

— Семь миллионов в «Дойчебанк» в Цюрихе. Счет номер 772-03BL-600. Остаток суммы будет храниться здесь.

— На это уйдет около часа, — заметил Ликок, делая пометки в блокноте.

— Через час я позвоню вам, чтобы уточнить.

— Будем ждать вашего звонка, сэр.

— Благодарю вас, мистер Ликок.

Каждый шаг болью отдавался в ступнях, но Митч не обращал на нее внимания. Очень медленно он добрел до эскалаторов, спустился вниз и вышел на улицу.

На последнем этаже Монреальского королевского банка, вернее, его филиала на Большом Каймане, секретарша из отдела переводов положила компьютерную распечатку прямо под нос — острый, но совершенно правильной формы — Рэндольфа Осгуда. Запись о необычном переводе в десять миллионов она обвела кружком. Перевод и в самом деле был странным, поскольку деньги с этого счета, как правило, обратно в Штаты не возвращались. Странным он был и потому, что вся сумма переводилась в банк, с которым до этого не было никаких сделок. Осгуд изучил распечатку и связался с Мемфисом. Мистер Толар находится в отпуске по болезни, сообщили ему. Тогда Натан Лок, может быть? Натана Лока нет в городе. В таком случае пусть подойдет Виктор Миллиган. Но и Миллигана не оказалось на месте.

Осгуд положил распечатку в папку, где лежали бумаги, ожидающие рассмотрения.

Вдоль всего Изумрудного берега на всем протяжении пляжей Пенсаколы, Форт-Уолтона, Дестина, Панама-Сити люди наслаждались теплом тихой весенней ночи. Всего одно происшествие на много миль вокруг. В отеле «Хилтон», в Пердидо-Бич, в собственном номере была ограблена, избита и изнасилована молодая женщина. Ее приятель, высокий светловолосый человек, правильными чертами лица напоминавший жителя Скандинавии, обнаружил ее связанной на полу под кроватью. Звали этого человека Риммер. Аарон Риммер из Мемфиса.

Но кульминацией этой тихой весенней ночи стала грандиозная по масштабам охота, развернувшаяся в районе города Мобил, за сбежавшим из тюрьмы убийцей, Рэем Макдиром. В сумерках его видели на автобусной станции. Его снимок из полицейского архива был опубликован в утренней газете, и уже к десяти часам три свидетеля пришли в участок, чтобы помочь в розысках. Было установлено, что преступник двигался из Мобила в направлении Фоли, штат Алабама, а оттуда — к Мексиканскому заливу.

Поскольку «Хилтон» располагался всего в десяти милях от побережья, рядом с автострадой номер 182, а также ввиду того, что в момент нападения на женщину в округе был один-единственный преступник, вывод можно было сделать быстро. Ночной портье отеля помог сделать фоторобот беглеца, а из регистрационной карточки следовало, что он поселился в «Хилтоне» в половине десятого под именем мистера Ли Стивенса, причем расплатился наличными. Позже в отель приехала и его жертва. Несчастная женщина тоже указала на Рэя Макдира как на грабителя и насильника.

Клерк припомнил, что жертва справлялась о некой Рэкел Джеймс, вселившейся несколькими минутами раньше и тоже расплатившейся наличными. Рэкел Джеймс исчезла из отеля ночью, не позаботившись поставить об этом в известность администрацию. Так же, впрочем, как и Рэй Макдир, он же Ли Стивенс. Служащий автостоянки описал внешность Макдира и сказал, что видел, как он садился в белый четырехдверный «форд»-седан вместе с какой-то женщиной между полуночью и часом ночи. Он вспомнил еще, что за рулем сидела женщина и было заметно, что она очень торопится. Они уехали по автостраде номер 182 в восточном направлении.

Сидя в номере на шестом этаже «Хилтона», Аарон Риммер, не представившись, говорил по телефону с заместителем шерифа округа, советуя навести справки в фирмах, сдающих напрокат автомобили в Мобиле. Скорее всего белый «форд» именно оттуда, сказал он.

На территории от Мобила до Майами начались поиски автомобиля, арендованного в фирме «Авис» женщиной по имени Эбби Макдир. Заместитель шерифа обещал информировать друга пострадавшей, некоего Риммера, о том, как продвигаются розыски преступника.

Мистер Риммер в это время сидел в номере «Хилтона», который он делил с Тони Две Тонны. Соседний номер занимал их босс, Де Вашер. В номерах на седьмом этаже сидели еще четырнадцать человек и в напряжении ждали сигнала к действиям.

Семнадцать раз потребовалось Митчу сходить от дверей квартиры до грузовичка, но зато к полудню все документы фирмы Бендини были готовы к транспортировке. Наконец Митч мог дать отдых натруженным ногам. Присев на диван, он стал на листе бумаги набрасывать инструкции для Тэмми. Он описал ей все операции в Юго-Восточном банке и велел выждать неделю, перед тем как она свяжется с его матерью, которая, сама о том не подозревая, стала миллионершей.

Поставив телефон себе на колени, Митч внутренне смирился с неизбежностью предстоящего неприятного разговора. Набрал номер городского банка в Дэйнсборо и попросил к телефону мистера Гарольда Сазерленда, сказав, что дело весьма срочное.

— Алло, — услышал он в трубке раздраженный голос тестя.

— Мистер Сазерленд, это Митч. Вы...

— Где моя дочь? С ней все в порядке?

— Да. Не беспокойтесь за нее. Она вместе со мной. Нам нужно будет уехать из страны на несколько дней. Может, недель. Может, месяцев.

— Понятно, — медленно протянул в ответ тесть. — И в какую же сторону вы отправитесь?

— Я и сам пока не знаю точно. Так, поболтаемся где-нибудь не очень долго.

— Что-нибудь случилось, Митч?

— Да, сэр. Кое-что действительно случилось, но сейчас я ничего не могу вам объяснить. Возможно, на днях я попытаюсь это сделать. Следите за газетами. Недели через две появятся интересные новости из Мемфиса.

— Вы в опасности?

— Некоторым образом. Не получали ли вы сегодня утром каких-нибудь необычных переводов?

— В общем-то да. Пару часов назад кто-то поместил у нас миллион долларов.

— Этот «кто-то» — ваш покорный слуга, а деньги принадлежат вам и вашей жене.

Последовала очень долгая пауза.

— Митч, мне кажется, это заслуживает объяснения.

— Вы совершенно правы, сэр. Но пока я не могу представить вам его. Если нам удастся благополучно выбраться из страны, то примерно в течение недели я извещу вас обо всем. Деньги можете смело тратить. Я должен бежать.

Выждав минуту, он набрал номер телефона, установленного в комнате номер 1028, «Холидэй инн», Панама-Сити.

— Алло. — Это была Эбби.

— Привет, детка, как ты?

— Ужасно, Митч. Фотография Рэя помещена на первых страницах всех местных газет. Сначала говорилось о том, что он бежал, что его видели в Мобиле. Теперь же по телевизору заявляют, что он подозревается в изнасиловании, имевшем место этой ночью.

— Что? Где?!

— В Пердидо-Бич, в «Хилтоне». Рэй засек ту блондинку, она выследила меня до самого отеля. Он ворвался к ней в номер и связал ее. Ничего более серьезного. Забрал у нее оружие и деньги, а сейчас она обвинила его в том, что он избил ее и изнасиловал. И теперь каждый флоридский полицейский высматривает на дорогах автомобиль, который вчера вечером я взяла напрокат в Мобиле.

— Где машина?

— Мы оставили ее в миле отсюда, там, где на пляже стоят несколько больших бунгало. Я так боюсь, Митч!

— Где Рэй?

— Лежит на пляже, хочет, чтобы его лицо немного загорело. Снимок в газете довольно старый: там у него длинные волосы и совсем бледная кожа, качество фотографии тоже не очень. Сейчас Рэй коротко подстрижен, и если он хоть чуть-чуть загорит, я думаю, это поможет.

— Оба номера сняты на твое имя?

— Да. Рэкел Джеймс.

— Слушай, Эбби. Забудьте про Рэкел, про Ли и Рэя и про Эбби. Дождитесь сумерек и уходите. Примерно в полумиле к востоку есть небольшой мотель, называется «Блю тайд». Насладитесь с Рэем недолгой прогулкой по берегу, и вы непременно увидите его. В мотель войдешь ты и потребуешь два соседних номера. Расплатишься наличными. Назовешься Джеки Нэйджел. Понятно? Джеки Нэйджел. Назовешь это имя, потому что, когда доберусь туда, я буду спрашивать именно его.

— А если у них не найдется двух соседних номеров?

— Хорошо, если что-нибудь сорвется, то чуть дальше по берегу есть еще одна ночлежка, под названием «Сисайд». Устройтесь туда, под тем же именем. Я еду к вам сейчас же, ну, скажем, в час, и я должен быть на месте часов через десять.

— Если они обнаружат машину?

— Они найдут ее наверняка и накроют густой сетью все побережье в районе Панама-Сити. Вам придется быть очень и очень осторожными. Как стемнеет, постарайтесь пробраться в аптеку и купить краску для волос. Постригись как можно короче и сделайся блондинкой.

— Блондинкой!

— Можешь стать рыжей. Мне на это наплевать. Но непременно смени цвет волос. Скажи Рэю, чтобы он никуда не выходил из комнаты. Никакой самодеятельности.

— У него пистолет, Митч.

— Скажи ему, что я запрещаю им пользоваться. Там будет не меньше тысячи полицейских, скорее всего уже сегодня к вечеру. Перестрелка нам ничего не даст.

— Я люблю тебя, Митч, но я так боюсь!

— Это совершенно естественно, что ты боишься, детка. Только продолжай шевелить мозгами. Они пока не знают, где вы находитесь, и они не смогут вас найти, если вы будете в постоянном движении. Я приеду еще до полуночи.

Ламар Куин, Уолли Хадсон и Кендалл Махан сидели в небольшом конференц-зале на третьем этаже и размышляли о том, каким будет их следующий шаг. Проработав в фирме уже долгое время, они были осведомлены и о пятом этаже, и о подвале, знали они о мистере Лазарове и мистере Моролто, о Ходже и о Козински. Им было хорошо известно о том, что, когда в фирму приходил новый человек, он уже не мог уйти из нее по своей воле.

Каждый из них делился своими воспоминаниями о Дне, о том Дне, когда они вдруг стали посвященными. День этот они сравнивали с тем днем далекого детства, в котором им стала известна грустная правда о Санта-Клаусе. Тот день, когда Натан Лок пригласил их троих в свой кабинет и рассказал им все о самом главном клиенте фирмы, запомнился им как печальный и пугающий День. А потом Лок представил их Де Вашеру. Все они оказались на службе у клана Моролто, от них ожидали упорной добросовестной работы, им полагалось беззаботно тратить те хорошие деньги, что им платили, и не мучить себя мыслями об их источнике. Все трое так и делали. Рано или поздно, но каждый задумывался о том, что хорошо бы уйти, однако серьезных планов не вынашивал ни один. У всех уже были семьи. Со временем это все образуется, успокаивали они себя. Ведь у фирмы столько нормальных клиентов. Так много интересной, трудной и абсолютно законной работы.

Большую часть нелегальной деятельности взвалили на свои плечи партнеры, но шло время, и бывшие когда-то новичками сотрудники тоже исподволь втягивались в грязные финансовые махинации. «Никто не сможет вас в этом уличить, — убеждали их опытные партнеры. — Вы, с нашей помощью, слишком умны для этого. Слишком много у фирмы денег». И это на самом деле было превосходным прикрытием.

Наибольшее внимание сидящие за столом уделили тому факту, что все партнеры исчезли из города. В Мемфисе из них не осталось ни одного. Пропал куда-то даже Эйвери Толар. Незаметно ушел из клиники!

Говорили они и о Митче. Он сейчас неизвестно где, говорили они, в страхе, в бегах, спасая свою жизнь. Если Де Вашеру удастся настичь его, он превратится в труп и его похоронят так же, как хоронили Ходжа и Козински до этого. Если же его схватят фэбээровцы, то им в руки попадут и документы, вся фирма окажется у них в руках, а значит, и они втроем тоже.

А что, размышляли они, если Митч не дастся им в руки? Что, если ему удастся спастись, смешаться с миллионами других людей? Вместе со всеми бумагами, конечно. Вдруг он с Эбби лежит где-нибудь на песочке, прихлебывает ром и подсчитывает денежки? Эта мысль пришлась всем по душе, и какое-то время они развивали ее, дополняя все более детальными, успокаивающими страх подробностями.

Единогласно сошлись они на том, что нужно дождаться завтрашнего дня. Если Митча где-нибудь подстрелят, можно будет оставаться в Мемфисе. Если он окажется в ФБР, то придется брать ноги в руки и...

Беги, Митч, беги!

Комнаты в мотеле «Блю тайд» были узкими и грязными настолько, что даже на взгляд казались липкими. Ковровая дорожка, лежавшая на полу, не чистилась, видимо, уже лет двадцать, местами сквозь нее проглядывали доски пола. Покрывала на кроватях кое-где были прожжены сигаретами. Но в данный момент уют и роскошь ничего не значили.

В четверг вечером Рэй стоял за спиной у Эбби с ножницами в руке и осторожно пощелкивал ими вокруг ее ушей. Два полотенца, разложенных на полу позади кресла, были полны обрезков ее прекрасных густых темных волос. Эбби внимательно следила за каждым движением Рэя в зеркале, помещавшемся рядом с допотопным цветным телевизором, и не стеснялась в комментариях. Стрижка получалась под мальчика — уши полностью открыты, на лбу — челка. Рэй отступил на шаг назад, полюбовался своей работой.

— Ничего, — заметил он.

Эбби улыбнулась, стряхивая с рук обрезки волос.

— Сейчас их нужно будет еще и покрасить, — печально сказала она и, пройдя в крошечную ванную комнату, закрыла за собой дверь.

Вышла она оттуда через час, но уже блондинкой. Чуть соломенной блондинкой. Рэй заснул, лежа поверх покрывала.

Эбби присела и начала собирать волосы в пластиковый пакет для мусора. В этот же пакет последовал и пузырек из-под красителя. Она перетянула его куском веревки. В этот момент раздался стук в дверь.

Эбби замерла, прислушиваясь. Шторы на окнах были плотно задернуты. Она легонько похлопала Рэя по ноге. Стук повторился. Рэй вскочил с постели, молниеносным движением выхватил пистолет.

— Кто там? — громко прошептала она.

— Сэм Форчун, — раздался ответный шепот.

Рэй открыл дверь, и в комнату вошел Митч. Он обнял Эбби, толкнул в плечо брата. Дверь закрыли, свет выключили, и все трое уселись в темноте на кровать. Митч крепко прижимал к себе Эбби. Как много им нужно было сказать друг другу! Но сидели они молча.

Слабый лучик света пробился с улицы через шторы, отразившись от зеркала и экрана телевизора. Никто не решался заговорить. Мотель стоял словно вымерший, на стоянке было почти пусто.

— Я почти знаю, почему я оказался здесь, — заговорил наконец Рэй, — но никак не могу взять в толк, как вы-то очутились тут?

— Нам лучше забыть, почему мы все здесь, — ответил Митч. — И подумать о том, как нам отсюда выбраться. Всем вместе. Живыми и невредимыми.

— Эбби мне все рассказала, — проговорил Рэй.

— Всего я и сама не знаю, — возразила она. — Я не знаю, например, кто за нами гонится.

— Похоже, все сразу, — ответил Митч. — Где-то неподалеку должен быть Де Вашер со своей бандой. Скорее всего в Пенсаколе — там единственный в окрестностях аэропорт. А по побережью мечутся Тарранс и его парни в поисках Рэя Макдира, насильника, и Эбби Макдир, его соучастницы.

— Что же будет дальше? — спросила Эбби.

— Они найдут машину, если еще не сделали этого. Круг их поисков сразу ограничится. В газете говорилось, что сейчас они действуют от Мобила до Майами, ну а так они моментально все окажутся в Панама-Сити. Но! Здесь на пляже, наверное, тысяча таких мотелей, как этот. Целых двенадцать миль, и все — мотели, бунгало, магазины. Это десятки тысяч людей, туристов в сандалиях и шортах, значит, и мы завтра превратимся в туристов: шорты, панамы и прочая дребедень. Я уверен, что, если даже они пустили за нами сотню своих людей, дня два или три в нашем распоряжении есть.

— А что будет, когда они решат, что мы здесь?

— Вы с Рэем могли ведь просто бросить машину и воспользоваться другой. Они не могут быть уверены в том, что мы на берегу, но начнут искать, конечно, отсюда. Однако не гестаповцы же они, в конце концов, не станут взламывать двери и врываться к людям без всяких на то оснований.

— Де Вашер способен и на это, — заметил Рэй.

— Согласен, но здесь, наверное, миллион дверей. Они перекроют дороги и будут следить за каждым магазином и рестораном. Будут говорить с каждым служащим в гостиницах, показывать им фотографию Рэя. Несколько дней они будут суетиться тут как муравьи, и, если нам все же повезет, они упустят нас.

— Какая у тебя машина, Митч? — спросил Рэй.

— Небольшой грузовик.

— Не понимаю в таком случае, почему бы нам не сесть в него прямо сейчас и не подставить свои задницы ветру? Ведь наша-то машина всего в миле отсюда, ждет не дождется, когда ее разыщут, а мы знаем, что ее вот-вот обнаружат.

— Послушай, Рэй, посты на дорогах могут быть уже выставлены. Поверь мне, я ведь вытащил тебя из тюрьмы? Ну же!

Где-то неподалеку от них раздался пронзительный вой сирены. Сидевшие в комнатке замерли, вслушиваясь в то, как звук ее умирал в ночной тиши.

— Так, — сказал Митч, — вот что. Будем выбираться отсюда. Не нравится мне это место. Стоянка совершенно пуста и уж больно близка к дороге. Грузовик я оставил не так далеко, у довольно приличного мотеля «Си галл». Я даже успел снять там две славные комнатки, тараканы там намного мельче. Мы просто выйдем прогуляться по берегу. Потом нам придется перенести вещи из грузовика. Неплохое развлечение?

ГЛАВА 37

«ДС-9», на борту которого находился Джой Моролто с отрядом своих штурмовиков, приземлился в аэропорту Пенсаколы в пятницу, еще до рассвета. Лазаров подогнал к аэропорту два лимузина и восемь взятых напрокат фургонов. Он вкратце информировал Джоя о событиях, имевших место за последние двадцать четыре часа. Машины неслись на восток по автостраде номер 98. На дорогу до «Сэндпайпера», роскошного двенадцатиэтажного отеля, стоящего в Дестине на самом берегу океана, ушло около часа. Примерно столько же было от отеля и до Панама-Сити. Пентхаус на крыше отеля Лазаров снимал всего за четыре тысячи долларов в месяц: сезон еще не начался. В номерах на двух последних этажах здания разместились все люди, приехавшие с Моролто.

Мистер Моролто сыпал приказаниями, как рассерженный сержант на плацу. В самом большом помещении пентхауса был оборудован командный пункт, из окон которого открывался захватывающий вид на изумрудные воды залива. Однако Моролто все равно был раздражен. Он хотел, чтобы ему подали завтрак, и Лазаров послал два фургона за деликатесами в ближайший супермаркет. Он хотел, чтобы ему подали Макдира, и Лазаров уговаривал его потерпеть немного.

К рассвету расселение закончилось, оставалось только одно — ждать.

Тремя милями дальше вдоль берега, на балконе восьмого этажа отеля «Сэндестин-Хилтон», здания, которое было хорошо видно из «Сэндпайпера», сидели мистер Ф. Дентон Войлс и Уэйн Тарранс. Прихлебывая кофе, они наблюдали за тем, как медленно над линией горизонта поднимается солнце, и говорили о стратегии.

Ночь прошла не очень-то хорошо — автомобиль так и не нашли, Митча и след простыл. Шестьдесят специально обученных агентов плюс сотня местных добровольных помощников должны были найти по крайней мере машину. Каждый лишний час времени был на руку только беглецам.

В папке, лежавшей на кофейном столике, находились два ордера на арест. В выписанном на имя Рэя Макдира ордере значилось: бегство из заключения, незаконный перелет на самолете, грабеж и изнасилование. Эбби проходила как соучастница. Чтобы предъявить какие-то обвинения Митчу, потребовалась большая изобретательность. Препятствование правосудию и довольно невнятное обвинение в рэкете. А чтобы подпереть все это, есть испытанный костыль — мошенничество. Тарранс был не совсем уверен в том, что мошенничество вписывается в специфику дела, но, с другой стороны, за годы своей работы в ФБР он ни разу не встречал такого дела, в котором бы не фигурировало обвинение в мошенничестве.

Оба ордера были подписаны и имели полную законную силу. Об этом знали репортеры газет и телекомпаний всего Юго-Востока. Приученный сохранять невозмутимую мину на лице при беседах с представителями средств массовой информации, Тарранс получал сомнительное наслаждение, общаясь с репортерами и проклиная их в душе.

А общение с ними было необходимым. Только содействие обывателя могло сейчас помочь ФБР. Представители закона во что бы то ни стало должны найти Макдира первыми. Иначе это сделает мафия.

На балкон вбежал Рик Эклин:

— Машину нашли!

Директор ФБР вскочил с кресла:

— Где?

— В Панама-Сити, на стоянке рядом с мотелем.

— Соберите наших людей! Всех до единого! — решительно приказал Войлс. — Поиски в других местах прекратить. Мне нужно, чтобы каждый агент был сейчас в Панама-Сити. Мы вывернем там все наизнанку! Привлеките добровольцев. Пусть блокируют все дороги, шоссейные и грунтовые. Снимите с машины отпечатки пальцев. Что представляет собой этот городишко?

— Нечто вроде Дестина. Двенадцать миль пляжа с отелями, мотелями, пансионатами, бунгало, магазинами и все такое.

— Поставьте наших людей в самых оживленных местах, начните обход гостиниц. Ее фоторобот готов?

— Должен бы, — ответил Эклин.

— Вручите фотороботы ее, Митча и Рэя, а также полицейский снимок последнего каждому агенту, каждому полицейскому. Пусть ходят по пляжу и размахивают ими!

— Есть, сэр!

— Далеко Панама-Сити отсюда?

— Это на восток от нас, минут пятьдесят.

— Машину!

Аарона Риммера, спавшего в номере «Хилтона» в Пердидо-Бич, разбудил телефонный звонок. Это был следователь, звонивший по поручению заместителя шерифа округа. «Машину нашли, мистер Риммер, — сказал он, — нашли в Панама-Сити, всего несколько минут назад. Примерно в миле от "Холидэй инн". Это на автостраде номер 98. Очень жаль, что с вашей спутницей все так получилось. Надеюсь, ей уже лучше».

Поблагодарив его, Риммер немедленно набрал номер Лазарова в «Сэндпайпере». Через десять минут он вместе со своим соседом по номеру, Тони Две Тонны, а также с Де Вашером и четырнадцатью его парнями мчались в фургонах в направлении Панама-Сити. Ехать им было часа три.

В Дестине Лазаров инструктировал штурмовиков. Не теряя времени, они заняли места во взятых напрокат фургонах.

Блицкриг начался.

Очень скоро все стало известно и о грузовичке.

Управляющий фирмы по прокату автомобилей в Нашвилле был вполне порядочным гражданином по имени Билли Уивер. В пятницу утром он вошел в свой кабинет, приготовил себе кофе и уселся за стол, просматривая газеты. На первой же странице внизу Билли с интересом прочел заметку о Рэе Макдире и развернувшихся на побережье поисках. Тут же было упомянуто и имя Эбби Макдир, а еще ниже — имя брата беглеца, Митчела Макдира. Тогда в голове управляющего что-то сработало.

Билли потянул на себя ящик стола и достал из него картотеку с фамилиями клиентов фирмы. Ну да, в среду поздно вечером человек по имени Макдир взял напрокат грузовик. Вот и его подпись: М.И. Макдир, хотя на водительском удостоверении значилось: Митчелл И., Мемфис.

Будучи патриотом и честным налогоплательщиком, Билли позвонил своему двоюродному брату, работавшему в городской полиции. Тот связался с отделением ФБР, и через пятнадцать минут грузовик был объявлен в розыск.

Сообщение об этом принял Тарранс: он сжимал в руке трубку радиотелефона, а Эклин сидел за рулем. Войлс разместился на заднем сиденье за спиной Тарранса. Грузовик? Но зачем Макдиру грузовик? Он исчез из Мемфиса, оставив дома машину, одежду, не прихватив с собой даже зубной щетки. Он даже собаку не накормил. Не взял с собой ничего. Так зачем же ему грузовик?

Для бумаг. Это же естественно. Либо он загрузил их еще в Нашвилле, либо намерен забрать их по пути. А при чем здесь Нашвилл?

Митч встал рано. Бросив полный желания взгляд на жену, на ее короткие, ставшие такими светлыми волосы, он выбросил из головы мысль о сексе. Это может подождать. Пусть она еще поспит.

Обойдя кучу коробок, сваленных на полу маленькой комнаты, Митч прошел в ванную, быстро принял душ и надел серый спортивный костюм, купленный вчера в Монтгомери. Неторопливым шагом отмерил вдоль берега примерно полмили и зашел в небольшой магазинчик, где набил сумку банками кока-колы, пакетами с печеньем и жареным картофелем, купил очки от солнца, три шапочки с длинными козырьками и три газеты.

Рэй ждал его около грузовичка. Они вместе прошли внутрь, развернули на кровати газеты. Оказывается, дела обстояли хуже, чем они предполагали. Городские газеты Мобила, Пенсаколы и Монтгомери на первых страницах поместили фотороботы Рэя и Митча, а к ним еще и фотоснимок Рэя, сделанный в полицейском участке. Фоторобот Эбби, если верить газете Пенсаколы, не получился.

Что же касается фотороботов Рэя и Митча, то в чем-то они походили на оригиналы, в чем-то — нет. Но объективно судить им было трудно. Митч смотрел на собственное лицо и пытался оценить, насколько портрет удачен. Заметки были полны дикой чуши, каких-то нелепых измышлений, принадлежащих

Уэйну Таррансу, специальному агенту ФБР. Так, Тарранс заявлял, что Митчела Макдира видели в районе побережья Мексиканского залива; что он и его брат Рэй хорошо вооружены и чрезвычайно опасны для граждан; что они оба поклялись не даться властям живыми. В газете говорилось о том, что за их поимку будет выплачено большое вознаграждение, что после встречи с человеком, даже отдаленно напоминающим кого-либо из братьев Макдир, необходимо срочно обратиться к полицейскому.

Поедая печенье, они решили, что фотороботы не так уж и похожи, а старый снимок Рэя просто вызывает смех. Наконец братья решили разбудить Эбби. Все вместе они принялись распаковывать документы и готовить к работе видеокамеру.

В девять часов утра Митч позвонил Тэмми. Новые удостоверения личности и прочие бумаги для них были уже у нее. Митч велел Тэмми выслать их срочной бандеролью на имя Сэма Форчуна по адресу: Флорида, Панама-Сити, Западный пляж, автострада номер 98, мотель «Си галл». Тэмми прочитала ему заметку из местной газеты. Никаких фотографий, сказала она, в газете нет.

— После того как отправишь паспорта, — инструктировал ее Митч, — немедленно выезжай из Нашвилла. Остановишься в Ноксвилле, в каком-нибудь большом мотеле. Позвонишь мне сюда.

Он дал ей номер телефона.

Два агента ФБР постучали в дверь старенького, снятого с колес трейлера, значившегося как дом номер 486 по Сент-Луис-стрит. Дверь распахнул мистер Эйнсворт, стоявший в одних трусах. Агенты предъявили ему свои значки.

— Ну и чего вы от меня хотите? — промычал мистер Эйнсворт.

Один из пришедших протянул ему утреннюю газету:

— Вам знакомы эти люди?

Эйнсворт всмотрелся в газетный снимок:

— Похоже, это ребята моей жены. Я никогда их не видел.

— Как зовут вашу жену?

— Эва Эйнсворт.

— Где она?

Он уставился в газету.

— На работе. Там, где кормят вафлями. Так что же, выходит, они где-то рядом?

— Да, сэр. И вы ни разу в жизни не видели их?

— Да нет же, черт побери. Но пушку свою буду держать наготове.

— А ваша супруга с ними виделась?

— Насколько я знаю, в последнее время нет.

— Благодарим вас, мистер Эйнсворт. У нас приказ ждать их где-нибудь здесь, но вас мы беспокоить не станем.

— Ну и ладно. Эти парни явно тронулись. Я всегда это ей говорил.

В миле от них, у «Вафельного домика», остановилась неприметная машина с двумя другими агентами.

Засады были расставлены.

К полудню вокруг Панама-Сити были блокированы все дороги, все до единой. На проходящей вдоль пляжа автостраде полицейские патрули останавливали движение через каждые четыре мили. Агенты заходили в каждую лавку, предъявляя хозяевам и посетителям снимки разыскиваемых. Эти же снимки были расклеены у входов наиболее посещаемых ресторанов: «Шони», «Пиццы-хат», «Тэко белл» и у десятка других. Все кассиры и официантки были предупреждены держать свои глаза раскрытыми пошире: эти братья весьма опасные люди.

Лазаров со своими людьми остановился в «Бест уэстерн», в двух милях от «Си галл». Он снял довольно просторный конференц-зал, превратив его в центр управления всей операцией. Четверо штурмовиков были отправлены в рейд по магазинам, из которого они вернулись с кучей всякого тряпья: майки, шорты, соломенные шляпы и прочее. Лазаров арендовал также два «форда» и оборудовал их полицейскими рациями. Машины эти разъезжали вдоль пляжа, а их пассажиры вслушивались в бесконечные переговоры, которые велись между руководством и разрозненными отрядами полиции и людьми ФБР. Довольно быстро удалось засечь, что вся полиция бросилась на розыски грузовика. То же самое сделали и люди Лазарова. Де Вашер дальновидно расположил фургоны со своими парнями вдоль всего берега: они стояли среди других машин на стоянках и ждали сигнала по радио.

Около двух часов дня с Лазаровым срочно связался по телефону сотрудник с пятого этажа фирмы Бендини. У него было два сообщения. Во-первых, человек, которого посылали на Кайманы, разыскал старого слесаря, вспомнившего, после того как ему хорошо заплатили, что примерно в полночь 1 апреля он сделал дубликаты одиннадцати ключей. Да-да, одиннадцать ключей на двух кольцах. Их принесла женщина, очень красивая американка, брюнетка со стройными ногами. Сказала, что очень торопится, и расплатилась наличными. Старик сказал, что ключи оказались довольно простыми, кроме, пожалуй, ключа от «мерседеса», за него он не уверен. Во-вторых, звонил некий банкир с Большого Каймана. Интересовался переводом десяти миллионов долларов. Перевод был осуществлен в этот четверг, в девять тридцать три утра. Деньги перевели из Монреальского королевского банка в Юго-Восточный банк в Нашвилле.

Где-то между четырьмя и половиной пятого полицейские рации сошли с ума: все говорили, перебивая друг друга, сообщения следовали одно за другим. Портье из «Холидэй инн» узнал по описанию Эбби Макдир в женщине, которая вчера, в четверг, в четверть пятого расплачивалась наличными за два номера. Она заплатила за трое суток, но после того, как в четверг в час дня в комнатах произвели уборку, ее никто не видел. В ночь с четверга на пятницу ни в одной комнате никто не ночевал. Из отеля она не выписалась, а за номера заплачено по полдень субботы включительно. Сообщника-мужчины портье не заметил. В течение целого часа «Холидэй инн» была оккупирована ищейками из ФБР и мафии. Тарранс лично допрашивал портье.

Они были здесь! Они и сейчас здесь, где-то в Панама-Сити. Рэй и Эбби — это точно. Нет полной уверенности в том, что Митч вместе с ними.

Этой уверенности не было до четырех часов пятидесяти восьми минут пополудни пятницы.

Новость прозвучала как взрыв бомбы. Какой-то чиновник остановился у дешевого мотеля и заметил зеленый с белым тент грузовика. Он подошел поближе и улыбнулся при виде маленького грузовичка, аккуратно поставленного между стеной двухэтажного домика, где сдавались комнаты, и огромным мусоровозом. Смекалистый чиновник записал номер грузовичка и позвонил в полицию.

И номера совпали! Через пять минут мотель был окружен. На свет Божий вытащили владельца собственности и потребовали объяснений. А тот, посмотрев фотоснимки, только покачал головой. Пришлось предъявить ему не один, а целых пять значков агента ФБР. Лишь после этого хозяин проявил готовность сотрудничать.

Он вытащил свои ключи и вместе с агентами начал обход номеров. Дверь за дверью. Сорок восемь дверей.

Обитаемыми оказались только семь. Открывая и закрывая двери, владелец мотеля объяснял, что в это время года наплыва туристов еще нет даже в больших гостиницах, а уж маленьким мотелям приходится бороться за выживание вплоть до начала сезона.

Приходилось бороться за выживание и постояльцам мотеля «Си галл», находившегося в четырех милях западнее.

Энди Патрик получил первый срок, когда ему было девятнадцать лет, за подделку чека ему пришлось отсидеть четыре месяца. Посчитав себя после этого закоренелым преступником, он решил, что честный труд — это не для него, и все последующие двадцать лет своей жизни он подвизался в качестве не очень удачливого мошенника и мелкого воришки. Его как мусор носило по стране, он добывал средства к жизни, таская вещи с прилавков магазинов, подделывая чеки, забираясь время от времени в квартиры. Когда ему было двадцать семь лет, его, маленького и хрупкого, ненавидящего всякое насилие, до полусмерти избил в Техасе какой-то жирный полицейский чин. В результате Энди лишился глаза и остатков уважения к закону.

Полгода назад судьба занесла его в Панама-Сити. Он нашел себе совершенно честный заработок: четыре доллара в час за дежурство в качестве ночного портье в мотеле «Си галл». В пятницу вечером, часов в девять, когда Энди с увлечением смотрел телевизор, дверь распахнулась и в вестибюль с важным видом ввалился жирный самоуверенный коп.

— Мы тут охотимся кое за кем, — сказал он, припечатывая своей мощной дланью фотоснимки к столу, за которым сидел Энди. — Вот за ними. Взгляни-ка. Они должны быть где-то поблизости.

Энди всмотрелся в лица на фотороботах. Тот снимок, под которым было написано «Митчел И. Макдир», ему кого-то напомнил. Шестеренки в голове Энди начали со скрипом прокручиваться.

Глядя на самодовольную рожу возвышающегося над ним полицейского, Энди лениво процедил:

— Таких не видывал. Буду теперь посматривать.

— Они очень опасны.

«А ты еще опаснее», — подумал Энди.

— Приклей-ка их вот тут, на стене, — приказал коп.

«Тебе, что ль, здесь все принадлежит?» — подумал Энди.

— Мне очень жаль, но у меня нет такого права — клеить тут что-то на стены.

Полицейский замер от удивления, голова его чуть склонилась набок, он рассматривал Энди сквозь стекла темных очков.

— Послушай-ка, недоносок, я наделяю тебя таким правом.

— Мне очень жаль, сэр, — Энди сделал ударение на этом слове, — но без распоряжения хозяина я не могу ничего клеить на стены.

— Ну и где же твои хозяева?

— Не знаю. Может, в баре где-нибудь.

Громила аккуратно собрал фотографии, прошел за стойку и прикрепил их к доске с информацией для постояльцев. Покончив с этим, он сверху вниз посмотрел на Энди и небрежно выговорил:

— Загляну к тебе через пару часов. Вздумаешь их снять — посажу за противодействие отправлению правосудия.

Энди и бровью не повел:

— Этот номер не пройдет. Однажды в Канзасе мне уже хотели навесить эту гирю. Теперь-то я уже все понимаю.

Жирные щеки полицейского налились краской, он ухмыльнулся, показав желтые зубы:

— Думаешь, ты такой умник, а?

— Да, сэр.

— Попробуй сними, и я упеку тебя за решетку все равно за что.

— Мне уже приходилось там бывать, не велика беда.

В нескольких футах от дверей пронеслись полицейские машины в блеске красных и синих огней, сопровождаемые неизбежным воем сирен. Коп оглянулся, пробормотал сквозь зубы что-то презрительное и вывалился за дверь. Энди тут же сорвал снимки и швырнул на пол. Подойдя к двери, он проводил взглядом проносящиеся мимо полицейские автомобили, а затем пересек стоянку для машин и подошел к зданию, стоявшему в глубине двора. У двери с номером 38 остановился, постучал. Подождал немного и постучал еще раз.

— Кто там? — раздался из-за двери женский голос.

— Управляющий, — ответил Энди, гордясь новой должностью, которую сам же себе и придумал.

Дверь открылась, и человек, походивший на фоторобот Митчела И. Макдира, вышел к нему:

— Да, сэр! В чем дело?

Энди сразу заметил, что он нервничает.

— Только что здесь были копы. Ясно, что я хочу сказать?

— Что же им было нужно? — невинным тоном спросил человек.

«Задница твоя», — подумал Энди.

— Задавали всякие вопросы, показывали всякие картинки. Ну, я и посмотрел, понятно?

— Угу.

— Картинки ничего.

Энди почувствовал на себе его тяжелый взгляд.

— Коп сказал, что один из них бежал из тюрьмы. Ясно вам? Я и сам там бывал и думаю, что оттуда каждому захочется убежать. Разве не так?

По губам Митча скользнула нервная улыбка.

— Как вас зовут? — спросил он.

— Энди.

— У меня есть предложение, Энди. Я дам вам тысячу долларов сейчас, а завтра, если вы по-прежнему не сможете никого узнать на тех картинках, я дам вам еще одну тысячу. То же самое и послезавтра.

Отличное предложение, подумал Энди. Но если он мог позволить себе платить по тысяче в день, значит, он заплатит и пять тысяч. Да разве можно упустить такую возможность? Какую карьеру он сделает!

— Нет, — твердо ответил он. — Пять тысяч в день.

Мистер Макдир не колебался ни минуты:

— Договорились. Сейчас принесу деньги.

Он вернулся в комнату и тут же вышел с пачкой банкнот.

— Значит, Энди, пять тысяч в день, так?

Энди принял деньги, посмотрел вокруг. Пересчитать можно и потом.

— Вы, видимо, не захотите, чтобы я пустил сюда уборщиц?

— Неплохая мысль. Это было бы здорово.

— Еще пять тысяч.

В глазах мистера Макдира мелькнуло сомнение.

— В таком случае у меня есть предложение. Завтра вам доставят бандероль на имя Сэма Форчуна. Утром. Вы принесете ее мне, а потом наплетете что-нибудь уборщицам, и я вручу вам еще пять тысяч.

— Ничего не выйдет. Я работаю только в ночную смену.

— О'кей, Энди. А что, если ты проработаешь весь уик-энд, бессменно, отошлешь куда-нибудь уборщиц и принесешь мне бандероль? Ты в состоянии все это сделать?

— Запросто. Мой хозяин — пьянь, он только будет рад, если я проторчу здесь безвылазно все выходные.

— И сколько ты за это попросишь, Энди?

«Ну, смелее», — подумал Энди.

— Еще двадцать тысяч.

Мистер Макдир широко улыбнулся:

— По рукам!

Энди усмехнулся и стал запихивать пачку банкнот в карман. Сделав это, он удалился без лишних слов. Митч тоже вошел в комнату.

— Кто это был? — тут же задал ему вопрос Рэй.

Митч улыбался, поглядывая в щелку между занавесями окна.
— Я знал, что нам повезет, что мы найдем дыру в их сети. Вот мы и нашли ее. Только что.

ГЛАВА 38

Одетый в строгий черный костюм, с изящно завязанным красным галстуком, мистер Моролто сидел во главе крытого пластиком стола в конференц-зале отеля «Бест уэстерн». В креслах вокруг стола расположились двадцать его ближайших помощников, а вдоль стен стояли самые надежные люди из охраны. И хотя каждый телохранитель был хладнокровным убийцей, привыкшим делать свое дело без всяких сантиментов или угрызений совести, все вместе они производили впечатление цирковых клоунов — в цветастых рубашках, немыслимого покроя шортах и легкомысленных соломенных шляпах. В другое время мистер Моролто рассмеялся бы над живописностью их костюмов, однако момент был настолько серьезным, что даже тени улыбки не было видно на его лице. Он слушал.

По правую руку от него сидел Лу Лазаров, по левую — Де Вашер; собравшиеся в зале внимали каждому слову разворачивающегося между этими двумя диалога.

— Они здесь. Я знаю, что они здесь, — хорошо поставленным голосом проговорил Де Вашер, энергично похлопывая руками по столу. У него явно было неплохое чувство ритма.

Ему вторил Лазаров:

— Согласен. Они здесь. Двое прибыли в легковом автомобиле, один пригнал грузовик. Обе машины мы нашли брошенными, с кучей отпечатков. Да, они здесь.

Де Вашер:

— Но почему Панама-Сити? Ведь в этом нет никакого смысла!

Лазаров:

— За исключением только одного момента: раньше он здесь уже был. Перед самым Рождеством, если помнишь. Места ему знакомы, он отдает себе отчет в том, что здесь, в этом скопище пансионатов, отелей, мотелей, какое-то время вполне можно прятаться. И не такая уж это плохая идея. Но ему немного не повезло. Для человека, который находится в бегах, у него слишком большой багаж. Например, его братец, который вдруг всем понадобился — и полиции, и ФБР. Плюс еще жена. Плюс грузовик, набитый, как я думаю, документами. Склад ума, как у типичного школьника: бегу и забираю с собой всех, кого люблю и кто любит меня. А потом его брат насилует — в чем он, видимо, все же его подозревает — какую-то бабу, и в одно мгновение, пожалуйста: в погоню за ними устремляется вся полиция Алабамы и Флориды. Действительно, не повезло.

— А как там его мать? — поинтересовался со своего места Моролто.

Лазаров и Де Вашер одновременно кивнули, как бы признавая своевременность и уместность вопроса, заданного великим человеком.

Лазаров:

— Нет, это совпадение чистейшей воды. Она очень простая женщина, работает в заведении, где торгуют вафлями. Она ни о чем не знает. Мы установили за ней наблюдение сразу, как приехали сюда.

Де Вашер:

— Согласен. Они не встречались, контакта у них нет.

Моролто с понимающим видом склонил голову, закурил сигарету.

Лазаров продолжил:

— Итак, если они здесь, а мы знаем, что они здесь, выходит, ФБР и полиции тоже известно, что они здесь. У нас здесь всего шестьдесят человек, у них — сотни. За ними преимущество.

— А вы уверены, что все они, трое, находятся вместе? — опять задал вопрос мистер Моролто.

Де Вашер:

— Абсолютно. Нам известно, что женщина и заключенный в одну и ту же ночь объявились в отеле в Пердидо-Бич, что они вместе исчезли оттуда, а тремя часами позже она прибыла в «Холидэй инн» и расплатилась наличными за два номера. Потом она взяла напрокат автомобиль, и на нем были обнаружены его отпечатки. Нет, в этом нет никаких сомнений. Нам также известно, что Митч арендовал в Нашвилле в среду грузовик, после чего в четверг утром организовал компьютерный перевод наших десяти миллионов в Юго-Восточный банк в Нашвилле, а уж только после этого бросился в бега. Грузовик обнаружили здесь четыре часа назад. Да, сэр, они все здесь, и они вместе.

Лазаров:

— Если он выехал из Нашвилла сразу после того, как провернул перевод денег, то сюда он должен был прибыть уже в сумерках. Грузовик обнаружен пустым, значит, им пришлось разгрузить его где-то здесь, а груз спрятать. Скорее всего это было в четверг, поздно ночью, если не в пятницу утром. Но, как вы и сами понимаете, когда-то им нужно спать. По моим прикидкам выходит так, что вчера они провели здесь свою последнюю ночь и уже собирались сегодня двинуться дальше. Однако, проснувшись утром, они обнаружили, что в каждой газете их фотографии, вся местность наводнена полицией, на дорогах патрули. Так что они угодили в мышеловку.

Де Вашер:

— А чтобы из нее выбраться, им необходимо взять напрокат автомобиль. Или украсть его. У нас нет никаких данных о том, что где-то здесь они взяли машину напрокат. Она делала это в Мобиле, на свое имя. Митч арендовал грузовик в Нашвилле, тоже на свое имя. В обоих случаях были представлены подлинные документы. В конце концов выясняется, что они, черт бы их взял, вовсе не такие уж ловкачи.

Лазаров:

— Совершенно очевидно, что новых документов у них нет. Если бы где-то здесь они взяли напрокат машину, чтобы унести ноги, то в конторских записях фигурировали бы их подлинные документы. Таких записей нет.

Мистер Моролто в отчаянии помахал перед собой рукой:

— Хорошо, хорошо. Они здесь. А вы оба у меня — просто гении. Я так горжусь вами. Ну и что?

Де Вашер:

— ФБР путается под ногами. Все нити от розыска тянутся к ним, тут мы ничего не можем поделать. Остается сидеть и ждать.

Лазаров:

— Я звонил в Мемфис. Все сотрудники фирмы со стажем уже на пути сюда. Они хорошо знают Макдира и его жену, вот мы и запустим их на пляжи, в рестораны и отели. Может, и заметят что-нибудь интересное.

Де Вашер:

— По-моему, они в одном из маленьких мотелей. Там можно назваться вымышленным именем, платить наличными, и никто не обратит на тебя внимания. Да и народу в них меньше, а значит, меньше глаз вокруг. Сначала они полезли в «Холидэй инн», но долго там не просидели. Готов поспорить, они в какой-нибудь дешевой ночлежке на пляже.

Лазаров:

— Во-первых, нам нужно избавиться от ФБР и от копов. Они вот-вот вынуждены будут перенести сферу своей наибольшей активности на дороги, хотя сами еще не подозревают об этом. Тогда прямо с раннего утра мы начнем обходить все маленькие мотели, дверь за дверью. В большинстве этих развалюх меньше чем по пятьдесят комнат. Двое наших людей могут обыскать такое заведение за полчаса. Я знаю, что времени у нас мало, но это лучше, чем сидеть сложа руки. Может, когда полицейские оттянутся отсюда, кто-нибудь из Макдиров вздохнет посвободнее и сделает какую-нибудь ошибку.

— Ты хочешь сказать, что нашим людям нужно будет обыскивать гостиничные номера? — полюбопытствовал мистер Моролто.

Де Вашер:

— Все осмотреть мы, конечно, не успеем, но попробовать стоит.

Мистер Моролто поднялся, обвел зал и всех присутствующих строгим взглядом.

— Ну а как же быть с водой? — обратился он главным образом к Лазарову и Де Вашеру.

Они уставились друг на друга, порядком сбитые с толку неожиданным вопросом.

— А вода! — воскликнул Моролто. — А что же вода?

Глаза присутствующих тревожно заметались по сторонам и замерли на Лазарове, как только он раскрыл рот:

— Извините, сэр, я не понимаю вас.

Мистер Моролто склонил свою голову к сидящему рядом Лазарову:

— Как быть с водой, Лу? Мы ведь сейчас на берегу, так? То есть с одной стороны от нас земля: с дорогами, рельсами, аэродромами, а с другой-то вода и лодки. Теперь, если дороги блокированы, а о поездах и самолетах и речи быть не может, куда им, как ты считаешь, остается податься? Мне, например, представляется совершенно очевидным, что они попытаются разыскать лодку и отчалить в темноте. В этом может быть некий смысл, как по-твоему?

Головы присутствующих согласно закивали. Первым ответил Де Вашер:

— В этом есть чертовски глубокий смысл!

— Великолепно, — отозвался мистер Моролто. — Где в таком случае ваши лодки?

Лазаров вскочил с кресла, дернулся, подбежал к стене и принялся лающим голосом отдавать приказания своим подчиненным:

— Всем на пристань! Брать напрокат лодки, свободные на сегодняшний вечер, ночь и на весь завтрашний день. Платить ту цену, что запросят. Ни на какие вопросы не отвечать — просто дадите им то, что они потребуют. Посадить в лодки наших людей и начать патрулирование вдоль берега как можно быстрее. Держитесь примерно в миле от берега.

В пятницу вечером, почти в одиннадцать, Аарон Риммер стоял у кассовой машины на круглосуточной заправочной станции в Таллахасси и расплачивался за двенадцать галлонов бензина и кружку пива. Ему нужна была мелочь для телефона-автомата. Выйдя наружу, в ярком свете фонарей, установленных на мойке, он нашел в справочнике, лежавшем в телефонной будке, номер Таллахасского городского управления полиции. Он объяснил дежурному, что у него дело, не терпящее отлагательства, и тот соединил его со старшим смены, капитаном.

— Слушайте! — прокричал он в трубку. — Я нахожусь на заправке «Тексако», пять минут назад я видел этих преступников, на которых устроили облаву. Я уверен, что это были они!

— Каких преступников? — не понял капитан.

— Макдиров! Двое мужчин и женщина. Меньше двух часов назад я выехал из Панама-Сити, я видел там их фотографии. А потом я остановился здесь, чтобы заправиться, и увидел их рядом...

Риммер объяснил, где он находится, и примерно полминуты дожидался, пока подъедет первый патрульный автомобиль с синей мигалкой. За ним через короткие промежутки появились второй, третий и четвертый. Риммера усадили на переднее сиденье и доставили в Южный участок. Там его уже дожидались капитан и еще какие-то чины. На лицах людей было волнение. Риммера ввели в кабинет столь торжественно, что со стороны можно было подумать — люди собрались, чтобы отметить его юбилей. На столе были разложены фотороботы.

— Это они! — заорал Риммер чуть ли не с порога. — Их-то я и видел, десяти минут еще не прошло! Проехали в фордовском пикапе с номерами штата Теннесси, у них еще был прицеп, довольно большой двухосный трейлер.

— Где именно вы находились? — задал вопрос капитан.

Присутствовавшие ловили каждое слово.

— Я заправлялся у колонки номер 4 обычным бензином, без всяких свинцовых добавок, а они как раз въезжали на стоянку, вид у них был самый подозрительный. Припарковались в стороне от колонок, женщина выбралась из машины и прошла внутрь. — Он взял в руки композитный снимок Эбби, который все же удалось сделать, внимательно всмотрелся. — Она. Это она, без сомнений. Волосы намного короче и другого цвета. Она тут же вышла, ничего не купив. Вела себя очень нервно, со всех ног бросилась к пикапу. Я уже заправился и пошел к кассе, и, когда я входил, они проехали в двух футах от меня. Я видел их всех!

— Кто сидел за рулем? — спросил капитан.

Риммер уставился на снимок Рэя:

— Не этот. Другой. — Он пальцем указал на фоторобот Митча.

— Могу я видеть ваше водительское удостоверение?

Риммер достал документы, передал сержанту свои права со штампом штата Иллинойс, собственной фотографией, но имя значилось другое: Фрэнк Темпл.

— В каком направлении они выехали с заправочной станции? — задал новый вопрос капитан.

— На восток.

В это самое время милях в четырех от участка Тони Две Тонны повесил трубку телефона-автомата на рычаг и, улыбаясь чему-то, вернулся в зал закусочной, где сидел до этого.

Капитан разговаривал с кем-то по телефону. Сержант выписывал данные с водительского удостоверения Фрэнка Темпла, а десяток полисменов оживленно переговаривались. Неожиданно в кабинет ворвался патрульный:

— Еще один звонок! Звонил мужчина из закусочной в восточном пригороде. Та же самая информация! Всех троих видели в зеленом «форде»-пикапе с трейлером. Звонивший не назвался, но сказал, что опознал их по фотоснимкам в газете. Они подъехали к окошку, где обслуживают тех, кто за рулем, купили три пакета с сандвичами и умчались.

— Это они. — Капитан удовлетворенно улыбался.

Шериф округа Бэй, отхлебнув из пластикового стакана горячего и крепкого черного кофе, закинул ноги, обутые в черные ботинки, на длинный стол, занимавший бóльшую часть конференц-зала в «Холидэй инн». Мимо него туда-сюда сновали сотрудники ФБР, делились друг с другом последними новостями, шептались о чем-то, по-видимому, весьма секретном, варили и пили кофе. Напротив шерифа сидел его кумир: сам директор Ф. Дентон Войлс собственной персоной. Он изучал разложенную на столе карту города, за спиной его почтительно склонили головы порученцы. Подумать только: Дентон Войлс у него в округе!

Зал напоминал собой растревоженный улей: кроме собственно фэбээровцев, тут же сновали члены группы захвата, прибывшие из соседнего штата, на отдельном столе в углу трещали телефоны, слышался зуммер рации, помощники шерифа и простые городские полисмены с выражением благоговейного ужаса на лицах расхаживали по залу, наслаждаясь атмосферой погони, своей сопричастностью к делу государственной важности, присутствием высших чинов ФБР.

Один из порученцев Войлса ворвался в зал, едва не сняв с петель дверь, глаза его были вытаращены от усердия.

— Звонили из Таллахасси — у них два опознания в течение последних пятнадцати минут. Вся троица катит в зеленом фордовском пикапе с теннессийскими номерами!

Войлс тут же забыл о карте.

— Где их видели?

В зале стояла полная тишина, слышно было только, как попискивало что-то в рации.

— Первый раз на заправочной станции «Тексако». Второй — в четырех милях восточнее, в закусочной «Бургер кинг», — они подъехали к окошку, где продают пакеты навынос. Оба свидетеля категорически опознали в них наших фигурантов.

Войлс повернулся к шерифу:

— Свяжитесь с Таллахасси — пусть они подтвердят. Это далеко?

Черные ботинки уперлись в пол.

— Полтора часа. По автостраде номер 10.

Войлс поманил пальцем Тарранса, и они вместе прошли в небольшую комнату, которую на скорую руку оборудовали под бар. В зале за их спинами возобновился ровный гомон.

— Если это на самом деле так, — спокойно произнес Войлс, — то мы зря теряем здесь время.

— Согласен, сэр. Сообщение прозвучало как весьма реальное. Одиночное опознание еще могло обернуться чьей-нибудь дурацкой шуткой или просто ошибкой, но ведь их было два. Очень похоже на правду.

— Как же, черт побери, им удалось выбраться оттуда?

— Должно быть, помогла та самая женщина, шеф. Она с ними уже больше месяца. Не знаю, кто она и где он ее нашел, но она следит за всеми нашими действиями и передает ему информацию и все, что ему необходимо.

— А ты не думаешь, что она следует вместе с ними?

— Сомневаюсь, сэр. Она держится в стороне, не принимая активного участия в действиях, выполняя только его отдельные поручения.

— У него блестящий ум, Тарранс. Все было спланировано заранее, несколько месяцев назад.

— Видимо, так.

— Ты как-то упоминал Багамы.

— Да, сэр. Тот миллион, что мы ему заплатили, был переведен во Фрипорт, а позже Макдир сказал мне, что долго эти деньги там не пролежат.

— Ты думаешь, он туда и направляется?

— Не знаю. Совершенно очевидно, что ему необходимо выбраться из страны. Я говорил сегодня с надзирателем тюрьмы, он объяснил мне, что Рэй Макдир бегло говорит на пяти или шести языках. Так что они могут отправиться куда угодно.

— По-моему, нам нужно выдвигаться.

— Не блокировать ли нам все дороги вокруг Таллахасси? Они не уйдут далеко, если у нас будет детальное описание их машины. К утру мы их возьмем.

— Необходимо, чтобы через час вся полиция центральной Флориды — вся, до единого человека — вышла на автострады. Блокировать каждую тропку. Обыскивать все «форды»-пикапы, ясно? Наши люди подождут здесь до рассвета, а затем начнем повышать ставки.

— Есть, сэр, — ответил Тарранс с усталой улыбкой.

Известие о том, что их видели в Таллахасси, моментально распространилось по Изумрудному берегу. Панама-Сити получил передышку. Слава Богу, эти противные Макдиры убрались куда-то. По причинам, которые были известны только им самим, путь их теперь лежал не к морю, а от него, в глубь страны. После того как они попались на глаза и были идентифицированы — дважды! — они сочли за благо мчаться, сев в машину, по автостраде, навстречу опасности.

Полицейских, расставленных чуть ли не вдоль всего берега, отпустили домой. На ночь оставили несколько постов в двух округах, Бэй и Галф; предрассветные часы субботы протекли почти нормально; на дороге, идущей вдоль пляжа, в обоих его концах еще стояли патрули, время от времени проверяя документы у водителей проезжавших машин. Дороги к северу от города были открыты для свободного движения транспорта. Погоня ушла на восток.

* * *

Где-то на задворках Окалы, штат Флорида, неподалеку от Силвер-Спрингс, Тони Две Тонны с сопением выбрался из очередной закусочной, которых было так много вдоль шоссе номер 40, и опустил в телефон-автомат монету в двадцать пять центов. Он набрал номер полицейского управления Окалы и сообщил дежурному, что только что видел тех самых трех человек, которых искала полиция вдоль всего пляжа в Панама-Сити. Этих, ну, Макдиров! Сказал, что видел их снимки в газете вчера, когда проезжал через Пенсаколу. Видел беглецов только что, ошибиться не мог. Дежурный ответил Тони, что все патрульные выехали к месту аварии и что если его не очень затруднит, то пусть он подъедет к участку, чтобы дать показания. Тони с достоинством возразил, что он очень торопится, но, поскольку дело важное, он, так и быть, заглянет к ним.

Когда машина Тони остановилась рядом с участком, шеф полиции, тоже прибывший сюда, уже ждал его. Одет он был не по форме: в голубые джинсы и майку; глаза красные от недосыпания, волосы всклокочены. Он тут же выразил глубокую благодарность Тони за то, что тот не отказался заехать. Достав лист бумаги, офицер записал короткий рассказ Тони. Оказывается, он остановился, чтобы долить в бак бензина — заправка прямо напротив закусочной «Седьмое небо», и тут увидел, как к магазинчику, что расположен в одном здании с закусочной, подъехал пикап, «форд» зеленого цвета, с большим трейлером на прицепе. Из пикапа выбралась женщина, вошла в телефонную будку и стала набирать номер. Он сам, объяснял Тони, направлялся из Мобила в Майами, и его угораздило попасть как раз в тот район, где шла охота на преступников. Поскольку он видел газеты, а в машине к тому же все время работало радио, о Макдирах он знал почти все. В общем, он подошел к кассе, расплатился, и вдруг до него дошло, что женщину, которая говорит по телефону, он где-то видел. Тони моментально вспомнил где — в газете! Подойдя к окну, попытался рассмотреть сидящих в машине мужчин. Это были именно они, вся их троица. Женщина повесила трубку, вернулась в пикап, и они тронулись. Да, «форд» зеленого цвета, номерной знак штата Теннесси.

Шеф городской полиции поблагодарил Тони еще раз и тут же стал звонить шерифу округа Мэрион.

Попрощавшись, Тони вышел и направился к своему автомобилю, на заднем сиденье которого крепким сном спал Аарон Риммер.

Тони сел за руль, тронул машину с места и погнал ее на север, туда, где мирным сном спал Панама-Сити.

ГЛАВА 39

В субботу в семь часов утра Энди Патрик вышел из дверей мотеля, посмотрел по сторонам и быстро пересек автостоянку. Подойдя к зданию в глубине двора, он негромко постучал в дверь под номером тридцать девять.

— Кто? — спросила Эбби.

— Управляющий, — ответил он ей.

Дверь раскрылась, и человек, который так походил на фоторобот Митчела И. Макдира, выскользнул к нему. Волосы его значительно укоротились и стали огненно-рыжими. Энди так и уставился на эти волосы.

— Доброе утро, Энди, — сказал человек, внимательным взглядом окидывая стоянку.

— Доброе утро. Я... решил посмотреть, не уехали вы еще.

Митч только покачал головой, продолжая озираться по сторонам.

— А по телевизору сегодня утром передали, что вы за ночь уже пол-Флориды отмахали.

— Да, мы тоже смотрели новости. Они играют в какую-то игру, так, Энди?

Носком ботинка Энди отшвырнул с дорожки камешек.

— Там еще сказали, что ночью вас где-то там видели три человека. И все в разных местах. Как-то все это странно. Я просидел здесь всю ночь, работал, поглядывал туда и сюда, но что-то не заметил, чтобы вы куда-нибудь отлучались. А перед рассветом я сбегал через дорогу в кафе, в-о-о-н там, ну и, как обычно, там было полно копов. Я сел поближе к ним. Все говорили о том, что здесь облава закончилась, посты сняты. Фэбээровцы уехали сразу после того, как им сообщили, что вас опознали третий раз. Полиция тоже убралась почти вся. Пляж они собираются блокировать до полудня. Прошел слух, что кто-то вам здорово помогает со стороны и что вы хотите бежать на Багамы.

— А еще что говорили? — Митч внимательно слушал Энди, не забывая поглядывать налево и направо.

— Что-то о грузовике, набитом ворованными товарами, — как они его нашли, а товару-то и нет. И никто не может понять, как вам удалось переложить весь наворованный груз в трейлер и выбраться из города прямо у них под носом. Они просто поражаются. Я, конечно, свое дело знаю, слушаю да помалкиваю, но я-то понял, что грузовичок тот самый, на котором вы приехали сюда в четверг вечером.

Собеседник Энди задумался и ничего не ответил. Энди внимательно следил за выражением его лица — вроде и не скажешь, что парень волнуется.

— А вам, похоже, это не по вкусу, — заметил он. — То есть я хочу сказать, что вас уже здесь не ищут и все копы свалили. Но ведь это же хорошо, правда?

— Энди, я могу сказать тебе только одно.

— Я слушаю вас.

— Теперь стало еще опаснее.

Энди думал над этой фразой не меньше минуты, а потом спросил:

— Это почему же?

— Полиция хотела меня всего-навсего арестовать, Энди. А кое-кто хочет меня убить. Это профессиональные убийцы, Энди. И их много. И они пока здесь.

Энди прищурил свой единственный глаз на Макдира. Профессиональные убийцы! Здесь? На пляже? Он сделал шаг назад. Мелькнула мысль — спросить прямо, кто они такие и почему за ними охотятся, но он тут же понял, что ответа на вопрос не услышит. Тогда ему пришло в голову другое.

— А почему бы вам не бежать?

— Бежать? Каким образом?

Энди поддел ногой другой камешек и кивнул в сторону старого, семьдесят первого года выпуска, «понтиака», стоявшего у того здания, из которого он только что вышел:

— Можно воспользоваться моей машиной. Вы втроем заберетесь в багажник, и я вывезу вас из города. На бродяг вы не похожи, так что сможете сесть на самолет, и — вперед!

— А сколько ты с нас запросишь?

Энди почесал за ухом, вперив взор в землю. Видимо, парень связан с наркотиками, подумал он, а коробки набиты кокаином и наличными. Профессиональные же убийцы скорей всего — колумбийская мафия.

— В общем-то, конечно, это будет дорого, сами понимаете. То есть я хочу сказать, сейчас, за пять тысяч в день, я — всего лишь служащий мотеля, ну, правда, не очень наблюдательный. Но если я возьмусь вам помочь скрыться из города, то превращусь в соучастника и мне опять будут предъявлять обвинения, держать в тюрьме и все такое прочее, чем я уже по горло сыт, понимаете? Вот поэтому я и говорю, что будет дорого.

— Сколько, Энди?

— Сто тысяч.

В лице Митча ничего не изменилось, даже веки не дрогнули, он только чуть повернул голову в сторону берега. Энди тут же сообразил, что не перегнул палку.

— Мне нужно подумать, Энди. Теперь ты и сам все понимаешь не хуже нас. Полиция из города убралась, зато вот-вот появятся другие преследователи. Сегодняшний день может стать здорово опасным, и мне, Энди, потребуется твоя помощь. Если увидишь, что поблизости кто-то шляется, сразу сообщи мне. Мы из этих комнат никуда не выходим. Договорились?

Энди вернулся за свой стол. Любой дурак на месте этого человека прыгнул бы в багажник и подставил свою задницу вольному ветру. Тут все дело в коробках. Вот почему они не хотят уезжать.

Макдиры тем временем устроили легкий завтрак из засохшего печенья и теплой кока-колы. Рэю до смерти хотелось выпить холодного пива, но еще один рейс в магазин был слишком рискованным. Они быстро поели и уселись смотреть утренние новости. Как раз в это время местная телестудия показывала их фоторoботы. Увидев не свои, но все же довольно похожие лица на экране, они сначала почувствовали страх, но он быстро прошел.

В начале десятого Митч выключил телевизор и вновь занял место на полу среди коробок. Взяв в руки пачку документов, он сделал знак Эбби, сидевшей напротив с камерой в руках. Дача показаний продолжилась.

Лазаров дожидался времени, когда к своим обязанностям должны были приступить горничные. Заметив, что они принялись за работу, он разослал людей по всему пляжу. Разбившись по двое, те начали обходить бунгало, стучать в двери, заглядывать в окна, тенью проскальзывать в темных коридорах. В большинстве небольших гостиниц было по две-три горничных, которые знали всех проживающих. Процедура была довольно простой и почти всегда оправдывала себя. Один из штурмовиков разыскивал горничную, вручал ей стодолларовую бумажку и совал под нос фотоснимки. Если она отказывалась говорить, он продолжал скармливать ей банкноту за банкнотой до тех пор, пока она не соглашалась. Если же горничная оказывалась не в состоянии опознать своих жильцов, ее спрашивали, не видела ли она поблизости небольшого грузовичка, не заметила ли, что в какой-то номер носили коробки, или, может, ей бросилось в глаза, что некая женщина и с ней двое мужчин ведут себя подозрительно, или на худой конец, возможно, она просто обратила внимание на что-то необычное. Среди горничных порой попадались и такие, что толку добиться было невозможно, тогда человек просто спрашивал, какие комнаты заняты, проходил к ним и стучал в двери.

Так их проинструктировал Лазаров. Начинайте с горничных, сказал он им. Держитесь подальше от администрации. Сделайте вид, что вы — полицейские. Кто на них наткнется — убить на месте, и тут же к телефону.

Четыре взятых напрокат фургона Де Вашер разместил вдоль всего пляжа, неподалеку от автострады. В кабинах за рулем сидели Ламар Куин, Кендалл Махан, Уолли Хадсон и Джек Олдрич — ни дать ни взять водитель устроил себе небольшую передышку на пляже — и глаз не сводили с ленты дороги, внимательно вглядываясь в лица проезжавших мимо людей. Вместе с другими десятью сотрудниками фирмы Бендини они прибыли в полночь на частном самолете. Бывшие коллеги Митча смешались с толпой туристов в сувенирных лавках и кафе, причем каждый в глубине души надеялся, что ему повезет и Макдира встретит кто-нибудь другой. Даже партнеров собрали по всей стране, и с раннего утра они ходили по пляжу, рассматривая купающихся в бассейнах, заглядывая в вестибюли отелей и просто вертя головой по сторонам. Натан Лок оставался рядом с мистером Моролто, однако остальные партнеры, изменив внешний вид с помощью тапочек для гольфа и солнцезащитных очков, подчинялись приказам генерала Де Вашера. Не хватало только Эйвери Толара. Никто ничего не слышал о нем после того, как он вышел из клиники.

Вместе с тридцатью тремя юристами фирмы мистер Моролто вывел на охоту почти сто человек.

Швейцар у дверей мотеля «Блю тайд» взял стодолларовую купюру, бросил взгляд на фотоснимки и сказал, что, ему кажется, он видел, как женщина и один из мужчин въехали сюда в четверг вечером. Всмотревшись в фоторобот Эбби, он подтвердил, что в четверг видел именно ее. Получив еще несколько купюр, он прошел к стойке, чтобы посмотреть регистрационные списки. Вернувшись, он доложил, что женщина по имени Джеки Нэйджел заплатила наличными за две комнаты на срок с четверга по субботу. Швейцару дали еще денег, и он провел с собой двух вооруженных мужчин. В обе двери постучали, но без всякого результата. Швейцар принес ключ, открыл двери и позволил своим новым друзьям войти и осмотреть комнаты. Стало очевидно, что в них не ночевали. Один из штурмовиков вызвал по рации Лазарова, и через пять минут примчался Де Вашер, начавший обнюхивать комнаты в поисках какихнибудь следов. Он не нашел ничего, однако район поисков сразу сузился до тянущейся между мотелем «Блю тайд» и гостиницей «Бичкомбер» полосы пляжа в четыре мили длиной, на которой был обнаружен пустой грузовичок.

Охотников перегруппировали. Партнеры и сотрудники фирмы отдыхали на пляже и в ресторанах, штурмовики вежливо стучали в двери номеров.

В десять тридцать пять субботнего утра Энди расписался в получении бандероли, пришедшей на имя Сэма Форчуна. Он осмотрел пакет. Отправительницей значилась Дорис Гринвуд, проживавшая на Поплар-авеню в Мемфисе, штат Теннесси. Телефон указан не был. Энди чувствовал, что бандероль ценная, на мгновение ему стало жаль, что он упустил лишнюю возможность на этом подзаработать. Однако доставка была уже ему оплачена. Оглянувшись по сторонам, он вышел за дверь.

За годы своей беспокойной жизни Энди выработал бессознательную привычку перемещаться быстро, ныряя в тень и избегая по возможности открытых пространств. Когда он повернул за угол, чтобы пересечь автостоянку, отделявшую его от домика, где ждали беглецы, он тут же увидел, как в дверь номера двадцать один стучат двое каких-то незнакомцев. В этом номере никто не жил, поэтому Энди сразу насторожился. Тем более что два этих типа были одеты в одинаковые белые майки и белые шорты чуть ли не до колен, а ноги у обоих отличались сметанной белизной. На одном были темные носки и кроссовки на толстой подошве, другой был обут в дешевые сандалии, которые явно натерли ему ногу. На головах у обоих красовались панамы.

Прожив здесь полгода, Энди за милю распознал бы человека, которому зачем-то понадобилось прикинуться туристом. Стучавший в дверь решил повторить попытку, и, когда он поднял руку, Энди увидел в заднем кармане его шорт пистолет.

Энди тут же повернулся и быстро пошел назад, в свою конторку. Из нее он по телефону связался с комнатой номер тридцать девять, спросил Сэма Форчуна.

— Я Сэм, слушаю.

— Сэм, это Энди. Я тут у себя, за стойкой. Не подходите к окнам — два каких-то подозрительных типа шатаются вдоль стоянки и стучат в двери номеров.

— Полицейские?

— Я так не думаю. Но и не наши жильцы.

— А где горничные?

— По субботам они раньше одиннадцати не показываются.

— Хорошо. Мы выключаем свет. Следи за ними. Позвони мне сразу, как они уйдут.

Из окна кладовой Энди наблюдал, как мужчины шли от двери к двери, стуча и иногда дергая ручки. Из сорока двух комнат в одиннадцати были постояльцы. Номера тридцать восемь и тридцать девять не отозвались на стук. Обстучав все двери, парочка удалилась в сторону пляжа. Профессиональные убийцы. У него в мотеле!

Энди бросил взгляд в том направлении, куда ушли двое мужчин в белых шортах. На стоянке у небольшого поля для гольфа на пляже он увидел двух таких же «туристов» — они разговаривали с человеком, сидящим в кабине белого фургона. Все трое указывали в разные стороны и спорили.

Энди вновь снял трубку:

— Слушай, Сэм, они смылись. Но вокруг полно точно таких же.

— Сколько?

— Прямо напротив себя я вижу еще двоих. Вам лучше все же бежать.

— Спокойнее, Энди. Никто нас не увидит, если мы не будем пытаться выйти отсюда.

— Не останетесь же вы здесь навечно! Скоро должен подойти мой босс.

— Мы не надолго здесь задержимся, Энди. Бандероль принесли?

— Она у меня.

— Замечательно. Я хотел бы взглянуть на нее. Да, Энди, а как насчет того, чтобы поесть? Ты сходил бы в лавку напротив и принес нам чего-нибудь горячего.

Энди считал себя управляющим, а уж никак не рассыльным. Но за пять тысяч долларов в день даже в «Си галл» можно было рассчитывать на какой-то сервис.

— Конечно. Я мигом.

Схватив телефонный аппарат, Уэйн Тарранс рухнул на кровать в своем номере на седьмом этаже «Рамада инн» в Орландо. Он едва держался на ногах от усталости, его душила ярость, а при мысли о Ф. Дентоне Войлсе к горлу подступала тошнота. Была суббота, половина второго пополудни. Тарранс связался с Мемфисом. Секретарша почти ничего не сообщила ему, сказав только, что звонила Мэри Элис и хотела с ним поговорить. Удалось установить, что звонила она из телефона-автомата в

Атланте. Мэри Элис обещала позвонить еще раз в два. Может, Уэйн — она назвала его просто Уэйном — вернется к этому времени. Тарранс оставил секретарше номер своего телефона в отеле и повесил трубку. Итак, Мэри Элис. В Атланте. А Макдир? В Таллахасси, затем в Окале, затем... Нигде? Нигде и признаков зеленого «форда»-пикапа с номерами штата Теннесси. Опять он испарился.

Раздался звонок. Тарранс поднял трубку.

— Мэри Элис, — негромким голосом устало сказал он.

— Уэйн, детка! Как ты догадался?

— Где он?

— Кто? — Тэмми хихикнула.

— Макдир. Где он?

— Ну, Уэйн, ребята ваши и вправду запарились, но ведь гонялись-то вы не за кроликом, а за диким зайцем. Да вы и близко к нему не подобрались, детка, хотя мне жаль тебя расстраивать.

— В течение последних четырнадцати часов его трижды опознали.

— Вам бы лучше проверить свидетелей, Уэйн. Несколько минут назад Митч сказал мне, что ни разу в жизни он не был в Таллахасси. Никогда и не слышал об Окале. И за рулем фордовского пикапа тоже не сидел, и трейлера у него тоже не было. Вас кто-то здорово провел, Уэйн.

Тарранс потер пальцами переносицу и прерывисто задышал в трубку.

— Как там в Орландо? — спросила она. — А не сходить ли тебе в Диснейленд, уж поскольку ты все равно в городе?

— Где он, черт побери?!

— Уэйн, Уэйн, успокойся, детка. Документы вы получите.

Тарранс тут же сел в постели.

— О'кей. Когда?

— Мы могли бы пожадничать и потребовать сначала расплатиться с нами до конца. Да, Уэйн, я звоню из автомата, так что не трать время на поиски. Так вот, не такие уж мы и жадные. Все бумаги ты получишь в течение суток. Если все будет идти хорошо.

— Где они?

— Я буду звонить тебе, детка. Если останешься там, где ты сейчас, буду напоминать о себе каждые четыре часа — пока Митч не скажет, где документы. Но, Уэйн, если ты куда-нибудь отойдешь, то я могу потерять тебя, детка. Так что ты уж лучше не отходи.

— Я буду здесь. Он все еще в стране?

— Думаю, что нет. Я почти уверена, что сейчас он в Мехико. Брат его говорит по-испански, ты знаешь?

— Знаю.

Тарранс вытянулся на кровати и мысленно послал все к чертям. Пусть Митч торчит в своей Мексике, если уж документы окажутся у него!

— Так ты никуда не уходишь, Уэйн. Можешь подремать, ты, верно, устал, бедняга? Я позвоню около пяти или шести.

Поставив телефон на столик, Тарранс задремал.

Ко второй половине дня субботы поисковый запал подошел к концу: шефа городской полиции Панама-Сити замучили жалобы владельцев мотелей. Пришлось послать группу к мотелю «Брейкерс», хозяин которого сообщил, что его постояльцев напугали какие-то вооруженные люди. Довольно значительные силы были отправлены и на пляж — оттуда тоже шли сообщения о встречах с подозрительными личностями. Теперь разворачивалась охота за теми, кто шел по следу Макдиров. Изумрудный берег стоял на грани войны.

Взмокшие от пота и уставшие, люди Де Вашера были вынуждены работать в одиночку. Прекратив слоняться по ресторанам, магазинам и отелям, они разбрелись по пляжу, с облегчением расселись в пластиковых креслах и стали довольно лениво рассматривать туристов. Одни лежали на песке, другие старались держаться в тени, поглядывая на каждого отдыхающего.

Де Вашер в неудобной позе стоял на балконе своего номера, упираясь локтями в поручни. Стоял и смотрел, как постепенно пустеет пляж, как медленно опускается за горизонт солнце. За его спиной скользнула в сторону стеклянная дверь, на балкон вышел Аарон Риммер:

— Мы нашли Толара.

Де Вашер не шевельнулся.

— Где?

— Прятался в квартире своей любовницы в Мемфисе.

— Он был один?

— Да. Он уже не навредит. Инсценировали ограбление.

В сотый раз Рэй, сидя в комнате, рассматривал новые паспорта, визы, водительские удостоверения и свидетельства о рождении. Фотографии Митча и Эбби на паспортах были сделаны в то время, когда супруги еще оставались темноволосыми. Ничего, им бы только вырваться отсюда, а там время возьмет свое. Для фотографии Рэя взяли немного подретушированный снимок Митча-студента: длинные волосы, открытый и упрямый взгляд. Глаза, носы, скулы были у обоих очень похожими, но на этом сходство кончалось. В документах значились имена Ли Стивенса, Рэкел Джеймс и Сэма Форчуна, все трое из Мерфрисборо, штат Теннесси. Док потрудился на славу, подумал Рэй, изучив все.

Эбби упаковывала видеокамеру. Сложенный штатив она прислонила к стене. На телевизоре аккуратной стопкой возвышались четырнадцать видеокассет, на каждой — ярлык с надписью.

Запись свидетельских показаний продлилась в общей сложности шестнадцать часов. Когда Эбби вставила в камеру первую кассету, Митч повернулся к объективу лицом, поднял вверх правую руку и поклялся говорить правду, только правду, и ничего, кроме правды. Он стоял рядом со шкафом, пол вокруг него был покрыт документами. С помощью сделанных Тэмми заметок, справок, вычерченных ею схем он логично и последовательно изложил сначала суть банковских записей. Митч указал более двухсот пятидесяти счетов в одиннадцати каймановых банках. Некоторые были именными, но большая часть скрывалась под номерами. На основании информации, почерпнутой из компьютерных распечаток, он воссоздал всю предысторию каждого из счетов: вклады наличных денег, компьютерные переводы и прочее. В нижней части каждого документа, который Митч использовал в своих показаниях, черным фломастером он подписал свои инициалы, ММ, и следом порядковый номер: ММ1, ММ2, ММ3 и так далее. Предъявив объективу видеокамеры документ

ММ1485, он тем самым вернул государству девятьсот миллионов долларов, укрытых в каймановских банках.

После этого Митч тщательнейшим образом, по кусочкам, как из мозаики, сложил всю иерархическую структуру империи. За период в двадцать лет более четырехсот каймановских корпораций попали в сферу влияния семейства Моролто и их неправдоподобно богатых и столь же продажных юристов. Все эти корпорации были связаны между собой и использовали банки в качестве своих зарегистрированных агентов и постоянных юридических адресов. Митч довольно быстро понял, что в его руках лишь малая часть документов, и тут же, перед камерой, высказал догадку относительно того, что основной архив должен храниться в подвале фирмы «Бендини, Ламберт энд Лок» в Мемфисе. Он также объяснил участникам предстоящего судебного заседания, что армии инспекторов Национального налогового управления понадобится по меньшей мере год, чтобы разобраться во всех хитросплетениях головоломки, составленной по воле клана Моролто.

Неторопливо Митч брал в руки очередной лист, рассказывал, ставил на нем свои инициалы, откладывал в сторону, переходил к следующему. Эбби управлялась с камерой. Рэй посматривал в окно на автостоянку и без устали восхищался новыми паспортами.

Целых шесть часов Митч посвятил рассказу о способах отмывания грязных денег, которые использовались Семьей Моролто и юристами фирмы «Бендини, Ламберт энд Лок». Любимым методом был, по его словам, следующий. В принадлежащий фирме самолет грузилась астрономическая сумма наличными, с ними, для придания операции видимости обычной командировки, летели два-три юриста. А пока государственная таможенная служба изнывала от непрекращающихся попыток — по суше, по морю или воздуху — ввезти в страну наркотики, никто не обращал внимания на то, что из страны вывозилось. Задумано все было великолепно. Самолеты, так сказать, вылетали грязными и возвращались чистыми. Когда деньги оказывались на Большом Каймане, кто-нибудь из находившихся на борту юристов платил заранее обговоренную мзду местным таможенникам и соответствующему банкиру. Иногда получалось так, что четвертая часть ценного груза уходила на взятки.

После того как деньги оказывались на номерном, как правило, счете, проследить их происхождение человеку со стороны становилось практически невозможно. Однако кое-какие банковские операции замечательным образом совпадали с важными событиями в жизни корпораций. Обычно деньги помещались на один из десятка номерных счетов, или суперсчетов, как их прозвал Митч. Он перечислил номера этих счетов и названия соответствующих банков. С течением времени, когда регистрировались новые корпорации, деньги с этих суперсчетов переводились на счета корпораций, часто в одном и том же банке. И когда деньги переходили к легальной корпорации, о которой местным властям все было известно, начиналась операция по их отмыванию. Самым простым и наиболее распространенным способом отмывания денег была покупка недвижимости или других абсолютно чистых и невинных объектов на территории США. Подобные сделки заключались с помощью изобретательных юристов фирмы «Бендини, Ламберт энд Лок», деньги переходили из рук в руки только через компьютеры. Часто бывало, что одна кайманская корпорация приобретала что-то для другой кайманской корпорации, являвшейся владельцем компании в Панаме, а та, в свою очередь, обладала всеми правами на какую-нибудь датскую компанию. Датчане приобретали фабрику по производству мячей для гольфа в Толедо, а деньги для покупки переводили из какого-нибудь второстепенного банка в Мюнхене. И таким образом грязные деньги превращались в чистые, вот и все.

После документа номер ММ4292 Митч устал и решил прекратить дачу показаний. Шестнадцати часов должно хватить. На суде пройдет, видимо, не все, но цели своей он достигнет. Тарранс с дружками смогут прокрутить кассеты Большому жюри присяжных и добиться осуждения по крайней мере тридцати юристов фирмы. Кассеты же помогут ему добиться выдачи ордера на обыск.

Свою половину сделки Митч выполнил. Пусть он не сможет дать показания лично — в конце концов, ему заплатили всего миллион долларов, а он предоставлял в распоряжение ФБР гораздо больше, чем обещал. Он чувствовал себя совершенно опустошенным физически и духовно. В полном изнеможении он опустился на край постели. Эбби прикрыла глаза и села на стул.

Сквозь щелку в шторах Рэй выглянул на улицу.

— Не мешало бы нам выпить холодного пива, — сказал он.

— И не вздумай, — подал голос Митч.

Рэй повернулся к нему:

— Отдыхай, братец. Уже стемнело, а магазин всего в двух шагах. Я сам могу о себе позаботиться.

— Выбрось это из головы, Рэй! Нет никакой нужды рисковать. Через несколько часов нас здесь не будет, и, если все закончится хорошо, всю оставшуюся жизнь ты сможешь только пить пиво.

Рэй пропустил тираду мимо ушей. Натянув свою бейсбольную шапочку до самых бровей, он сунул в карман несколько банкнот и потянулся за пистолетом.

— Прошу тебя, Рэй, не бери хотя бы пистолет, — обратился к нему Митч.

Рэй сунул оружие под рубашку и вышел. Быстрым шагом он направился по песку к магазинчику, минуя маленькие мотели, сувенирные лавки, стараясь держаться в тени. У входа он остановился, посмотрел по сторонам и, уверившись, что за ним никто не наблюдает, вошел. На прилавке у двери стояли банки, но они были слишком теплые. Пиво похолоднее находилось чуть дальше.

На располагавшейся неподалеку автостоянке под широкополой соломенной шляпой прятался Ламар Куин, беседуя о чем-то с подростками из Индианы. Он видел, как Рэй вошел в магазин, и что-то в его облике показалось Ламару знакомым. Ламар приблизился к окну во всю стену и заглянул туда, где в глубине магазинчика стоял холодильник, набитый банками с пивом. Глаза стоявшего рядом с холодильником мужчины были скрыты за темными очками, но его нос и скулы явно напоминали кого-то, кого Ламар знал. Он прошел в магазин, взял пакетик с чипсами. Остановившись у кассы, оказался лицом к лицу с человеком, который, не будучи Митчелом Макдиром, удивительно походил на него.

Это Рэй, подумал Ламар, кто же это может быть иной. Лицо на солнце обгорело, волосы слишком коротки, чтобы прическа считалась модной. Глаза прикрыты. Тот же рост. Тот же вес. Та же походка.

— Как дела? — обратился к нему с вопросом Ламар.

— Отлично. У вас тоже? — И голос был похож.

Ламар расплатился за чипсы и вернулся на свой пост. Размеренным жестом он опустил пакетик в урну для мусора рядом с телефонной будкой и быстрым шагом отправился в сувенирную лавку. Поиски Макдира продолжались.

ГЛАВА 40

Темнота принесла с собой прохладу. Солнце исчезло как-то уж очень быстро, а луна не торопилась занять свое место на небосклоне. Или сегодня новолуние? Высоко-высоко над головами людей проплывали безобидные облака, вода казалась черной.

Темнота выманивала к воде рыбаков. Один за другим они поднимались на уходящий от берега пирс. Собирались группками по три-четыре человека и безмолвно следили за своими лесками, уходившими в черную воду, поверхность которой мерцала в двадцати футах внизу. Люди неподвижно стояли, опираясь о металлический поручень, время от времени кто-то говорил пару слов соседу. Все наслаждались слабым ветерком, разлитой в воздухе тишиной и ровной гладью воды гораздо больше, чем поклевкой какой-то случайной глупой рыбины, лишь слегка тревожившей покачивающиеся поплавки. Эти люди в большинстве своем были отпускниками из северных штатов, приезжавшими сюда каждый год в одно и то же время, останавливавшимися в одних и тех же мотелях и приходившими по ночам на излюбленное место, чтобы забросить удочки и полюбоваться величием бескрайнего моря. У ног мужчин стояли пакетики с наживкой и небольшие ведерки, в которых банки с пивом были переложены кусками льда.

Иногда на пирс забредал кто-нибудь, не принадлежавший к компании рыболовов, иногда появлялась влюбленная парочка, неспешно проходившая сотню ярдов до того места, где край пирса обрывался. Несколько минут влюбленные стояли, глядя в темное зеркало моря у себя под ногами, потом поворачивались и с восхищением взирали на тысячи рассыпанных вдоль берега мерцающих огоньков. Украдкой посматривали на замерших в неподвижности рыболовов. Те их не замечали.

Не обратили они внимания и на Аарона Риммера, неслышно прошедшего за их спинами где-то около одиннадцати. В самом конце пирса он выкурил сигарету и бросил окурок в море. Повернулся к берегу и подумал о тысячах комнат в мотелях, гостиницах и бунгало.

Пирс Дэна Рассела был крайним к западу из трех имевшихся на пляже Панама-Сити. Он был и самым новым, самым длинным, выстроенным из монолитного бетона. Два других, сооруженных много лет назад, были целиком деревянными. В центре пирса стояло небольшое кирпичное здание, в котором размещался склад рыболовных снастей, маленький бар, где можно было наскоро перехватить чего-нибудь, и несколько комнат для отдыха. Ночью были открыты только эти комнаты.

От пирса до мотеля «Си галл» было около полумили.

В одиннадцать тридцать Эбби вышла из комнаты, миновала бассейн с грязной водой и неторопливо зашагала вдоль берега. На ней были шорты, белая шляпа из соломки и ветровка с поднятым воротником. Шла она размеренной упругой походкой, глубоко засунув руки в карманы ветровки, как опытный спортсмен-ходок, привыкший размышлять на дистанции о чем-то своем. Пятью минутами позже покинул комнату Митч. Он тоже обогнул бассейн и устремился за Эбби, стараясь попадать в следы ее шагов на песке, поглядывая иногда в сторону моря. Навстречу ему двигались два таких же спортсмена, шедших по самой кромке воды, разбрасывая вокруг брызги и обмениваясь редкими фразами. На шее у Митча болтался на шнурке свисток — так, на всякий случай, а карманы были набиты шестьюдесятью тысячами долларов. Посматривая на море, он не забывал бросать время от времени тревожные взгляды на видневшуюся впереди фигурку жены. Когда он отошел от мотеля ярдов на двести, показался Рэй. Он закрыл за собой дверь и положил ключ в карман. Вокруг груди у него было намотано футов сорок нейлонового троса черного цвета, под который он засунул пистолет. Все это было скрыто от постороннего взгляда просторной ветровкой. За одежду и прочие мелочи Энди содрал с них еще пару тысяч.

Рэй спустился на берег. Митча он видел довольно хорошо, а Эбби в темноте превратилась в едва различимую точку. Больше никого на берегу не было.

Время близилось к полуночи, и рыболовов на пирсе почти не осталось — они придут сюда только через сутки. Их небольшую группку Эбби увидела у комнат для отдыха. Миновав их, она расслабленной походкой направилась к концу пирса и облокотилась там о поручень, глядя в непроглядно темные воды залива. Далеко-далеко от берега глаза ее различили красные огоньки буев. Ровными линиями шли в восточном направлении голубые и белые огоньки, желтыми мигало почти на горизонте какое-то судно. Эбби стояла в полном одиночестве.

Митч устроился в пластиковом кресле, стоявшем под сложенным зонтом у входа на пирс. Эбби он видеть не мог, зато хорошо различал почти всю водную гладь залива. Ярдах в пятидесяти в стороне на груде кирпича сидел Рэй, водя ногой по песку. Все трое пребывали в ожидании, незаметно поглядывая на часы.

Ровно в полночь Эбби расстегнула молнию ветровки и достала тяжелый фонарик. Оглянувшись и посмотрев под ноги, в воду, она уперла фонарик себе в живот и, прикрыв его с обеих сторон полами куртки, направила в сторону моря. Затем три раза нажала кнопку. Нажмет — отпустит. Нажмет — отпустит. Нажмет — отпустит. Лампочка трижды мигнула зеленым. Крепко сжав фонарик в руке, Эбби напряженно вглядывалась в темноту.

Ничего. Ей показалось, что она прождала целую вечность, и через две минуты фонарик в ее руке замигал опять. Три зеленые вспышки. Никакого результата. Она глубоко вздохнула и тихо сказала себе:

— Спокойно, Эбби, спокойно. Он где-то неподалеку.

Еще серия вспышек, опять нервное ожидание. Пустота.

Сидя на краешке кресла, Митч в волнении обозревал раскинувшуюся перед ним водную гладь. Краем глаза он уловил справа какое-то движение: к пирсу кто-то приближался, почти бежал, вот мужчина вспрыгнул на ступени пирса. Это был Скандинав. Митч бросился за ним.

Аарон Риммер прошел мимо засидевшихся рыболовов, обогнул кирпичное зданьице и остановился, разглядывая женщину в белой соломенной панаме. Женщина стояла, чуть согнувшись, в самом конце пирса, руки ее были чем-то заняты. Внезапно он увидел три зеленоватых отсвета. Риммер начал неслышно приближаться к ней.

— Эбби!

Она отпрянула и раскрыла рот, пытаясь закричать. Риммер бросился на нее и оттолкнул к перилам. Из темноты ему в ноги упал Митч, и все трое покатились по гладкой бетонной поверхности. Соприкоснувшись с Риммером, Митч плечом ощутил, что за поясом у того пистолет. Наугад он ткнул в темноту локтем, но промахнулся. Риммер извернулся и кулаком нанес ему сильнейший удар в левый глаз. Эбби успела отползти в сторону. Митч ничего не видел, его замутило. Риммер резко вскочил на ноги, потянулся за пистолетом, но опоздал. В прыжке на него обрушился Рэй, с чудовищной силой отбросив Риммера на перила. Не дав ему опомниться, Рэй нанес ему четыре прямых стремительных удара по глазам и по носу, брызнула кровь. Чему только не научишься, сидя в тюрьме! Скандинав упал на колени, и Рэй вновь заработал кулаками. Жалобно застонав, Риммер рухнул, уткнувшись лицом в бетон.

Рэй вытащил у него пистолет и передал Митчу, который все же поднялся и пытался сфокусировать взгляд. Эбби оглядывалась. Вокруг ни души.

— Продолжай сигналить, — скомандовал Рэй, сматывая с груди нейлоновый тросик.

Эбби повернулась к воде, прикрыла фонарик и начала беспорядочно жать на кнопку.

— Что ты собираешься делать? — прошептал Митч, следя за манипуляциями Рэя с тросиком.

— Одно из двух: либо пристрелить его, либо утопить.

— О Боже! — вырвалось у Эбби.

— Не стреляй, — опять же шепотом приказал Митч.

— Ладно, не буду.

Рэй накинул на шею Скандинава тросик, захлестнул его, потянул. Митч встал так, чтобы по возможности скрыть от Эбби происходящее. Она тоже старалась не смотреть в их сторону.

— Мне очень жаль, но у нас нет выбора, — едва слышно пробормотал Рэй.

Потерявший сознание Скандинав не оказал никакого сопротивления. Через три минуты Рэй шумно выдохнул и проговорил:

— Он мертв.

Другой конец тросика он привязал к опоре перил и плавно столкнул тело в воду.

— Я спущусь первым.

Рэй подлез под перилами и, хватаясь за тросик, скользнул вниз. Под пирсом, в восьми футах от его поверхности, между двумя бетонными опорами, уходившими в воду, была небольшая площадка из металлических прутьев. Отличное укрытие. Следующей спустилась Эбби. Рэй подтянул ее за ноги и помог встать на площадку. Митч же, один глаз которого почти не видел, потерял равновесие и едва не свалился в воду.

И все-таки им это удалось! Они сидели на крошечной площадке в десяти футах от темной холодной воды. В десяти футах от рыб, крабов и мертвого Скандинава. Рэй обрезал тросик, чтобы тело опустилось на дно. Оно пролежит там несколько дней, а потом всплывет.

Так они сидели и вглядывались в мигающие вдали огоньки, ожидая, когда по хладным водам придет к ним их мессия. Единственными звуками, доносившимися до них, были тихие всплески волн да клацанье застежки-молнии о металлический корпус фонарика.

Потом над ними раздались чьи-то голоса. Нервные, встревоженные голоса. Кого-то искали. Но голоса эти довольно быстро смолкли.

— Ну, братишка, что будем делать теперь? — шепотом спросил Рэй.

— План «Б», — ответил Митч.

— Это еще что такое?

— Поплывем.

— Очень остроумно, — усмехнулась Эбби.

Прошел час. Металлическая площадка была не самым удобным укрытием.

— Вы заметили две лодки в том направлении? — задал вопрос Рэй.

Лодки были небольшими, находились они примерно в миле от берега и на протяжении всего этого часа медленно и с каким-то подозрительным постоянством кружили на одном месте.

— Видимо, ловят рыбу, — ответил Митч.

— Кто это ловит рыбу в час ночи?

Эта же мысль мелькнула и у Митча, и у Эбби. Но другого объяснения не было.

Эбби увидела его первой и только молилась в душе, чтобы это не оказалось мертвым телом, приближающимся к ним по темной воде.

— Смотрите, — сказала она, указывая на какой-то абсолютно черный предмет, двигавшийся к ним со стороны моря.

Все начали напряженно вглядываться в воду. До их слуха донесся странный тихий звук, более всего напоминающий стрекот швейной машинки.

— Продолжай сигналить, — напомнил Митч.

Предмет приближался. Еще несколько мгновений, и они увидели, что это нечто вроде маленькой лодочки с человеком, так им, во всяком случае, показалось в темноте.

— Эбанкс! — громко прошептал Митч.

Стрекот тут же стих.

— Эбанкс! — позвал он вновь.

— Где вы, черт побери? — услышали они.

— Здесь, под пирсом. Поторопись!

Опять послышался стрекот, и к опорам пирса на восьмифутовом резиновом плотике причалил Эбанкс. Все трое осторожно перебрались к нему, и четверо человек соединились в радостных объятиях, хлопая друг друга по плечам. Эбанкс включил пятисильный электродвигатель, направляя плотик в открытое море.

— Где ты пропал? — спросил его Митч.

— Носило по волнам, — беспечно отозвался тот.

— А почему так поздно?

— Опоздал я потому, что хотел увернуться от рыбацких лодок, набитых идиотами в пижонских костюмах, делающими вид, что они ловят рыбу.

— Как ты думаешь, это люди Моролто или фэбээровцы? — спросила Эбби.

— Такие идиоты могут быть и теми и другими, — отозвался Митч.

— А что случилось с твоим фонарем?

Эбанкс махнул рукой в сторону моторчика:

— Сели батареи.

Судно оказалось сорокафутовой яхтой, которую Эбанкс приобрел на Ямайке всего за двести тысяч. На палубе возле веревочной лестницы их поджидал его друг, он помог всем подняться на борт. Звали его Джордж, просто Джордж, по-английски он говорил с каким-то неуловимым акцентом. Эбанкс сказал, что ему можно доверять.

— Там в каюте, если хотите, есть виски.

Рэй нашел виски, а Эбби — маленькое одеяло, которым она и укрылась, забившись на узенькую койку. Митч стоял на палубе и восхищался своей яхтой. Когда Эбанкс вместе с Джорджем подняли на борт плотик, Митч бросил:

— Давайте-ка убираться отсюда. Можно это сделать прямо сейчас?

— Как скажешь, — ответил Джордж.

Глядя на огни берега, Митч едва слышно произнес:

— Прощай.

Затем он спустился в каюту и налил полный стакан виски.

Уэйн Тарранс лежал в одежде поперек кровати и спал. Он так и не шевельнулся все шесть часов, которые прошли с момента последнего звонка. Резким треском взорвался стоявший рядом на столике телефон. Только после четвертого звонка Тарранс очнулся и схватил трубку:

— Алло. — Язык повиновался ему с трудом, голос был хриплым.

— Уэйн, детка, я тебя разбудила?

— Разумеется.

— Можешь отправляться за документами. Комната номер 39 в мотеле «Си галл» в Панама-Сити, это вдоль шоссе номер 98. Там будет дежурный по имени Энди Патрик, он откроет тебе комнату. С бумагами будь осторожен. Наш общий друг их все аккуратно пометил, а еще он оставил тебе шестнадцать часов видеозаписи. Ничего не перепутай.

— У меня вопрос.

— Само собой, мой большой ребенок. Спрашивай что угодно.

— Где он нашел тебя? Ведь без тебя у него ничего не вышло бы.

— О Боже! Спасибо, Уэйн. Меня он нашел в Мемфисе. Мы подружились, и он предложил мне целую кучу денег.

— Сколько?

— Какая тебе разница, Уэйн? Мне больше никогда не придется работать. Прости, пора бежать, детка. Славное было развлечение!

— Где он?

— Сейчас он на борту самолета, следующего в Южную Америку. Но, ради Бога, Уэйн, не трать напрасно время, пытаясь его разыскать. Детка, я люблю тебя, но ведь даже в Мемфисе ты не смог его поймать. Пока!

Трубку на противоположном конце провода повесили.

ГЛАВА 41

Воскресенье. Рассвет. Под безоблачным небом яхта на всех парусах стремительно идет на юг. В капитанской каюте глубоким сном спит Эбби. На койке в полудреме лежит Рэй. Откуда-то доносится посапывание Эбанкса.

Митч сидит на палубе, потягивает холодный кофе и внимательно слушает рассуждения Джорджа об искусстве ходить под парусом. Джорджу уже порядком за пятьдесят, волосы свисают длинными седыми прядями, он настолько загорел, что кажется просмоленным. Небольшого роста, жилистый, он походит на Эбанкса. Уроженец Австралии, он вынужден был оставить ее двадцать восемь лет назад, после того как там произошло крупнейшее в истории континента ограбление банка. Вместе со своим напарником он разделил одиннадцать миллионов наличными и в серебре, после чего их пути разошлись. До него дошли слухи, что напарник уже отдал Богу душу.

Джордж было его второе имя, но за двадцать восемь лет он так к нему привык, что забыл настоящее. В Карибское море он попал где-то в конце шестидесятых и, после того как увидел тысячи его крошечных островов, жители которых изъяснялись на английском, решил, что нашел родной дом. Свои деньги он разместил в банках Багам, Белиза, Панамы и, естественно, на Большом Каймане. На обычно пустынном участке пляжа на Малом Каймане он построил резиденцию и последние двадцать с лишним лет жизни провел на тридцатифутовой яхте, шатаясь по всему Карибскому бассейну. Летом и ранней осенью он старался держаться поближе к дому. Но с октября по июнь не сходил с палубы своей яхты, курсируя от острова к острову, и успел побывать уже на трехстах. Однажды он провел два года на одних только Багамах.

— Тут тысячи островов, — говорил он Митчу. — Если ты находишься в вечном движении, то никому не под силу найти тебя здесь.

— А тебя все еще ищут?

— Не знаю. Я ведь не могу позвонить и спросить, сам понимаешь. Но вообще-то я сомневаюсь.

— Где надежнее всего укрыться?

— На судне. У меня отличная маленькая яхта, и когда ты научишься управляться со своей, она станет тебе настоящим домом. Разыщи себе где-нибудь небольшой островок — Малый Кайман или Брак, на обоих почти никого нет — и построй дом. Сделай так, как когда-то сделал я. А большую часть своей жизни будешь проводить на яхте.

— А когда ты перестанешь беспокоиться по поводу того, что тебя все еще могут разыскивать?

— О, об этом я думаю и по сей день, только я уже не беспокоюсь. Ты много унес с собой?

— Восемь миллионов, — ответил Митч.

— Вот и хорошо. У тебя есть деньги, чтобы поступать так, как ты захочешь, вот и забудь обо всем остальном. Перебирайся с острова на остров, и так — всю жизнь. Ведь есть вещи и похуже, как ты сам знаешь.

* * *

Четыре дня они шли в сторону Кубы, потом обогнули ее и направились к Ямайке. Изучали повадки Джорджа и слушали его лекции. После проведенных в Карибском море двадцати лет под парусом он превратился в человека обширнейших познаний и безграничного терпения. Рэй, будучи по натуре лингвистом, вслушивался и заучивал слова типа *спинакер, мачта, носовой полуклюз, корма, кильватер, румпель, фал, топовые огни, ванты, штормовые леера, пиллерс, шкоты, комингсы, транец, взять на гитовы, генуэзский парус, грот, кливер, утлегарь, обшивка* и так далее. Джордж рассказывал о кренговании, о том, как идти в бейдевинд, как держать курс, двигаться в тумане, идти против ветра, как размещать балласт, ориентироваться по карте. Рэй заучивал терминологию, Митч овладевал техникой.

Эбби почти не покидала каюту, улыбаясь только тогда, когда это было необходимо. Жизнь на судне была не совсем тем, о чем она мечтала. Она скучала по дому, размышляла о том, что с ним произойдет. Может, мистер Райс будет иногда подстригать траву и выпалывать сорняки? Она скучала по тенистым улицам, аккуратным газонам, детишкам, разъезжающим на велосипедах. Она вспоминала о Хорси и молилась, чтобы мистер Райс забрал пса к себе. Не могла Эбби не думать и о своих родителях, об их спокойствии и безопасности. Как-то они там? Когда она сможет увидеться с ними? Наверное, через годы, не раньше. Но и с этим можно смириться, знать бы только, что они в порядке, живы и здоровы.

Но никакие мысли не могли отвлечь ее от действительности. От будущего спрятаться было некуда.

На второй день она начала писать письма. Письма родителям, Кей Куин, мистеру Райсу и паре подруг из школы. Письма эти, конечно, никогда не будут отправлены, Эбби знала об этом, но ей становилось легче, когда она доверяла свои мысли бумаге.

Митч замечал все, что происходило с женой, но не пытался ни во что вмешиваться. Да и что он мог ей сказать? Через несколько дней, может, они и поговорят.

К концу четвертого дня, то есть среды, на горизонте показались очертания Большого Каймана. Сделав круг, они встали на якорь в миле от берега. В сумерках Бэрри Эбанкс попрощался с ними. Прощание было простым и недолгим. Эбанкс отчалил от яхты на своем резиновом плотике. Он сказал, что направится в соседний порт, это в трех милях от Боддентауна, а оттуда позвонит кому-нибудь из своих, чтобы за ним приехали. Таким образом, он еще на подъезде к дому будет знать, нет ли поблизости подозрительных субъектов.

Все будет хорошо, заверил он их.

Резиденция Джорджа на Малом Каймане представляла собой небольших размеров главное здание — из дерева, выкрашенного белой краской, рядом стояли два домика поменьше. Постройки располагались в четверти мили от берега, зато совсем рядом был крошечный заливчик. Но даже от него домов видно не было. В самом маленьком из них жила местная женщина, которая следила за порядком в резиденции. Звали ее Фэй.

Макдиров поселили в главном здании. Всеми силами они старались как можно быстрее вжиться в новое окружение, привыкнуть к совершенно иному ритму жизни. Рэй часами бродил по берегу, предпочитая оставаться наедине со своими мыслями. Настроение у него было самое приподнятое, но он не хотел смущать этим брата и его жену. Ежедневно вдвоем с Джорджем они садились на яхту и часами плавали меж островов, основательно накачиваясь виски. Возвращались обычно пьяными.

Первые несколько дней Эбби провела в комнате наверху, сидя у окна, выходившего на маленький залив. Она продолжала писать письма, начала вести дневник. Спала она одна.

Дважды в неделю Фэй садилась за руль «фольксвагена» и отправлялась в город, чтобы закупить продукты и привезти почту. Однажды она вернулась с небольшой посылкой от Бэрри Эбанкса. Джордж передал ее Митчу. В ящичке оказалась бандероль, посланная Дорис Гринвуд на имя Эбанкса. Митч вскрыл толстый конверт и увидел три сложенные газеты: две из Алабамы и одну из Майами.

Заголовки кричали о предъявлении массовых обвинений юристам фирмы «Бендини, Ламберт энд Лок» в Мемфисе. В общей сложности обвинялся пятьдесят один сотрудник фирмы — в том числе и отошедшие несколько лет назад от дел пенсионеры. А в Чикаго в суд были вызваны члены обширного семейства Моролто — тридцать один человек. Генеральный прокурор уведомил общественность, что точка еще не поставлена и обвинения будут предъявлены и другим лицам. Пока же всеобщим взорам предстала лишь верхушка айсберга. Директор ФБР Ф. Дентон Войлс позволил прессе воспроизвести цитату из его выступления, в котором он заявлял, что данная операция нанесла сильнейший удар по организованной преступности в Америке... Это должно послужить последним предупреждением, говорилось в цитате, для всех тех, кто борется с искушением заключить сделку с капиталом сомнительного происхождения.

Сложив газеты, Митч отправился на долгую прогулку по берегу. Отшагав уже изрядно, он уселся на песок в тени пальм. В газете из Атланты были поименно названы все юристы фирмы Бендини, которым предъявили обвинения. Митч медленно скользил взглядом по строкам. Он не испытывал никакой радости, видя знакомые имена. Он даже испытал нечто похожее на жалость к Натану Локу. Но только похожее. Перед ним стояли лица Уолли Хадсона, Кендалла Махана, Джека Олдрича и, наконец, Ламара Куина. Он был знаком с их женами, видел их детей. Устремив взгляд к горизонту, Митч подумал о Ламаре и Кей Куин. Он любил их и ненавидел одновременно. Они помогли фирме очаровать, соблазнить его, да-да, и на них тоже лежала вина за это. Но ведь они были и его друзьями. Какая досада! Может, Ламар, отбыв пару лет в заключении, будет освобожден по амнистии? Может, Кей и детишки как-нибудь переживут это трудное время? Может быть.

— Я люблю тебя, Митч. — Позади него стояла Эбби с пластмассовым кувшином и двумя стаканами в руках.

Он улыбнулся ей, сделал знак рукой, чтобы садилась рядом.

— А что в кувшине?

— Пунш с ромом. Фэй приготовила для нас.

— Крепкий?

Она уселась на песок.

— Почти чистый ром. Я сказала Фэй, что нам необходимо напиться, и она согласилась.

Он крепко обнял ее одной рукой, а другой поднес к губам стакан с пуншем. Оба смотрели вдаль, на маленькую рыбацкую лодочку, видневшуюся среди сверкающих волн.

— Ты очень боишься, Митч?

— Я просто в ужасе.

— И я. Прямо не верится.

— Но мы же сделали это, Эбби! Нам же удалось! Мы живы, мы в безопасности. И мы вместе.

— А что будет завтра? Послезавтра?

— Я не знаю, Эбби. Возможно, будет и хуже, кто его знает. И мое имя тоже может появиться в газете вместе с теми, против кого готовят обвинения сейчас. Вполне вероятно, что мы будем мертвы. Бывают вещи и пострашнее, чем мотаться по Карибскому морю с восемью миллионами в кармане.

— Как ты думаешь, с моими родителями все в порядке?

— Думаю, да. Что выиграют Моролто, причинив вред твоим старикам? У них все хорошо, Эбби.

Она вновь наполнила стаканы и поцеловала его в щеку.

— Я приду в норму, Митч. Если уж мы вместе, я со всем справлюсь.

— Эбби... — Митч поднялся, не сводя глаз с поверхности воды. — Я хочу сделать признание.

— Слушаю тебя.

— По правде говоря, мне никогда не хотелось быть юристом.

— Да ну?

— Нет. В глубине души я всегда мечтал стать моряком.

— Неужели? А тебе приходилось когда-нибудь заниматься любовью на пляже?

На мгновение Митч запнулся:

— М-м... нет.

— Тогда выпей, моряк! Пора бы нам подумать о детях!

Литературно-художественное издание

16+

Гришэм Джон

Фирма

Ответственный редактор Л.А. Кузнецова
Ответственный корректор И.М. Цулая
Компьютерная верстка: Р.В. Рыдалин
Технический редактор О.В. Панкрашина

Общероссийский классификатор продукции
ОК-005-93, том 2; 953000 — книги, брошюры

Наши электронные адреса: WWW.AST.RU
E-mail: astpub@aha.ru

ООО «Издательство АСТ»
127006, г. Москва, ул. Садовая-Триумфальная, д.16, стр.3

Отпечатано с готовых файлов заказчика
в ОАО «Первая Образцовая типография»,
филиал «УЛЬЯНОВСКИЙ ДОМ ПЕЧАТИ»
432980, г. Ульяновск, ул. Гончарова, 14

Литературно-художественное издание

16+

Гришэм Джон

Фирма

Ответственный редактор [illegible]
Ответственный корректор [illegible]
Компьютерная верстка [illegible]
Технический редактор [illegible]

Общероссийский классификатор продукции
ОК-005-93, том 2; 953000 – книги, брошюры

Наш электронный адрес: WWW.AST.RU
E-mail: astpub@aha.ru

ООО «Издательство АСТ»
12[illegible], г. Москва, [illegible]

Отпечатано с готовых файлов заказчика
в ОАО «Первая Образцовая типография»,
филиал «УЛЬЯНОВСКИЙ ДОМ ПЕЧАТИ»
432980, г. Ульяновск, ул. Гончарова, 14